The Gospels

# Matthew

# Mark

# Luke

# John

A Greek-English,
Verse by Verse Translation

Translated by John Cunyus

ISBN# 978-1-936497-35-5
©2017, John G. Cunyus

Greek Text based on
**The New Testament in the Original Greek**
Brooke Foss Westcott
and Fenton John Anthony Hort
(1881, Public Doman)

**Searchlight Press**
*Who are you looking for?*
Publishers of thoughtful Christian books since 1994.
PO Box 554
Henderson, TX 75652-0554
214.662.5494
www.Searchlight-Press.com
www.JohnCunyus.com

D1363731

"Don't be afraid,
yet speak, and don't be silent –
because I am with you,
and no one will impose on you that he harm you,
for *a* great people is Mine in this city!"
**Acts 18:9b-10**

# Table of Contents

# Translator's Note

For the most part, I have tried to make this as close to a word-for-word translation as possible. Verb tenses have been translated as they are, even in cases where the Greek original makes for slightly awkward English.

The exceptions to this word-for-word pattern include most cases of the postpositive δε and the conjunction και, as well as many instances the postpositives γαρ and ουν, and the conjunction αλλα. These words form part of the oral, story-telling culture, serving as aural cues to listeners that one sentence or phrase has ended and another has begun. This role passed through into the written text, which originally had no punctuation or diacritical marks.

However, in a fully punctuated translation, the constant repetition of "yet", "and", "for", and "but" serves more to distract than to edify. For this reason, I have left the majority of these words untranslated, much like the untranslated particle αν.

*Italic Text* indicates words added in the English translation to make better sense of the Greek original. Since Greek lacks an indefinite article ('a' or 'an'), for instance, these must always be added.

Blue Text indicates words spoken by the Father, the Holy Spirit, or the Lord's Angel. The endnote numbering in each Gospel also appears in blue.

Red Text indicates words spoken by Jesus.

Green Text represents quotations from scripture.

Brackets are carried over from the Westcott-Hort original. Single brackets [ ] indicate passages which appear in some, but not all, of the most ancient texts. Double brackets [[ ]] indicate passages which are not well-attested in the most ancient texts, but became part of the *Textus Receptus*. I have repeated these brackets in the English translation.

# When Were the Gospels Written?

No one knows for sure exactly when the Gospels were written. Many modern scholars date them after 70 AD, the year the Temple in Jerusalem was destroyed, for the simple reason that in three of the four Gospels Jesus prophesies the Temple's destruction. Since secular scholars often do not believe that prophecy is a "thing", they must put the date of composition after the event prophesied.

Traditionally, though, the Gospels were believed to have been closer to the events they describe than that. After immersing myself in the Gospels over the course of many years, I've come to conclusion that the traditional view is closer to reality. In my opinion, the Gospels were written roughly as follows:

**Mark** was written around 50 AD, in or around Antioch, in conjunction with the Apostle Peter, after the Jerusalem conference described in Acts 15 showed the need for an authoritative account of Jesus' life and teaching.

**John** was written around the same time and for the same reason as Mark, though independently of Mark's account, in and around the Roman province of Asia. John shows a greater connection to the work of John the Baptist than the other gospels, as well as more of a focus on Jesus' ministry in Judea and Samaria.

**Luke** was written during Paul's imprisonment in Caesarea described in Acts 23:31 and thereafter, in the early 60s, influenced at least in part by some form of Mark's gospel.

**Matthew** was written in and around Jerusalem in the early to mid 60s, prior to the outbreak of the Roman-Jewish War in 67 AD, also influenced at least in part by some form of Mark's gospel.

**Acts** was written during Paul's imprisonment in Rome, described beginning in Acts 28:13.

I base my conjecture on the following:
1. I don't believe prophecy is impossible. The fact that Jesus reportedly foresaw the Temple's destruction does not automatically cause me to assume the accounts were written after that event took place. The fact that an event as epoch-ending as the Temple's destruction is nowhere explicitly mentioned in the New Testament leads me to believe it had not happened when most of the books were written. (I am indebted to Todd Boddy for helping me see this.)

2. Mark's simplicity, his bare-bones account, has long been taken as a sign that his Gospel was the first, and that at least Luke and Matthew had access to it in some form when they sat down to write.

3. John's idiosyncratic account shows evidence of having at least been shaped by an intimate observer of the events described. Instances of this include details about John the Baptist's ministry across the Jordan, the number of pillars at Bethzatha, the fact that barley loaves were the type multiplied at the feeding of the 5000, the number of days Lazarus had been in the tomb, and the like. The relative independence of John's account from that of Mark (though in obvious agreement with him concerning the main events surrounding the crucifixion), says that neither John nor Mark had each other's account before them when they wrote.

4. The fact that Luke refers to his previous volume in his introduction to Acts shows that the account, what we know as the Gospel of Luke, was already written. Luke's association with Paul is noted at several places in scripture, including the "we" passages in Acts. Paul's two year imprisonment in Caesarea seems like the most logical time for Luke to have composed his Gospel. Luke's gospel tells the Advent story largely from the perspective of Mary.

5. Matthew tells his story for a more Judean-focused perspective than Luke. He has Mark's account in some form before him, shaped by his own sources drawn from the Jewish-Christian perspective of Jerusalem. Matthew's gospel tells the Advent story largely from the perspective of Joseph.

6. The level of detail at various points in the Book of Acts argues for a writer with an intimate knowledge of the events described. The fact also that neither Peter's death nor Paul's is recounted argues for those events not having taken place prior to the composition. As stated above, the lack of any reference to the destruction of the Temple is also indicative of the time of composition.

In my opinion, the Gospels in our Bible were all written by the mid-60s AD at the latest. Jesus probably did prophesy the destruction of the Temple. Given the Gospels' proximity to the events described and the relative congruence of the story they tell, we can have a fairly high degree of assurance that they communicate accurately the events described.

I respect the freedom of others to disbelieve, of course. Nevertheless, the excuse that "The Gospels were written long after the events they describe" is readily refuted.

# Note to Teachers

This book can be used at a variety of stages of the development of Greek language students. I recommend starting by teaching the alphabet.

Then, the teacher works from the unpointed, un-punctuated text to teach the diacritical marks and the Greek system of punctuation.

After that, reading comprehension and grammar can be developed.

The fact that the footnote apparatus connects the text to the rest of the scripture can be a springboard to a wider study of the Bible as well.

Don't neglect the value of having students copy the Greek by hand, then learn to add the appropriate diacriticals and punctuation on their own.

# The Greek Alphabet

| Upper Case | Lower Case | English Spelling | Pronunciation |
|:---:|:---:|:---:|:---:|
| A | α | Alpha | a as if f<u>a</u>ther; a as in gl<u>a</u>d |
| B | β | Beta | b as in <u>b</u>oy |
| Γ | γ | Gamma | g as in <u>g</u>irl |
| Δ | δ | Delta | d as in <u>d</u>og |
| E | ε | Epsilon | e as in p<u>e</u>t |
| Z | ζ | Zeta | ds as in su<u>ds</u>y |
| H | η | Eta | ai as in r<u>ai</u>n |
| Θ | θ | Theta | th as in <u>th</u>eater |
| I | ι | Iota | i as in r<u>i</u>d; ee as in f<u>ee</u>t |
| K | κ | Kappa | k as in <u>k</u>ind |
| Λ | λ | Lambda | l as in <u>l</u>ove |
| M | μ | Mu | m as in <u>m</u>uch |
| N | ν | Nu | n as in <u>n</u>ice |
| Ξ | ξ | Xi | ks as in sac<u>ks</u> |
| O | o | Omicron | o as in d<u>o</u>t |
| Π | π | Pi | p as in <u>p</u>aint |

| P | ρ | Rho | r as in <u>r</u>ice |
|---|---|---|---|
| Σ | σ  ς | Sigma | s as in <u>s</u>oul |
| T | τ | Tau | t as in <u>t</u>ea |
| Y | υ | Upsilon | u as in p<u>u</u>p;<br>oo as in b<u>oo</u>t |
| Φ | φ | Phi | ph as in <u>ph</u>ilosophy |
| X | χ | Khi | kh as in Ban<u>kh</u>ead |
| Ψ | ψ | Psi | ps as in lip<u>s</u> |
| Ω | ω | Omega | oa as in l<u>oa</u>n |

## Greek Diphthongs
Diphthongs are combined vowels

αι = long I, as in eye.

ει = long A, as in <u>ei</u>ght

οι = as in English, <u>oi</u>l

αυ = as in s<u>au</u>erkr<u>au</u>t

ου = as in s<u>ou</u>p

ευ/ηυ = as in f<u>eu</u>d

υι = as in s<u>ui</u>te

Other vowel combinations than the ones above are pronounced individually.

## Doubled Consonants with γ
In the case of the doubled consonants γγ, γκ, and γξ,
the first γ is pronounced as an "n".

# NOTES

# Matthew

## Matthew the Apostle:

**Who:** The book has since at least the early 2nd Century of the Common Era been ascribed to Matthew, also called Levi, one of Jesus' original twelve disciples, formerly a tax-collector. His name appears in the gospel at Matthew 9:9 and 10:3, though nowhere within the gospel is he identified as the author. Matthew's name recurs at Mark 3:18, Luke 6:15, and Acts 1:13. As Levi, he appears at Mark 2:14, Luke 3:24-25, and Luke 5:27-29.

**What:** The Gospel According to Matthew is an account of the life and ministry of Jesus, written from the perspective of a 1st Century AD Jewish-Christian rabbinical scribe, or writer.

**When:** Many contemporary scholars believe Matthew was written in the last third of the First Century AD, between 67 and 100. The exact dates are unknown.

**Where:** The Gospel reflects a setting within the Judean Christian community, whether in the Holy Land itself or perhaps in what is now Syria. The exact location of its writing is unknown.

**Why:** Matthew writes his account to present Jesus Christ and the way of life Jesus taught, in the context of Israel's life and scriptures.

# Outline of Matthew

## Matthew 1
### The Generations of Jesus Christ
**1:1** βιβλος γενεσεως ιησου χριστου
υιου δαυιδ υιου αβρααμ
Book of beginnings of Jesus[1] Christ[2],
David's[3] son, Abraham's[4] son.

### Abraham to David
**1:2** αβρααμ εγεννησεν τον ισαακ
ισαακ δε εγεννησεν τον ιακωβ ιακωβ
δε εγεννησεν τον ιουδαν και τους
αδελφους αυτου
Abraham fathered Isaac[5], and Isaac
fathered Jacob[6], and Jacob fathered
Judah[7] and his brothers.
**1:3** ιουδας δε εγεννησεν τον φαρες
και τον ζαρα εκ της θαμαρ φαρες δε
εγεννησεν τον εσρωμ εσρωμ δε
εγεννησεν τον αραμ
Judah fathered Pharez[8] and Zarah[9]
from Tamar[10], and Pharez fathered
Esrom[11], and Esrom fathered Aram[12].
**1:4** αραμ δε εγεννησεν τον
αμιναδαβ αμιναδαβ δε εγεννησεν τον
ναασσων ναασσων δε εγεννησεν τον
σαλμων
Aram fathered Aminadab[13], and
Aminadab fathered Naasson[14], and
Naasson fathered Salmon[15].
**1:5** σαλμων δε εγεννησεν τον βοες
εκ της ραχαβ βοες δε εγεννησεν τον
ιωβηδ εκ της ρουθ ιωβηδ δε
εγεννησεν τον ιεσσαι
Salmon fathered Boaz[16] from Rahab,
and Boaz fathered Jobed[17] from
Ruth[18], and Jobed fathered Jesse[19].

### David to the Exile
**1:6** ιεσσαι δε εγεννησεν τον δαυιδ
τον βασιλεα δαυιδ δε εγεννησεν τον

σολομωνα εκ της του ουριου
Jesse fathered David the king, and
David fathered Solomon[20] from the
*wife* of Uriah[21].
**1:7** σολομων δε εγεννησεν τον
ροβοαμ ροβοαμ δε εγεννησεν τον
αβια αβια δε εγεννησεν τον ασαφ
Solomon fathered Rehoboam[22], and
Rehoboam fathered Abijah[23], and
Abijah fathered Asaph[24].
**1:8** ασαφ δε εγεννησεν τον ιωσαφατ
ιωσαφατ δε εγεννησεν τον ιωραμ
ιωραμ δε εγεννησεν τον οζιαν
Asaph fathered Jehoshaphat[25], and
Jehoshaphat fathered Joram[26], and
Joram fathered Uzziah[27].
**1:9** οζιας δε εγεννησεν τον ιωαθαμ
ιωαθαμ δε εγεννησεν τον αχας αχας
δε εγεννησεν τον εζεκιαν
Uzziah fathered Joatham[28], and
Joatham fathered Ahaz[29], and Ahaz
fathered Hezekiah[30].
**1:10** εζεκιας δε εγεννησεν τον
μανασση μανασσης δε εγεννησεν
τον αμως αμως δε εγεννησεν τον
ιωσιαν
Hezekiah fathered Manasseh[31], and
Manasseh fathered Amos[32], and
Amos fathered Josiah[33].
**1:11** ιωσιας δε εγεννησεν τον
ιεχονιαν και τους αδελφους αυτου
επι της μετοικεσιας βαβυλωνος
Josiah fathered Jechoniah[34] and his
brothers, at the carrying off of
Babylon.

### The Exile to Joseph
**1:12** μετα δε την μετοικεσιαν
βαβυλωνος ιεχονιας εγεννησεν τον
σαλαθιηλ σαλαθιηλ δε εγεννησεν

τον ζοροβαβελ
After the carrying off of Babylon, Jechoniah fathered Salamiel[35], and Salamiel fathered Zerubbabel[36].

**1:13** ζοροβαβελ δε εγεννησεν τον αβιουδ αβιουδ δε εγεννησεν τον ελιακιμ ελιακιμ δε εγεννησεν τον αζωρ
Zerubbabel fathered Abiud, and Abiud fathered Eliakim, and Eliakim fathered Azor.

**1:14** αζωρ δε εγεννησεν τον σαδωκ σαδωκ δε εγεννησεν τον αχιμ αχιμ δε εγεννησεν τον ελιουδ
Azor fathered Zadok, and Zadok fathered Achim, and Achim fathered Eliud.

**1:15** ελιουδ δε εγεννησεν τον ελεαζαρ ελεαζαρ δε εγεννησεν τον ματθαν ματθαν δε εγεννησεν τον ιακωβ
Eliud fathered Eleazar, and Eleazar fathered Matthan, and Matthan fathered Jacob.

**1:16** ιακωβ δε εγεννησεν τον ιωσηφ τον ανδρα μαριας εξ ης εγεννηθη ιησους ο λεγομενος χριστος
Jacob fathered Joseph[37], the husband of Mary[38], from whom was born Jesus, the *one* called Christ.

**1:17** πασαι ουν αι γενεαι απο αβρααμ εως δαυιδ γενεαι δεκατεσσαρες και απο δαυιδ εως της μετοικεσιας βαβυλωνος γενεαι δεκατεσσαρες και απο της μετοικεσιας βαβυλωνος εως του χριστου γενεαι δεκατεσσαρες
Therefore, all the generations from Abraham to David were fourteen generations, and from David to the carrying off of Babylon fourteen generations, and from the carrying off of Babylon to Christ fourteen generations.

## Christ's Birth

**1:18** του δε [ιησου] χριστου η γενεσις ουτως ην μνηστευθεισης της μητρος αυτου μαριας τω ιωσηφ πριν η συνελθειν αυτους ευρεθη εν γαστρι εχουσα εκ πνευματος αγιου
The beginning of [Jesus] Christ was thus: his mother Mary being engaged to Joseph, before their coming together, she was found having in *the* womb from Holy Spirit.

**1:19** ιωσηφ δε ο ανηρ αυτης δικαιος ων και μη θελων αυτην δειγματισαι εβουληθη λαθρα απολυσαι αυτην
Joseph her husband, being righteous and not wanting to make *a* spectacle of her, considered to let her go secretly.

**1:20** ταυτα δε αυτου ενθυμηθεντος ιδου αγγελος κυριου κατ οναρ εφανη αυτω λεγων ιωσηφ υιος δαυιδ μη φοβηθης παραλαβειν μαριαν την γυναικα σου το γαρ εν αυτη γεννηθεν εκ πνευματος εστιν αγιου
*While* he *was* pondering these *things*, look! The Lord's angel appeared to him in *a* dream, saying, "Joseph, David's son, don't be afraid to take Mary your wife, for the *one* conceived in her is from Holy Spirit.

**1:21** τεξεται δε υιον και καλεσεις το ονομα αυτου ιησουν αυτος γαρ σωσει τον λαον αυτου απο των αμαρτιων αυτων
"She will birth *a* son, and you will

call his name Jesus, for he will save his people from their sins."

## Prophecy Fulfilled

**1:22** τουτο δε ολον γεγονεν ινα πληρωθη το ρηθεν υπο κυριου δια του προφητου λεγοντος

All this happened that the word from the Lord through the prophet might be fulfilled:

**1:23** ιδου η παρθενος εν γαστρι εξει και τεξεται υιον και καλεσουσιν το ονομα αυτου εμμανουηλ ο εστιν μεθερμηνευομενον μεθ ημων ο θεος

"Look! The virgin will have
*a baby* in the womb,
and will birth a son,
and they will call his name
Emmanuel"
(which is, interpreted,
God *is* with us)[39].

## Joseph Obeys

**1:24** εγερθεις δε [ο] ιωσηφ απο του υπνου εποιησεν ως προσεταξεν αυτω ο αγγελος κυριου και παρελαβεν την γυναικα αυτου

Joseph, getting up from sleep, did as the Lord's angel commanded him, and took his wife.

**1:25** και ουκ εγινωσκεν αυτην εως [ου] ετεκεν υιον και εκαλεσεν το ονομα αυτου ιησουν

He did not know her until she had birthed *a* son, and he called his name Jesus.

## Matthew 2
## Magi Come Seeking Jesus

**2:1** του δε ιησου γεννηθεντος εν βηθλεεμ της ιουδαιας εν ημεραις ηρωδου του βασιλεως ιδου μαγοι απο ανατολων παρεγενοντο εις ιεροσολυμα

Of the birth of Jesus in Bethlehem[40] of Judea in the days of Herod[41] the king, look! Magi[42] from the east came to Jerusalem[43],

**2:2** λεγοντες που εστιν ο τεχθεις βασιλευς των ιουδαιων ειδομεν γαρ αυτου τον αστερα εν τη ανατολη και ηλθομεν προσκυνησαι αυτω

saying, "Where is the *one* born king of the Jews, for we have seen his star in the east and come to worship him?"

**2:3** ακουσας δε ο βασιλευς ηρωδης εταραχθη και πασα ιεροσολυμα μετ αυτου

King Herod, hearing, was troubled, and all Jerusalem with him.

**2:4** και συναγαγων παντας τους αρχιερεις και γραμματεις του λαου επυνθανετο παρ αυτων που ο χριστος γενναται

Gathering all the high priests and writers of the people, he inquired from them where the Christ is born.

**2:5** οι δε ειπαν αυτω εν βηθλεεμ της ιουδαιας ουτως γαρ γεγραπται δια του προφητου

They answered him, "In Bethlehem of Judea, for it is written so through the prophet:

**2:6** και συ βηθλεεμ γη ιουδα ουδαμως ελαχιστη ει εν τοις ηγεμοσιν ιουδα εκ σου γαρ εξελευσεται ηγουμενος οστις ποιμανει τον λαον μου τον ισραηλ

"'And you,
Bethlehem of Judah's land,
you are by no means least
among the rulers of Judah,
for a ruler will come out from you
who will shepherd
My people Israel.'"[44]

**2:7** τοτε ηρωδης λαθρα καλεσας τους μαγους ηκριβωσεν παρ αυτων τον χρονον του φαινομενου αστερος
Then Herod, secretly calling the Magi, found out from them the time of the star's appearing.

**2:8** και πεμψας αυτους εις βηθλεεμ ειπεν πορευθεντες εξετασατε ακριβως περι του παιδιου επαν δε ευρητε απαγγειλατε μοι οπως καγω ελθων προσκυνησω αυτω
Sending them to Bethlehem, he said, "Going, investigate carefully about the child. Yet as soon as you find, send to me too, and I, coming, will worship him."

### The Magi Find the Boy

**2:9** οι δε ακουσαντες του βασιλεως επορευθησαν και ιδου ο αστηρ ον ειδον εν τη ανατολη προηγεν αυτους εως ελθων εσταθη επανω ου ην το παιδιον
Hearing the king, they went, and look! The star which they saw in the east went ahead of them until, coming, it stood over where the child was.

**2:10** ιδοντες δε τον αστερα εχαρησαν χαραν μεγαλην σφοδρα
Seeing the star, they rejoiced with overwhelmingly great joy.

**2:11** και ελθοντες εις την οικιαν ειδον το παιδιον μετα μαριας της μητρος αυτου και πεσοντες προσεκυνησαν αυτω και ανοιξαντες τους θησαυρους αυτων προσηνεγκαν αυτω δωρα χρυσον και λιβανον και σμυρναν
Going into the house, they saw the child with Mary his mother and, falling down, they worshiped him. Opening their treasures, they offered him gifts: gold, and incense, and myrrh.

**2:12** και χρηματισθεντες κατ οναρ μη ανακαμψαι προς ηρωδην δι αλλης οδου ανεχωρησαν εις την χωραν αυτων
Having been warned in *a* dream not to go back to Herod, they went away into their country by another road.

### The Lord's Angel Warns Joseph

**2:13** αναχωρησαντων δε αυτων ιδου αγγελος κυριου φαινεται κατ οναρ τω ιωσηφ λεγων εγερθεις παραλαβε το παιδιον και την μητερα αυτου και φευγε εις αιγυπτον και ισθι εκει εως αν ειπω σοι μελλει γαρ ηρωδης ζητειν το παιδιον του απολεσαι αυτο
As they were leaving, look! The Lord's angel appeared in *a* dream to Joseph, saying, "Getting up, take the child and his mother, and flee into Egypt[45], and stay there until I tell you. For Herod is about to seek the child to kill it."

**2:14** ο δε εγερθεις παρελαβεν το παιδιον και την μητερα αυτου νυκτος και ανεχωρησεν εις αιγυπτον

Getting up, he took the child and his mother by night and went away into Egypt.

**2:15** και ην εκει εως της τελευτης ηρωδου ινα πληρωθη το ρηθεν υπο κυριου δια του προφητου λεγοντος εξ αιγυπτου εκαλεσα τον υιον μου

He was there until the death of Herod, that the word of the Lord through the prophet might be fulfilled, saying,

"I called my son out of Egypt."[46]

### Herod's Murderous Rampage

**2:16** τοτε ηρωδης ιδων οτι ενεπαιχθη υπο των μαγων εθυμωθη λιαν και αποστειλας ανειλεν παντας τους παιδας τους εν βηθλεεμ και εν πασιν τοις οριοις αυτης απο διετους και κατωτερω κατα τον χρονον ον ηκριβωσεν παρα των μαγων

Then Herod, seeing that he had been fooled by the Magi, was greatly angry. Sending *soldiers*, he killed all the children in Bethlehem and in all her surroundings from two years of age and below, according to the time which he had determined from the Magi.

**2:17** τοτε επληρωθη το ρηθεν δια ιερεμιου του προφητου λεγοντος

Then the word through Jeremiah the prophet was fulfilled, saying,

**2:18** φωνη εν ραμα ηκουσθη κλαυθμος και οδυρμος πολυς ραχηλ κλαιουσα τα τεκνα αυτης και ουκ ηθελεν παρακληθηναι οτι ουκ εισιν

"*A* voice was heard in Rama[47],
great weeping and wailing,
Rachel weeping for her children.
She wouldn't be consoled,
because they are not."[48]

### The Family Returns from Egypt

**2:19** τελευτησαντος δε του ηρωδου ιδου αγγελος κυριου φαινεται κατ οναρ τω ιωσηφ εν αιγυπτω

*After* the death of Herod, look! The Lord's angel appeared in *a* dream to Joseph in Egypt,

**2:20** λεγων εγερθεις παραλαβε το παιδιον και την μητερα αυτου και πορευου εις γην ισραηλ τεθνηκασιν γαρ οι ζητουντες την ψυχην του παιδιου

saying, "Getting up, take the child and his mother and go into Israel's land, for the *ones* seeking the child's soul are dead."

**2:21** ο δε εγερθεις παρελαβεν το παιδιον και την μητερα αυτου και εισηλθεν εις γην ισραηλ

Getting up, he took the child and his mother, and went into Israel's land.

**2:22** ακουσας δε οτι αρχελαος βασιλευει της ιουδαιας αντι του πατρος αυτου ηρωδου εφοβηθη εκει απελθειν χρηματισθεις δε κατ οναρ ανεχωρησεν εις τα μερη της γαλιλαιας

Hearing that Archelaus reigned in Judea in his father Herod's place, he was afraid to go there. Warned in *a* dream, he went away into the regions of Galilee[49].

**2:23** και ελθων κατωκησεν εις πολιν λεγομενην ναζαρετ οπως πληρωθη το ρηθεν δια των προφητων οτι ναζωραιος κληθησεται

Going *there*, he lived in *a* city called Nazareth[50], so that the word through the prophet might be fulfilled that,

"He will be called *a* Nazarene."[51]

## Matthew 3
## John the Baptist Preaches

**3:1** εν δε ταις ημεραις εκειναις παραγινεται ιωαννης ο βαπτιστης κηρυσσων εν τη ερημω της ιουδαιας

In those days, John the Baptist appeared preaching in the desert of Judea,

**3:2** λεγων μετανοειτε ηγγικεν γαρ η βασιλεια των ουρανων

saying, "Repent, for the kingdom of the skies has come near!"

**3:3** ουτος γαρ εστιν ο ρηθεις δια ησαιου του προφητου λεγοντος φωνη βοωντος εν τη ερημω ετοιμασατε την οδον κυριου ευθειας ποιειτε τας τριβους αυτου

He is the *one* spoken of through Isaiah the prophet, saying,

"*A* voice crying out in the desert,
    'Prepare the Lord's way!
    Make His paths straight!'"[52]

**3:4** αυτος δε ο ιωαννης ειχεν το ενδυμα αυτου απο τριχων καμηλου και ζωνην δερματινην περι την οσφυν αυτου η δε τροφη ην αυτου

ακριδες και μελι αγριον

John himself had clothing of camel hair and *a* leather belt around his waist, and his food was locusts and wild honey.

## The People Respond to John

**3:5** τοτε εξεπορευετο προς αυτον ιεροσολυμα και πασα η ιουδαια και πασα η περιχωρος του ιορδανου

Then Jerusalem and all Judea and all the region of the Jordan[53] went out to him,

**3:6** και εβαπτιζοντο εν τω ιορδανη ποταμω υπ αυτου εξομολογουμενοι τας αμαρτιας αυτων

and were baptized by him in the Jordan river, speaking out their sins.

## John's Message

**3:7** ιδων δε πολλους των φαρισαιων και σαδδουκαιων ερχομενους επι το βαπτισμα ειπεν αυτοις γεννηματα εχιδνων τις υπεδειξεν υμιν φυγειν απο της μελλουσης οργης

Seeing many of the Pharisees and Sadducees coming to the baptism, he said to them, "Vipers' spawn! Who warned you to flee from the coming anger?

**3:8** ποιησατε ουν καρπον αξιον της μετανοιας

"Make fruit, then, worthy of repentance,

**3:9** και μη δοξητε λεγειν εν εαυτοις πατερα εχομεν τον αβρααμ λεγω γαρ υμιν οτι δυναται ο θεος εκ των λιθων τουτων εγειραι τεκνα τω αβρααμ

"and don't presume to say among yourselves, 'We have Abraham *as* father.' For I say to you that God is able to raise up children to Abraham from these stones.

**3:10** ηδη δε η αξινη προς την ριζαν των δενδρων κειται παν ουν δενδρον μη ποιουν καρπον καλον εκκοπτεται και εις πυρ βαλλεται

"The axe is already placed at the root of the trees. Then every tree not making good fruit is cut down and thrown into fire.

**3:11** εγω μεν υμας βαπτιζω εν υδατι εις μετανοιαν ο δε οπισω μου ερχομενος ισχυροτερος μου εστιν ου ουκ ειμι ικανος τα υποδηματα βαστασαι αυτος υμας βαπτισει εν πνευματι αγιω και πυρι

"I baptize you in water to repentance, yet the *one* coming after me is mightier than me, whom I am not worthy to carry the sandals. He will baptize you in Holy Spirit and fire;

**3:12** ου το πτυον εν τη χειρι αυτου και διακαθαριει την αλωνα αυτου και συναξει τον σιτον αυτου εις την αποθηκην το δε αχυρον κατακαυσει πυρι ασβεστω

"whose winnowing fan is in his hand, and he will clean out the threshing floor, and gather his wheat together into the barn. Yet he will burn up the chaff with unquenchable fire."

### Jesus' Baptism

**3:13** τοτε παραγινεται ο ιησους απο της γαλιλαιας επι τον ιορδανην προς τον ιωαννην του βαπτισθηναι υπ αυτου

Then Jesus came from Galilee to the Jordan to John, to be baptized by him.

**3:14** ο δε διεκωλυεν αυτον λεγων εγω χρειαν εχω υπο σου βαπτισθηναι και συ ερχη προς με

He began to stop him, saying, "I have need to be baptized by you, and you come to me?"

**3:15** αποκριθεις δε ο ιησους ειπεν αυτω αφες αρτι ουτως γαρ πρεπον εστιν ημιν πληρωσαι πασαν δικαιοσυνην τοτε αφιησιν αυτον

Answering, Jesus said to him, "Allow it now, for it is fitting so for us to fulfill all righteousness."

Then he allowed him.

**3:16** βαπτισθεις δε ο ιησους ευθυς ανεβη απο του υδατος και ιδου ηνεωχθησαν οι ουρανοι και ειδεν πνευμα θεου καταβαινον ωσει περιστεραν ερχομενον επ αυτον

Jesus, baptized, came up at once from the water, and look! The skies were opened, and he saw God's Spirit coming down like *a* dove, coming on him.

**3:17** και ιδου φωνη εκ των ουρανων λεγουσα ουτος εστιν ο υιος μου ο αγαπητος εν ω ευδοκησα

Look! A voice *came* from the skies, saying,

"This is My beloved son, in whom I am pleased."

## Matthew 4
## The Temptation

**4:1** τοτε [ο] ιησους ανηχθη εις την ερημον υπο του πνευματος πειρασθηναι υπο του διαβολου
Then Jesus went away into the desert by the Spirit to be tested by the devil.
**4:2** και νηστευσας ημερας τεσσερακοντα και νυκτας τεσσερακοντα υστερον επεινασεν
Fasting forty days and forty nights, afterwards he was hungry.
**4:3** και προσελθων ο πειραζων ειπεν αυτω ει υιος ει του θεου ειπον ινα οι λιθοι ουτοι αρτοι γενωνται
The tempter, coming near, said to him, "If you are God's son, say that the stones become bread."

**4:4** ο δε αποκριθεις ειπεν γεγραπται ουκ επ αρτω μονω ζησεται ο ανθρωπος αλλ επι παντι ρηματι εκπορευομενω δια στοματος θεου
Answering, he said, "It is written,

'The man will not live
by bread only,
but by every word coming out
through God's mouth.'⁵⁴

**4:5** τοτε παραλαμβανει αυτον ο διαβολος εις την αγιαν πολιν και εστησεν αυτον επι το πτερυγιον του ιερου
Then the devil takes him into the holy city, and he stood him on the highest point of the temple.
**4:6** και λεγει αυτω ει υιος ει του θεου βαλε σεαυτον κατω γεγραπται γαρ οτι τοις αγγελοις αυτου

εντελειται περι σου και επι χειρων αρουσιν σε μηποτε προσκοψης προς λιθον τον ποδα σου
He says to him, "If you are God's son throw yourself down, for it is written that,

'He will command
His angels about you,
that they take you up on their hands
lest perhaps you strike
your foot on *a* stone.'"⁵⁵

**4:7** εφη αυτω ο ιησους παλιν γεγραπται ουκ εκπειρασεις κυριον τον θεον σου
Jesus said to him, "Again is it written,

'You will not tempt
the Lord your God."⁵⁶

**4:8** παλιν παραλαμβανει αυτον ο διαβολος εις ορος υψηλον λιαν και δεικνυσιν αυτω πασας τας βασιλειας του κοσμου και την δοξαν αυτων
Again, the devil takes him to *an* exceedingly high mountain, and shows him all the kingdoms of the world and their glory.
**4:9** και ειπεν αυτω ταυτα σοι παντα δωσω εαν πεσων προσκυνησης μοι
He says to him, "I will give all these to you if, falling down, you worship me."

**4:10** τοτε λεγει αυτω ο ιησους υπαγε σατανα γεγραπται γαρ κυριον τον θεον σου προσκυνησεις και αυτω μονω λατρευσεις

Then Jesus says to him, "Go, Satan[57], for it is written,

'You will worship
the Lord your God,
and serve Him alone.'"[58]

**4:11** τοτε αφιησιν αυτον ο διαβολος και ιδου αγγελοι προσηλθον και διηκονουν αυτω
Then the devil lets him go and, look! Angels came and began serving him.

### Jesus Returns to Galilee

**4:12** ακουσας δε οτι ιωαννης παρεδοθη ανεχωρησεν εις την γαλιλαιαν
Hearing that John was handed over, he went away into Galilee.

**4:13** και καταλιπων την ναζαρα ελθων κατωκησεν εις καφαρναουμ την παραθαλασσιαν εν οριοις ζαβουλων και νεφθαλιμ
Leaving Nazareth, going, he settled in Capernaum[59], the seaside *one*, in the territories of Zebulon and Nephthali,

**4:14** ινα πληρωθη το ρηθεν δια ησαιου του προφητου λεγοντος
that the word through Isaiah the prophet might be fulfilled, saying,

**4:15** γη ζαβουλων και γη νεφθαλιμ οδον θαλασσης περαν του ιορδανου γαλιλαια των εθνων

"Zebulon's Land
and Nephthali's land,
sea's road beyond the Jordan,
Galilee of the nations:

**4:16** ο λαος ο καθημενος εν σκοτια φως ειδεν μεγα και τοις καθημενοις εν χωρα και σκια θανατου φως ανετειλεν αυτοις
"the people seated in darkness
saw *a* great light,
and to the ones seated
in death's country and shadow,
light has risen to them."[60]

### Jesus Begins to Preach, Calls Disciples

**4:17** απο τοτε ηρξατο ο ιησους κηρυσσειν και λεγειν μετανοειτε ηγγικεν γαρ η βασιλεια των ουρανων
From then Jesus began to preach and to say, "Repent, for the kingdom of the skies has come near."

**4:18** περιπατων δε παρα την θαλασσαν της γαλιλαιας ειδεν δυο αδελφους σιμωνα τον λεγομενον πετρον και ανδρεαν τον αδελφον αυτου βαλλοντας αμφιβληστρον εις την θαλασσαν ησαν γαρ αλιεις
Walking along by the sea of Galilee, he saw two brothers, Simon[61], the *one* called Peter[62], and Andrew[63] his brother, casting nets into the sea, for they were fishermen.

**4:19** και λεγει αυτοις δευτε οπισω μου και ποιησω υμας αλιεις ανθρωπων
He says to them, "Come after me, and I will make you fishers of men."

**4:20** οι δε ευθεως αφεντες τα δικτυα ηκολουθησαν αυτω
Leaving the nets at once, they followed him.

**4:21** και προβας εκειθεν ειδεν αλλους δυο αδελφους ιακωβον τον του ζεβεδαιου και ιωαννην τον αδελφον αυτου εν τω πλοιω μετα ζεβεδαιου του πατρος αυτων καταρτιζοντας τα δικτυα αυτων και εκαλεσεν αυτους

Moving forward from there, he saw two other brothers, Jacob[64], the *one* of Zebedee[65], and John[66] his brother, in *a* boat with Zebedee their father, cleaning their nets – and he called them.

**4:22** οι δε ευθεως αφεντες το πλοιον και τον πατερα αυτων ηκολουθησαν αυτω

Leaving the boat and their father at once, they followed him.

### Jesus' Ministry in Galilee

**4:23** και περιηγεν εν ολη τη γαλιλαια διδασκων εν ταις συναγωγαις αυτων και κηρυσσων το ευαγγελιον της βασιλειας και θεραπευων πασαν νοσον και πασαν μαλακιαν εν τω λαω

He went around the whole of Galilee teaching in their synagogues, and preaching the gospel of the kingdom, and healing all disease and all sickness among the people.

**4:24** και απηλθεν η ακοη αυτου εις ολην την συριαν και προσηνεγκαν αυτω παντας τους κακως εχοντας ποικιλαις νοσοις και βασανοις συνεχομενους δαιμονιζομενους και σεληνιαζομενους και παραλυτικους και εθεραπευσεν αυτους

His fame went out into all Syria[67], and they brought him all those having harms, held fast by various illnesses and torments, demonized and epileptic and paralyzed, and he healed them.

**4:25** και ηκολουθησαν αυτω οχλοι πολλοι απο της γαλιλαιας και δεκαπολεως και ιεροσολυμων και ιουδαιας και περαν του ιορδανου

Many crowds followed him from Galilee, and Decapolis[68], and Jerusalem, and Judea, and beyond the Jordan.

### Matthew 5
### The Sermon on the Mount

**5:1** ιδων δε τους οχλους ανεβη εις το ορος και καθισαντος αυτου προσηλθαν [αυτω] οι μαθηται αυτου

Seeing the crowds, he went up onto *a* mountain and, *while* he *was* sitting, his disciples came [to him].

**5:2** και ανοιξας το στομα αυτου εδιδασκεν αυτους λεγων

Opening his mouth, he began teaching them, saying,

### The Beatitudes

**5:3** μακαριοι οι πτωχοι τω πνευματι οτι αυτων εστιν η βασιλεια των ουρανων

"Blessed *are* the poor in spirit,
for the kingdom of the skies
is theirs.

**5:4** μακαριοι οι πενθουντες οτι αυτοι παρακληθησονται

"Blessed *are* the grieving,
for they will be encouraged.

**5:5** μακαριοι οι πραεις οτι αυτοι κληρονομησουσιν την γην

"Blessed *are* the gentle,
for they will inherit the earth.

**5:6** μακαριοι οι πεινωντες και
διψωντες την δικαιοσυνην οτι αυτοι
χορτασθησονται

"Blessed *are* the *ones*
hungering and thirsting
for righteousness,
for they will be fed.

**5:7** μακαριοι οι ελεημονες οτι αυτοι
ελεηθησονται

"Blessed *are* the merciful,
for they will receive mercy.

**5:8** μακαριοι οι καθαροι τη καρδια
οτι αυτοι τον θεον οψονται

"Blessed *are* the clean in heart,
for they will see God.

**5:9** μακαριοι οι ειρηνοποιοι οτι
[αυτοι] υιοι θεου κληθησονται

"Blessed *are* the peacemakers,
for [they] will be called God's sons.

**5:10** μακαριοι οι δεδιωγμενοι ενεκεν
δικαιοσυνης οτι αυτων εστιν η
βασιλεια των ουρανων

"Blessed *are* the *ones*
persecuted for righteousness' sake,
for the kingdom of the skies
is theirs.

**5:11** μακαριοι εστε οταν ονειδισωσιν
υμας και διωξωσιν και ειπωσιν παν
πονηρον καθ υμων ψευδομενοι
ενεκεν εμου

"You are blessed when they insult
you and persecute and say every evil
against you for my sake, lying.

**5:12** χαιρετε και αγαλλιασθε οτι ο
μισθος υμων πολυς εν τοις ουρανοις
ουτως γαρ εδιωξαν τους προφητας
τους προ υμων

"Rejoice and be glad, for your
reward *is* great in the skies, for so
they persecuted the prophets, those
before you.

## Salt and Light

**5:13** υμεις εστε το αλας της γης εαν
δε το αλας μωρανθη εν τινι
αλισθησεται εις ουδεν ισχυει ετι ει
μη βληθεν εξω καταπατεισθαι υπο
των ανθρωπων

"You are the salt of earth. Yet if the
salt becomes tasteless, how can it be
salted? It is useful still for nothing
except *to be* thrown out, trampled on
by men.

**5:14** υμεις εστε το φως του κοσμου
ου δυναται πολις κρυβηναι επανω
ορους κειμενη

"You are the light of the world. *A*
city laid out on *a* mountain can't be
hidden,

**5:15** ουδε καιουσιν λυχνον και
τιθεασιν αυτον υπο τον μοδιον αλλ
επι την λυχνιαν και λαμπει πασιν
τοις εν τη οικια

"nor do they light *a* lamp and put it
under *a* basket, yet on *a* lamp stand,
and it lights up all those in the house.

**5:16** ουτως λαμψατω το φως υμων
εμπροσθεν των ανθρωπων οπως
ιδωσιν υμων τα καλα εργα και
δοξασωσιν τον πατερα υμων τον εν
τοις ουρανοις

"Let your light shine so before men
that they may see your good works
and glorify your Father, the *One* in
the skies.

## The Law and the Prophets

**5:17** μη νομισητε οτι ηλθον καταλυσαι τον νομον η τους προφητας ουκ ηλθον καταλυσαι αλλα πληρωσαι

"Don't think that I came to undo the law or the prophets. I didn't come to undo but to fulfill.

**5:18** αμην γαρ λεγω υμιν εως αν παρελθη ο ουρανος και η γη ιωτα εν η μια κεραια ου μη παρελθη απο του νομου εως [αν] παντα γενηται

"Amen I say to you, until the sky and the earth pass away, not one iota or one small mark will pass away from the law until all comes to be.

**5:19** ος εαν ουν λυση μιαν των εντολων τουτων των ελαχιστων και διδαξη ουτως τους ανθρωπους ελαχιστος κληθησεται εν τη βασιλεια των ουρανων ος δ αν ποιηση και διδαξη ουτος μεγας κληθησεται εν τη βασιλεια των ουρανων

"Whoever then undoes one of the least of these commandments and teaches men so will be called least in the kingdom of the skies. Yet whoever does and teaches, this *one* will be called great in the kingdom of the skies.

**5:20** λεγω γαρ υμιν οτι εαν μη περισσευση υμων η δικαιοσυνη πλειον των γραμματεων και φαρισαιων ου μη εισελθητε εις την βασιλειαν των ουρανων

"I say to you that if your righteousness does not exceed beyond the writers and Pharisees, you will by no means go into the kingdom of the skies.

## But I Say to You . . .

**5:21** ηκουσατε οτι ερρεθη τοις αρχαιοις ου φονευσεις ος δ αν φονευση ενοχος εσται τη κρισει

"You've heard that it was said to the ancients,

'You will not kill.
Whoever kills
will be liable to judgment.'[69]

**5:22** εγω δε λεγω υμιν οτι πας ο οργιζομενος τω αδελφω αυτου ενοχος εσται τη κρισει ος δ αν ειπη τω αδελφω αυτου ρακα ενοχος εσται τω συνεδριω ος δ αν ειπη μωρε ενοχος εσται εις την γεενναν του πυρος

"Yet I say to you that each *one* angry with his brother will be liable to judgment. Whoever says to his brother 'Idiot'[70] will be liable to the Sanhedrin. Whoever says 'Worthless fool' will be liable to the Gehenna[71] of fire.

## Make Reconciliation a Priority

**5:23** εαν ουν προσφερης το δωρον σου επι το θυσιαστηριον κακει μνησθης οτι ο αδελφος σου εχει τι κατα σου

"If, then, you bring your gift to the altar, remembering there that your brother has something against you,

**5:24** αφες εκει το δωρον σου εμπροσθεν του θυσιαστηριου και υπαγε πρωτον διαλλαγηθι τω αδελφω σου και τοτε ελθων προσφερε το δωρον σου

"leave your gift there before the altar

and go. First be reconciled to your brother, and then, coming, bring your gift.

**5:25** ισθι ευνοων τω αντιδικω σου ταχυ εως οτου ει μετ αυτου εν τη οδω μηποτε σε παραδω ο αντιδικος τω κριτη και ο κριτης τω υπηρετη και εις φυλακην βληθηση

"Make friends with your opponent quickly while you are still with him on the road, unless the opponent hand you over to the judge, and the judge to the keeper, and you be thrown into jail.

**5:26** αμην λεγω σοι ου μη εξελθης εκειθεν εως αν αποδως τον εσχατον κοδραντην

"Amen I say to you, you will not go out from there until you pay back the last penny.

## Watch Out for Lust

**5:27** ηκουσατε οτι ερρεθη ου μοιχευσεις

"You've heard that it was said,

'You will not commit adultery.'[72]

**5:28** εγω δε λεγω υμιν οτι πας ο βλεπων γυναικα προς το επιθυμησαι [αυτην] ηδη εμοιχευσεν αυτην εν τη καρδια αυτου

"Yet I say to you that everyone looking at *a* woman to lust over her has already committed adultery with her in his heart.

**5:29** ει δε ο οφθαλμος σου ο δεξιος σκανδαλιζει σε εξελε αυτον και βαλε απο σου συμφερει γαρ σοι ινα αποληται εν των μελων σου και μη

ολον το σωμα σου βληθη εις γεενναν

"If your right eye scandalizes you, tear him out and throw him away from you. It is better for you that one of your members perish and your whole body not be thrown into Gehenna.

**5:30** και ει η δεξια σου χειρ σκανδαλιζει σε εκκοψον αυτην και βαλε απο σου συμφερει γαρ σοι ινα αποληται εν των μελων σου και μη ολον το σωμα σου εις γεενναν απελθη

"If your right hand scandalizes you, cut her off and throw her away from you. It is better for you that one of your members perish and your whole body not go away into Gehenna.

## Teaching on Divorce

**5:31** ερρεθη δε ος αν απολυση την γυναικα αυτου δοτω αυτη αποστασιον

"It was said,

'Let whoever divorces his wife give her *a* certificate of divorce.'[73]

**5:32** εγω δε λεγω υμιν οτι πας ο απολυων την γυναικα αυτου παρεκτος λογου πορνειας ποιει αυτην μοιχευθηναι [και ος εαν απολελυμενην γαμηση μοιχαται]

"Yet I say to you that each *one* divorcing his wife, except for *a* word of fornication, makes her commit adultery[, and whoever marries the divorced *one* commits adultery].

## Teaching on Swearing

**5:33** παλιν ηκουσατε οτι ερρεθη τοις αρχαιοις ουκ επιορκησεις αποδωσεις δε τω κυριω τους ορκους σου

"Again you've heard that it was said to the ancients,

'You will not break *a* promise, yet you will pay back your promises to the Lord.'[74]

**5:34** εγω δε λεγω υμιν μη ομοσαι ολως μητε εν τω ουρανω οτι θρονος εστιν του θεου

"Yet I say to you do not swear at all: neither by the sky, for it is *the* throne of God;

**5:35** μητε εν τη γη οτι υποποδιον εστιν των ποδων αυτου μητε εις ιεροσολυμα οτι πολις εστιν του μεγαλου βασιλεως

nor by the earth, for it is the footstool of His feet; nor by Jerusalem, for it is the city of the great king;

**5:36** μητε εν τη κεφαλη σου ομοσης οτι ου δυνασαι μιαν τριχα λευκην ποιησαι η μελαιναν

nor ought you swear by your head, for you can't make one hair white or dark.

**5:37** εστω δε ο λογος υμων ναι ναι ου ου το δε περισσον τουτων εκ του πονηρου εστιν

"Let your word be, 'Yes, yes, no no.' What exceeds these is from the evil *one*.

## Teaching on Revenge

**5:38** ηκουσατε οτι ερρεθη οφθαλμον αντι οφθαλμου και οδοντα αντι οδοντος

"You've heard that it was said,

'Eye for eye and tooth for tooth.'[75]

**5:39** εγω δε λεγω υμιν μη αντιστηναι τω πονηρω αλλ οστις σε ραπιζει εις την δεξιαν σιαγονα [σου] στρεψον αυτω και την αλλην

"Yet I say to you not to resist the evil *one*, but whoever hits you on [your] right cheek, turn to him the other also.

**5:40** και τω θελοντι σοι κριθηναι και τον χιτωνα σου λαβειν αφες αυτω και το ιματιον

"To the *one* wanting to judge and take your shirt, let him have the coat too.

**5:41** και οστις σε αγγαρευσει μιλιον εν υπαγε μετ αυτου δυο

"Whoever forces you to serve one mile, go with him two.

**5:42** τω αιτουντι σε δος και τον θελοντα απο σου δανισασθαι μη αποστραφης

"Give to the *one* asking you, and don't turn away the *one* wanting to borrow from you.

## Teaching on Enemies

**5:43** ηκουσατε οτι ερρεθη αγαπησεις τον πλησιον σου και μισησεις τον εχθρον σου

"You've heard that it was said,

'You will love your neighbor and hate your enemy.'

**5:44** εγω δε λεγω υμιν αγαπατε τους εχθρους υμων και προσευχεσθε υπερ

των διωκοντων υμας
"Yet I say to you love your enemies, and pray for those persecuting you.

**5:45** οπως γενησθε υιοι του πατρος υμων του εν ουρανοις οτι τον ηλιον αυτου ανατελλει επι πονηρους και αγαθους και βρεχει επι δικαιους και αδικους
"In this way, you will be sons of your Father, the *One* in the skies, for He makes His sun rise on evil and good, and sends rain on righteous and unrighteous.

**5:46** εαν γαρ αγαπησητε τους αγαπωντας υμας τινα μισθον εχετε ουχι και οι τελωναι το αυτο ποιουσιν
"If you love those loving you, what reward do you have? Don't even the tax collectors do the same?

**5:47** και εαν ασπασησθε τους αδελφους υμων μονον τι περισσον ποιειτε ουχι και οι εθνικοι το αυτο ποιουσιν
"If you salute only your brothers, what are you doing more? Don't even the nations do the same?

**5:48** εσεσθε ουν υμεις τελειοι ως ο πατηρ υμων ο ουρανιος τελειος εστιν
"You, then, be complete, as your heavenly Father is complete.

## Matthew 6
## Teaching on Superficial Piety

**6:1** προσεχετε [δε] την δικαιοσυνην υμων μη ποιειν εμπροσθεν των ανθρωπων προς το θεαθηναι αυτοις ει δε μη γε μισθον ουκ εχετε παρα τω πατρι υμων τω εν τοις ουρανοις
"Pay attention not to work your righteousness before men to be seen by them. If not, you have no reward from your Father, the *One* in the skies.

**6:2** οταν ουν ποιης ελεημοσυνην μη σαλπισης εμπροσθεν σου ωσπερ οι υποκριται ποιουσιν εν ταις συναγωγαις και εν ταις ρυμαις οπως δοξασθωσιν υπο των ανθρωπων αμην λεγω υμιν απεχουσιν τον μισθον αυτων
"When, then, you do alms, don't sound *a* trumpet before you in the synagogues and in the streets like the hypocrites do, so they can be praised by men. Amen I say to you, they receive their reward.

**6:3** σου δε ποιουντος ελεημοσυνην μη γνωτω η αριστερα σου τι ποιει η δεξια σου
"Yet you, doing alms, don't let your left know what your right is doing,

**6:4** οπως η σου η ελεημοσυνη εν τω κρυπτω και ο πατηρ σου ο βλεπων εν τω κρυπτω αποδωσει σοι
"that your alms *may be* in secret, and your Father, the *One* seeing in secret, will pay you back.

## Teaching on Prayer

**6:5** και οταν προσευχησθε ουκ εσεσθε ως οι υποκριται οτι φιλουσιν εν ταις συναγωγαις και εν ταις γωνιαις των πλατειων εστωτες προσευχεσθαι οπως φανωσιν τοις ανθρωποις αμην λεγω υμιν απεχουσιν τον μισθον αυτων
"When you pray, don't be like the hypocrites, for they like to pray standing in the synagogues and in the

corners of plazas, that they may be apparent to men. Amen I say to you, they receive their reward.

**6:6** συ δε οταν προσευχη εισελθε εις το ταμειον σου και κλεισας την θυραν σου προσευξαι τω πατρι σου τω εν τω κρυπτω και ο πατηρ σου ο βλεπων εν τω κρυπτω αποδωσει σοι
"Yet you, when you pray, go into your inner room and, closing your door, pray to your Father, the *One* in secret, and your Father, the *One* seeing in secret, will pay you back.

**6:7** προσευχομενοι δε μη βατταλογησητε ωσπερ οι εθνικοι δοκουσιν γαρ οτι εν τη πολυλογια αυτων εισακουσθησονται
"Don't use the same words again and again praying like the pagans, for they think that they will be heard in their many words.

**6:8** μη ουν ομοιωθητε αυτοις οιδεν γαρ [ο θεος] ο πατηρ υμων ων χρειαν εχετε προ του υμας αιτησαι αυτον
"Therefore, don't be like them, for [God] your Father knows what you have need of before your asking Him.

## The Lord's Prayer

**6:9** ουτως ουν προσευχεσθε υμεις πατερ ημων ο εν τοις ουρανοις αγιασθητω το ονομα σου
"Therefore, you pray this way:
    Our Father, who *is* in the skies,
        may Your name be holy.

**6:10** ελθετω η βασιλεια σου γενηθητω το θελημα σου ως εν ουρανω και επι γης
        May Your kingdom come.
        May Your will be done
            as in heaven, also on earth.

**6:11** τον αρτον ημων τον επιουσιον δος ημιν σημερον
        Give us this day
            our bread for tomorrow[76],

**6:12** και αφες ημιν τα οφειληματα ημων ως και ημεις αφηκαμεν τοις οφειλεταις ημων
        and let go of our debts,
            as we also have let go of
                *those* owing us;

**6:13** και μη εισενεγκης ημας εις πειρασμον αλλα ρυσαι ημας απο του πονηρου
        Don't lead us into testing,
    but rescue us from the evil *one*."[77]

### Teaching on Forgiveness

**6:14** εαν γαρ αφητε τοις ανθρωποις τα παραπτωματα αυτων αφησει και υμιν ο πατηρ υμων ο ουρανιος
"If you forgive men their wrongdoings, your heavenly Father will forgive yours also.

**6:15** εαν δε μη αφητε τοις ανθρωποις [τα παραπτωματα αυτων] ουδε ο πατηρ υμων αφησει τα παραπτωματα υμων
"Yet if you don't forgive men [their wrongdoings], neither will your Father forgive your wrongdoings.

### Teaching on Fasting

**6:16** οταν δε νηστευητε μη γινεσθε ως οι υποκριται σκυθρωποι αφανιζουσιν γαρ τα προσωπα αυτων οπως φανωσιν τοις ανθρωποις νηστευοντες αμην λεγω υμιν απεχουσιν τον μισθον αυτων

"When you fast, don't be gloomy like the hypocrites, for they disfigure their faces that they may appear fasting to men. Amen I say to you, they receive their reward.

**6:17** συ δε νηστευων αλειψαι σου την κεφαλην και το προσωπον σου νιψαι

"Yet you, fasting, anoint your head and wash your face,

**6:18** οπως μη φανης τοις ανθρωποις νηστευων αλλα τω πατρι σου τω εν τω κρυφαιω και ο πατηρ σου ο βλεπων εν τω κρυφαιω αποδωσει σοι

"that you may not appear fasting to men, but to your Father, the *One* in the hidden, and your Father, the *One* seeing in the hidden, will pay you back.

## Teaching on Treasure

**6:19** μη θησαυριζετε υμιν θησαυρους επι της γης οπου σης και βρωσις αφανιζει και οπου κλεπται διορυσσουσιν και κλεπτουσιν

"Don't store up treasures for yourselves on the earth, where moth and rust destroy and where thieves break through and steal.

**6:20** θησαυριζετε δε υμιν θησαυρους εν ουρανω οπου ουτε σης ουτε βρωσις αφανιζει και οπου κλεπται ου διορυσσουσιν ουδε κλεπτουσιν

"Yet store up for yourselves treasures in heaven, where neither moth nor rust destroy, and where thieves neither break through nor steal.

**6:21** οπου γαρ εστιν ο θησαυρος σου εκει εσται [και] η καρδια σου

"For where your treasure is, there your heart will be [too].

## What Sort of Light Are You?

**6:22** ο λυχνος του σωματος εστιν ο οφθαλμος εαν ουν η ο οφθαλμος σου απλους ολον το σωμα σου φωτεινον εσται

"The light of the body is the eye. If, then, your eye be sound[78], your whole body will be full of light.

**6:23** εαν δε ο οφθαλμος σου πονηρος η ολον το σωμα σου σκοτεινον εσται ει ουν το φως το εν σοι σκοτος εστιν το σκοτος ποσον

"Yet if your eye be evil, your whole body will be full of darkness. If, then, the light in you is darkness, how great the darkness!

## Two Masters

**6:24** ουδεις δυναται δυσι κυριοις δουλευειν η γαρ τον ενα μισησει και τον ετερον αγαπησει η ενος ανθεξεται και του ετερου καταφρονησει ου δυνασθε θεω δουλευειν και μαμωνα

"No one can serve two masters, for either he will hate the one and love the other, or be loyal to the one and despise the other. You cannot serve God and mammon[79].

## Teaching on Worry

**6:25** δια τουτο λεγω υμιν μη μεριμνατε τη ψυχη υμων τι φαγητε [η τι πιητε] μηδε τω σωματι υμων τι ενδυσησθε ουχι η ψυχη πλειον εστιν της τροφης και το σωμα του ενδυματος

Because of this, I say to you don't worry about your soul, what you may eat [or what you may drink], nor about your body, what you will put on. Isn't the soul greater than food, and the body than clothing?

**6:26** εμβλεψατε εις τα πετεινα του ουρανου οτι ου σπειρουσιν ουδε θεριζουσιν ουδε συναγουσιν εις αποθηκας και ο πατηρ υμων ο ουρανιος τρεφει αυτα ουχ υμεις μαλλον διαφερετε αυτων

"Look at the birds of the sky, for they neither sow nor reap nor gather into barns, and your heavenly Father feeds them. Aren't you rather worth more than them?

**6:27** τις δε εξ υμων μεριμνων δυναται προσθειναι επι την ηλικιαν αυτου πηχυν ενα

"Who of you, worrying, can add one cubit to his stature?

**6:28** και περι ενδυματος τι μεριμνατε καταμαθετε τα κρινα του αγρου πως αυξανουσιν ου κοπιωσιν ουδε νηθουσιν

"Why worry about clothing? Consider the lilies of the field, how they grow. They neither labor nor spin.

**6:29** λεγω δε υμιν οτι ουδε σολομων εν παση τη δοξη αυτου περιεβαλετο ως εν τουτων

"I say to you that not even Solomon in all his glory dressed like one of them.

**6:30** ει δε τον χορτον του αγρου σημερον οντα και αυριον εις κλιβανον βαλλομενον ο θεος ουτως

αμφιεννυσιν ου πολλω μαλλον υμας ολιγοπιστοι

"If God clothes the grass of the field so, living today and tomorrow thrown into *an* oven, won't He much more you, *you* of little faith?

**6:31** μη ουν μεριμνησητε λεγοντες τι φαγωμεν η τι πιωμεν η τι περιβαλωμεθα

"Don't worry, then, saying, 'What will we eat,' or 'What will we drink,' or 'What will we wear?'

**6:32** παντα γαρ ταυτα τα εθνη επιζητουσιν οιδεν γαρ ο πατηρ υμων ο ουρανιος οτι χρηζετε τουτων απαντων

"For the nations seek all these. Your heavenly Father knows that you need all these.

**6:33** ζητειτε δε πρωτον την βασιλειαν και την δικαιοσυνην αυτου και ταυτα παντα προστεθησεται υμιν

"Yet seek first the kingdom and His righteousness, and all these will be added to you.

**6:34** μη ουν μεριμνησητε εις την αυριον η γαρ αυριον μεριμνησει εαυτης αρκετον τη ημερα η κακια αυτης

"Don't worry, then, into tomorrow, for tomorrow will worry for itself. Its own evil *is* sufficient to the day."

## Matthew 7
## Don't Judge

**7:1** μη κρινετε ινα μη κριθητε

"Don't judge and you won't be judged.

**7:2** εν ω γαρ κριματι κρινετε κριθησεσθε και εν ω μετρω μετρειτε μετρηθησεται υμιν

"For in what judgment you judge, you will be judged; and in what measure you measure, it will be measured to you.

**7:3** τι δε βλεπεις το καρφος το εν τω οφθαλμω του αδελφου σου την δε εν τω σω οφθαλμω δοκον ου κατανοεις

"Why do you look at the speck in your brother's eye, yet you don't observe the log in your own eye?

**7:4** η πως ερεις τω αδελφω σου αφες εκβαλω το καρφος εκ του οφθαλμου σου και ιδου η δοκος εν τω οφθαλμω σου

"Or how will you say to your brother, 'Let me throw the speck out of your eye,' and look! The log *is* in your eye.

**7:5** υποκριτα εκβαλε πρωτον εκ του οφθαλμου σου την δοκον και τοτε διαβλεψεις εκβαλειν το καρφος εκ του οφθαλμου του αδελφου σου

"Hypocrite! First throw the log out of your eye, and then you will see through to throw the speck out of your brother's eye!

### Be Circumspect

**7:6** μη δωτε το αγιον τοις κυσιν μηδε βαλητε τους μαργαριτας υμων εμπροσθεν των χοιρων μηποτε καταπατησουσιν αυτους εν τοις ποσιν αυτων και στραφεντες ρηξωσιν υμας

"Don't give the holy to dogs, or toss your pearls before pigs, unless perhaps they trample them under their feet and, turning, attack you!

**7:7** αιτειτε και δοθησεται υμιν ζητειτε και ευρησετε κρουετε και ανοιγησεται υμιν

"Ask and it will be given you. Seek and you will find. Knock and it will be opened to you.

**7:8** πας γαρ ο αιτων λαμβανει και ο ζητων ευρισκει και τω κρουοντι ανοιγησεται

"For everyone asking receives, and the *one* seeking finds, and to the *one* knocking it will be opened.

### Trust Your Father's Goodness

**7:9** η τις εξ υμων ανθρωπος ον αιτησει ο υιος αυτου αρτον μη λιθον επιδωσει αυτω

"What man of you whose son asks him for bread will give him *a* stone,

**7:10** η και ιχθυν αιτησει μη οφιν επιδωσει αυτω

"or if he also asks *for* fish, will give him *a* snake?

**7:11** ει ουν υμεις πονηροι οντες οιδατε δοματα αγαθα διδοναι τοις τεκνοις υμων ποσω μαλλον ο πατηρ υμων ο εν τοις ουρανοις δωσει αγαθα τοις αιτουσιν αυτον

"If then you, being evil, know to give good gifts to your children, how much more rather will your Father, the *One* in the skies, give good to those asking Him?

### The Golden Rule

**7:12** παντα ουν οσα εαν θελητε ινα ποιωσιν υμιν οι ανθρωποι ουτως και υμεις ποιειτε αυτοις ουτος γαρ εστιν ο νομος και οι προφηται

"All, then, whatever you want that men do for you, you do also for them, for this is the law and the prophets.

## The Narrow Gate

**7:13** εισελθατε δια της στενης πυλης οτι πλατεια και ευρυχωρος η οδος η απαγουσα εις την απωλειαν και πολλοι εισιν οι εισερχομενοι δι αυτης

"Go in through the narrow gate, for the road leading to destruction is wide and broad, and the *ones* going in through her are many.

**7:14** οτι στενη η πυλη και τεθλιμμενη η οδος η απαγουσα εις την ζωην και ολιγοι εισιν οι ευρισκοντες αυτην

"The gate *is* narrow and the road pressed which leads to life, and the *ones* finding her are few.

## By Their Fruits

**7:15** προσεχετε απο των ψευδοπροφητων οιτινες ερχονται προς υμας εν ενδυμασιν προβατων εσωθεν δε εισιν λυκοι αρπαγες

"Keep away from the false prophets who come to you in sheep's clothing, yet within are hungry wolves.

**7:16** απο των καρπων αυτων επιγνωσεσθε αυτους μητι συλλεγουσιν απο ακανθων σταφυλας η απο τριβολων συκα

"You will know them by their fruits. They don't gather grapes from thorns, do they, or figs from briars?

**7:17** ουτως παν δενδρον αγαθον καρπους καλους ποιει το δε σαπρον δενδρον καρπους πονηρους ποιει

"So every good tree makes good fruit, yet the worthless tree makes wicked fruit.

**7:18** ου δυναται δενδρον αγαθον καρπους πονηρους ενεγκειν ουδε δενδρον σαπρον καρπους καλους ποιειν

"*A* good tree can't bring forth wicked fruit, nor *a* worthless tree make good fruit.

**7:19** παν δενδρον μη ποιουν καρπον καλον εκκοπτεται και εις πυρ βαλλεται

"Every tree not making good fruit is cut down and thrown into fire.

**7:20** αρα γε απο των καρπων αυτων επιγνωσεσθε αυτους

"Therefore, you will know them by their fruits.

## Words Alone Aren't Enough

**7:21** ου πας ο λεγων μοι κυριε κυριε εισελευσεται εις την βασιλειαν των ουρανων αλλ ο ποιων το θελημα του πατρος μου του εν τοις ουρανοις

"Not everyone saying to me, 'Lord, Lord,' will go into the kingdom of the skies, but the *one* doing the will of my Father, the *One* in the skies.

**7:22** πολλοι ερουσιν μοι εν εκεινη τη ημερα κυριε κυριε ου τω σω ονοματι επροφητευσαμεν και τω σω ονοματι δαιμονια εξεβαλομεν και τω σω ονοματι δυναμεις πολλας εποιησαμεν

"Many will say to me in that day, 'Lord, Lord, didn't we prophesy in your name, and throw out demons in your name, and work many wonders in your name?'

**7:23** και τοτε ομολογησω αυτοις οτι ουδεποτε εγνων υμας αποχωρειτε απ εμου οι εργαζομενοι την ανομιαν

"Then I will confess to them that, 'I never knew you. Go away from me, workers of lawlessness!'

## What Sort of Foundation Do You Have?

**7:24** πας ουν οστις ακουει μου τους λογους [τουτους] και ποιει αυτους ομοιωθησεται ανδρι φρονιμω οστις ωκοδομησεν αυτου την οικιαν επι την πετραν

"Each one then who hears [these] my words and does them is like *a* prudent man who built his house on the rock.

**7:25** και κατεβη η βροχη και ηλθον οι ποταμοι και επνευσαν οι ανεμοι και προσεπεσαν τη οικια εκεινη και ουκ επεσεν τεθεμελιωτο γαρ επι την πετραν

"The rain fell, and the rivers came, and the winds blew, and they fell on that house, and it did not fall, for it had been founded on the rock.

**7:26** και πας ο ακουων μου τους λογους τουτους και μη ποιων αυτους ομοιωθησεται ανδρι μωρω οστις ωκοδομησεν αυτου την οικιαν επι την αμμον

"Each one hearing these my words and not doing them is like *a* foolish man who built his house on the sand.

**7:27** και κατεβη η βροχη και ηλθον οι ποταμοι και επνευσαν οι ανεμοι και προσεκοψαν τη οικια εκεινη και επεσεν και ην η πτωσις αυτης μεγαλη

"The rain fell, and the rivers came, and the winds blew, and they struck against that house, and it fell, and her fall was great."

## The Crowds Marvel

**7:28** και εγενετο οτε ετελεσεν ο ιησους τους λογους τουτους εξεπλησσοντο οι οχλοι επι τη διδαχη αυτου

It happened when Jesus finished these words, the crowds were astonished at his teaching,

**7:29** ην γαρ διδασκων αυτους ως εξουσιαν εχων και ουχ ως οι γραμματεις αυτων

for he was teaching them as having authority, and not as their writers.

## Matthew 8
## Healing a Leper

**8:1** καταβαντος δε αυτου απο του ορους ηκολουθησαν αυτω οχλοι πολλοι

*As* he *was* coming down from the mountain, many crowds followed him.

**8:2** και ιδου λεπρος προσελθων προσεκυνει αυτω λεγων κυριε εαν θελης δυνασαι με καθαρισαι

Look! *A* leper, coming near, begged him, saying, "Lord, if you want, you can make me clean."

**8:3** και εκτεινας την χειρα ηψατο αυτου λεγων θελω καθαρισθητι και ευθεως εκαθαρισθη αυτου η λεπρα

Stretching out the hand, he touched him, saying, "I want. Be clean."

At once the leprosy was cleansed.

**8:4** και λεγει αυτω ο ιησους ορα
μηδενι ειπης αλλα υπαγε σεαυτον
δειξον τω ιερει και προσενεγκον το
δωρον ο προσεταξεν μωυσης εις
μαρτυριον αυτοις

Jesus says to him, "See that you tell
no one, but go, show yourself to the
priest, and offer the gift that Moses
commanded as *a* witness to them."[80]

## Healing a Centurion's Servant

**8:5** εισελθοντος δε αυτου εις
καφαρναουμ προσηλθεν αυτω
εκατονταρχος παρακαλων αυτον

*As* he *was* going into Capernaum, *a*
centurion[81] came near him, urging
him

**8:6** και λεγων κυριε ο παις μου
βεβληται εν τη οικια παραλυτικος
δεινως βασανιζομενος

and saying, "Lord, my servant is bed-
ridden in the house, paralyzed,
tormented terribly."

**8:7** λεγει αυτω εγω ελθων
θεραπευσω αυτον

He says to him, "Going, I will heal
him."

**8:8** αποκριθεις δε ο εκατονταρχος
εφη κυριε ουκ ειμι ικανος ινα μου
υπο την στεγην εισελθης αλλα μονον
ειπε λογω και ιαθησεται ο παις μου

The centurion, answering, said,
"Lord, I'm not worthy that you come
under my roof, but only say *a* word
and my servant will be healed.

**8:9** και γαρ εγω ανθρωπος ειμι υπο
εξουσιαν [τασσομενος] εχων υπ

εμαυτον στρατιωτας και λεγω τουτω
πορευθητι και πορευεται και αλλω
ερχου και ερχεται και τω δουλω μου
ποιησον τουτο και ποιει

"I too am *a* man [placed] under
authority, having soldiers under me.
I say to this one, 'Go,' and he goes,
and to another, 'Come,' and he
comes, and to my slave, 'Do this,'
and he does."

**8:10** ακουσας δε ο ιησους
εθαυμασεν και ειπεν τοις
ακολουθουσιν αμην λεγω υμιν παρ
ουδενι τοσαυτην πιστιν εν τω ισραηλ
ευρον

Hearing, Jesus marveled, and said to
the ones following, "Amen I say to
you I've found such faith from no
one in Israel.

**8:11** λεγω δε υμιν οτι πολλοι απο
ανατολων και δυσμων ηξουσιν και
ανακλιθησονται μετα αβρααμ και
ισαακ και ιακωβ εν τη βασιλεια των
ουρανων

"I say to you that many will come
from east and west and recline *at
table* with Abraham and Isaac and
Jacob in the kingdom of the skies.

**8:12** οι δε υιοι της βασιλειας
εκβληθησονται εις το σκοτος το
εξωτερον εκει εσται ο κλαυθμος και
ο βρυγμος των οδοντων

"Yet the sons of the kingdom will be
thrown into the darkness outside.
There, *there* will be weeping and the
grinding of teeth."

**8:13** και ειπεν ο ιησους τω
εκατονταρχη υπαγε ως επιστευσας

γενηθητω σοι και ιαθη ο παις εν τη ωρα εκεινη

Jesus said to the centurion, "Go. Let it be done to you as you've believed," and the servant was healed from that hour.

## Peter's Mother-in-Law

**8:14** και ελθων ο ιησους εις την οικιαν πετρου ειδεν την πενθεραν αυτου βεβλημενην και πυρεσσουσαν

Jesus, going into the house of Peter, saw his mother-in-law bed-ridden and fevering.

**8:15** και ηψατο της χειρος αυτης και αφηκεν αυτην ο πυρετος και ηγερθη και διηκονει αυτω

He touched her hand, and the fever left her, and she got up and served him.

## Jesus Heals Many

**8:16** οψιας δε γενομενης προσηνεγκαν αυτω δαιμονιζομενους πολλους και εξεβαλεν τα πνευματα λογω και παντας τους κακως εχοντας εθεραπευσεν

*When* evening came, they brought many demonized to him, and he cast out the spirits by *a* word, and healed all those having harms,

**8:17** οπως πληρωθη το ρηθεν δια ησαιου του προφητου λεγοντος αυτος τας ασθενειας ημων ελαβεν και τας νοσους εβαστασεν

so that the word through Isaiah the prophet might be fulfilled, saying,

"He has taken our weaknesses and borne our sicknesses."[82]

## I Will Follow You . . .

**8:18** ιδων δε ο ιησους οχλον περι αυτον εκελευσεν απελθειν εις το περαν

Jesus, seeing the crowd around him, commanded to go away to the other side.

**8:19** και προσελθων εις γραμματευς ειπεν αυτω διδασκαλε ακολουθησω σοι οπου εαν απερχη

One writer, coming near, said to him, "Teacher, I will follow you wherever you go."

**8:20** και λεγει αυτω ο ιησους αι αλωπεκες φωλεους εχουσιν και τα πετεινα του ουρανου κατασκηνωσεις ο δε υιος του ανθρωπου ουκ εχει που την κεφαλην κλινη

Jesus says to him, "The foxes have holes, and the birds of the sky nests, yet the Son of Man has nowhere to rest his head."

**8:21** ετερος δε των μαθητων ειπεν αυτω κυριε επιτρεψον μοι πρωτον απελθειν και θαψαι τον πατερα μου

Another of the disciples said to him, "Lord, let me first go away and bury my father."

**8:22** ο δε ιησους λεγει αυτω ακολουθει μοι και αφες τους νεκρους θαψαι τους εαυτων νεκρους

Jesus says to him, "Follow me, and let the dead bury their own dead."

## Jesus Stills a Storm

**8:23** και εμβαντι αυτω εις πλοιον ηκολουθησαν αυτω οι μαθηται αυτου

Going up into *a* boat, his disciples followed him.

**8:24** και ιδου σεισμος μεγας εγενετο εν τη θαλασση ωστε το πλοιον καλυπτεσθαι υπο των κυματων αυτος δε εκαθευδεν

Look! *A* great shaking happened on the sea, so that the boat was flooded by the waves. Yet he was sleeping.

**8:25** και προσελθοντες ηγειραν αυτον λεγοντες κυριε σωσον απολλυμεθα

Coming near, they roused him, saying, "Lord, save! We are dying!"

**8:26** και λεγει αυτοις τι δειλοι εστε ολιγοπιστοι τοτε εγερθεις επετιμησεν τοις ανεμοις και τη θαλασση και εγενετο γαληνη μεγαλη

He says to them, "Why are you afraid, *you* of little faith?"

Then, getting up, he rebuked the winds and the sea, and *a* great calm came.

**8:27** οι δε ανθρωποι εθαυμασαν λεγοντες ποταπος εστιν ουτος οτι και οι ανεμοι και η θαλασσα αυτω υπακουουσιν

The men were astonished, saying, "What sort is this that even the winds and the sea obey him?"

### Two Gerasene Demoniacs

**8:28** και ελθοντος αυτου εις το περαν εις την χωραν των γαδαρηνων υπηντησαν αυτω δυο δαιμονιζομενοι εκ των μνημειων εξερχομενοι χαλεποι λιαν ωστε μη ισχυειν τινα παρελθειν δια της οδου εκεινης

As he was coming to the other side, to the regions of the Gadarenes[83], two demonized men met him coming from the tombs, exceedingly fierce, so that no one could pass through down that road.

**8:29** και ιδου εκραξαν λεγοντες τι ημιν και σοι υιε του θεου ηλθες ωδε προ καιρου βασανισαι ημας

Look! They shouted, saying, "What to us and to you, son of God? Have you come here to torment us before *the* time?"

**8:30** ην δε μακραν απ αυτων αγελη χοιρων πολλων βοσκομενη

*A* herd of many pigs was feeding at some distance from them.

**8:31** οι δε δαιμονες παρεκαλουν αυτον λεγοντες ει εκβαλλεις ημας αποστειλον ημας εις την αγελην των χοιρων

The demons began urging him, saying, "If you throw us out, send us into the herd of pigs!"

**8:32** και ειπεν αυτοις υπαγετε οι δε εξελθοντες απηλθον εις τους χοιρους και ιδου ωρμησεν πασα η αγελη κατα του κρημνου εις την θαλασσαν και απεθανον εν τοις υδασιν

He said to them, "Go."

Going out, they went into the pigs. Look! The whole herd rushed down the steep bank into the sea and died in the waters.

**8:33** οι δε βοσκοντες εφυγον και απελθοντες εις την πολιν απηγγειλαν

παντα και τα των δαιμονιζομενων
The herders fled and, going into the city, told all, and *about* the demonized.

**8:34** και ιδου πασα η πολις εξηλθεν εις υπαντησιν τω ιησου και ιδοντες αυτον παρεκαλεσαν οπως μεταβη απο των οριων αυτων
Look! The whole city went out to meet Jesus. Seeing him, they urged him that he go away from their regions.


## Matthew 9
## Healing a Paralytic

**9:1** και εμβας εις πλοιον διεπερασεν και ηλθεν εις την ιδιαν πολιν
Going up into the boat, he went across and came to his own city.

**9:2** και ιδου προσεφερον αυτω παραλυτικον επι κλινης βεβλημενον και ιδων ο ιησους την πιστιν αυτων ειπεν τω παραλυτικω θαρσει τεκνον αφιενται σου αι αμαρτιαι
Look! They brought him *a* paralytic laid on *a* cot. Jesus, seeing their faith, said to the paralytic, "Be encouraged, child! Your sins are forgiven."

**9:3** και ιδου τινες των γραμματεων ειπαν εν εαυτοις ουτος βλασφημει
Look! Some of the writers said among themselves, "This *man* blasphemes."

**9:4** και ειδως ο ιησους τας ενθυμησεις αυτων ειπεν ινατι ενθυμεισθε πονηρα εν ταις καρδιαις υμων
Knowing their thoughts, Jesus said, "Why do you think wicked *thoughts* in your hearts?

**9:5** τι γαρ εστιν ευκοπωτερον ειπειν αφιενται σου αι αμαρτιαι η ειπειν εγειρε και περιπατει
"What is easier? To say, 'Your sins are forgiven', or to say, 'Get up and walk'?

**9:6** ινα δε ειδητε οτι εξουσιαν εχει ο υιος του ανθρωπου επι της γης αφιεναι αμαρτιας τοτε λεγει τω παραλυτικω εγειρε αρον σου την κλινην και υπαγε εις τον οικον σου
"Yet so you may know that the Son of Man has authority on the earth to forgive sins," then he says to the paralytic, "get up, take your cot, and go to your house."

**9:7** και εγερθεις απηλθεν εις τον οικον αυτου
Getting up, he went away to his house.

**9:8** ιδοντες δε οι οχλοι εφοβηθησαν και εδοξασαν τον θεον τον δοντα εξουσιαν τοιαυτην τοις ανθρωποις
The crowds, seeing, were afraid, and they glorified the God giving such authority to men.

## Jesus Calls Matthew

**9:9** και παραγων ο ιησους εκειθεν ειδεν ανθρωπον καθημενον επι το τελωνιον μαθθαιον λεγομενον και λεγει αυτω ακολουθει μοι και αναστας ηκολουθησεν αυτω
Passing on from there, Jesus saw *a* man called Matthew[84] seated at the

tax booth, and he says to him, "Follow me."

Getting up, he followed him.

**9:10** και εγενετο αυτου ανακειμενου εν τη οικια και ιδου πολλοι τελωναι και αμαρτωλοι ελθοντες συνανεκειντο τω ιησου και τοις μαθηταις αυτου

It happened as he reclined *at table* in the house, and look! Many tax collectors and sinners, coming, reclined *at table* together with Jesus and his disciples.

**9:11** και ιδοντες οι φαρισαιοι ελεγον τοις μαθηταις αυτου δια τι μετα των τελωνων και αμαρτωλων εσθιει ο διδασκαλος υμων

The Pharisees, seeing *this*, began saying to his disciples, "Why does your teacher eat with tax collectors and sinners?"

**9:12** ο δε ακουσας ειπεν ου χρειαν εχουσιν οι ισχυοντες ιατρου αλλ οι κακως εχοντες

Hearing *this*, he said, "The strong have no need of *a* doctor, but the *ones* having *it* badly.

**9:13** πορευθεντες δε μαθετε τι εστιν ελεος θελω και ου θυσιαν ου γαρ ηλθον καλεσαι δικαιους αλλα αμαρτωλους

"Going, learn what is,

'I desire mercy and not sacrifice'[85]

for I've come not to call the righteous but sinners."

## A Question About Fasting

**9:14** τοτε προσερχονται αυτω οι μαθηται ιωαννου λεγοντες δια τι ημεις και οι φαρισαιοι νηστευομεν οι δε μαθηται σου ου νηστευουσιν

Then John's disciples came to him, saying, "Why are we and the Pharisees fasting, yet your disciples aren't fasting?"

**9:15** και ειπεν αυτοις ο ιησους μη δυνανται οι υιοι του νυμφωνος πενθειν εφ οσον μετ αυτων εστιν ο νυμφιος ελευσονται δε ημεραι οταν απαρθη απ αυτων ο νυμφιος και τοτε νηστευσουσιν

Jesus said to them, "The sons of the wedding can't mourn while they have the groom with them, can they? Days will come when the groom will be taken from them, and then they will fast.

**9:16** ουδεις δε επιβαλλει επιβλημα ρακους αγναφου επι ιματιω παλαιω αιρει γαρ το πληρωμα αυτου απο του ιματιου και χειρον σχισμα γινεται

"No one sews *a* patch of uncut cloth on *an* old garment, for its fullness takes away from the garment and *a* worse tear happens.

**9:17** ουδε βαλλουσιν οινον νεον εις ασκους παλαιους ει δε μη γε ρηγνυνται οι ασκοι και ο οινος εκχειται και οι ασκοι απολλυνται αλλα βαλλουσιν οινον νεον εις ασκους καινους και αμφοτεροι συντηρουνται

"Nor do they throw new wine into old wineskins, unless the skins burst, and the wine pours out, and the wineskins are ruined. But they put new wine into new wineskins, and both are preserved."

## Twin Healings

**9:18** ταυτα αυτου λαλουντος αυτοις ιδου αρχων [εις] προσελθων προσεκυνει αυτω λεγων οτι η θυγατηρ μου αρτι ετελευτησεν αλλα ελθων επιθες την χειρα σου επ αυτην και ζησεται

While he *was* saying *these things*, look! [One of] the rulers, coming near, fell before him, saying that, "My daughter is near death. Coming, lay your hand on her and she will live!"

**9:19** και εγερθεις ο ιησους ηκολουθει αυτω και οι μαθηται αυτου

Getting up, Jesus followed him, *with* his disciples *also*.

**9:20** και ιδου γυνη αιμορροουσα δωδεκα ετη προσελθουσα οπισθεν ηψατο του κρασπεδου του ιματιου αυτου

Look! *A* woman hemorrhaging twelve years, coming near behind *him*, touched the fringe of his clothes,

**9:21** ελεγεν γαρ εν εαυτη εαν μονον αψωμαι του ιματιου αυτου σωθησομαι

for she was saying in herself, "If I only touch his clothes, I will be saved."

**9:22** ο δε ιησους στραφεις και ιδων αυτην ειπεν θαρσει θυγατερ η πιστις

σου σεσωκεν σε και εσωθη η γυνη απο της ωρας εκεινης

Jesus, turning and seeing her, said, "Be encouraged, daughter, your faith has saved you," and the woman was saved from that hour.

**9:23** και ελθων ο ιησους εις την οικιαν του αρχοντος και ιδων τους αυλητας και τον οχλον θορυβουμενον

Coming into the house of the ruler and seeing the flute players and the crowd agitated, Jesus

**9:24** ελεγεν αναχωρειτε ου γαρ απεθανεν το κορασιον αλλα καθευδει και κατεγελων αυτου

said, "Go away, for the girl hasn't died, but she's sleeping."

They laughed at him.

**9:25** οτε δε εξεβληθη ο οχλος εισελθων εκρατησεν της χειρος αυτης και ηγερθη το κορασιον

When the crowd was thrown out, going in, he took her hand and raised the girl.

**9:26** και εξηλθεν η φημη αυτη εις ολην την γην εκεινην

The rumor of this went out into all that land.

## Healing Two Blind Men

**9:27** και παραγοντι εκειθεν τω ιησου ηκολουθησαν δυο τυφλοι κραζοντες και λεγοντες ελεησον ημας υιε δαυιδ

Going on from there, two blind men followed Jesus, shouting and saying, "David's son, have mercy on us!"

**9:28** ελθοντι δε εις την οικιαν

προσηλθον αυτω οι τυφλοι και λεγει αυτοις ο ιησους πιστευετε οτι δυναμαι τουτο ποιησαι λεγουσιν αυτω ναι κυριε

Going into the house, the blind men came near him. Jesus says to them, "Do you believe that I can do this?"

They say to him, "Yes, Lord."

**9:29** τοτε ηψατο των οφθαλμων αυτων λεγων κατα την πιστιν υμων γενηθητω υμιν

Then he touched their eyes, saying, "Let it be done to you according to your faith."

**9:30** και ηνεωχθησαν αυτων οι οφθαλμοι και ενεβριμηθη αυτοις ο ιησους λεγων ορατε μηδεις γινωσκετω

Their eyes were opened, and Jesus admonished them sternly, saying, "See that no one knows!"

**9:31** οι δε εξελθοντες διεφημισαν αυτον εν ολη τη γη εκεινη

Yet going out, they made him famous in that whole land.

### His Enemies Question
### the Source of His Wonders

**9:32** αυτων δε εξερχομενων ιδου προσηνεγκαν αυτω κωφον δαιμονιζομενον

*While* they *were* going away, look! They brought him *a* mute demoniac.

**9:33** και εκβληθεντος του δαιμονιου ελαλησεν ο κωφος και εθαυμασαν οι οχλοι λεγοντες ουδεποτε εφανη ουτως εν τω ισραηλ

Casting out the demon, the mute man spoke. The crowds were astonished, saying, "It's never appeared so in Israel."

**9:34** [οι δε φαρισαιοι ελεγον εν τω αρχοντι των δαιμονιων εκβαλλει τα δαιμονια]

[Yet the Pharisees began saying, "He throws out the demons by the ruler of the demons."]

### Jesus' Itinerant Ministry

**9:35** και περιηγεν ο ιησους τας πολεις πασας και τας κωμας διδασκων εν ταις συναγωγαις αυτων και κηρυσσων το ευαγγελιον της βασιλειας και θεραπευων πασαν νοσον και πασαν μαλακιαν

Jesus was going around all the cities and the towns, teaching in their synagogues, and preaching the gospel of the kingdom, and healing every disease and every sickness.

**9:36** ιδων δε τους οχλους εσπλαγχνισθη περι αυτων οτι ησαν εσκυλμενοι και ερριμμενοι ωσει προβατα μη εχοντα ποιμενα

Seeing the crowds, he was moved to pity over them, for they were troubled and thrown aside like sheep not having *a* shepherd.

**9:37** τοτε λεγει τοις μαθηταις αυτου ο μεν θερισμος πολυς οι δε εργαται ολιγοι

Then he says to his disciples, "The harvest *is* great, yet the workers few.

**9:38** δεηθητε ουν του κυριου του θερισμου οπως εκβαλη εργατας εις τον θερισμον αυτου

"Pray, then, the Lord of the harvest that he throw out workers into his harvest."

## Matthew 10
## Jesus Commissions the Twelve

**10:1** και προσκαλεσαμενος τους δωδεκα μαθητας αυτου εδωκεν αυτοις εξουσιαν πνευματων ακαθαρτων ωστε εκβαλλειν αυτα και θεραπευειν πασαν νοσον και πασαν μαλακιαν

Calling together his twelve disciples, he gave them authority over unclean spirits, so as to throw them out and to heal every disease and every sickness.

**10:2** των δε δωδεκα αποστολων τα ονοματα εστιν ταυτα πρωτος σιμων ο λεγομενος πετρος και ανδρεας ο αδελφος αυτου και ιακωβος ο του ζεβεδαιου και ιωαννης ο αδελφος αυτου

Of the twelve apostles, the name is these: first, Simon, the *one* called Peter, and Andrew his brother; and Jacob, the *son* of Zebedee, and John his brother;

**10:3** φιλιππος και βαρθολομαιος θωμας και μαθθαιος ο τελωνης ιακωβος ο του αλφαιου και θαδδαιος Philip[86] and Bartholomew[87]; Thomas[88] and Matthew, the tax collector; Jacob[89], the *son* of Alphaeus, and Thaddeus[90];

**10:4** σιμων ο καναναιος και ιουδας ο ισκαριωτης ο και παραδους αυτον Simon[91] the Canaanite[92] and Judas[93]

the Iscariot[94], who also betrayed him.

## Go to Israel's Lost Sheep

**10:5** τουτους τους δωδεκα απεστειλεν ο ιησους παραγγειλας αυτοις λεγων εις οδον εθνων μη απελθητε και εις πολιν σαμαρειτων μη εισελθητε

Jesus sent these twelve, having commanded them saying, "Don't go on the road of the nations, and don't go into *a* city of the Samaritans[95].

**10:6** πορευεσθε δε μαλλον προς τα προβατα τα απολωλοτα οικου ισραηλ

"Go rather to the lost sheep of Israel's house.

**10:7** πορευομενοι δε κηρυσσετε λεγοντες οτι ηγγικεν η βασιλεια των ουρανων

"Yet *while you're* going, preach, saying that, 'The kingdom of the skies has come near.'

**10:8** ασθενουντας θεραπευετε νεκρους εγειρετε λεπρους καθαριζετε δαιμονια εκβαλλετε δωρεαν ελαβετε δωρεαν δοτε

"Heal *the* sick, raise *the* dead, cleanse *the* lepers, throw out *the* demons. You've received without cost. Give without cost.

## Don't Lust for Riches

**10:9** μη κτησησθε χρυσον μηδε αργυρον μηδε χαλκον εις τας ζωνας υμων

"Don't buy gold or silver or copper in your belts,

**10:10** μη πηραν εις οδον μηδε δυο χιτωνας μηδε υποδηματα μηδε

ραβδον αξιος γαρ ο εργατης της
τροφης αυτου

"or *a* bag on the road, or two shirts,
or sandals, or *a* staff – for the worker
is worthy of his food.

**10:11** εις ην δ αν πολιν η κωμην
εισελθητε εξετασατε τις εν αυτη
αξιος εστιν κακει μεινατε εως αν
εξελθητε

"Whichever city or town you go into,
ask carefully who is worthy in her
and remain there until you go out.

### Your Peace Is Conditional

**10:12** εισερχομενοι δε εις την οικιαν
ασπασασθε αυτην

"Going into the house, salute her.

**10:13** και εαν μεν η η οικια αξια
ελθατω η ειρηνη υμων επ αυτην εαν
δε μη η αξια η ειρηνη υμων εφ υμας
επιστραφητω

"If the house is worthy, let your
peace come on her. Yet if it isn't
worthy, let your peace come back
upon you.

**10:14** και ος αν μη δεξηται υμας
μηδε ακουση τους λογους υμων
εξερχομενοι εξω της οικιας η της
πολεως εκεινης εκτιναξατε τον
κονιορτον των ποδων υμων

"Whoever won't receive you or
listen to your words, going out from
that house or city, shake the dust off
your feet.

**10:15** αμην λεγω υμιν ανεκτοτερον
εσται γη σοδομων και γομορρων εν
ημερα κρισεως η τη πολει εκεινη

"Amen I say to you, it will be more
tolerable for the land of Sodom[96] and
Gomorrah[97] on judgment day than

for that city.

### Like Sheep Among Wolves

**10:16** ιδου εγω αποστελλω υμας ως
προβατα εν μεσω λυκων γινεσθε ουν
φρονιμοι ως οι οφεις και ακεραιοι ως
αι περιστεραι

"Look! I send you as sheep in the
midst of wolves. Be, therefore, wise
like the snakes and innocent like the
doves.

**10:17** προσεχετε δε απο των
ανθρωπων παραδωσουσιν γαρ υμας
εις συνεδρια και εν ταις συναγωγαις
αυτων μαστιγωσουσιν υμας

"Pay close attention to the men, for
they will hand you over to councils,
and will beat you in their
synagogues.

**10:18** και επι ηγεμονας δε και
βασιλεις αχθησεσθε ενεκεν εμου εις
μαρτυριον αυτοις και τοις εθνεσιν

"You will be led before governors
and kings for my sake as witness to
them and to the nations.

### Holy Spirit
### Will Speak Through You

**10:19** οταν δε παραδωσιν υμας μη
μεριμνησητε πως η τι λαλησητε
δοθησεται γαρ υμιν εν εκεινη τη ωρα
τι λαλησητε

"Yet when they hand you over, don't
worry how or what you will say, for
what you will say will be given you
in that hour.

**10:20** ου γαρ υμεις εστε οι
λαλουντες αλλα το πνευμα του
πατρος υμων το λαλουν εν υμιν

"For you aren't the *ones* speaking,

but the Spirit of your Father is the *One* speaking among you.

### Betrayal, Trouble, Endurance

**10:21** παραδωσει δε αδελφος αδελφον εις θανατον και πατηρ τεκνον και επαναστησονται τεκνα επι γονεις και θανατωσουσιν αυτους

"Brother will hand over brother to death, and father *a* child, and children will rise up against parents and cause them death.

**10:22** και εσεσθε μισουμενοι υπο παντων δια το ονομα μου ο δε υπομεινας εις τελος ουτος σωθησεται

"You will be hated by all for my name's sake. Yet the *one* enduring to the end, this *one* will be saved.

**10:23** οταν δε διωκωσιν υμας εν τη πολει ταυτη φευγετε εις την ετεραν αμην γαρ λεγω υμιν ου μη τελεσητε τας πολεις [του] ισραηλ εως ελθη ο υιος του ανθρωπου

"When they persecute you in this city, flee to another, for Amen I say to you, you will not finish the cities of Israel until the Son of Man comes.

### To Be Like the Master

**10:24** ουκ εστιν μαθητης υπερ τον διδασκαλον ουδε δουλος υπερ τον κυριον αυτου

"*A* disciple is not above the teacher, nor *a* slave above his master.

**10:25** αρκετον τω μαθητη ινα γενηται ως ο διδασκαλος αυτου και ο δουλος ως ο κυριος αυτου ει τον οικοδεσποτην βεελζεβουλ επεκαλεσαν ποσω μαλλον τους οικιακους αυτου

"*It is* enough to *a* disciple that he become like his teacher, and the slave like his master. If they've called the master of the house Beelzebul[98], how much more those of his household!

**10:26** μη ουν φοβηθητε αυτους ουδεν γαρ εστιν κεκαλυμμενον ο ουκ αποκαλυφθησεται και κρυπτον ο ου γνωσθησεται

"Therefore, don't be afraid of them, for nothing is covered that will not be uncovered, and hidden that will not be known.

**10:27** ο λεγω υμιν εν τη σκοτια ειπατε εν τω φωτι και ο εις το ους ακουετε κηρυξατε επι των δωματων

"What I say to you in the darkness speak in the light, and what you hear in your ears proclaim on the housetops!

### Whom to Fear

**10:28** και μη φοβηθητε απο των αποκτεινοντων το σωμα την δε ψυχην μη δυναμενων αποκτειναι φοβεισθε δε μαλλον τον δυναμενον και ψυχην και σωμα απολεσαι εν γεεννη

"Don't be afraid of the *ones* killing the body, yet not able to kill the soul. Fear rather the *One* able to destroy both soul and body in Gehenna.

**10:29** ουχι δυο στρουθια ασσαριου πωλειται και εν εξ αυτων ου πεσειται επι την γην ανευ του πατρος υμων

"Aren't two sparrows sold for *a* nickel? Not one of them falls to the earth apart from your Father.

**10:30** υμων δε και αι τριχες της κεφαλης πασαι ηριθμημεναι εισιν
"Even the hairs of your heard are all numbered.

**10:31** μη ουν φοβεισθε πολλων στρουθιων διαφερετε υμεις
"Therefore, don't be afraid! You are worth more than many sparrows.

### I Will Confess
### Those Who Confess Me

**10:32** πας ουν οστις ομολογησει εν εμοι εμπροσθεν των ανθρωπων ομολογησω καγω εν αυτω εμπροσθεν του πατρος μου του εν τοις ουρανοις
"Therefore, everyone who confesses in me before men I will confess also in him before my Father, the *One* in the skies.

**10:33** οστις δε αρνησηται με εμπροσθεν των ανθρωπων αρνησομαι καγω αυτον εμπροσθεν του πατρος μου του εν τοις ουρανοις
"Whoever denies before men, I too will deny him before my Father, the *One* in the skies.

### Not Peace, but Division

**10:34** μη νομισητε οτι ηλθον βαλειν ειρηνην επι την γην ουκ ηλθον βαλειν ειρηνην αλλα μαχαιραν
"Don't think that I've come to throw peace on the earth. I haven't come to throw peace but *a* sword.

**10:35** ηλθον γαρ διχασαι ανθρωπον κατα του πατρος αυτου και θυγατερα κατα της μητρος αυτης και νυμφην κατα της πενθερας αυτης
"I've come to divide *a* man against

his father, and *a* daughter against her mother, and *a* bride against her mother-in-law.

**10:36** και εχθροι του ανθρωπου οι οικιακοι αυτου
"*The* enemies of *a* man are the *ones* of his household.

### Who Is Worthy of Him?

**10:37** ο φιλων πατερα η μητερα υπερ εμε ουκ εστιν μου αξιος και ο φιλων υιον η θυγατερα υπερ εμε ουκ εστιν μου αξιος
"The *one* loving father or mother over me isn't worthy of me, and the *one* loving son or daughter over me isn't worthy of me.

**10:38** και ος ου λαμβανει τον σταυρον αυτου και ακολουθει οπισω μου ουκ εστιν μου αξιος
"Who won't take his cross and follow after me isn't worthy of me.

**10:39** ο ευρων την ψυχην αυτου απολεσει αυτην και ο απολεσας την ψυχην αυτου ενεκεν εμου ευρησει αυτην
"The *one* finding his soul will lose her, and the *one* losing his soul for my sake will find her.

**10:40** ο δεχομενος υμας εμε δεχεται και ο εμε δεχομενος δεχεται τον αποστειλαντα με
"The *one* welcoming you welcomes me, and the *one* welcoming me welcomes the *One who* sent me.

**10:41** ο δεχομενος προφητην εις ονομα προφητου μισθον προφητου λημψεται και ο δεχομενος δικαιον εις ονομα δικαιου μισθον δικαιου λημψεται

"The *one* welcoming *a* prophet in *a* prophet's name will receive *a* prophet's reward, and the *one* welcoming *a* righteous *man* in *a* righteous *man's* name will receive *a* righteous man's reward.

**10:42** και ος αν ποτιση ενα των μικρων τουτων ποτηριον ψυχρου μονον εις ονομα μαθητου αμην λεγω υμιν ου μη απολεση τον μισθον αυτου

"Whoever gives one cup of cold *water* only to drink in *a* disciple's name, Amen I say to you he will not lose his reward."

## Matthew 11
### John the Baptist Questions Jesus

**11:1** και εγενετο οτε ετελεσεν ο ιησους διατασσων τοις δωδεκα μαθηταις αυτου μετεβη εκειθεν του διδασκειν και κηρυσσειν εν ταις πολεσιν αυτων

It happened when Jesus finished commanding his twelve disciples, he sent them out from there to teach and to preach in their cities.

**11:2** ο δε ιωαννης ακουσας εν τω δεσμωτηριω τα εργα του χριστου πεμψας δια των μαθητων αυτου

John, hearing in the prison the works of Christ, sending through his disciples,

**11:3** ειπεν αυτω συ ει ο ερχομενος η ετερον προσδοκωμεν

said to him, "Are you the coming one, or should we wait for another?"

**11:4** και αποκριθεις ο ιησους ειπεν

αυτοις πορευθεντες απαγγειλατε ιωαννη α ακουετε και βλεπετε

Answering, Jesus said to him, "Going *back*, tell John what you hear and see:

**11:5** τυφλοι αναβλεπουσιν και χωλοι περιπατουσιν λεπροι καθαριζονται και κωφοι ακουουσιν και νεκροι εγειρονται και πτωχοι ευαγγελιζονται

"*The* blind see,
and *the* lame walk.
Lepers are cleansed,
and *the* deaf hear.
*The* dead are raised,
and poor are evangelized.[99]

**11:6** και μακαριος εστιν ος εαν μη σκανδαλισθη εν εμοι

"Blessed is he who is not scandalized in me."

### Jesus Discusses John with the Crowds

**11:7** τουτων δε πορευομενων ηρξατο ο ιησους λεγειν τοις οχλοις περι ιωαννου τι εξηλθατε εις την ερημον θεασασθαι καλαμον υπο ανεμου σαλευομενον

As they *were* going, Jesus began to speak to the crowds about John: "What did you go out into the desert to look at? A reed shaken by wind?

**11:8** αλλα τι εξηλθατε ιδειν ανθρωπον εν μαλακοις ημφιεσμενον ιδου οι τα μαλακα φορουντες εν τοις οικοις των βασιλεων

"What did you go out to see? A man dressed in soft *clothes*? Look! The *ones* wearing soft clothes *are* in the houses of kings.

**11:9** αλλα τι εξηλθατε προφητην ιδειν ναι λεγω υμιν και περισσοτερον προφητου

"Why did you go out? To see *a* prophet? Yes, I say to you, and more than *a* prophet.

**11:10** ουτος εστιν περι ου γεγραπται ιδου εγω αποστελλω τον αγγελον μου προ προσωπου σου ος κατασκευασει την οδον σου εμπροσθεν σου

"This is about whom it is written:

'Look! I send My angel
before your face,
who will prepare your road
before you.'[100]

**11:11** αμην λεγω υμιν ουκ εγηγερται εν γεννητοις γυναικων μειζων ιωαννου του βαπτιστου ο δε μικροτερος εν τη βασιλεια των ουρανων μειζων αυτου εστιν

"Amen I say to you, *one* greater than John the Baptist hasn't arisen among those born of women. Yet the least in the kingdom of the skies is greater than him.

**11:12** απο δε των ημερων ιωαννου του βαπτιστου εως αρτι η βασιλεια των ουρανων βιαζεται και βιασται αρπαζουσιν αυτην

"From John the Baptist's day until now, the kingdom of the skies suffers violence, and the violent seize her.

**11:13** παντες γαρ οι προφηται και ο νομος εως ιωαννου επροφητευσαν

"For all the prophets and the law prophesied unto John,

**11:14** και ει θελετε δεξασθαι αυτος εστιν ηλιας ο μελλων ερχεσθαι

"and if you wish to receive *it*, he is Elijah[101], the *one* about to come.

**11:15** ο εχων ωτα ακουετω

"Let one having ears hear.

### What Is This Generation Like?

**11:16** τινι δε ομοιωσω την γενεαν ταυτην ομοια εστιν παιδιοις καθημενοις εν ταις αγοραις α προσφωνουντα τοις ετεροις

"What will I compare to this generation? It is like children sitting in the market places, who *are* calling to the others,

**11:17** λεγουσιν ηυλησαμεν υμιν και ουκ ωρχησασθε εθρηνησαμεν και ουκ εκοψασθε

"saying, 'We played the flute for you, and you didn't dance. We sang *a* dirge, and you didn't weep.'

**11:18** ηλθεν γαρ ιωαννης μητε εσθιων μητε πινων και λεγουσιν δαιμονιον εχει

"John came neither eating nor drinking, and they say, 'He has *a* demon.'

**11:19** ηλθεν ο υιος του ανθρωπου εσθιων και πινων και λεγουσιν ιδου ανθρωπος φαγος και οινοποτης τελωνων φιλος και αμαρτωλων και εδικαιωθη η σοφια απο των εργων αυτης

"The Son of Man came eating and drinking, and they say, 'Look! *The* man *is a* glutton and *a* wine-drinker, friend of tax collectors and sinners.'

"The wisdom was justified from her works."

## Jesus Rebukes the Cities

**11:20** τοτε ηρξατο ονειδιζειν τας πολεις εν αις εγενοντο αι πλεισται δυναμεις αυτου οτι ου μετενοησαν
Then he began to rebuke the cities in which his many wonders happened because they did not repent:

**11:21** ουαι σοι χοραζιν ουαι σοι βηθσαιδα οτι ει εν τυρω και σιδωνι εγενοντο αι δυναμεις αι γενομεναι εν υμιν παλαι αν εν σακκω και σποδω μετενοησαν
"Woe to you, Chorazin[102]! Woe to you, Bethsaida[103]! If the wonders that happened in you had happened in Tyre[104] and Sidon[105], they would long ago have repented in sackcloth and ashes.

**11:22** πλην λεγω υμιν τυρω και σιδωνι ανεκτοτερον εσται εν ημερα κρισεως η υμιν
"Nevertheless, I say to you it will be better for Tyre and Sidon on judgment day than for you.

**11:23** και συ καφαρναουμ μη εως ουρανου υψωθηση εως αδου καταβηση οτι ει εν σοδομοις εγενηθησαν αι δυναμεις αι γενομεναι εν σοι εμεινεν αν μεχρι της σημερον
"You, Capernaum? Will you be lifted up to heaven? You will be brought down to Hades. If the wonders that happened in you had happened among the Sodomites, it would have remained to this very day.

**11:24** πλην λεγω υμιν οτι γη σοδομων ανεκτοτερον εσται εν ημερα κρισεως η σοι
"Nevertheless, I say to you it will be better for the Sodomites' land on judgment day than for you."

## Hidden from the Wise

**11:25** εν εκεινω τω καιρω αποκριθεις ο ιησους ειπεν εξομολογουμαι σοι πατερ κυριε του ουρανου και της γης οτι εκρυψας ταυτα απο σοφων και συνετων και απεκαλυψας αυτα νηπιοις
At that time, Jesus, answering, said, "I confess to you, Father, Lord of the sky and the earth, for you have hidden these *truths* from the wise and discerning and unveiled them to children.

**11:26** ναι ο πατηρ οτι ουτως ευδοκια εγενετο εμπροσθεν σου
"Yes, Father, for so it became pleasing before You.

**11:27** παντα μοι παρεδοθη υπο του πατρος μου και ουδεις επιγινωσκει τον υιον ει μη ο πατηρ ουδε τον πατερα τις επιγινωσκει ει μη ο υιος και ω εαν βουληται ο υιος αποκαλυψαι
"All have been given me from my Father, and no one knows the Son except the Father, nor does anyone know the Father except the Son, and whoever the Son wills to reveal Him.

## Come to Me

**11:28** δευτε προς με παντες οι κοπιωντες και πεφορτισμενοι καγω αναπαυσω υμας
"Come to me, all those laboring and

loaded down, and I will give you rest!

**11:29** αρατε τον ζυγον μου εφ υμας και μαθετε απ εμου οτι πραυς ειμι και ταπεινος τη καρδια και ευρησετε αναπαυσιν ταις ψυχαις υμων

"Take my yoke on you and learn from me, for I am gentle and humble in heart, and you will find rest for your souls!

**11:30** ο γαρ ζυγος μου χρηστος και το φορτιον μου ελαφρον εστιν

"My yoke is kind, and my burden is light."

## Matthew 12
## Dispute About the Sabbath

**12:1** εν εκεινω τω καιρω επορευθη ο ιησους τοις σαββασιν δια των σποριμων οι δε μαθηται αυτου επεινασαν και ηρξαντο τιλλειν σταχυας και εσθιειν

At that time, Jesus went through *a* grain field on the Sabbath. His disciples were hungry, and they began to pluck and eat the heads of grain.

**12:2** οι δε φαρισαιοι ιδοντες ειπαν αυτω ιδου οι μαθηται σου ποιουσιν ο ουκ εξεστιν ποιειν εν σαββατω

The Pharisees, seeing, said to him, "Look! Your disciples are doing what isn't lawful to do on the Sabbath."

**12:3** ο δε ειπεν αυτοις ουκ ανεγνωτε τι εποιησεν δαυιδ οτε επεινασεν και οι μετ αυτου

He said to them, "Haven't you read what David did when he was hungry, and those with him –

**12:4** πως εισηλθεν εις τον οικον του θεου και τους αρτους της προθεσεως εφαγον ο ουκ εξον ην αυτω φαγειν ουδε τοις μετ αυτου ει μη τοις ιερευσιν μονοις

"how he went into the house of God and ate the loaves of setting forth, which wasn't lawful for him to eat nor for those with him, but only for the priests?[106]

**12:5** η ουκ ανεγνωτε εν τω νομω οτι τοις σαββασιν οι ιερεις εν τω ιερω το σαββατον βεβηλουσιν και αναιτιοι εισιν

"Or haven't you read in the law that on the Sabbaths the priests in the temple desecrate the Sabbath and are not accused?

**12:6** λεγω δε υμιν οτι του ιερου μειζον εστιν ωδε

"I say to you that greater than the temple is here.

**12:7** ει δε εγνωκειτε τι εστιν ελεος θελω και ου θυσιαν ουκ αν κατεδικασατε τους αναιτιους

"If you knew what this is,

'I want mercy and not sacrifice'[107] –

you wouldn't have spoken against the not-accused,

**12:8** κυριος γαρ εστιν του σαββατου ο υιος του ανθρωπου

"for the Son of Man is Lord of the Sabbath."

### A Sabbath Healing

**12:9** και μεταβας εκειθεν ηλθεν εις

την συναγωγην αυτων

Passing on from there, he came into their synagogue.

**12:10** και ιδου ανθρωπος χειρα εχων ξηραν και επηρωτησαν αυτον λεγοντες ει εξεστιν τοις σαββασιν θεραπευειν ινα κατηγορησωσιν αυτου

Look! *There* was *a* man having *a* dried-up hand. They questioned him, saying, "Is it lawful to heal on the Sabbath" – so they could accuse him.

**12:11** ο δε ειπεν αυτοις τις [εσται] εξ υμων ανθρωπος ος εξει προβατον εν και εαν εμπεση τουτο τοις σαββασιν εις βοθυνον ουχι κρατησει αυτο και εγερει

He said to them, "What man [will be] of you who has *a* sheep, and if it falls into *a* pit on the Sabbaths won't grab it and lift it out?

**12:12** ποσω ουν διαφερει ανθρωπος προβατου ωστε εξεστιν τοις σαββασιν καλως ποιειν

"How much more then is *a* man worth than *a* sheep, so that it is lawful to do good on the Sabbaths!"

**12:13** τοτε λεγει τω ανθρωπω εκτεινον σου την χειρα και εξετεινεν και απεκατεσταθη υγιης ως η αλλη

Then he says to the man, "Stretch out your hand!"

He stretched *it* out, and it was restored whole, like the other.

**12:14** εξελθοντες δε οι φαρισαιοι συμβουλιον ελαβον κατ αυτου οπως αυτον απολεσωσιν

The Pharisees, going out, took counsel with each other how they could destroy him.

**Keep a Secret For Now**

**12:15** ο δε ιησους γνους ανεχωρησεν εκειθεν και ηκολουθησαν αυτω πολλοι και εθεραπευσεν αυτους παντας

Knowing *this*, Jesus went away from there, and many followed him, and he healed them all.

**12:16** και επετιμησεν αυτοις ινα μη φανερον αυτον ποιησωσιν

He rebuked them that they not make him known,

**12:17** ινα πληρωθη το ρηθεν δια ησαιου του προφητου λεγοντος

that the word of Isaiah the prophet might be fulfilled, saying,

**12:18** ιδου ο παις μου ον ηρετισα ο αγαπητος μου ον ευδοκησεν η ψυχη μου θησω το πνευμα μου επ αυτον και κρισιν τοις εθνεσιν απαγγελει

"Look! My servant
whom I've chosen,
my beloved, in whom
My soul is pleased.
I will place My Spirit on him,
and he will announce
judgment to the nations.

**12:19** ουκ ερισει ουδε κραυγασει ουδε ακουσει τις εν ταις πλατειαις την φωνην αυτου

"He will neither quarrel nor shout,
nor will someone hear his voice
in the streets.

**12:20** καλαμον συντετριμμενον ου

κατεαξει και λινον τυφομενον ου σβεσει εως αν εκβαλη εις νικος την κρισιν

"He will not break *a* bruised reed and extinguish *a* smoldering wick until he casts out the judgment into victory.

**12:21** και τω ονοματι αυτου εθνη ελπιουσιν

"Nations will hope in his name."[108]

## A Healing and an Accusation

**12:22** τοτε προσηνεγκαν αυτω δαιμονιζομενον τυφλον και κωφον και εθεραπευσεν αυτον ωστε τον κωφον λαλειν και βλεπειν

Then they brought *a* demonized *man*, blind and mute, and he healed him so that the mute man *was able* to speak and to see.

**12:23** και εξισταντο παντες οι οχλοι και ελεγον μητι ουτος εστιν ο υιος δαυιδ

All the crowds were astonished, and began saying, "Is this the son of David?"

**12:24** οι δε φαρισαιοι ακουσαντες ειπον ουτος ουκ εκβαλλει τα δαιμονια ει μη εν τω βεελζεβουλ αρχοντι των δαιμονιων

Yet the Pharisees, hearing *this*, said, "This *one* doesn't throw out the demons except in Beelzebul, ruler of the demons."

**12:25** ειδως δε τας ενθυμησεις αυτων ειπεν αυτοις πασα βασιλεια μερισθεισα καθ εαυτης ερημουται

και πασα πολις η οικια μερισθεισα καθ εαυτης ου σταθησεται

Knowing their thoughts, he said to them, "Every kingdom divided against herself is laid waste, and every city or house divided against herself will not stand.

**12:26** και ει ο σατανας τον σαταναν εκβαλλει εφ εαυτον εμερισθη πως ουν σταθησεται η βασιλεια αυτου

"If Satan throws out Satan, he is divided against himself. How, then, will his kingdom stand?

**12:27** και ει εγω εν βεελζεβουλ εκβαλλω τα δαιμονια οι υιοι υμων εν τινι εκβαλλουσιν δια τουτο αυτοι κριται εσονται υμων

"If I throw out the demons in Beelzebul, in whom do your sons throw them out? Through this, they will be your judges.

**12:28** ει δε εν πνευματι θεου εγω εκβαλλω τα δαιμονια αρα εφθασεν εφ υμας η βασιλεια του θεου

"Yet if I throw the demons out in God's Spirit, then the kingdom of God has come upon you.

**12:29** η πως δυναται τις εισελθειν εις την οικιαν του ισχυρου και τα σκευη αυτου αρπασαι εαν μη πρωτον δηση τον ισχυρον και τοτε την οικιαν αυτου διαρπασει

"How can someone go into the house of *a* strong man and take away his possession unless he first binds the strong man? Then he can plunder his house.

**12:30** ο μη ων μετ εμου κατ εμου εστιν και ο μη συναγων μετ εμου σκορπιζει

"The *one* not being with me is against me, and the *one* not gathering with me scatters.

## What Will
## and Will Not Be Forgiven

**12:31** δια τουτο λεγω υμιν πασα αμαρτια και βλασφημια αφεθησεται τοις ανθρωποις η δε του πνευματος βλασφημια ουκ αφεθησεται

"Through this I say to you every sin and blasphemy will be forgiven to men, yet the blasphemy of the Spirit will not be forgiven.

**12:32** και ος εαν ειπη λογον κατα του υιου του ανθρωπου αφεθησεται αυτω ος δ αν ειπη κατα του πνευματος του αγιου ουκ αφεθησεται αυτω ουτε εν τουτω τω αιωνι ουτε εν τω μελλοντι

"Whoever speaks *a* word against the Son of Man, it will be forgiven him. Yet whoever speaks against the Holy Spirit, it will not be forgiven him either in this age or in the coming *one*.

## Good Trees and Bad Trees

**12:33** η ποιησατε το δενδρον καλον και τον καρπον αυτου καλον η ποιησατε το δενδρον σαπρον και τον καρπον αυτου σαπρον εκ γαρ του καρπου το δενδρον γινωσκεται

"Either make the tree good and its fruit good, or make the tree worthless and its fruit worthless, for the tree is known from its fruit.

**12:34** γεννηματα εχιδνων πως δυνασθε αγαθα λαλειν πονηροι οντες εκ γαρ του περισσευματος της καρδιας το στομα λαλει

"Vipers' spawn, how can you speak good, being evil? The mouth speaks from the overflow of the heart.

**12:35** ο αγαθος ανθρωπος εκ του αγαθου θησαυρου εκβαλλει αγαθα και ο πονηρος ανθρωπος εκ του πονηρου θησαυρου εκβαλλει πονηρα

"The good man casts out good *things* from his good treasure, and the wicked man casts out wicked *things* from his wicked treasure.

**12:36** λεγω δε υμιν οτι παν ρημα αργον ο λαλησουσιν οι ανθρωποι αποδωσουσιν περι αυτου λογον εν ημερα κρισεως

"I say to you that every idle statement which they say, the men will pay back concerning his word on judgment day.

**12:37** εκ γαρ των λογων σου δικαιωθηση και εκ των λογων σου καταδικασθηση

"You will justified from your words, and you will be condemned from your words."

## The Pharisees Want to See a Sign

**12:38** τοτε απεκριθησαν αυτω τινες των γραμματεων και φαρισαιων λεγοντες διδασκαλε θελομεν απο σου σημειον ιδειν

Then some of the writers and Pharisees answered him, saying, "Teacher, we want to see *a* sign from you."

**12:39** ο δε αποκριθεις ειπεν αυτοις γενεα πονηρα και μοιχαλις σημειον επιζητει και σημειον ου δοθησεται αυτη ει μη το σημειον ιωνα του προφητου

Answering, he said to them, "*A wicked and adulterous generation asks for a sign, and a sign will not be given her except the sign of Jonah*[109] *the prophet.*

**12:40** ωσπερ γαρ ην ιωνας εν τη κοιλια του κητους τρεις ημερας και τρεις νυκτας ουτως εσται ο υιος του ανθρωπου εν τη καρδια της γης τρεις ημερας και τρεις νυκτας

"Just as Jonah was three days and three nights in the belly of the sea monster, so the Son of Man also will be three days and three nights in the heart of the earth.

**12:41** ανδρες νινευιται αναστησονται εν τη κρισει μετα της γενεας ταυτης και κατακρινουσιν αυτην οτι μετενοησαν εις το κηρυγμα ιωνα και ιδου πλειον ιωνα ωδε

"Nineveh's[110] men will rise up in the judgment against this generation and condemn her, for they repented at the preaching of Jonah. Look! Greater than Jonah *is* here.

**12:42** βασιλισσα νοτου εγερθησεται εν τη κρισει μετα της γενεας ταυτης και κατακρινει αυτην οτι ηλθεν εκ των περατων της γης ακουσαι την σοφιαν σολομωνος και ιδου πλειον σολομωνος ωδε

"The south's queen will rise up in the judgment against this generation and judge her, for she came from the corners of the earth to hear the wisdom of Solomon[111]. Look! Greater than Solomon *is* here.

## Temporary Healing

**12:43** οταν δε το ακαθαρτον πνευμα εξελθη απο του ανθρωπου διερχεται δι ανυδρων τοπων ζητουν αναπαυσιν και ουχ ευρισκει

"When the unclean spirit goes out of *a* man, it passes through waterless places seeking rest, and it does not find.

**12:44** τοτε λεγει εις τον οικον μου επιστρεψω οθεν εξηλθον και ελθον ευρισκει σχολαζοντα [και] σεσαρωμενον και κεκοσμημενον

"Then it says, 'I will go back to my house from which I came out.'

"Going *in*, it finds it empty, and swept, and put in order.

**12:45** τοτε πορευεται και παραλαμβανει μεθ εαυτου επτα ετερα πνευματα πονηροτερα εαυτου και εισελθοντα κατοικει εκει και γινεται τα εσχατα του ανθρωπου εκεινου χειρονα των πρωτων ουτως εσται και τη γενεα ταυτη τη πονηρα

"Then it goes and takes with it seven other spirits more wicked than itself. Going in, it lives there, and the ends of that man become worse than the beginnings. It will be so also for this wicked generation."

## Jesus' Mother and Brothers Seek Him

**12:46** ετι αυτου λαλουντος τοις οχλοις ιδου η μητηρ και οι αδελφοι αυτου ειστηκεισαν εξω ζητουντες αυτω λαλησαι

*While* he *was* still speaking to the crowds, look! His mother and brothers had stood outside, seeking to speak to him.

[47] **12:48** ο δε αποκριθεις ειπεν τω λεγοντι αυτω τις εστιν η μητηρ μου και τινες εισιν οι αδελφοι μου

Answering the *one* telling him, he said, "Who is my mother and who are my brothers?"

**12:49** και εκτεινας την χειρα [αυτου] επι τους μαθητας αυτου ειπεν ιδου η μητηρ μου και οι αδελφοι μου

Stretching out [his] hand to his disciples, he said, "Look! My mother and my brothers.

**12:50** οστις γαρ αν ποιηση το θελημα του πατρος μου του εν ουρανοις αυτος μου αδελφος και αδελφη και μητηρ εστιν

"Whoever does the will of my Father in the skies, he is my brother and sister and mother."

## Matthew 13
### Teaching By the Sea

**13:1** εν τη ημερα εκεινη εξελθων ο ιησους της οικιας εκαθητο παρα την θαλασσαν

Going out from the house on that day, Jesus sat beside the sea.

**13:2** και συνηχθησαν προς αυτον οχλοι πολλοι ωστε αυτον εις πλοιον εμβαντα καθησθαι και πας ο οχλος επι τον αιγιαλον ειστηκει

Many crowds gathered to him, so that he went up into *a* boat to sit, and the whole crowd had stood on the beach.

### The Parable of the Sower

**13:3** και ελαλησεν αυτοις πολλα εν παραβολαις λεγων ιδου εξηλθεν ο σπειρων του σπειρειν

He spoke many *things* to them in parables, saying, "Look! The sower went out to sow.

**13:4** και εν τω σπειρειν αυτον α μεν επεσεν παρα την οδον και ελθοντα τα πετεινα κατεφαγεν αυτα

"In his sowing, some fell beside the road, and the birds, coming, ate them.

**13:5** αλλα δε επεσεν επι τα πετρωδη οπου ουκ ειχεν γην πολλην και ευθεως εξανετειλεν δια το μη εχειν βαθος γης

"Other fell on the rocks where it didn't have much soil. Because of not having depth of soil, it sprung up at once.

**13:6** ηλιου δε ανατειλαντος εκαυματισθη και δια το μη εχειν ριζαν εξηρανθη

"The sun rising, it burned and, because of not having *a* root, it dried up.

**13:7** αλλα δε επεσεν επι τας ακανθας και ανεβησαν αι ακανθαι και απεπνιξαν αυτα

"Other fell among the thorns, and the thorns grew up and choked it.

**13:8** αλλα δε επεσεν επι την γην την καλην και εδιδου καρπον ο μεν εκατον ο δε εξηκοντα ο δε τριακοντα

"Yet other fell on the good soil, and gave fruit: one *a* hundred, and one sixty, and one thirty.

**13:9** ο εχων ωτα ακουετω

"Let the *one* having ears hear."

## Why Teach This Way?

**13:10** και προσελθοντες οι μαθηται ειπαν αυτω δια τι εν παραβολαις λαλεις αυτοις

The disciples, coming near, said to him, "Why do you speak to them in parables?"

**13:11** ο δε αποκριθεις ειπεν οτι υμιν δεδοται γνωναι τα μυστηρια της βασιλειας των ουρανων εκεινοις δε ου δεδοται

Answering, he said that, "It is given to you to know the mysteries of the kingdom of the skies, yet it isn't given to them.

**13:12** οστις γαρ εχει δοθησεται αυτω και περισσευθησεται οστις δε ουκ εχει και ο εχει αρθησεται απ αυτου

"For who has, it will be given to him, and he will abound. Yet who does not have, even what he has will be taken from him.

**13:13** δια τουτο εν παραβολαις αυτοις λαλω οτι βλεποντες ου βλεπουσιν και ακουοντες ουκ ακουουσιν ουδε συνιουσιν

"For this I speak to them in parables, that,

'Seeing they may not see,
and hearing they may neither
hear nor understand.'[111a]

**13:14** και αναπληρουται αυτοις η προφητεια ησαιου η λεγουσα ακοη ακουσετε και ου μη συνητε και βλεποντες βλεψετε και ου μη ιδητε

"The prophecy of Isaiah is fulfilled to them, which says,

'You will surely hear
and not understand!
You will surely see
and not catch sight of!'

**13:15** επαχυνθη γαρ η καρδια του λαου τουτου και τοις ωσιν βαρεως ηκουσαν και τους οφθαλμους αυτων εκαμμυσαν μηποτε ιδωσιν τοις οφθαλμοις και τοις ωσιν ακουσωσιν και τη καρδια συνωσιν και επιστρεψωσιν και ιασομαι αυτους

"For the heart of this people
has grown dull,
and they hear by the ears
with difficulty.
They've closed their eyes
that they not see by the eyes,
and hear by the ears,
and understand by the heart,
and turn, and I heal them.[112]

**13:16** υμων δε μακαριοι οι οφθαλμοι οτι βλεπουσιν και τα ωτα [υμων] οτι ακουουσιν

"Yet your eyes *are* blessed for they see, and [your] ears for they hear.

**13:17** αμην γαρ λεγω υμιν οτι πολλοι προφηται και δικαιοι επεθυμησαν ιδειν α βλεπετε και ουκ ειδαν και ακουσαι α ακουετε και ουκ ηκουσαν

"Amen I say to you that many prophets and righteous *men* wanted to see what you see and they didn't see, and to hear what you hear and they didn't hear.

## Jesus Explains the Parable

**13:18** υμεις ουν ακουσατε την παραβολην του σπειραντος

"You then, hear the parable of the sower!

**13:19** παντος ακουοντος τον λογον της βασιλειας και μη συνιεντος ερχεται ο πονηρος και αρπαζει το εσπαρμενον εν τη καρδια αυτου ουτος εστιν ο παρα την οδον σπαρεις
"All those hearing the word of the kingdom and not understanding, the evil *one* comes and takes away the seed sown in his heart. This is the *one* sown beside the road.

**13:20** ο δε επι τα πετρωδη σπαρεις ουτος εστιν ο τον λογον ακουων και ευθυς μετα χαρας λαμβανων αυτον
"The *one* sown on the rocks, this is the *one* hearing the word and at once receiving it with joy.

**13:21** ουκ εχει δε ριζαν εν εαυτω αλλα προσκαιρος εστιν γενομενης δε θλιψεως η διωγμου δια τον λογον ευθυς σκανδαλιζεται
"Yet he has no root in himself, but is fickle, and when trouble or persecution happens for the word's sake, he is scandalized at once.

**13:22** ο δε εις τας ακανθας σπαρεις ουτος εστιν ο τον λογον ακουων και η μεριμνα του αιωνος και η απατη του πλουτου συμπνιγει τον λογον και ακαρπος γινεται
"The *one* sown among the thorns, this is the *one* hearing the word, and the worries of the age and the deception of wealth choke the word, and it becomes unfruitful.

**13:23** ο δε επι την καλην γην σπαρεις ουτος εστιν ο τον λογον ακουων και συνιεις ος δη καρποφορει και ποιει ο μεν εκατον ο δε εξηκοντα ο δε τριακοντα
"Yet the *one* sown on the good soil, this is the *one* hearing the word, and understanding, who bears fruit, and the *one* makes *a* hundred, and the *one* sixty, and the *one* thirty."

## Wheat and Weeds

**13:24** αλλην παραβολην παρεθηκεν αυτοις λεγων ωμοιωθη η βασιλεια των ουρανων ανθρωπω σπειραντι καλον σπερμα εν τω αγρω αυτου
He set another parable before them, saying, "The kingdom of the skies is like *a* man sowing good seed in his field.

**13:25** εν δε τω καθευδειν τους ανθρωπους ηλθεν αυτου ο εχθρος και επεσπειρεν ζιζανια ανα μεσον του σιτου και απηλθεν
"Yet *while* men *are* sleeping, his enemy came, and sowed weeds among the wheat, and went away.

**13:26** οτε δε εβλαστησεν ο χορτος και καρπον εποιησεν τοτε εφανη και τα ζιζανια
"When the grass sprouted and made fruit, then the weeds too became visible.

**13:27** προσελθοντες δε οι δουλοι του οικοδεσποτου ειπον αυτω κυριε ουχι καλον σπερμα εσπειρας εν τω σω αγρω ποθεν ουν εχει ζιζανια
"The house master's slaves, coming near, said to him, 'Master, didn't you sow good seed in your field? How, then, does it have weeds?'

**13:28** ο δε εφη αυτοις εχθρος ανθρωπος τουτο εποιησεν οι δε αυτω λεγουσιν θελεις ουν απελθοντες

συλλεξωμεν αυτα
"He said to them, '*A* man, *an* enemy, has done this.'

"They say to him, 'Do you want, then, that we, going out, gather them up?'

**13:29** ο δε φησιν ου μηποτε συλλεγοντες τα ζιζανια εκριζωσητε αμα αυτοις τον σιτον
"He said, 'No, unless gathering the weeds you uproot the wheat at the same time with them.
**13:30** αφετε συναυξανεσθαι αμφοτερα εως του θερισμου και εν καιρω του θερισμου ερω τοις θερισταις συλλεξατε πρωτον τα ζιζανια και δησατε αυτα [εις] δεσμας προς το κατακαυσαι αυτα τον δε σιτον συναγετε εις την αποθηκην μου
"'Let them both grow together until the harvest, and in the time of harvest I will say to the harvesters, Gather the weeds first and bind them in bundles for burning them. Yet gather the wheat into my barn.'"

### A Mustard Seed
**13:31** αλλην παραβολην παρεθηκεν αυτοις λεγων ομοια εστιν η βασιλεια των ουρανων κοκκω σιναπεως ον λαβων ανθρωπος εσπειρεν εν τω αγρω αυτου
He set another parable before them, saying, "The kingdom of the skies is like *a* mustard seed which *a* man, taking, sowed in his field.
**13:32** ο μικροτερον μεν εστιν

παντων των σπερματων οταν δε αυξηθη μειζον των λαχανων εστιν και γινεται δενδρον ωστε ελθειν τα πετεινα του ουρανου και κατασκηνουν εν τοις κλαδοις αυτου
"*It* is smaller than all the seeds. Yet when it grows, it is greater than all greens, and it becomes *a* tree, so that the birds of the sky, coming, even build nests in its branches."

### A Little Yeast
**13:33** αλλην παραβολην [ελαλησεν αυτοις] ομοια εστιν η βασιλεια των ουρανων ζυμη ην λαβουσα γυνη ενεκρυψεν εις αλευρου σατα τρια εως ου εζυμωθη ολον
[He spoke to them] another parable: "The kingdom of the skies is like leaven which *a* woman, taking, mixed into three measures of wheat flour until it leavened all."

**13:34** ταυτα παντα ελαλησεν ο ιησους εν παραβολαις τοις οχλοις και χωρις παραβολης ουδεν ελαλει αυτοις
Jesus spoke all these to the crowds in parables, and he said nothing to them without *a* parable.
**13:35** οπως πληρωθη το ρηθεν δια του προφητου λεγοντος ανοιξω εν παραβολαις το στομα μου ερευξομαι κεκρυμμενα απο καταβολης
Thus the word of the prophet was fulfilled, saying,

"I will open my mouth in parables.
I will declare *things*
hidden from the beginning."[113]

## Explain the Wheat and Weeds!

**13:36** τοτε αφεις τους οχλους ηλθεν εις την οικιαν και προσηλθον αυτω οι μαθηται αυτου λεγοντες διασαφησον ημιν την παραβολην των ζιζανιων του αγρου

Then, dismissing the crowds, he went into the house, and his disciples came to him, saying, "Explain the parable of the weeds in the field to us."

**13:37** ο δε αποκριθεις ειπεν ο σπειρων το καλον σπερμα εστιν ο υιος του ανθρωπου

Answering, he said, "The *one* sowing the good seed is the Son of Man.

**13:38** ο δε αγρος εστιν ο κοσμος το δε καλον σπερμα ουτοι εισιν οι υιοι της βασιλειας τα δε ζιζανια εισιν οι υιοι του πονηρου

"The field is the world, and the good seeds, these are the sons of the kingdom. The weeds are the sons of the evil *one*.

**13:39** ο δε εχθρος ο σπειρας αυτα εστιν ο διαβολος ο δε θερισμος συντελεια αιωνος εστιν οι δε θερισται αγγελοι εισιν

"The enemy, the *one* sowing them, is the devil. The harvest is the end of the age, and the harvesters are the angels.

**13:40** ωσπερ ουν συλλεγεται τα ζιζανια και πυρι κατακαιεται ουτως εσται εν τη συντελεια του αιωνος

"Just as, therefore, the weeds are gathered and burned by fire, so will it be at the end of the age.

**13:41** αποστελει ο υιος του ανθρωπου τους αγγελους αυτου και συλλεξουσιν εκ της βασιλειας αυτου παντα τα σκανδαλα και τους ποιουντας την ανομιαν

"The Son of Man will send his angels, and they will gather out of his kingdom all scandals and those working lawlessness,

**13:42** και βαλουσιν αυτους εις την καμινον του πυρος εκει εσται ο κλαυθμος και ο βρυγμος των οδοντων

"and they will throw them into the furnace of fire. There, *there* will be weeping and the grinding of teeth.

**13:43** τοτε οι δικαιοι εκλαμψουσιν ως ο ηλιος εν τη βασιλεια του πατρος αυτων ο εχων ωτα ακουετω

"Then the righteous will shine forth like the sun in the kingdom of their father. Let the *one* having ears hear.

## Treasure Hidden in a Field

**13:44** ομοια εστιν η βασιλεια των ουρανων θησαυρω κεκρυμμενω εν τω αγρω ον ευρων ανθρωπος εκρυψεν και απο της χαρας αυτου υπαγει και πωλει οσα εχει και αγοραζει τον αγρον εκεινον

"The kingdom of the skies is like *a* treasure hidden in *a* field which *a* man, finding, hid. From his joy, he goes and sells all, as much as he has, and buys that field.

## A Pearl of Great Price

**13:45** παλιν ομοια εστιν η βασιλεια των ουρανων εμπορω ζητουντι καλους μαργαριτας

"Again, the kingdom of the skies is

like *a* merchant seeking good pearls.
**13:46** ευρων δε ενα πολυτιμον
μαργαριτην απελθων πεπρακεν
παντα οσα ειχεν και ηγορασεν αυτον
"Finding one pearl of surpassing value, going out, he sold all, as much as he had, and bought it.

## A Net Cast Into the Sea
**13:47** παλιν ομοια εστιν η βασιλεια
των ουρανων σαγηνη βληθειση εις
την θαλασσαν και εκ παντος γενους
συναγαγουση
"Again, the kingdom of the skies is like *a* net cast into the sea and gathering together from all species,
**13:48** ην οτε επληρωθη
αναβιβασαντες επι τον αιγιαλον και
καθισαντες συνελεξαν τα καλα εις
αγγη τα δε σαπρα εξω εβαλον
"which, when full, is drawn up on the beach. Sitting down, they collect the good into *a* container, yet they throw the worthless out.
**13:49** ουτως εσται εν τη συντελεια
του αιωνος εξελευσονται οι αγγελοι
και αφοριουσιν τους πονηρους εκ
μεσου των δικαιων
"So will it be in the end of the age. The angels will come out, and they will separate the wicked from among the righteous,
**13:50** και βαλουσιν αυτους εις την
καμινον του πυρος εκει εσται ο
κλαυθμος και ο βρυγμος των
οδοντων
"and they will throw them into the furnace of fire. There, *there* will be weeping and the grinding of teeth.

## Have You Understood?
**13:51** συνηκατε ταυτα παντα
λεγουσιν αυτω ναι
"Do you understand all these?"

They say to him, "Yes."

**13:52** ο δε ειπεν αυτοις δια τουτο
πας γραμματευς μαθητευθεις τη
βασιλεια των ουρανων ομοιος εστιν
ανθρωπω οικοδεσποτη οστις
εκβαλλει εκ του θησαυρου αυτου
καινα και παλαια
He said to them, "Through this, every discipled writer of the kingdom of the skies is like *a* man, master of *a* house, who brings out from his treasury new and old."

## Jesus Goes to His Own Country
**13:53** και εγενετο οτε ετελεσεν ο
ιησους τας παραβολας ταυτας
μετηρεν εκειθεν
It happened when Jesus finished these parables, he went away from there.
**13:54** και ελθων εις την πατριδα
αυτου εδιδασκεν αυτους εν τη
συναγωγη αυτων ωστε
εκπλησσεσθαι αυτους και λεγειν
ποθεν τουτω η σοφια αυτη και αι
δυναμεις
Coming into his homeland, he taught them in their synagogue, so that they were astonished and said, "How *did* this wisdom and these powers *come* to this *man*?
**13:55** ουχ ουτος εστιν ο του
τεκτονος υιος ουχ η μητηρ αυτου
λεγεται μαριαμ και οι αδελφοι αυτου

ιακωβος και ιωσηφ και σιμων και ιουδας

"Isn't this the son of the builder[114]? Isn't his mother called Mary, and his brothers Jacob[115], and Joseph, and Simon, and Judah[116],

**13:56** και αι αδελφαι αυτου ουχι πασαι προς ημας εισιν ποθεν ουν τουτω ταυτα παντα

"and aren't all his sisters with us? How, then, *are* all these to him?"

**13:57** και εσκανδαλιζοντο εν αυτω ο δε ιησους ειπεν αυτοις ουκ εστιν προφητης ατιμος ει μη εν τη πατριδι και εν τη οικια αυτου

They were scandalized by him. Jesus said to them, *"A prophet isn't without honor except in his homeland and in his house."*

**13:58** και ουκ εποιησεν εκει δυναμεις πολλας δια την απιστιαν αυτων

He couldn't do many wonders there because of their disbelief.

## Matthew 14
## Herod Hears of Jesus

**14:1** εν εκεινω τω καιρω ηκουσεν ηρωδης ο τετρααρχης την ακοην ιησου

At that time, Herod the tetrarch heard the fame of Jesus.

**14:2** και ειπεν τοις παισιν αυτου ουτος εστιν ιωαννης ο βαπτιστης αυτος ηγερθη απο των νεκρων και δια τουτο αι δυναμεις ενεργουσιν εν αυτω

He said to his servants, "This is John the Baptist. He has risen from the dead and because of this the powers work in him."

**14:3** ο γαρ ηρωδης κρατησας τον ιωαννην εδησεν και εν φυλακη απεθετο δια ηρωδιαδα την γυναικα φιλιππου του αδελφου αυτου

For Herod, seizing John, bound and placed him in prison for the sake of Herodias[117], the wife of his brother Philip.

**14:4** ελεγεν γαρ ο ιωαννης αυτω ουκ εξεστιν σοι εχειν αυτην

For John was saying to him, "It isn't lawful to you to have her."[118]

**14:5** και θελων αυτον αποκτειναι εφοβηθη τον οχλον οτι ως προφητην αυτον ειχον

Wanting to kill him, he feared the crowd, for they held him as *a* prophet.

## Herod Kills John the Baptist

**14:6** γενεσιοις δε γενομενοις του ηρωδου ωρχησατο η θυγατηρ της ηρωδιαδος εν τω μεσω και ηρεσεν τω ηρωδη

Yet Herod's birthday *having* come, the daughter of Herodias danced in the midst, and she pleased Herod.

**14:7** οθεν μεθ ορκου ωμολογησεν αυτη δουναι ο εαν αιτησηται

For which reason, he swore to her with *an* oath to give whatever she asked.

**14:8** η δε προβιβασθεισα υπο της μητρος αυτης δος μοι φησιν ωδε επι

πινακι την κεφαλην ιωαννου του βαπτιστου
Prompted by her mother, she said, "Give me here the head of John the Baptist on *a* plate."

**14:9** και λυπηθεις ο βασιλευς δια τους ορκους και τους συνανακειμενους εκελευσεν δοθηναι
The king, sorrowful because of the oaths and those reclining together *at table*, commanded *it* to be given.

**14:10** και πεμψας απεκεφαλισεν ιωαννην εν τη φυλακη
Sending *orders*, he beheaded John in the prison,

**14:11** και ηνεχθη η κεφαλη αυτου επι πινακι και εδοθη τω κορασιω και ηνεγκεν τη μητρι αυτης
and his head was brought on *a* plate and given to the girl, and she brought *it* to her mother.

### Jesus Reacts to the News
**14:12** και προσελθοντες οι μαθηται αυτου ηραν το πτωμα και εθαψαν αυτον και ελθοντες απηγγειλαν τω ιησου
His disciples, coming near, took the body, and buried him. Going *out*, they told Jesus.

**14:13** ακουσας δε ο ιησους ανεχωρησεν εκειθεν εν πλοιω εις ερημον τοπον κατ ιδιαν και ακουσαντες οι οχλοι ηκολουθησαν αυτω πεζη απο των πολεων
Hearing, Jesus went out from there in *a* boat to *a* desert place by himself. The crowds, hearing, followed him on foot from the cities.

**14:14** και εξελθων ειδεν πολυν οχλον και εσπλαγχνισθη επ αυτοις και εθεραπευσεν τους αρρωστους αυτων
Going out, he saw *a* great crowd. He was moved to pity over them, and he healed their sick.

### Jesus Feeds the Five Thousand
**14:15** οψιας δε γενομενης προσηλθον αυτω οι μαθηται λεγοντες ερημος εστιν ο τοπος και η ωρα ηδη παρηλθεν απολυσον τους οχλους ινα απελθοντες εις τας κωμας αγορασωσιν εαυτοις βρωματα
*When* evening *had* come, the disciples came to him, saying, "The place is desert and the hour has already passed. Dismiss the crowds so, going into the villages, they can buy themselves food."

**14:16** ο δε ιησους ειπεν αυτοις ου χρειαν εχουσιν απελθειν δοτε αυτοις υμεις φαγειν
Jesus said to them, "They don't need to go away. You give them *something* to eat."

**14:17** οι δε λεγουσιν αυτω ουκ εχομεν ωδε ει μη πεντε αρτους και δυο ιχθυας
They say to him, "We have nothing here except five loaves and two fish."

**14:18** ο δε ειπεν φερετε μοι ωδε αυτους
He said, "Bring them here to me."

**14:19** και κελευσας τους οχλους ανακλιθηναι επι του χορτου λαβων τους πεντε αρτους και τους δυο ιχθυας αναβλεψας εις τον ουρανον ευλογησεν και κλασας εδωκεν τοις μαθηταις τους αρτους οι δε μαθηται τοις οχλοις

Commanding the crowds to sit down on the grass, taking the five loaves and the two fish, looking up into the sky, he blessed. Breaking *the bread*, he gave the loaves to the disciples, and the disciples to the crowds,

**14:20** και εφαγον παντες και εχορτασθησαν και ηραν το περισσευον των κλασματων δωδεκα κοφινους πληρεις

and all ate and were filled. They took up the leftovers of the pieces, twelve full baskets.

**14:21** οι δε εσθιοντες ησαν ανδρες ωσει πεντακισχιλιοι χωρις γυναικων και παιδιων

Around five thousand men were eating, aside from women and children.

### Walking on the Sea

**14:22** και [ευθεως] ηναγκασεν τους μαθητας εμβηναι εις πλοιον και προαγειν αυτον εις το περαν εως ου απολυση τους οχλους

At once he forced the disciples to go up into *a* boat and to go before him to the other side, while he dismissed the crowds.

**14:23** και απολυσας τους οχλους ανεβη εις το ορος κατ ιδιαν προσευξασθαι οψιας δε γενομενης μονος ην εκει

Dismissing the crowds, he went up onto the mountain by himself to pray. *When* evening *had* come, he was alone there.

**14:24** το δε πλοιον ηδη σταδιους πολλους απο της γης απειχεν βασανιζομενον υπο των κυματων ην γαρ εναντιος ο ανεμος

The boat was already many stadia distant from the land tossed about by the waves, for the wind was against.

**14:25** τεταρτη δε φυλακη της νυκτος ηλθεν προς αυτους περιπατων επι την θαλασσαν

The fourth watch of the night he came to them, walking on the sea.

**14:26** οι δε μαθηται ιδοντες αυτον επι της θαλασσης περιπατουντα εταραχθησαν λεγοντες οτι φαντασμα εστιν και απο του φοβου εκραξαν

The disciples, seeing him walking on the sea, were terrified, saying that, "It's *a* ghost!"

They cried out from fear.

**14:27** ευθυς δε ελαλησεν [ο ιησους] αυτοις λεγων θαρσειτε εγω ειμι μη φοβεισθε

Jesus spoke to them at once, saying, "Cheer up! I am. Don't be afraid."

### Peter Tries to Follow

**14:28** αποκριθεις δε ο πετρος ειπεν αυτω κυριε ει συ ει κελευσον με ελθειν προς σε επι τα υδατα

Peter, answering, said to him, "Lord, if you are, command me to come to you on the waters!"

**14:29** ο δε ειπεν ελθε και καταβας

απο του πλοιου πετρος περιεπατησεν επι τα υδατα και ηλθεν προς τον ιησουν

He said, "Come!"

Getting down from the boat, Peter walked on the water, and came toward Jesus.

**14:30** βλεπων δε τον ανεμον εφοβηθη και αρξαμενος καταποντιζεσθαι εκραξεν λεγων κυριε σωσον με

Yet seeing the wind, he was afraid and, beginning to sink, he shouted, saying, "Lord, save me!"

**14:31** ευθεως δε ο ιησους εκτεινας την χειρα επελαβετο αυτου και λεγει αυτω ολιγοπιστε εις τι εδιστασας

Stretching out the hand at once, Jesus took hold of him. He says to him, *"You* of little faith, why did you doubt?"

**14:32** και αναβαντων αυτων εις το πλοιον εκοπασεν ο ανεμος

*As* they *were* getting up into the boat, the wind ceased.

**14:33** οι δε εν τω πλοιω προσεκυνησαν αυτω λεγοντες αληθως θεου υιος ει

The *ones* in the boat worshiped him, saying, "You are truly God's son."

### In Gennesar's Land

**14:34** και διαπερασαντες ηλθον επι την γην εις γεννησαρετ

Crossing over, they came to the land, into Gennesaret[119].

**14:35** και επιγνοντες αυτον οι ανδρες του τοπου εκεινου απεστειλαν εις ολην την περιχωρον εκεινην και προσηνεγκαν αυτω παντας τους κακως εχοντας

The men of that place, recognizing him, sent into all that surrounding region, and they brought to him all those having *it* badly.

**14:36** και παρεκαλουν [αυτον] ινα μονον αψωνται του κρασπεδου του ιματιου αυτου και οσοι ηψαντο διεσωθησαν

They were urging [him] that they might only touch the fringe of his clothing, and as many as touched were brought safely through.

### Matthew 15
### Dispute Over Ritual Washing

**15:1** τοτε προσερχονται τω ιησου απο ιεροσολυμων φαρισαιοι και γραμματεις λεγοντες

Then Pharisees and writers from Jerusalem came near Jesus, saying,

**15:2** δια τι οι μαθηται σου παραβαινουσιν την παραδοσιν των πρεσβυτερων ου γαρ νιπτονται τας χειρας οταν αρτον εσθιωσιν

"Why are your disciples disobeying the tradition of the elders, for they don't wash the hands when they eat bread?"

**15:3** ο δε αποκριθεις ειπεν αυτοις δια τι και υμεις παραβαινετε την εντολην του θεου δια την παραδοσιν υμων

Answering, he said to them, "And why do you disobey the

commandment of God through your tradition?

**15:4** ο γαρ θεος ειπεν τιμα τον πατερα και την μητερα και ο κακολογων πατερα η μητερα θανατω τελευτατω

"For God said,

'Honor the father and mother,'[120]

and

'Let the *one* cursing father or mother surely die!'[121]

**15:5** υμεις δε λεγετε ος αν ειπη τω πατρι η τη μητρι δωρον ο εαν εξ εμου ωφεληθης ου μη τιμησει τον πατερα αυτου

"Yet you say, 'Whoever says to the father or the mother, Whatever you are owed from me *is a* gift,' he will not honor his father.

**15:6** και ηκυρωσατε τον λογον του θεου δια την παραδοσιν υμων

"You invalidate the word of God through your tradition.

**15:7** υποκριται καλως επροφητευσεν περι υμων ησαιας λεγων

"Hypocrites! Isaiah prophesied well about you, saying,

**15:8** ο λαος ουτος τοις χειλεσιν με τιμα η δε καρδια αυτων πορρω απεχει απ εμου

"'This people honors Me with lips,
        yet their heart
    is far away from Me.'

**15:9** ματην δε σεβονται με διδασκοντες διδασκαλιας ενταλματα ανθρωπων

"They worship Me in vain, teaching human commandments as teachings.'"[122]

### What Pollutes a Man

**15:10** και προσκαλεσαμενος τον οχλον ειπεν αυτοις ακουετε και συνιετε

Calling together the crowd, he said to them, "Hear and understand.

**15:11** ου το εισερχομενον εις το στομα κοινοι τον ανθρωπον αλλα το εκπορευομενον εκ του στοματος τουτο κοινοι τον ανθρωπον

"The *thing* going into the mouth doesn't defile the man, but the *thing* coming out of the mouth – this defiles the man."

### Blind Guides

**15:12** τοτε προσελθοντες οι μαθηται λεγουσιν αυτω οιδας οτι οι φαρισαιοι ακουσαντες τον λογον εσκανδαλισθησαν

Then the disciples, coming near, say to him, "Do you know that the Pharisees were scandalized hearing the word?"

**15:13** ο δε αποκριθεις ειπεν πασα φυτεια ην ουκ εφυτευσεν ο πατηρ μου ο ουρανιος εκριζωθησεται

Answering, he said, "Every plant which my heavenly Father didn't plant will be uprooted.

**15:14** αφετε αυτους τυφλοι εισιν οδηγοι τυφλος δε τυφλον εαν οδηγη αμφοτεροι εις βοθυνον πεσουνται

"Leave them. They are blind guides.

If *a* blind *man* guides *a* blind *man*, both will fall into *a* hole."

**15:15** αποκριθεις δε ο πετρος ειπεν αυτω φρασον ημιν την παραβολην
Peter, answering, said to him, "Explain the parable to us."

**15:16** ο δε ειπεν ακμην και υμεις ασυνετοι εστε
He said, "Are you still without understanding?

**15:17** ου νοειτε οτι παν το εισπορευομενον εις το στομα εις την κοιλιαν χωρει και εις αφεδρωνα εκβαλλεται
"Don't you know that everything going into the mouth goes into the gut and is cast out into the toilet?

**15:18** τα δε εκπορευομενα εκ του στοματος εκ της καρδιας εξερχεται κακεινα κοινοι τον ανθρωπον
"Yet the *things* coming out of the mouth come out of the heart, and these defile the man.

**15:19** εκ γαρ της καρδιας εξερχονται διαλογισμοι πονηροι φονοι μοιχειαι πορνειαι κλοπαι ψευδομαρτυριαι βλασφημιαι
"For wicked thoughts, murders, adulteries, fornications, thefts, false witnesses, blasphemies come out of the heart.

**15:20** ταυτα εστιν τα κοινουντα τον ανθρωπον το δε ανιπτοις χερσιν φαγειν ου κοινοι τον ανθρωπον
"These are the *things* defiling the man. Yet to eat with unwashed hands does not defile the man."

## Healing a Canaanite Woman's Daughter

**15:21** και εξελθων εκειθεν ο ιησους ανεχωρησεν εις τα μερη τυρου και σιδωνος
Going out from there, Jesus went away into the portions of Tyre and Sidon.

**15:22** και ιδου γυνη χαναναια απο των οριων εκεινων εξελθουσα εκραζεν λεγουσα ελεησον με κυριε υιος δαυιδ η θυγατηρ μου κακως δαιμονιζεται
Look! *A* Canaanite[123] woman from those regions, coming out, shouted, saying, "Lord, David's son, have mercy on me! My daughter is badly demonized."

**15:23** ο δε ουκ απεκριθη αυτη λογον και προσελθοντες οι μαθηται αυτου ηρωτουν αυτον λεγοντες απολυσον αυτην οτι κραζει οπισθεν ημων
Yet he did not answer her *a* word and his disciples, coming near, began asking him, saying, "Send her away because she shouts after us."

**15:24** ο δε αποκριθεις ειπεν ουκ απεσταλην ει μη εις τα προβατα τα απολωλοτα οικου ισραηλ
Answering, he said, "I wasn't sent except to the lost sheep of Israel's house."

**15:25** η δε ελθουσα προσεκυνει αυτω λεγουσα κυριε βοηθει μοι
Coming, she worshiped him, saying, "Lord, help me!"

**15:26** ο δε αποκριθεις ειπεν ουκ
εστιν καλον λαβειν τον αρτον των
τεκνων και βαλειν τοις κυναριοις
Answering, he said, "It isn't good to
take the children's bread and throw *it*
to the dogs."

**15:27** η δε ειπεν ναι κυριε και [γαρ]
τα κυναρια εσθιει απο των ψιχιων
των πιπτοντων απο της τραπεζης των
κυριων αυτων
Yet she said, "Yes, Lord, [for] even
the puppies eat from the crumbs
falling from the tables of their
masters."

**15:28** τοτε αποκριθεις ο ιησους ειπεν
αυτη ω γυναι μεγαλη σου η πιστις
γενηθητω σοι ως θελεις και ιαθη η
θυγατηρ αυτης απο της ωρας εκεινης
Then Jesus, answering, said to her,
"O woman, your faith is great. Be it
done to you as you wish."

Her daughter was healed from that
hour.

### Jesus Heals on a Mountain
**15:29** και μεταβας εκειθεν ο ιησους
ηλθεν παρα την θαλασσαν της
γαλιλαιας και αναβας εις το ορος
εκαθητο εκει
Moving on from there, Jesus came
beside the Sea of Galilee, and going
up onto *a* mountain, he sat there.
**15:30** και προσηλθον αυτω οχλοι
πολλοι εχοντες μεθ εαυτων χωλους
κυλλους τυφλους κωφους και
ετερους πολλους και ερριψαν αυτους
παρα τους ποδας αυτου και

εθεραπευσεν αυτους
Many crowds came near him, having
with them lame, crippled, blind,
mute, and many others. They put
them down at his feet, and he healed
them,
**15:31** ωστε τον οχλον θαυμασαι
βλεποντας κωφους λαλουντας και
χωλους περιπατουντας και τυφλους
βλεποντας και εδοξασαν τον θεον
ισραηλ
so the crowd *was* astonished, seeing
the mute speaking, and the lame
walking, and the blind seeing, and
they glorified Israel's God.

### Jesus Again Feeds a Multitude
**15:32** ο δε ιησους προσκαλεσαμενος
τους μαθητας αυτου ειπεν
σπλαγχνιζομαι επι τον οχλον οτι
[ηδη] ημεραι τρεις προσμενουσιν μοι
και ουκ εχουσιν τι φαγωσιν και
απολυσαι αυτους νηστεις ου θελω
μηποτε εκλυθωσιν εν τη οδω
Calling his disciples near, Jesus said,
"I am moved over the crowd, for
three days [already] they remain with
me, and they have nothing to eat. If
I dismiss them fasting, I don't want
that they give out on the road."

**15:33** και λεγουσιν αυτω οι μαθηται
ποθεν ημιν εν ερημια αρτοι τοσουτοι
ωστε χορτασαι οχλον τοσουτον
The disciples say to him, "Where to
us in the desert *is* such bread as to
feed such *a* crowd?"
**15:34** και λεγει αυτοις ο ιησους
ποσους αρτους εχετε οι δε ειπαν
επτα και ολιγα ιχθυδια

He says to them, "How many loaves do you have?"

They said, "Seven, and *a* few fish."

**15:35** και παραγγειλας τω οχλω αναπεσειν επι την γην
Commanding the crowd to sit down on the ground,

**15:36** ελαβεν τους επτα αρτους και τους ιχθυας και ευχαριστησας εκλασεν και εδιδου τοις μαθηταις οι δε μαθηται τοις οχλοις
he took the seven loaves and the fish. Giving thanks, he broke *them* and gave *them* to the disciples, and the disciples to the crowds.

**15:37** και εφαγον παντες και εχορτασθησαν και το περισσευον των κλασματων ηραν επτα σπυριδας πληρεις
All ate and were full, and the leftovers of the broken pieces were seven large baskets full.

**15:38** οι δε εσθιοντες ησαν τετρακισχιλιοι ανδρες χωρις γυναικων και παιδιων
Those eating were four thousand men, apart from women and children.

**15:39** και απολυσας τους οχλους ενεβη εις το πλοιον και ηλθεν εις τα ορια μαγαδαν
Dismissing the crowds, he went up into *a* boat and came to the regions of Magadan[124].

## Matthew 16
## Leaders Ask for a Sign

**16:1** και προσελθοντες [οι] φαρισαιοι και σαδδουκαιοι πειραζοντες επηρωτησαν αυτον σημειον εκ του ουρανου επιδειξαι αυτοις
[The] Pharisees and Sadducees, coming near, testing *him*, demanded him to show them *a* sign from the sky.

**16:2** ο δε αποκριθεις ειπεν αυτοις [[οψιας γενομενης λεγετε ευδια πυρραζει γαρ ο ουρανος
Answering, he said to them, [["*When* evening comes you say, 'Fair weather, for the sky is red',

**16:3** και πρωι σημερον χειμων πυρραζει γαρ στυγναζων ο ουρανος το μεν προσωπον του ουρανου γινωσκετε διακρινειν τα δε σημεια των καιρων ου δυνασθε]]
"and at morning, 'Today *is* stormy, for the sky is gloomy'. You know to judge the face of the sky, yet can't you *judge* the signs of the times?"]]

**16:4** γενεα πονηρα και μοιχαλις σημειον επιζητει και σημειον ου δοθησεται αυτη ει μη το σημειον ιωνα και καταλιπων αυτους απηλθεν
"*A* wicked and adulterous generation seeks *a* sign, and *a* sign won't be given her except the sign of Jonah."

Leaving them, he went away.

### The Pharisees' Yeast

**16:5** και ελθοντες οι μαθηται εις το περαν επελαθοντο αρτους λαβειν
*When* the disciples *were* going to the

other side, they forgot to take bread.
**16:6** ο δε ιησους ειπεν αυτοις ορατε
και προσεχετε απο της ζυμης των
φαρισαιων και σαδδουκαιων
Jesus said to them, "Watch and
beware of the leaven of the Pharisees
and Sadducees."

**16:7** οι δε διελογιζοντο εν εαυτοις
λεγοντες οτι αρτους ουκ ελαβομεν
They thought among themselves,
saying that, "We took no bread."

**16:8** γνους δε ο ιησους ειπεν τι
διαλογιζεσθε εν εαυτοις ολιγοπιστοι
οτι αρτους ουκ εχετε
Jesus, knowing *this*, said, "Why do
you think among yourselves that you
have no bread, *you* of little faith?
**16:9** ουπω νοειτε ουδε μνημονευετε
τους πεντε αρτους των
πεντακισχιλιων και ποσους κοφινους
ελαβετε
"Don't you know yet, or remember
the five loaves of the five thousand,
and how many baskets you took?
**16:10** ουδε τους επτα αρτους των
τετρακισχιλιων και ποσας σπυριδας
ελαβετε
"Or the seven loaves of the four
thousand, and how many large
baskets you took?
**16:11** πως ου νοειτε οτι ου περι
αρτων ειπον υμιν προσεχετε δε απο
της ζυμης των φαρισαιων και
σαδδουκαιων
"How do you not know that I didn't
speak to you about bread? Beware
of the leaven of the Pharisees and
Sadducees!"

**16:12** τοτε συνηκαν οτι ουκ ειπεν
προσεχειν απο της ζυμης [των
αρτων] αλλα απο της διδαχης των
φαρισαιων και σαδδουκαιων
Then they understood that he didn't
say to beware of the leaven [of
bread], but of the teaching of the
Pharisees and Sadducees.

### Who Am I?
**16:13** ελθων δε ο ιησους εις τα μερη
καισαρειας της φιλιππου ηρωτα τους
μαθητας αυτου λεγων τινα λεγουσιν
οι ανθρωποι ειναι τον υιον του
ανθρωπου
Coming into the regions of
Caesarea[125] of Philip, Jesus asked his
disciples, saying, "Who do men
claim the Son of Man to be?"

**16:14** οι δε ειπαν οι μεν ιωαννην τον
βαπτιστην αλλοι δε ηλιαν ετεροι δε
ιερεμιαν η ενα των προφητων
They said, "Some John the Baptist,
others Elijah, others Jeremiah[126] or
one of the prophets."

**16:15** λεγει αυτοις υμεις δε τινα με
λεγετε ειναι
He says to them, "Who do you claim
me to be?"

**16:16** αποκριθεις δε σιμων πετρος
ειπεν συ ει ο χριστος ο υιος του θεου
του ζωντος
Answering, Simon Peter said, "You
are the Christ, the son of the living
God."

**16:17**αποκριθεις δε ο ιησους ειπεν

αυτω μακαριος ει σιμων βαριωνα οτι σαρξ και αιμα ουκ απεκαλυψεν σοι αλλ ο πατηρ μου ο εν [τοις] ουρανοις

Answering, Jesus said to him, "You are blessed, Simon Bar-Jonah, for flesh and blood didn't unveil *this* to you, but my Father in the skies.

**16:18** καγω δε σοι λεγω οτι συ ει πετρος και επι ταυτη τη πετρα οικοδομησω μου την εκκλησιαν και πυλαι αδου ου κατισχυσουσιν αυτης

"I say to you that you are Peter, and on this rock I will build my *ekklesia*, and the gates of Hades will not overcome her.

**16:19** δωσω σοι τας κλειδας της βασιλειας των ουρανων και ο εαν δησης επι της γης εσται δεδεμενον εν τοις ουρανοις και ο εαν λυσης επι της γης εσται λελυμενον εν τοις ουρανοις

"I will give you the keys of the kingdom of the skies. Whatever you bind on the earth will be bound in the skies, and whatever you allow on the earth will be allowed in the skies."

**16:20** τοτε επετιμησεν τοις μαθηταις ινα μηδενι ειπωσιν οτι αυτος εστιν ο χριστος

Then he rebuked the disciples that they tell no one that he is the Christ.

### Jesus First Predicts His Death and Resurrection

**16:21** απο τοτε ηρξατο ιησους χριστος δεικνυειν τοις μαθηταις αυτου οτι δει αυτον εις ιεροσολυμα απελθειν και πολλα παθειν απο των πρεσβυτερων και αρχιερεων και

γραμματεων και αποκτανθηναι και τη τριτη ημερα εγερθηναι

From then Jesus Christ began to show his disciples that it is necessary for him to go away to Jerusalem, and to suffer much from the elders and chief priests and writers, and to be killed, and the third day to rise.

**16:22** και προσλαβομενος αυτον ο πετρος ηρξατο επιτιμαν αυτω λεγων ιλεως σοι κυριε ου μη εσται σοι τουτο

Taking him aside, Peter began to rebuke him, saying, "*Be* gracious to yourself, Lord! This will not be to you."

**16:23** ο δε στραφεις ειπεν τω πετρω υπαγε οπισω μου σατανα σκανδαλον ει εμου οτι ου φρονεις τα του θεου αλλα τα των ανθρωπων

Turning, he said to Peter, "Go behind me, Satan! You are *a* scandal to me, for you don't think the *thoughts* of God, but the *thoughts* of men."

### Take Up Your Cross

**16:24** τοτε [ο] ιησους ειπεν τοις μαθηταις αυτου ει τις θελει οπισω μου ελθειν απαρνησασθω εαυτον και αρατω τον σταυρον αυτου και ακολουθειτω μοι

Then Jesus said to his disciples, "If someone wants to come after me, let him deny himself and take up his cross and follow me.

**16:25** ος γαρ εαν θελη την ψυχην αυτου σωσαι απολεσει αυτην ος δ αν απολεση την ψυχην αυτου ενεκεν εμου ευρησει αυτην

"For whoever wants to save his soul will lose her, yet whoever loses his soul for my sake will find her.

**16:26** τι γαρ ωφεληθησεται ανθρωπος εαν τον κοσμον ολον κερδηση την δε ψυχην αυτου ζημιωθη η τι δωσει ανθρωπος ανταλλαγμα της ψυχης αυτου

"What will it profit *a* man if he gains the whole world yet loses his soul? What will *a* man give in exchange for his soul?

**16:27** μελλει γαρ ο υιος του ανθρωπου ερχεσθαι εν τη δοξη του πατρος αυτου μετα των αγγελων αυτου και τοτε αποδωσει εκαστω κατα την πραξιν αυτου

"For the Son of Man is about to come in the glory of his Father with his angels, and then he will repay to each according to his works."

**16:28** αμην λεγω υμιν οτι εισιν τινες των ωδε εστωτων οιτινες ου μη γευσωνται θανατου εως αν ιδωσιν τον υιον του ανθρωπου ερχομενον εν τη βασιλεια αυτου

"Amen I say to you that some of those are standing here who will not taste death until they see the Son of Man coming in his kingdom."

## Matthew 17
## Jesus Transfigured

**17:1** και μεθ ημερας εξ παραλαμβανει ο ιησους τον πετρον και ιακωβον και ιωαννην τον αδελφον αυτου και αναφερει αυτους εις ορος υψηλον κατ ιδιαν

After six days, Jesus takes Peter and Jacob and John his brother, and brings them up onto *a* high mountain by himself.

**17:2** και μετεμορφωθη εμπροσθεν αυτων και ελαμψεν το προσωπον αυτου ως ο ηλιος τα δε ιματια αυτου εγενετο λευκα ως το φως

He was transformed before them, and his face shone like the sun. His clothing became white like the light.

**17:3** και ιδου ωφθη αυτοις μωυσης και ηλιας συλλαλουντες μετ αυτου

Look! Moses and Elijah appeared to them, talking with him.

**17:4** αποκριθεις δε ο πετρος ειπεν τω ιησου κυριε καλον εστιν ημας ωδε ειναι ει θελεις ποιησω ωδε τρεις σκηνας σοι μιαν και μωυσει μιαν και ηλια μιαν

Peter, answering, said to Jesus, "Lord, it is good *for* us to be here. If you want, I will make three tabernacles here: one to you, one to Moses, and one to Elijah."

**17:5** ετι αυτου λαλουντος ιδου νεφελη φωτεινη επεσκιασεν αυτους και ιδου φωνη εκ της νεφελης λεγουσα ουτος εστιν ο υιος μου ο αγαπητος εν ω ευδοκησα ακουετε αυτου

While he *was* still speaking, look! *A* bright cloud overshadowed them, and look! *A* voice *came* from the cloud, saying,

"This is My beloved son,
in whom I am pleased.
Listen to him!"

**17:6** και ακουσαντες οι μαθηται επεσαν επι προσωπον αυτων και εφοβηθησαν σφοδρα

Hearing *this*, the disciples fell on their face and feared greatly.

**17:7** και προσηλθεν ο ιησους και αψαμενος αυτων ειπεν εγερθητε και μη φοβεισθε

Jesus came near and, touching them, said, "Get up and don't be afraid."

**17:8** επαραντες δε τους οφθαλμους αυτων ουδενα ειδον ει μη αυτον ιησουν μονον

Lifting up their eyes, they saw no one except Jesus alone.

### Elijah Must Come First

**17:9** και καταβαινοντων αυτων εκ του ορους ενετειλατο αυτοις ο ιησους λεγων μηδενι ειπητε το οραμα εως ου ο υιος του ανθρωπου εκ νεκρων εγερθη

*While* they *were* going down from the mountain, Jesus commanded them, saying, "Tell no one the vision until the Son of Man rises from the dead."

**17:10** και επηρωτησαν αυτον οι μαθηται λεγοντες τι ουν οι γραμματεις λεγουσιν οτι ηλιαν δει ελθειν πρωτον

The disciples questioned him, saying, "Why, then, do the writers say that it is necessary for Elijah to come first?"

**17:11** ο δε αποκριθεις ειπεν ηλιας μεν ερχεται και αποκαταστησει παντα

Answering, he said, "Elijah comes and will restore all.

**17:12** λεγω δε υμιν οτι ηλιας ηδη ηλθεν και ουκ επεγνωσαν αυτον αλλα εποιησαν εν αυτω οσα ηθελησαν ουτως και ο υιος του ανθρωπου μελλει πασχειν υπ αυτων

"I say to you that Elijah already came, and they didn't recognize him, but did to him as much as they wanted. So also the Son of Man is about to suffer under them."

**17:13** τοτε συνηκαν οι μαθηται οτι περι ιωαννου του βαπτιστου ειπεν αυτοις

Then the disciples understood that he spoke to them about John the Baptist.

### A Father Pleads for His Son

**17:14** και ελθοντων προς τον οχλον προσηλθεν αυτω ανθρωπος γονυπετων αυτον

*While they were* coming to the crowd, *a* man came near him, kneeling before him,

**17:15** και λεγων κυριε ελεησον μου τον υιον οτι σεληνιαζεται και κακως εχει πολλακις γαρ πιπτει εις το πυρ και πολλακις εις το υδωρ

and saying, "Lord, have mercy on my son, for he is *a* lunatic and has *it* badly, for he often falls into the fire and often into the water.

**17:16** και προσηνεγκα αυτον τοις μαθηταις σου και ουκ ηδυνηθησαν αυτον θεραπευσαι

"I brought him to your disciples, and

they couldn't heal him."

**17:17** αποκριθεις δε ο ιησους ειπεν ω γενεα απιστος και διεστραμμενη εως ποτε μεθ υμων εσομαι εως ποτε ανεξομαι υμων φερετε μοι αυτον ωδε

Answering, Jesus said, "O faithless and perverted generation, how long will I be with you? How long will I be patient with you? Bring him here to me."

**17:18** και επετιμησεν αυτω ο ιησους και εξηλθεν απ αυτου το δαιμονιον και εθεραπευθη ο παις απο της ωρας εκεινης

Jesus rebuked him, and the demon went out of him, and the child was healed from that hour.

## Why Couldn't
## We Thrown Him Out?

**17:19** τοτε προσελθοντες οι μαθηται τω ιησου κατ ιδιαν ειπον δια τι ημεις ουκ ηδυνηθημεν εκβαλειν αυτο

Then the disciples, coming near Jesus by himself, said, "Why couldn't we throw it out?"

**17:20** ο δε λεγει αυτοις δια την ολιγοπιστιαν υμων αμην γαρ λεγω υμιν εαν εχητε πιστιν ως κοκκον σιναπεως ερειτε τω ορει τουτω μεταβα ενθεν εκει και μεταβησεται και ουδεν αδυνατησει υμιν

He says to them, "Because of your little faith. Amen I say to you, if you have faith like *a* mustard seed, you will say to this mountain, 'Move there from here', and it will move, and nothing will be impossible to you."

## Jesus Again
## Predicts Betrayal and Death

[21] **17:22** συστρεφομενων δε αυτων εν τη γαλιλαια ειπεν αυτοις ο ιησους μελλει ο υιος του ανθρωπου παραδιδοσθαι εις χειρας ανθρωπων

*While* they *were* gathering together in Galilee, Jesus said to them, "The Son of Man is about to be betrayed into men's hands.

**17:23** και αποκτενουσιν αυτον και τη τριτη ημερα εγερθησεται και ελυπηθησαν σφοδρα

"They will kill him, and the third day he will rise again."

*The hearers* grieved greatly.

## Does the Teacher Pay Taxes?

**17:24** ελθοντων δε αυτων εις καφαρναουμ προσηλθον οι τα διδραχμα λαμβανοντες τω πετρω και ειπαν ο διδασκαλος υμων ου τελει τα διδραχμα

*As* they *were* coming into Capernaum, the *ones* taking the two drachma[127] tax came near Peter and said, "Does your teacher not obey the two drachma *tax*?"

**17:25** λεγει ναι και ελθοντα εις την οικιαν προεφθασεν αυτον ο ιησους λεγων τι σοι δοκει σιμων οι βασιλεις της γης απο τινων λαμβανουσιν τελη η κηνσον απο των υιων αυτων η απο των αλλοτριων

He says, "Yes."

Going into the house, Jesus spoke to him first, saying, "How does it seem to you, Simon? The kings of the earth, from whom do they take revenue or tax? From their sons or from strangers?"

**17:26** ειποντος δε απο των αλλοτριων εφη αυτω ο ιησους αρα γε ελευθεροι εισιν οι υιοι
*When* Peter answered, "From strangers,"

Jesus said to him, "Then the sons are free.
**17:27** ινα δε μη σκανδαλισωμεν αυτους πορευθεις εις θαλασσαν βαλε αγκιστρον και τον αναβαντα πρωτον ιχθυν αρον και ανοιξας το στομα αυτου ευρησεις στατηρα εκεινον λαβων δος αυτοις αντι εμου και σου
"Yet so we don't scandalize them, going to the sea, throw *a* hook and take the first fish coming up. Opening its mouth, you will find *a* four drachma coin. Taking that, give it to them for me and you."

## Matthew 18
## Who Is Greater?
**18:1** εν εκεινη τη ωρα προσηλθον οι μαθηται τω ιησου λεγοντες τις αρα μειζων εστιν εν τη βασιλεια των ουρανων
In that hour, the disciples came near Jesus, saying, "Who is greater in the kingdom of the skies?"

**18:2** και προσκαλεσαμενος παιδιον εστησεν αυτο εν μεσω αυτων
Calling *a* child near, he stood it in their midst,
**18:3** και ειπεν αμην λεγω υμιν εαν μη στραφητε και γενησθε ως τα παιδια ου μη εισελθητε εις την βασιλειαν των ουρανων
and said, "Amen I say to you, unless you turn and become like the children, you won't go into the kingdom of the skies.
**18:4** οστις ουν ταπεινωσει εαυτον ως το παιδιον τουτο ουτος εστιν ο μειζων εν τη βασιλεια των ουρανων
"Whoever, then, humbles himself like this child, he is the greater in the kingdom of the skies.
**18:5** και ος εαν δεξηται εν παιδιον τοιουτο επι τω ονοματι μου εμε δεχεται
"Whoever receives one such child in my name receives me.
**18:6** ος δ αν σκανδαλιση ενα των μικρων τουτων των πιστευοντων εις εμε συμφερει αυτω ινα κρεμασθη μυλος ονικος περι τον τραχηλον αυτου και καταποντισθη εν τω πελαγει της θαλασσης
"Yet whoever scandalizes one of these little ones believing in me, it is better for him that *a* donkey's millstone be hung around his neck and he be drowned in the depths of the sea.

### Woe to the World
**18:7** ουαι τω κοσμω απο των σκανδαλων αναγκη γαρ ελθειν τα σκανδαλα πλην ουαι τω ανθρωπω δι

ου το σκανδαλον ερχεται

"Woe to the world from scandals, for the scandals must come. Nevertheless, woe to the man through whom the scandal comes!

**18:8** ει δε η χειρ σου η ο πους σου σκανδαλιζει σε εκκοψον αυτον και βαλε απο σου καλον σοι εστιν εισελθειν εις την ζωην κυλλον η χωλον η δυο χειρας η δυο ποδας εχοντα βληθηναι εις το πυρ το αιωνιον

"If your hand or your foot scandalizes you, cut him off and throw *him* away from you. It is good to you to go into the life crippled or lame than having two hands or two feet to be thrown into the eternal fire.

**18:9** και ει ο οφθαλμος σου σκανδαλιζει σε εξελε αυτον και βαλε απο σου καλον σοι εστιν μονοφθαλμον εις την ζωην εισελθειν η δυο οφθαλμους εχοντα βληθηναι εις την γεενναν του πυρος

"If your eye scandalizes you, pull him out and throw *him* away from you. It is good to you to go one-eyed into the life than having two eyes be thrown into the Gehenna of fire.

**18:10** ορατε μη καταφρονησητε ενος των μικρων τουτων λεγω γαρ υμιν οτι οι αγγελοι αυτων εν ουρανοις δια παντος βλεπουσιν το προσωπον του πατρος μου του εν ουρανοις

"Watch that you not despise one of these little ones, for I say to you that their angels in the skies watch through all the face of my Father, the *One* in the skies.

## A Lost Sheep

[11] **18:12** τι υμιν δοκει εαν γενηται τινι ανθρωπω εκατον προβατα και πλανηθη εν εξ αυτων ουχι αφησει τα ενενηκοντα εννεα επι τα ορη και πορευθεις ζητει το πλανωμενον

"What does it seem to you? If *a* hundred sheep belong to *a* man and one of them wanders away, won't he leave the ninety-nine on the mountains and, going, seek the lost one?

**18:13** και εαν γενηται ευρειν αυτο αμην λεγω υμιν οτι χαιρει επ αυτω μαλλον η επι τοις ενενηκοντα εννεα τοις μη πεπλανημενοις

"If he happens to find it, Amen I say to you that he rejoices over it more than over the ninety-nine that did not wander.

**18:14** ουτως ουκ εστιν θελημα εμπροσθεν του πατρος μου του εν ουρανοις ινα αποληται εν των μικρων τουτων

"So it isn't *the* will before my Father in the skies, that one of these little ones be lost.

## Dealing with Those Who Wrong Us

**18:15** εαν δε αμαρτηση ο αδελφος σου υπαγε ελεγξον αυτον μεταξυ σου και αυτου μονου εαν σου ακουση εκερδησας τον αδελφον σου

"If your brother sins, go, reprove him between you and him alone. If he listens to you, you have gained your brother.

**18:16** εαν δε μη ακουση παραλαβε μετα σου ετι ενα η δυο ινα επι στοματος δυο μαρτυρων η τριων σταθη παν ρημα

"Yet if he won't listen, take one or two with you in addition, that every word may stand on the mouth of two or three witnesses.[128]

**18:17** εαν δε παρακουση αυτων ειπον τη εκκλησια εαν δε και της εκκλησιας παρακουση εστω σοι ωσπερ ο εθνικος και ο τελωνης

"If he refuses to listen to them, tell the assembly. Yet if he refuses to listen even to the assembly, let him be to you as *a* Gentile or *a* tax collector.

## The Power of Your Collective Desire

**18:18** αμην λεγω υμιν οσα εαν δησητε επι της γης εσται δεδεμενα εν ουρανω και οσα εαν λυσητε επι της γης εσται λελυμενα εν ουρανω

"Amen I say to you, as much as you bind on the earth will be bound in heaven, and as much as you loose on the earth will be loosed in heaven.

**18:19** παλιν [αμην] λεγω υμιν οτι εαν δυο συμφωνησωσιν εξ υμων επι της γης περι παντος πραγματος ου εαν αιτησωνται γενησεται αυτοις παρα του πατρος μου του εν ουρανοις

"Again, [Amen] I say to you that if two of you agree on the earth about any work, whatever they ask, it will happen for them from my Father in the skies –

**18:20** ου γαρ εισιν δυο η τρεις συνηγμενοι εις το εμον ονομα εκει ειμι εν μεσω αυτων

"for where two or three are gathered together in my name, there I am in their midst."

## How Often Should I Forgive?

**18:21** τοτε προσελθων ο πετρος ειπεν [αυτω] κυριε ποσακις αμαρτησει εις εμε ο αδελφος μου και αφησω αυτω εως επτακις

Then Peter, coming near, said [to him], "Lord, how often will my brother sin against me and I will forgive him? As many as seven?

**18:22** λεγει αυτω ο ιησους ου λεγω σοι εως επτακις αλλα εως εβδομηκοντακις επτα

Jesus says to him, "I don't say to you as many as seven, but as many as seventy times seven.

**18:23** δια τουτο ωμοιωθη η βασιλεια των ουρανων ανθρωπω βασιλει ος ηθελησεν συναραι λογον μετα των δουλων αυτου

"Through this, the kingdom of the skies is like *a* man, *a* king who wanted to settle *a* word with his slaves.

**18:24** αρξαμενου δε αυτου συναιρειν προσηχθη εις αυτω οφειλετης μυριων ταλαντων

"*As* he *was* beginning to settle, one was brought to him owing ten thousand talents.[129]

**18:25** μη εχοντος δε αυτου αποδουναι εκελευσεν αυτον ο κυριος πραθηναι και την γυναικα και τα τεκνα και παντα οσα εχει και αποδοθηναι

"Since he didn't have *enough* to

repay, the master commanded him to be sold, and his wife, and the children, and all, whatsoever he has, and to repay.

**18:26** πεσων ουν ο δουλος προσεκυνει αυτω λεγων μακροθυμησον επ εμοι και παντα αποδωσω σοι

"Then the slave, falling down, begged him, saying, 'Be patient with me, and I will repay you all!'

**18:27** σπλαγχνισθεις δε ο κυριος του δουλου [εκεινου] απελυσεν αυτον και το δανειον αφηκεν αυτω

"The master, moved to pity over [that] slave, released him and forgave him the debt.

**18:28** εξελθων δε ο δουλος εκεινος ευρεν ενα των συνδουλων αυτου ος ωφειλεν αυτω εκατον δηναρια και κρατησας αυτον επνιγεν λεγων αποδος ει τι οφειλεις

"Yet that slave, going out, found one of his fellow slaves who owed him *a* hundred days' wages[130]. Seizing him, he choked him, saying, 'Pay if you owe something!'

**18:29** πεσων ουν ο συνδουλος αυτου παρεκαλει αυτον λεγων μακροθυμησον επ εμοι και αποδωσω σοι

"Then his fellow slave, falling down, begged him, saying, 'Be patient with me, and I will repay you!'

**18:30** ο δε ουκ ηθελεν αλλα απελθων εβαλεν αυτον εις φυλακην εως αποδω το οφειλομενον

"Yet he wouldn't, but going out, he threw him into prison until he could repay the amount owed.

**18:31** ιδοντες ουν οι συνδουλοι αυτου τα γενομενα ελυπηθησαν σφοδρα και ελθοντες διεσαφησαν τω κυριω εαυτων παντα τα γενομενα

"Then his fellow slaves, seeing the happenings, were greatly grieved. Going *in*, they reported to their master all the happenings.

**18:32** τοτε προσκαλεσαμενος αυτον ο κυριος αυτου λεγει αυτω δουλε πονηρε πασαν την οφειλην εκεινην αφηκα σοι επει παρεκαλεσας με

"Then his master, calling him near, says to him, 'Wicked slave, I forgave you all that debt because you begged me.

**18:33** ουκ εδει και σε ελεησαι τον συνδουλον σου ως καγω σε ηλεησα

"'Wasn't it necessary for you to be merciful to your fellow slave, even as I was merciful to you?'

**18:34** και οργισθεις ο κυριος αυτου παρεδωκεν αυτον τοις βασανισταις εως [ου] αποδω παν το οφειλομενον

"His master, furious, handed him over to the torturers until he could repay all the amount owed.

**18:35** ουτως και ο πατηρ μου ο ουρανιος ποιησει υμιν εαν μη αφητε εκαστος τω αδελφω αυτου απο των καρδιων υμων

"So also my heavenly Father will do to you if each *of you* won't forgive his brother from your hearts."

## Matthew 19
## A Move to Judea

**19:1** και εγενετο οτε ετελεσεν ο ιησους τους λογους τουτους μετηρεν

απο της γαλιλαιας και ηλθεν εις τα
ορια της ιουδαιας περαν του
ιορδανου
It happened when Jesus finished
these words, he went away from
Galilee and came to the regions of
Judea across the Jordan.

**19:2** και ηκολουθησαν αυτω οχλοι
πολλοι και εθεραπευσεν αυτους εκει
Many crowds followed him, and he
healed them there.

### Another Teaching on Divorce
**19:3** και προσηλθον αυτω φαρισαιοι
πειραζοντες αυτον και λεγοντες ει
εξεστιν απολυσαι την γυναικα αυτου
κατα πασαν αιτιαν
Pharisees came near him, testing him
and asking if it is lawful *for a man* to
let his wife go for any reason.

**19:4** ο δε αποκριθεις ειπεν ουκ
ανεγνωτε οτι ο κτισας απ αρχης
αρσεν και θηλυ εποιησεν αυτους
Answering, he said, "Haven't you
read that the Creator made them
male and female from the
beginning?"[131]

**19:5** και ειπεν ενεκα τουτου
καταλειψει ανθρωπος τον πατερα και
την μητερα και κολληθησεται τη
γυναικι αυτου και εσονται οι δυο εις
σαρκα μιαν
He said, 'For this reason,

'Man will leave
the father and mother
and be joined to his wife,
and they will be two in one flesh,[132]

**19:6** ωστε ουκετι εισιν δυο αλλα
σαρξ μια ο ουν ο θεος συνεζευξεν
ανθρωπος μη χωριζετω
"so that they are no longer two, but
one flesh. What then God has joined
together, let man not separate."

**19:7** λεγουσιν αυτω τι ουν μωυσης
ενετειλατο δουναι βιβλιον
αποστασιου και απολυσαι
They say to him, "Why, then, did
Moses command to give *a* book of
divorce and to let *her* go?"

**19:8** λεγει αυτοις οτι μωυσης προς
την σκληροκαρδιαν υμων επετρεψεν
υμιν απολυσαι τας γυναικας υμων απ
αρχης δε ου γεγονεν ουτως
He says to them that, "With your
hardness of heart, Moses allowed
you to let your wives go, yet from the
beginning it didn't happen so.

**19:9** λεγω δε υμιν οτι ος αν απολυση
την γυναικα αυτου μη επι πορνεια
και γαμηση αλλην μοιχαται
"I say to you that whoever lets his
wife go, except over fornication, and
marries another commits adultery."

**19:10** λεγουσιν αυτω οι μαθηται ει
ουτως εστιν η αιτια του ανθρωπου
μετα της γυναικος ου συμφερει
γαμησαι
The disciples say to him, "If the
cause of *a* man with the wife is so, it
doesn't profit to marry."

**19:11** ο δε ειπεν αυτοις ου παντες
χωρουσιν τον λογον αλλ οις δεδοται
He said to them, "Not all accept the

word, but *those* to whom it is given.

**19:12** εισιν γαρ ευνουχοι οιτινες εκ κοιλιας μητρος εγεννηθησαν ουτως και εισιν ευνουχοι οιτινες ευνουχισθησαν υπο των ανθρωπων και εισιν ευνουχοι οιτινες ευνουχισαν εαυτους δια την βασιλειαν των ουρανων ο δυναμενος χωρειν χωρειτω

"For *there* are eunuchs who were born so from the mother's womb, and *there* are eunuchs who were made so by men, and *there* are eunuchs who make themselves eunuchs for the sake of the kingdom of the skies. Let who is able to accept *it*, accept *it*."

### Jesus and the Little Children

**19:13** τοτε προσηνεχθησαν αυτω παιδια ινα τας χειρας επιθη αυτοις και προσευξηται οι δε μαθηται επετιμησαν αυτοις

Then they offered children to him so he could lay hands on them and pray, yet the disciples rebuked them.

**19:14** ο δε ιησους ειπεν αφετε τα παιδια και μη κωλυετε αυτα ελθειν προς με των γαρ τοιουτων εστιν η βασιλεια των ουρανων

Jesus said, "Let the children come to me and don't forbid them, for the kingdom of the skies is of such."

**19:15** και επιθεις τας χειρας αυτοις επορευθη εκειθεν

Placing the hands on them, he went away from there.

### What Must I Do?

**19:16** και ιδου εις προσελθων αυτω ειπεν διδασκαλε τι αγαθον ποιησω ινα σχω ζωην αιωνιον

Look! One coming to him said, "Teacher, what good will I do that I may have eternal life?"

**19:17** ο δε ειπεν αυτω τι με ερωτας περι του αγαθου εις εστιν ο αγαθος ει δε θελεις εις την ζωην εισελθειν τηρει τας εντολας

He said to him, "Why do you ask me about the good? One is the good. If you want to go into the life, keep the commandments."

**19:18** λεγει αυτω ποιας ο δε ιησους εφη το ου φονευσεις ου μοιχευσεις ου κλεψεις ου ψευδομαρτυρησεις

He says to him, "Which?"

Jesus said, "The
        'You will not kill;
    you will not commit adultery;
            you will not steal;
    you will not bear false witness;

**19:19** τιμα τον πατερα και την μητερα και αγαπησεις τον πλησιον σου ως σεαυτον

"'honor the father and mother;
        and you will love
    your neighbor as yourself.'"

**19:20** λεγει αυτω ο νεανισκος ταυτα παντα εφυλαξα τι ετι υστερω

The youth says to him, "I've obeyed all these. What do I still lack?"

**19:21** εφη αυτω ο ιησους ει θελεις

τελειος ειναι υπαγε πωλησον σου τα
υπαρχοντα και δος [τοις] πτωχοις και
εξεις θησαυρον εν ουρανοις και
δευρο ακολουθει μοι
Jesus said to him, "If you want to be
complete, go, sell your possessions,
and give to the poor, and you will
have treasure in the skies.    And
come, follow me."

**19:22** ακουσας δε ο νεανισκος τον
λογον [τουτον] απηλθεν λυπουμενος
ην γαρ εχων κτηματα πολλα
Hearing [this] word, the youth went
away grieving, for he was holding
many possessions.

### The Risk of Riches
**19:23** ο δε ιησους ειπεν τοις
μαθηταις αυτου αμην λεγω υμιν οτι
πλουσιος δυσκολως εισελευσεται εις
την βασιλειαν των ουρανων
Jesus said to his disciples, "Amen I
say to you that *a* rich man will hardly
go into the kingdom of the skies.
**19:24** παλιν δε λεγω υμιν
ευκοπωτερον εστιν καμηλον δια
τρηματος ραφιδος εισελθειν η
πλουσιον εις την βασιλειαν του θεου
"Again I say to you, it is easier for *a*
camel to go in through *a* needle's eye
than *a* rich man to go into the
kingdom of God."

**19:25** ακουσαντες δε οι μαθηται
εξεπλησσοντο σφοδρα λεγοντες τις
αρα δυναται σωθηναι
The disciples, hearing, were greatly
astonished, saying, "Who then can be
saved?"

**19:26** εμβλεψας δε ο ιησους ειπεν
αυτοις παρα ανθρωποις τουτο
αδυνατον εστιν παρα δε θεω παντα
δυνατα
Jesus, looking around, said to them,
"This is impossible to men, yet all
*are* possible to God."

### What About Us?
**19:27** τοτε αποκριθεις ο πετρος ειπεν
αυτω ιδου ημεις αφηκαμεν παντα και
ηκολουθησαμεν σοι τι αρα εσται
ημιν
Then Peter, answering, said to him,
"Look!  We've left all and followed
you.  What then will be to us?"

**19:28** ο δε ιησους ειπεν αυτοις αμην
λεγω    υμιν    οτι    υμεις    οι
ακολουθησαντες    μοι    εν    τη
παλιγγενεσια οταν καθιση ο υιος του
ανθρωπου επι θρονου δοξης αυτου
καθησεσθε και υμεις επι δωδεκα
θρονους    κρινοντες    τας    δωδεκα
φυλας του ισραηλ
Jesus said to them, "Amen I say to
you that you, the *ones* following me
in the new birth, when the Son of
Man sits on his throne of glory, you
also will sit on twelve thrones,
judging the twelve tribes of Israel.
**19:29** και πας οστις αφηκεν οικιας η
αδελφους η αδελφας η πατερα η
μητερα η τεκνα η αγρους ενεκεν του
εμου ονοματος πολλαπλασιονα
λημψεται και ζωην αιωνιον
κληρονομησει
"Everyone who leaves houses, or
brothers, or sisters, or father, or
mother, or children, or fields for my

name's sake, will receive many times as much, and will inherit eternal life.

**19:30** πολλοι δε εσονται πρωτοι εσχατοι και εσχατοι πρωτοι

"Yet many first *ones* will be last, and last *ones* first."

## Matthew 20
## Workers in a Vineyard

**20:1** ομοια γαρ εστιν η βασιλεια των ουρανων ανθρωπω οικοδεσποτη οστις εξηλθεν αμα πρωι μισθωσασθαι εργατας εις τον αμπελωνα αυτου

"The kingdom of the skies is like *a* man, master of *a* house, who went out at the same time early to hire workers into his vineyard.

**20:2** συμφωνησας δε μετα των εργατων εκ δηναριου την ημεραν απεστειλεν αυτους εις τον αμπελωνα αυτου

"After agreeing with the workers for *a* denarius for the day, he sent them into his vineyard.

**20:3** και εξελθων περι τριτην ωραν ειδεν αλλους εστωτας εν τη αγορα αργους

"Going out around the third hour, he saw others standing idle in the marketplace.

**20:4** και εκεινοις ειπεν υπαγετε και υμεις εις τον αμπελωνα και ο εαν η δικαιον δωσω υμιν

"He said to them, 'You go into the vineyard too, and I will give you whatever is right.'

**20:5** οι δε απηλθον παλιν [δε] εξελθων περι εκτην και ενατην ωραν εποιησεν ωσαυτως

"They went out. Going out again around the sixth and the ninth hour, he did the same.

**20:6** περι δε την ενδεκατην εξελθων ευρεν αλλους εστωτας και λεγει αυτοις τι ωδε εστηκατε ολην την ημεραν αργοι

"Going out around the eleventh hour, he found others standing, and he says to them, 'Why have you stood here idle the whole day?'

**20:7** λεγουσιν αυτω οτι ουδεις ημας εμισθωσατο λεγει αυτοις υπαγετε και υμεις εις τον αμπελωνα

"They say to him, 'Because no one hired us.'

"He says to them, "You go into the vineyard too.'

**20:8** οψιας δε γενομενης λεγει ο κυριος του αμπελωνος τω επιτροπω αυτου καλεσον τους εργατας και αποδος τον μισθον αρξαμενος απο των εσχατων εως των πρωτων

"When evening had come, the master of the vineyard says to the foreman, 'Call the workers and pay the wage, beginning from the last up to the first.'

**20:9** ελθοντες δε οι περι την ενδεκατην ωραν ελαβον ανα δηναριον

"Each of those coming around the eleventh hour received *a* denarius.

**20:10** και ελθοντες οι πρωτοι ενομισαν οτι πλειον λημψονται και ελαβον [το] ανα δηναριον και αυτοι

"The first ones coming thought that they would receive more, and they too each received *a* denarius.

**20:11** λαβοντες δε εγογγυζον κατα του οικοδεσποτου
"Receiving *it*, they griped against the master of the house,

**20:12** λεγοντες ουτοι οι εσχατοι μιαν ωραν εποιησαν και ισους αυτους ημιν εποιησας τοις βαστασασιν το βαρος της ημερας και τον καυσωνα
"saying, 'These last worked one hour, and you made them equal to us, the *ones* bearing the burden and the heat of the day.'

**20:13** ο δε αποκριθεις ενι αυτων ειπεν εταιρε ουκ αδικω σε ουχι δηναριου συνεφωνησας μοι
"Answering one of them, he said, "Friend, I don't wrong you. Didn't you agree with me for *a* denarius?

**20:14** αρον το σον και υπαγε θελω δε τουτω τω εσχατω δουναι ως και σοι
"'Take yours and go. I want to give to this last one as also to you.

**20:15** ουκ εξεστιν μοι ο θελω ποιησαι εν τοις εμοις η ο οφθαλμος σου πονηρος εστιν οτι εγω αγαθος ειμι
"'Isn't what I want to do lawful in my *possessions*, or is your eye wicked because I am good?'

**20:16** ουτως εσονται οι εσχατοι πρωτοι και οι πρωτοι εσχατοι
"Thus, the last will be first and the first last."

### Jesus Goes Up to Jerusalem

**20:17** μελλων δε αναβαινειν ιησους εις ιεροσολυμα παρελαβεν τους δωδεκα [μαθητας] κατ ιδιαν και εν τη οδω ειπεν αυτοις

Jesus, about to go up to Jerusalem, took the twelve [disciples] aside by themselves, and said to them on the road,

**20:18** ιδου αναβαινομεν εις ιεροσολυμα και ο υιος του ανθρωπου παραδοθησεται τοις αρχιερευσιν και γραμματευσιν και κατακρινουσιν αυτον [θανατω]
"Look! We are going up to Jerusalem. The Son of Man will be handed over to the high priests and writers, and they will condemn him [to death],

**20:19** και παραδωσουσιν αυτον τοις εθνεσιν εις το εμπαιξαι και μαστιγωσαι και σταυρωσαι και τη τριτη ημερα εγερθησεται
"and hand him over to the nations, to ridicule and to scourge and to crucify – and the third day he will rise again."

### Give Us a Special Place!

**20:20** τοτε προσηλθεν αυτω η μητηρ των υιων ζεβεδαιου μετα των υιων αυτης προσκυνουσα και αιτουσα τι απ αυτου
Then the mother of the sons of Zebedee came near him with her sons, praying and asking something from him.

**20:21** ο δε ειπεν αυτη τι θελεις λεγει αυτω ειπε ινα καθισωσιν ουτοι οι δυο υιοι μου εις εκ δεξιων και εις εξ ευωνυμων σου εν τη βασιλεια σου
He said to her, "What do you want?"

She says to him, "Say that these two sons of mine may sit on your right and on your left in your kingdom."

**20:22** αποκριθεις δε ο ιησους ειπεν
ουκ οιδατε τι αιτεισθε δυνασθε πιειν
το ποτηριον ο εγω μελλω πινειν
λεγουσιν αυτω δυναμεθα
Answering, Jesus said, "You don't
know what you are asking. Can you
drink the cup that I am about to
drink?"

They say to him, "We can."

**20:23** λεγει αυτοις το μεν ποτηριον
μου πιεσθε το δε καθισαι εκ δεξιων
μου και εξ ευωνυμων ουκ εστιν εμον
δουναι αλλ οις ητοιμασται υπο του
πατρος μου
He says to them, "You'll drink my
cup indeed, yet to sit on my right and
on my left isn't mine to give, but to
those made ready from my Father."

### How Power Works
### Among Disciples

**20:24** και ακουσαντες οι δεκα
ηγανακτησαν περι των δυο αδελφων
Hearing *this*, the ten were indignant
with the two brothers.

**20:25** ο δε ιησους προσκαλεσαμενος
αυτους ειπεν οιδατε οτι οι αρχοντες
των εθνων κατακυριευουσιν αυτων
και οι μεγαλοι κατεξουσιαζουσιν
αυτων
Jesus, calling them near, said, "You
know that the rulers of the nations
lord it over them, and the great
exercise authority over them.

**20:26** ουχ ουτως εστιν εν υμιν αλλ
ος αν θελη εν υμιν μεγας γενεσθαι

εσται υμων διακονος
"It isn't so among you, but whoever
wants to become great among you
will be your servant,

**20:27** και ος αν θελη εν υμιν ειναι
πρωτος εσται υμων δουλος
"and whoever wants to be first
among you will be your slave,

**20:28** ωσπερ ο υιος του ανθρωπου
ουκ ηλθεν διακονηθηναι αλλα
διακονησαι και δουναι την ψυχην
αυτου λυτρον αντι πολλων
"just as the Son of Man did not come
to be served but to serve, and to give
his soul *a* ransom for many."

### Two Blind Men at Jericho

**20:29** και εκπορευομενων αυτων
απο ιεριχω ηκολουθησεν αυτω οχλος
πολυς
*While* they *were* going out of
Jericho[133], *a* great crowd followed
him.

**20:30** και ιδου δυο τυφλοι
καθημενοι παρα την οδον
ακουσαντες οτι ιησους παραγει
εκραξαν λεγοντες κυριε ελεησον
ημας υιος δαυιδ
Look! Two blind men seated beside
the road, hearing that Jesus is
passing by, shouted, saying, "Lord,
David's son, have mercy on us!"

**20:31** ο δε οχλος επετιμησεν αυτοις
ινα σιωπησωσιν οι δε μειζον
εκραξαν λεγοντες κυριε ελεησον
ημας υιος δαυιδ
The crowd rebuked them that they be
quiet, but they shouted louder,
saying, "Lord, David's son, have

mercy on us!"

**20:32** και στας [ο] ιησους εφωνησεν αυτους και ειπεν τι θελετε ποιησω υμιν
Stopping, Jesus called them and said, "What do you want that I can do for you?"

**20:33** λεγουσιν αυτω κυριε ινα ανοιγωσιν οι οφθαλμοι ημων
They say to him, "Lord, that our eyes be opened!"

**20:34** σπλαγχνισθεις δε ο ιησους ηψατο των ομματων αυτων και ευθεως ανεβλεψαν και ηκολουθησαν αυτω
Moved to pity, Jesus touched their eyes. At once they received sight, and they followed him.

## Matthew 21
### Preparing to Enter Jerusalem
**21:1** και οτε ηγγισαν εις ιεροσολυμα και ηλθον εις βηθφαγη εις το ορος των ελαιων τοτε ιησους απεστειλεν δυο μαθητας
When he came near Jerusalem and they came to Bethpage[134], to the Mount of Olives[135], then Jesus sent two disciples,
**21:2** λεγων αυτοις πορευεσθε εις την κωμην την κατεναντι υμων και ευθεως ευρησετε ονον δεδεμενην και πωλον μετ αυτης λυσαντες αγαγετε μοι
saying to them, "Go into the village opposite you, and you will find at

once *a* donkey tied, and her colt with her. Untying, bring to me.
**21:3** και εαν τις υμιν ειπη τι ερειτε οτι ο κυριος αυτων χρειαν εχει ευθυς δε αποστελει αυτους
"If someone says something to you, say to them, 'The Lord has need.' He will send them at once."

**21:4** τουτο δε γεγονεν ινα πληρωθη το ρηθεν δια του προφητου λεγοντος
This happened that the word through the prophet might be fulfilled, saying,
**21:5** ειπατε τη θυγατρι σιων ιδου ο βασιλευς σου ερχεται σοι πραυς και επιβεβηκως επι ονον και επι πωλον υιον υποζυγιου

"Say to Sion's daughter,
'Look! Your king comes to you,
humble and seated on *a* donkey,
and on *a* colt, son of *a* donkey.'"[136]

### The Triumphal Entry
**21:6** πορευθεντες δε οι μαθηται και ποιησαντες καθως συνεταξεν αυτοις ο ιησους
The disciples, going and doing just as Jesus commanded them,
**21:7** ηγαγον την ονον και τον πωλον και επεθηκαν επ αυτων τα ιματια και επεκαθισεν επανω αυτων
brought the donkey and the colt. They placed the clothing on them, and he sat on them.
**21:8** ο δε πλειστος οχλος εστρωσαν εαυτων τα ιματια εν τη οδω αλλοι δε εκοπτον κλαδους απο των δενδρων και εστρωννυον εν τη οδω

The great crowd spread their clothing on the road. Others cut branches from the trees and began spreading them on the road.

**21:9** οι δε οχλοι οι προαγοντες αυτον και οι ακολουθουντες εκραζον λεγοντες ωσαννα τω υιω δαυιδ ευλογημενος ο ερχομενος εν ονοματι κυριου ωσαννα εν τοις υψιστοις

The crowds, the *ones* going before him and the *ones* following, shouted, saying,

"Hosanna to David's son!
Blessed *is* the *One*
coming in the Lord's name!
Hosanna in the highest!"[137]

### Who Is This?

**21:10** και εισελθοντος αυτου εις ιεροσολυμα εσεισθη πασα η πολις λεγουσα τις εστιν ουτος

While he was going into Jerusalem, the whole city was shaken, saying, "Who is this?"

**21:11** οι δε οχλοι ελεγον ουτος εστιν ο προφητης ιησους ο απο ναζαρεθ της γαλιλαιας

The crowds were saying, "This is the prophet Jesus from Nazareth of Galilee."

### Cleansing the Temple

**21:12** και εισηλθεν ιησους εις το ιερον και εξεβαλεν παντας τους πωλουντας και αγοραζοντας εν τω ιερω και τας τραπεζας των κολλυβιστων κατεστρεψεν και τας καθεδρας των πωλουντων τας

περιστερας

Jesus went into the temple, and he threw out all the *ones* selling and buying in the temple. He overturned the tables of the money-changers and the seats of the *ones* selling doves.

**21:13** και λεγει αυτοις γεγραπται ο οικος μου οικος προσευχης κληθησεται υμεις δε αυτον ποιειτε σπηλαιον ληστων

He says to them, "It is written,

'My house will be called
*a* house of prayer,'[138]

yet you make him

'*a* cave of robbers.'"[139]

**21:14** και προσηλθον αυτω τυφλοι και χωλοι εν τω ιερω και εθεραπευσεν αυτους

The blind and lame came near him in the temple, and he healed them.

### High Priests
### and Leaders Indignant

**21:15** ιδοντες δε οι αρχιερεις και οι γραμματεις τα θαυμασια α εποιησεν και τους παιδας τους κραζοντας εν τω ιερω και λεγοντας ωσαννα τω υιω δαυιδ ηγανακτησαν

The chief priests and the writers, seeing the miracles that he did and the children shouting in the temple and saying, "Hosanna to David's son", were indignant.

**21:16** και ειπαν αυτω ακουεις τι ουτοι λεγουσιν ο δε ιησους λεγει αυτοις ναι ουδεποτε ανεγνωτε οτι εκ

στοματος νηπιων και θηλαζοντων κατηρτισω αινον
They said to him, "Do you hear what they are saying?"

Jesus says to them, "Yes. Have you never read that,

'You will perfect praise
from the mouths of children
and nursing babies'?"[140]

**21:17** και καταλιπων αυτους εξηλθεν εξω της πολεως εις βηθανιαν και ηυλισθη εκει
Leaving them, he went out of the city to Bethany[141], and spent the night there.

### Cursing a Fig Tree
**21:18** πρωι δε επαναγαγων εις την πολιν επεινασεν
Returning to the city at morning, he was hungry.
**21:19** και ιδων συκην μιαν επι της οδου ηλθεν επ αυτην και ουδεν ευρεν εν αυτη ει μη φυλλα μονον και λεγει αυτη ου μηκετι εκ σου καρπος γενηται εις τον αιωνα και εξηρανθη παραχρημα η συκη
Seeing one fig tree along the road, he came to her and found nothing in her except leaves only. He says to her, "Let no fruit come from you any more forever," and the fig tree withered at once.

**21:20** και ιδοντες οι μαθηται εθαυμασαν λεγοντες πως παραχρημα εξηρανθη η συκη
The disciples, seeing, were astounded, saying, "How did the fig tree wither at once?"

**21:21** αποκριθεις δε ο ιησους ειπεν αυτοις αμην λεγω υμιν εαν εχητε πιστιν και μη διακριθητε ου μονον το της συκης ποιησετε αλλα καν τω ορει τουτω ειπητε αρθητι και βληθητι εις την θαλασσαν γενησεται
Answering, Jesus said to them, "Amen I say to you if you have faith and don't doubt, not only will you do this of the fig tree, but even if you say to this mountain, 'Be taken up and thrown into the sea', it will happen.
**21:22** και παντα οσα αν αιτησητε εν τη προσευχη πιστευοντες λημψεσθε
"Believing, you will receive all, whatever you ask in prayer."

### Questioned by the Leaders
**21:23** και ελθοντος αυτου εις το ιερον προσηλθον αυτω διδασκοντι οι αρχιερεις και οι πρεσβυτεροι του λαου λεγοντες εν ποια εξουσια ταυτα ποιεις και τις σοι εδωκεν την εξουσιαν ταυτην
*While* he *was* coming into the temple teaching, the chief priests and the elders of the people came near him, saying, "In what authority are you doing these *things*, and who gave you this authority?"

**21:24** αποκριθεις [δε] ο ιησους ειπεν αυτοις ερωτησω υμας καγω λογον ενα ον εαν ειπητε μοι καγω υμιν ερω εν ποια εξουσια ταυτα ποιω

Answering, Jesus said to them, "I too will ask you one word, which, if you answer me, I also will tell you in what authority I do these *things*.

**21:25** το βαπτισμα το ιωαννου ποθεν ην εξ ουρανου η εξ ανθρωπων οι δε διελογιζοντο εν εαυτοις λεγοντες εαν ειπωμεν εξ ουρανου ερει ημιν δια τι ουν ουκ επιστευσατε αυτω

"The baptism of John, where was it from? From heaven or from men?"

They reasoned among themselves, saying, "If we say, 'From heaven', he will say to us, 'Why then didn't you believe him?'

**21:26** εαν δε ειπωμεν εξ ανθρωπων φοβουμεθα τον οχλον παντες γαρ ως προφητην εχουσιν τον ιωαννην

"Yet if we say, 'From men', we fear the crowd, for all hold John as *a* prophet."

**21:27** και αποκριθεντες τω ιησου ειπαν ουκ οιδαμεν εφη αυτοις και αυτος ουδε εγω λεγω υμιν εν ποια εξουσια ταυτα ποιω

Answering, they said to Jesus, "We don't know."

He said to them, "Neither do I say to you in what authority I do these *things*.

### Deeds, Not Words

**21:28** τι δε υμιν δοκει ανθρωπος ειχεν τεκνα δυο προσελθων τω πρωτω ειπεν τεκνον υπαγε σημερον εργαζου εν τω αμπελωνι

"What does it seem to you? *A* man

had two children. Coming to the first, he said, 'Child, go today. Work in the vineyard.'

**21:29** ο δε αποκριθεις ειπεν εγω κυριε και ουκ απηλθεν

"Answering, he said, "I *will*, master,' and he didn't go.

**21:30** προσελθων δε τω δευτερω ειπεν ωσαυτως ο δε αποκριθεις ειπεν ου θελω υστερον μεταμεληθεις απηλθεν

"Coming to the second, he spoke likewise. Answering, he said, 'I don't want to.'

"Regretting *it* later, he went.

**21:31** τις εκ των δυο εποιησεν το θελημα του πατρος λεγουσιν ο υστερος λεγει αυτοις ο ιησους αμην λεγω υμιν οτι οι τελωναι και αι πορναι προαγουσιν υμας εις την βασιλειαν του θεου

"Who of the two did the will of the father?"

They say, "The latter."

Jesus says to them, "Amen I say to you that the tax collectors and prostitutes go into the kingdom of God before you.

**21:32** ηλθεν γαρ ιωαννης προς υμας εν οδω δικαιοσυνης και ουκ επιστευσατε αυτω οι δε τελωναι και αι πορναι επιστευσαν αυτω υμεις δε ιδοντες ουδε μετεμεληθητε υστερον του πιστευσαι αυτω

"John came to you in the path of righteousness, and you didn't believe him, yet the tax collectors and prostitutes believed him. Seeing *that*, you didn't change *your* minds later to believe him.

## Rebellious Tenants

**21:33** αλλην παραβολην ακουσατε ανθρωπος ην οικοδεσποτης οστις εφυτευσεν αμπελωνα και φραγμον αυτω περιεθηκεν και ωρυξεν εν αυτω ληνον και ωκοδομησεν πυργον και εξεδετο αυτον γεωργοις και απεδημησεν

"Hear another parable. *There* was *a* man, master of *a* house, who planted *a* vineyard, and built *a* wall around it, and dug out *a* wine press in it, and built *a* tower. He leased it out to keepers and went abroad.

**21:34** οτε δε ηγγισεν ο καιρος των καρπων απεστειλεν τους δουλους αυτου προς τους γεωργους λαβειν τους καρπους αυτου

"When the time of fruits came, he sent his slaves to the keepers to receive his fruits.

**21:35** και λαβοντες οι γεωργοι τους δουλους αυτου ον μεν εδειραν ον δε απεκτειναν ον δε ελιθοβολησαν

"The keepers, taking his slaves, one they beat, and one they killed, and one they stoned.

**21:36** παλιν απεστειλεν αλλους δουλους πλειονας των πρωτων και εποιησαν αυτοις ωσαυτως

"Again, he sent other slaves, more than the first, and they did similarly to them.

**21:37** υστερον δε απεστειλεν προς αυτους τον υιον αυτου λεγων εντραπησονται τον υιον μου

"Yet last, he sent his son to them,

saying, 'They will respect my son.'

**21:38** οι δε γεωργοι ιδοντες τον υιον ειπον εν εαυτοις ουτος εστιν ο κληρονομος δευτε αποκτεινωμεν αυτον και σχωμεν την κληρονομιαν αυτου

"Seeing the son, the keepers said among themselves, 'This is the heir. Come, let's kill him, and we will have his inheritance!'

**21:39** και λαβοντες αυτον εξεβαλον εξω του αμπελωνος και απεκτειναν

"Taking him, they threw *him* out of the vineyard and killed *him*.

**21:40** οταν ουν ελθη ο κυριος του αμπελωνος τι ποιησει τοις γεωργοις εκεινοις

"When, then, the master of the vineyard comes, what will he do to those keepers?"

**21:41** λεγουσιν αυτω κακους κακως απολεσει αυτους και τον αμπελωνα εκδωσεται αλλοις γεωργοις οιτινες αποδωσουσιν αυτω τους καρπους εν τοις καιροις αυτων

They say to him, "He will destroy those wicked men badly, and lease out the vineyard to other keepers who will pay him the fruits in their seasons."

## The Stone the Builders Rejected

**21:42** λεγει αυτοις ο ιησους ουδεποτε ανεγνωτε εν ταις γραφαις λιθον ον απεδοκιμασαν οι οικοδομουντες ουτος εγενηθη εις κεφαλην γωνιας παρα κυριου εγενετο αυτη και εστιν θαυμαστη εν οφθαλμοις ημων

Jesus says to them, "Have you never read in the scriptures,

'*A* stone the builders rejected,
this has become the corner's head.
This happened from the Lord,
and it is miraculous in our eyes.'[142]

**21:43** δια τουτο λεγω υμιν οτι αρθησεται αφ υμων η βασιλεια του θεου και δοθησεται εθνει ποιουντι τους καρπους αυτης
"Through this I say to you that the kingdom of God will be taken from you, and will be given to nations working her fruits.
**21:44** [και ο πεσων επι τον λιθον τουτον συνθλασθησεται εφ ον δ αν πεση λικμησει αυτον]
["The *one* falling on this stone will be broken in pieces, yet the one on whom it falls, it will crush him.]"

## The Leaders
## Want to Arrest Jesus

**21:45** και ακουσαντες οι αρχιερεις και οι φαρισαιοι τας παραβολας αυτου εγνωσαν οτι περι αυτων λεγει
Hearing his parables, the chief priests and the Pharisees knew that he speaks about them.
**21:46** και ζητουντες αυτον κρατησαι εφοβηθησαν τους οχλους επει εις προφητην αυτον ειχον
Seeking to seize him, they feared the crowds, since they held him as *a* prophet.

## Matthew 22
## The King's Wedding Feast

**22:1** και αποκριθεις ο ιησους παλιν ειπεν εν παραβολαις αυτοις λεγων
Answering, Jesus again spoke in parables, saying,
**22:2** ωμοιωθη η βασιλεια των ουρανων ανθρωπω βασιλει οστις εποιησεν γαμους τω υιω αυτου
"The kingdom of the skies is like *a* man, *a* king who made *a* wedding feast for his son.
**22:3** και απεστειλεν τους δουλους αυτου καλεσαι τους κεκλημενους εις τους γαμους και ουκ ηθελον ελθειν
"He sent his slaves to call those invited to the wedding feast, and they didn't want to come.
**22:4** παλιν απεστειλεν αλλους δουλους λεγων ειπατε τοις κεκλημενοις ιδου το αριστον μου ητοιμακα οι ταυροι μου και τα σιτιστα τεθυμενα και παντα ετοιμα δευτε εις τους γαμους
"Again, he sent other slaves, saying, 'Tell those invited, look! My feast is prepared. My oxen and the fattened *calves* are slaughtered, and all is ready. Come to the wedding feast!'
**22:5** οι δε αμελησαντες απηλθον ος μεν εις τον ιδιον αγρον ος δε επι την εμποριαν αυτου
"Disregarding *it*, they went away, one to his own field, and one to his business.
**22:6** οι δε λοιποι κρατησαντες τους δουλους αυτου υβρισαν και απεκτειναν
"The rest, seizing his slaves, rebuked and killed *them*.

**22:7** ο δε βασιλευς ωργισθη και πεμψας τα στρατευματα αυτου απωλεσεν τους φονεις εκεινους και την πολιν αυτων ενεπρησεν

"The king was enraged. Sending his soldiers, he destroyed those murderers and burned their city.

**22:8** τοτε λεγει τοις δουλοις αυτου ο μεν γαμος ετοιμος εστιν οι δε κεκλημενοι ουκ ησαν αξιοι

"Then he says to his slaves, 'The wedding feast is prepared, yet those called were not worthy.

**22:9** πορευεσθε ουν επι τας διεξοδους των οδων και οσους εαν ευρητε καλεσατε εις τους γαμους

"'Go, then, to the byways of the roads, and invite however many you find to the wedding feast.'

**22:10** και εξελθοντες οι δουλοι εκεινοι εις τας οδους συνηγαγον παντας ους ευρον πονηρους τε και αγαθους και επλησθη ο νυμφων ανακειμενων

"Going out to the roads, those slaves gathered all those they found, both wicked and good, and the wedding hall was filled with those reclining *at table*.

**22:11** εισελθων δε ο βασιλευς θεασασθαι τους ανακειμενους ειδεν εκει ανθρωπον ουκ ενδεδυμενον ενδυμα γαμου

"The king, going in to see those reclining *at table*, saw *a* man there not dressed in wedding clothes.

**22:12** και λεγει αυτω εταιρε πως εισηλθες ωδε μη εχων ενδυμα γαμου ο δε εφιμωθη

"He says to him, 'Friend, how did you come in here not having wedding clothes?'

"Yet he was silent.

**22:13** τοτε ο βασιλευς ειπεν τοις διακονοις δησαντες αυτου ποδας και χειρας εκβαλετε αυτον εις το σκοτος το εξωτερον εκει εσται ο κλαυθμος και ο βρυγμος των οδοντων

"Then the king said to the servers, 'Binding him foot and hand, throw him out into the outer darkness! There, *there* will be weeping and the grinding of teeth –

**22:14** πολλοι γαρ εισιν κλητοι ολιγοι δε εκλεκτοι

"'for many are called, yet few *are* chosen.'"

### The Pharisees
### Try to Trap Him in Word

**22:15** τοτε πορευθεντες οι φαρισαιοι συμβουλιον ελαβον οπως αυτον παγιδευσωσιν εν λογω

Then the Pharisees, going, took counsel how they could trap him in word.

**22:16** και αποστελλουσιν αυτω τους μαθητας αυτων μετα των ηρωδιανων λεγοντας διδασκαλε οιδαμεν οτι αληθης ει και την οδον του θεου εν αληθεια διδασκεις και ου μελει σοι περι ουδενος ου γαρ βλεπεις εις προσωπον ανθρωπων

They send their disciples with the Herodians, saying, "Teacher, we know that you are true, and you teach the way of God in truth, and it doesn't matter to you about anyone, for you do not look into the face of men.

**22:17** ειπον ουν ημιν τι σοι δοκει εξεστιν δουναι κηνσον καισαρι η ου
"Tell us, then. What does it seem to you? Is it lawful to give tax to Caesar or not?"

**22:18** γνους δε ο ιησους την πονηριαν αυτων ειπεν τι με πειραζετε υποκριται
Jesus, knowing their wickedness, said, "Why do you test me, hypocrites?
**22:19** επιδειξατε μοι το νομισμα του κηνσου οι δε προσηνεγκαν αυτω δηναριον
"Show me the coin of the tax."

They brought him *a* denarius.
**22:20** και λεγει αυτοις τινος η εικων αυτη και η επιγραφη
He says to them, "Whose *is* this image and inscription?"

**22:21** λεγουσιν καισαρος τοτε λεγει αυτοις αποδοτε ουν τα καισαρος καισαρι και τα του θεου τω θεω
They say, "Of Caesar."

Then he says to them, "Give then the *things* of Caesar to Caesar, and the *things* of God to God."

**22:22** και ακουσαντες εθαυμασαν και αφεντες αυτον απηλθαν
Hearing *this*, they were astounded and, leaving him, they went away.

## A Question About Resurrection
**22:23** εν εκεινη τη ημερα προσηλθον αυτω σαδδουκαιοι λεγοντες μη ειναι αναστασιν και επηρωτησαν αυτον
At that hour, Sadducees came near him, saying there is no resurrection. They questioned him,
**22:24** λεγοντες διδασκαλε μωυσης ειπεν εαν τις αποθανη μη εχων τεκνα επιγαμβρευσει ο αδελφος αυτου την γυναικα αυτου και αναστησει σπερμα τω αδελφω αυτου
saying, "Teacher, Moses said if someone dies not having children, his brother will take his wife, and raise up seed to his brother.[143]
**22:25** ησαν δε παρ ημιν επτα αδελφοι και ο πρωτος γημας ετελευτησεν και μη εχων σπερμα αφηκεν την γυναικα αυτου τω αδελφω αυτου
"Seven brothers were with us, and the first, having married, died. Not having seed, he left his wife to his brother.
**22:26** ομοιως και ο δευτερος και ο τριτος εως των επτα
"Likewise also the second and the third, unto the seventh.
**22:27** υστερον δε παντων απεθανεν η γυνη
"Last of all, the wife died.
**22:28** εν τη αναστασει ουν τινος των επτα εσται γυνη παντες γαρ εσχον αυτην
"In the resurrection, then, whose wife of the seven will she be, for all had her?"

**22:29** αποκριθεις δε ο ιησους ειπεν αυτοις πλανασθε μη ειδοτες τας γραφας μηδε την δυναμιν του θεου
Answering, Jesus said to them, "You

err, knowing neither the scriptures nor the power of God.

**22:30** εν γαρ τη αναστασει ουτε γαμουσιν ουτε γαμιζονται αλλ ως αγγελοι εν τω ουρανω εισιν

"For in the resurrection, they neither marry nor are given in marriage, but are as the angels in the sky.

**22:31** περι δε της αναστασεως των νεκρων ουκ ανεγνωτε το ρηθεν υμιν υπο του θεου λεγοντος

"Yet about the resurrection of the dead, haven't you read the word to you from God, saying,

**22:32** εγω ειμι ο θεος αβρααμ και ο θεος ισαακ και ο θεος ιακωβ ουκ εστιν [ο] θεος νεκρων αλλα ζωντων

"'I am the God of Abraham,
    and the God of Isaac,
    and [the] God of Jacob'[144]?

"God isn't of *the* dead, but of *the* living."

**22:33** και ακουσαντες οι οχλοι εξεπλησσοντο επι τη διδαχη αυτου

Hearing, the crowds were astonished at his teaching.

## Which Commandment Is Greatest?

**22:34** οι δε φαρισαιοι ακουσαντες οτι εφιμωσεν τους σαδδουκαιους συνηχθησαν επι το αυτο

The Pharisees, hearing that he silenced the Sadducees, gathered together on the same.

**22:35** και επηρωτησεν εις εξ αυτων νομικος πειραζων αυτον

One of them, *a* lawyer, questioned, testing him,

**22:36** διδασκαλε ποια εντολη μεγαλη εν τω νομω

"Teacher, which commandment *is* great in the law?"

**22:37** ο δε εφη αυτω αγαπησεις κυριον τον θεον σου εν ολη καρδια σου και εν ολη τη ψυχη σου και εν ολη τη διανοια σου

He said to him,

"You will love the Lord your God
    in all your heart,
    and in all your soul,
    and in all your mind.[145]

**22:38** αυτη εστιν η μεγαλη και πρωτη εντολη

"This is the great and first commandment.

**22:39** δευτερα ομοια αυτη αγαπησεις τον πλησιον σου ως σεαυτον

"*The* second likewise *is* this:

You will love your neighbor
    as yourself.[146]

**22:40** εν ταυταις ταις δυσιν εντολαις ολος ο νομος κρεμαται και οι προφηται

"All the law and the prophets hangs on these two commandments."

## Whose Son Is Christ?

**22:41** συνηγμενων δε των φαρισαιων επηρωτησεν αυτους ο ιησους

The Pharisees having gathered, Jesus

questioned them,

**22:42** λεγων τι υμιν δοκει περι του
χριστου τινος υιος εστιν λεγουσιν
αυτω του δαυιδ
saying, "What does it seem to you
about the Christ? Whose son is he?"

They say to him, "Of David."

**22:43** λεγει αυτοις πως ουν δαυιδ εν
πνευματι καλει αυτον κυριον λεγων
He says to them, "How, then, does
David in spirit call him 'Lord',
saying,

**22:44** ειπεν κυριος τω κυριω μου
καθου εκ δεξιων μου εως αν θω τους
εχθρους σου υποκατω των ποδων
σου

> "'The Lord said to my Lord,
> sit at My right
> until I place your enemies
> under your feet'[147]?

**22:45** ει ουν δαυιδ καλει αυτον
κυριον πως υιος αυτου εστιν
"If, then, David calls him 'Lord',
how is he his son?"

**22:46** και ουδεις εδυνατο
αποκριθηναι αυτω λογον ουδε
ετολμησεν τις απ εκεινης της ημερας
επερωτησαι αυτον ουκετι
No one could answer him *a* word,
nor did anyone dare to question him
any longer from that hour.

## Matthew 23
## Saying But Not Doing

**23:1** τοτε [ο] ιησους ελαλησεν τοις
οχλοις και τοις μαθηταις αυτου
Then Jesus spoke to the crowds and
to his disciples,

**23:2** λεγων επι της μωυσεως
καθεδρας εκαθισαν οι γραμματεις
και οι φαρισαιοι
saying, "The writers and the
Pharisees sat on Moses' seat.

**23:3** παντα ουν οσα εαν ειπωσιν
υμιν ποιησατε και τηρειτε κατα δε τα
εργα αυτων μη ποιειτε λεγουσιν γαρ
και ου ποιουσιν
"Do and keep all, then, whatever
they say to you. Yet don't do
according to their works, for they
speak and they don't do.

**23:4** δεσμευουσιν δε φορτια βαρεα
και επιτιθεασιν επι τους ωμους των
ανθρωπων αυτοι δε τω δακτυλω
αυτων ου θελουσιν κινησαι αυτα
"They bind heavy burdens and place
them on the shoulders of men, yet
they don't want to move them with
their finger.

**23:5** παντα δε τα εργα αυτων
ποιουσιν προς το θεαθηναι τοις
ανθρωποις πλατυνουσιν γαρ τα
φυλακτηρια αυτων και μεγαλυνουσιν
τα κρασπεδα
"They do all their works towards
being seen by men. They widen their
phylacteries[148], and make their
fringes large.

**23:6** φιλουσιν δε την πρωτοκλισιαν
εν τοις δειπνοις και τας
πρωτοκαθεδριας εν ταις συναγωγαις
"They love the first places in the

suppers and the first seats in the synagogues,

**23:7** και τους ασπασμους εν ταις αγοραις και καλεισθαι υπο των ανθρωπων ραββι

"and the greetings in the marketplaces, and to be called 'Rabbi' by men.

### Don't Be Called Rabbi

**23:8** υμεις δε μη κληθητε ραββι εις γαρ εστιν υμων ο διδασκαλος παντες δε υμεις αδελφοι εστε

"Yet you will not be called 'Rabbi', for your teacher is one – yet you are all brothers.

**23:9** και πατερα μη καλεσητε υμων επι της γης εις γαρ εστιν υμων ο πατηρ ο ουρανιος

"Do not call *someone* your 'Father' on the earth, for One is your heavenly Father,

**23:10** μηδε κληθητε καθηγηται οτι καθηγητης υμων εστιν εις ο χριστος

"nor be called 'Teacher', because your teacher is One, the Christ.

### Greatness Among Disciples

**23:11** ο δε μειζων υμων εσται υμων διακονος

"Your greater *one* will be your servant.

**23:12** οστις δε υψωσει εαυτον ταπεινωθησεται και οστις ταπεινωσει εαυτον υψωθησεται

"Whoever lifts himself up will be humbled, and whoever humbles himself will be lifted up.

### Woe to You!

**23:13** ουαι δε υμιν γραμματεις και φαρισαιοι υποκριται οτι κλειετε την βασιλειαν των ουρανων εμπροσθεν των ανθρωπων υμεις γαρ ουκ εισερχεσθε ουδε τους εισερχομενους αφιετε εισελθειν

"Woe to you, writers and Pharisees, hypocrites, for you lock the kingdom of the skies before men! You don't go in, nor do you let those entering go in.

[14] [149] **23:15** ουαι υμιν γραμματεις και φαρισαιοι υποκριται οτι περιαγετε την θαλασσαν και την ξηραν ποιησαι ενα προσηλυτον και οταν γενηται ποιειτε αυτον υιον γεεννης διπλοτερον υμων

"Woe to you, writers and Pharisees, hypocrites, for you walk around sea and dry *land* to make one convert. When he becomes *one*, you make him twice as much *a* son of Gehenna as you.

### Foolish Swearing

**23:16** ουαι υμιν οδηγοι τυφλοι οι λεγοντες ος αν ομοση εν τω ναω ουδεν εστιν ος δ αν ομοση εν τω χρυσω του ναου οφειλει

"Woe to you, blind guides, the *ones* saying, 'Whoever swears by the temple, it is nothing. Yet whoever swears by the gold of the temple is obligated.'

**23:17** μωροι και τυφλοι τις γαρ μειζων εστιν ο χρυσος η ο ναος ο αγιασας τον χρυσον

"Fools and blind! Who is greater? The gold, or the temple that sanctifies the gold?

**23:18** και ος αν ομοση εν τω θυσιαστηριω ουδεν εστιν ος δ αν ομοση εν τω δωρω τω επανω αυτου οφειλει

"And, 'Whoever swears by the altar, it is nothing. Yet whoever swears by the gift on it is obligated.'

**23:19** τυφλοι τι γαρ μειζον το δωρον η το θυσιαστηριον το αγιαζον το δωρον

"Blind! What is greater? The gift, or the altar that sanctifies the gift?

**23:20** ο ουν ομοσας εν τω θυσιαστηριω ομνυει εν αυτω και εν πασιν τοις επανω αυτου

"Therefore, the *one* swearing by the altar swears by it and by all the *gifts* on it.

**23:21** και ο ομοσας εν τω ναω ομνυει εν αυτω και εν τω κατοικουντι αυτον

"The *one* having sworn by the temple swears by it and by the *One* dwelling in it.

**23:22** και ο ομοσας εν τω ουρανω ομνυει εν τω θρονω του θεου και εν τω καθημενω επανω αυτου

"The *one* having sworn by the sky swears by the throne of God, and by the One seated on it.

### Woe to Superficial Piety

**23:23** ουαι υμιν γραμματεις και φαρισαιοι υποκριται οτι αποδεκατουτε το ηδυοσμον και το ανηθον και το κυμινον και αφηκατε τα βαρυτερα του νομου την κρισιν και το ελεος και την πιστιν ταυτα δε εδει ποιησαι κακεινα μη αφειναι

"Woe to you, writers and Pharisees, hypocrites, for you tithe the mint, and the dill, and the cumin, and leave off the weightier parts of the law: the judgment, and the mercy, and the faith. Yet it was necessary to do these, not to leave off those.

**23:24** οδηγοι τυφλοι διυλιζοντες τον κωνωπα την δε καμηλον καταπινοντες

"Blind guides, straining out the gnat yet drinking down the camel!

**23:25** ουαι υμιν γραμματεις και φαρισαιοι υποκριται οτι καθαριζετε το εξωθεν του ποτηριου και της παροψιδος εσωθεν δε γεμουσιν εξ αρπαγης και ακρασιας

"Woe to you, writers and Pharisees, hypocrites, for you cleanse the outside of the cup and plate, yet inside they are full of plunder and self-indulgence!

**23:26** φαρισαιε τυφλε καθαρισον πρωτον το εντος του ποτηριου [και της παροψιδος] ινα γενηται και το εκτος αυτου καθαρον

"Blind Pharisee! Clean first the inside of the cup [and the plate], that its outside also may be clean.

### You Aren't What You Seem

**23:27** ουαι υμιν γραμματεις και φαρισαιοι υποκριται οτι παρομοιαζετε ταφοις κεκονιαμενοις οιτινες εξωθεν μεν φαινονται ωραιοι εσωθεν δε γεμουσιν οστεων νεκρων και πασης ακαθαρσιας

"Woe to you, writers and Pharisees, hypocrites, for you resemble whitewashed graves, which appear beautiful outside, yet inside are full of dead bones and every uncleanness!

**23:28** ουτως και υμεις εξωθεν μεν φαινεσθε τοις ανθρωποις δικαιοι εσωθεν δε εστε μεστοι υποκρισεως και ανομιας
"So are you, too. Outside you appear to men as righteous, yet inside you are full of hypocrisies and lawlessness.

### Sons of the Prophets' Murderers
**23:29** ουαι υμιν γραμματεις και φαρισαιοι υποκριται οτι οικοδομειτε τους ταφους των προφητων και κοσμειτε τα μνημεια των δικαιων
"Woe to you, writers and Pharisees, hypocrites, for you build the tombs of the prophets and decorate the graves of the righteous.

**23:30** και λεγετε ει ημεθα εν ταις ημεραις των πατερων ημων ουκ αν ημεθα αυτων κοινωνοι εν τω αιματι των προφητων
"You say, 'If we *had lived* in the days of our fathers, we wouldn't have been their partners in the blood of the prophets' –

**23:31** ωστε μαρτυρειτε εαυτοις οτι υιοι εστε των φονευσαντων τους προφητας
"so that you witness against yourselves that you are sons of the murderers of the prophets.

**23:32** και υμεις πληρωσατε το μετρον των πατερων υμων
"You, fill up the measure of your fathers!

**23:33** οφεις γεννηματα εχιδνων πως φυγητε απο της κρισεως της γεεννης
"Snakes! Vipers' spawn! How can you escape from the judgment of Gehenna?

### I've Warned You
**23:34** δια τουτο ιδου εγω αποστελλω προς υμας προφητας και σοφους και γραμματεις εξ αυτων αποκτενειτε και σταυρωσετε και εξ αυτων μαστιγωσετε εν ταις συναγωγαις υμων και διωξετε απο πολεως εις πολιν
"Through this, look! I send you prophets and wise men and writers. *Some* of them you kill and crucify, and *some* of them you beat in your synagogues and persecute from city to city,

**23:35** οπως ελθη εφ υμας παν αιμα δικαιον εκχυννομενον επι της γης απο του αιματος αβελ του δικαιου εως του αιματος ζαχαριου υιου βαραχιου ον εφονευσατε μεταξυ του ναου και του θυσιαστηριου
"so that all the righteous blood poured out on the earth may come upon you – from the blood of Abel[150] the righteous to the blood of Zachariah, Barachiah's son, whom you killed between the temple and the altar.

**23:36** αμην λεγω υμιν ηξει ταυτα παντα επι την γενεαν ταυτην
"Amen I say to you, all these will come on this generation.

### A Lament Over Jerusalem
**23:37** ιερουσαλημ ιερουσαλημ η αποκτεινουσα τους προφητας και

λιθοβολουσα τους απεσταλμενους προς αυτην ποσακις ηθελησα επισυναγαγειν τα τεκνα σου ον τροπον ορνις επισυναγει τα νοσσια [αυτης] υπο τας πτερυγας και ουκ ηθελησατε

"Jerusalem, Jerusalem, killing the prophets and stoning those sent to her, how often I wanted to gather your children together the same way *a* hen gathers her chicks under the wings – and you wouldn't!

**23:38** ιδου αφιεται υμιν ο οικος υμων

"Look! Your house is abandoned to you.

**23:39** λεγω γαρ υμιν ου μη με ιδητε απ αρτι εως αν ειπητε ευλογημενος ο ερχομενος εν ονοματι κυριου

"I say to you, you will not see me from now until you say, 'Blessed *is* the *one* coming in the Lord's name!'"

# Matthew 24
## Not One Stone Left

**24:1** και εξελθων ο ιησους απο του ιερου επορευετο και προσηλθον οι μαθηται αυτου επιδειξαι αυτω τας οικοδομας του ιερου

*While* Jesus *was* going out of the temple, he went, and his disciples came near to show him the buildings of the temple.

**24:2** ο δε αποκριθεις ειπεν αυτοις ου βλεπετε ταυτα παντα αμην λεγω υμιν ου μη αφεθη ωδε λιθος επι λιθον ος ου καταλυθησεται

Answering, he said to them, "Don't

you see all these? Amen I say to you *there* will not be left here stone upon stone which will not be thrown down."

## When Will This Happen?

**24:3** καθημενου δε αυτου επι του ορους των ελαιων προσηλθον αυτω οι μαθηται κατ ιδιαν λεγοντες ειπον ημιν ποτε ταυτα εσται και τι το σημειον της σης παρουσιας και συντελειας του αιωνος

While he *was* sitting on the Mount of Olives, the disciples came near him by themselves, saying, "Tell us when this will be, and what *will be* the sign of your appearing and the end of the age?"

**24:4** και αποκριθεις ο ιησους ειπεν αυτοις βλεπετε μη τις υμας πλανηση

Answering, Jesus said to them, "Watch that no one deceive you,

**24:5** πολλοι γαρ ελευσονται επι τω ονοματι μου λεγοντες εγω ειμι ο χριστος και πολλους πλανησουσιν

"for many will come in my name, saying, 'I am the Christ', and they will deceive many.

**24:6** μελλησετε δε ακουειν πολεμους και ακοας πολεμων ορατε μη θροεισθε δει γαρ γενεσθαι αλλ ουπω εστιν το τελος

"Yet you must hear wars and rumors of wars. See that you aren't alarmed, for it must happen, but the end is not yet.

**24:7** εγερθησεται γαρ εθνος επι εθνος και βασιλεια επι βασιλειαν και εσονται λιμοι και σεισμοι κατα τοπους

"Nation will rise up against nation, and kingdom against kingdom, and famines and earthquakes will be in various places.

**24:8** παντα δε ταυτα αρχη ωδινων

"All these *are a* beginning of sufferings.

## You Will Be Hated

**24:9** τοτε παραδωσουσιν υμας εις θλιψιν και αποκτενουσιν υμας και εσεσθε μισουμενοι υπο παντων των εθνων δια το ονομα μου

"Then they will hand you over into trouble, and kill you, and you will be hated by all the nations for my name's sake.

**24:10** και τοτε σκανδαλισθησονται πολλοι και αλληλους παραδωσουσιν και μισησουσιν αλληλους

"Then many will be scandalized, and they will hand one another over and hate one another.

**24:11** και πολλοι ψευδοπροφηται εγερθησονται και πλανησουσιν πολλους

"Many false prophets will be raised up, and they will deceive many.

**24:12** και δια το πληθυνθηναι την ανομιαν ψυγησεται η αγαπη των πολλων

"Because of the increase of lawlessness, the love of many will be extinguished.

**24:13** ο δε υπομεινας εις τελος ουτος σωθησεται

"Yet the *one* enduring to the end, this *one* will be saved.

**24:14** και κηρυχθησεται τουτο το

ευαγγελιον της βασιλειας εν ολη τη οικουμενη εις μαρτυριον πασιν τοις εθνεσιν και τοτε ηξει το τελος

"This gospel of the kingdom will be preached in all the world as *a* witness to all the nations, and then the end will come.

## A Desolating Abomination

**24:15** οταν ουν ιδητε το βδελυγμα της ερημωσεως το ρηθεν δια δανιηλ του προφητου εστος εν τοπω αγιω ο αναγινωσκων νοειτω

"When, then, you see the abomination of desolation, the word through Daniel[151] the prophet, standing in the holy place – let the *one* reading understand –

**24:16** τοτε οι εν τη ιουδαια φευγετωσαν εις τα ορη

"then let the *ones* in Judea flee to the mountains!

**24:17** ο επι του δωματος μη καταβατω αραι τα εκ της οικιας αυτου

"Let the *one* on the housetop not go down to take the *goods* of his house,

**24:18** και ο εν τω αγρω μη επιστρεψατω οπισω αραι το ιματιον αυτου

"and let the *one* in the field not turn back behind to take his clothing!

## Woe to Those
## Pregnant and Nursing

**24:19** ουαι δε ταις εν γαστρι εχουσαις και ταις θηλαζουσαις εν εκειναις ταις ημεραις

"Woe to those having in the womb and those nursing in those days!

**24:20** προσευχεσθε δε ινα μη γενηται η φυγη υμων χειμωνος μηδε σαββατω

"Pray that your flight may not be in winter or on *a* Sabbath,

**24:21** εσται γαρ τοτε θλιψις μεγαλη οια ου γεγονεν απ αρχης κοσμου εως του νυν ουδ ου μη γενηται

"for *there* will be great trouble then, such as has not happened from the world's beginning unto now, nor will it happen *again.*

**24:22** και ει μη εκολοβωθησαν αι ημεραι εκειναι ουκ αν εσωθη πασα σαρξ δια δε τους εκλεκτους κολοβωθησονται αι ημεραι εκειναι

"Unless those days were cut short, no flesh would have been saved. Yet for the chosen ones' sake, those days will be cut short.

### How Christ Will Come

**24:23** τοτε εαν τις υμιν ειπη ιδου ωδε ο χριστος η ωδε μη πιστευσητε

"Then if someone says to you, 'Look! The Christ *is* here!' or 'Here!', don't believe!

**24:24** εγερθησονται γαρ ψευδοχριστοι και ψευδοπροφηται και δωσουσιν σημεια μεγαλα και τερατα ωστε πλανασθαι ει δυνατον και τους εκλεκτους

"For false Christs and false prophets will be raised up, and they will give great signs and wonders so as to deceive – if possible – even the chosen *ones.*

**24:25** ιδου προειρηκα υμιν

"Look! I've told you beforehand.

**24:26** εαν ουν ειπωσιν υμιν ιδου εν τη ερημω εστιν μη εξελθητε ιδου εν τοις ταμειοις μη πιστευσητε

"If then they tell you, 'Look! *He* is in the desert!', don't go out, or 'Look! In the inner rooms!', don't believe!

**24:27** ωσπερ γαρ η αστραπη εξερχεται απο ανατολων και φαινεται εως δυσμων ουτως εσται η παρουσια του υιου του ανθρωπου

"For just as the lightning comes out from the east and flashes to the west, so the appearing of the Son of Man will be.

**24:28** οπου εαν η το πτωμα εκει συναχθησονται οι αετοι

"Wherever the corpse *is*, there the eagles will be gathered.

### After the Tribulation

**24:29** ευθεως δε μετα την θλιψιν των ημερων εκεινων ο ηλιος σκοτισθησεται και η σεληνη ου δωσει το φεγγος αυτης και οι αστερες πεσουνται απο του ουρανου και αι δυναμεις των ουρανων σαλευθησονται

"Immediately after the trouble of those days, the sun will be shadowed over, and the moon will not give her brightness. The stars will fall from the sky, and the powers of the skies will be shaken.

**24:30** και τοτε φανησεται το σημειον του υιου του ανθρωπου εν ουρανω και τοτε κοψονται πασαι αι φυλαι της γης και οψονται τον υιον του ανθρωπου ερχομενον επι των νεφελων του ουρανου μετα

δυναμεως και δοξης πολλης
"Then the sign of the Son of Man will appear in heaven, and then every tribe of the earth will be struck. They will see the Son of Man coming on the clouds of the sky with power and much glory.

**24:31** και αποστελει τους αγγελους αυτου μετα σαλπιγγος μεγαλης και επισυναξουσιν τους εκλεκτους αυτου εκ των τεσσαρων ανεμων απ ακρων ουρανων εως [των] ακρων αυτων
"He will send his angels with *a* great trumpet-blast, and they will gather together his chosen from the four winds, from the boundaries of *the* skies to their boundaries.

## The Fig Tree's Comparison

**24:32** απο δε της συκης μαθετε την παραβολην οταν ηδη ο κλαδος αυτης γενηται απαλος και τα φυλλα εκφυη γινωσκετε οτι εγγυς το θερος
"Learn the parable from the fig tree: when already her branches become tender and she puts forth the leaves, you know that the Summer is near.

**24:33** ουτως και υμεις οταν ιδητε παντα ταυτα γινωσκετε οτι εγγυς εστιν επι θυραις
"So also you, when you see all these, know that it is near, at the doors.

**24:34** αμην λεγω υμιν οτι ου μη παρελθη η γενεα αυτη εως [αν] παντα ταυτα γενηται
"Amen I say to you that this generation will not pass away until all these come to be.

**24:35** ο ουρανος και η γη παρελευσεται οι δε λογοι μου ου μη παρελθωσιν
"The sky and the earth will pass away, yet my words will not pass away.

## Limits of Our Knowledge

**24:36** περι δε της ημερας εκεινης και ωρας ουδεις οιδεν ουδε οι αγγελοι των ουρανων ουδε ο υιος ει μη ο πατηρ μονος
"Yet no one knows about those days and hours, neither the angels of the skies, nor the son – except the Father alone.

**24:37** ωσπερ γαρ αι ημεραι του νωε ουτως εσται η παρουσια του υιου του ανθρωπου
"For just as the days of Noah[152], so the appearance of the Son of Man will be.

**24:38** ως γαρ ησαν εν ταις ημεραις [εκειναις] ταις προ του κατακλυσμου τρωγοντες και πινοντες γαμουντες και γαμιζοντες αχρι ης ημερας εισηλθεν νωε εις την κιβωτον
"For as in those days before the cataclysm they were eating and drinking, marrying and being married, until the day Noah went into the ark,

**24:39** και ουκ εγνωσαν εως ηλθεν ο κατακλυσμος και ηρεν απαντας ουτως εσται η παρουσια του υιου του ανθρωπου
"and they did not know until the cataclysm came and took all away, so the appearance of the Son of Man will be.

**24:40** τοτε εσονται δυο εν τω αγρω εις παραλαμβανεται και εις αφιεται

"Then two will be in the field. One will be taken and one left.

**24:41** δυο αληθουσαι εν τω μυλω μια παραλαμβανεται και μια αφιεται
"Two will be grinding at the mill. One will be taken and one left.

## Watch Then!

**24:42** γρηγορειτε ουν οτι ουκ οιδατε ποια ημερα ο κυριος υμων ερχεται
"Keep watch, then, for you don't know in what day your Lord comes.

**24:43** εκεινο δε γινωσκετε οτι ει ηδει ο οικοδεσποτης ποια φυλακη ο κλεπτης ερχεται εγρηγορησεν αν και ουκ αν ειασεν διορυχθηναι την οικιαν αυτου
"Yet by that know that if the master of the house knew at what watch the thief comes, he would have kept watch and wouldn't have allowed *him* to break into his house.

**24:44** δια τουτο και υμεις γινεσθε ετοιμοι οτι η ου δοκειτε ωρα ο υιος του ανθρωπου ερχεται
"Through this you also be ready, for at the hour you don't expect, the Son of Man comes.

## A Faithful and Prudent Slave

**24:45** τις αρα εστιν ο πιστος δουλος και φρονιμος ον κατεστησεν ο κυριος επι της οικετειας αυτου του δουναι αυτοις την τροφην εν καιρω
"Who, then, is the faithful and knowing slave, whom the master has set over his household to give them food at the time?

**24:46** μακαριος ο δουλος εκεινος ον ελθων ο κυριος αυτου ευρησει ουτως ποιουντα
"That slave *is* blessed whom his master, coming, finds doing so.

**24:47** αμην λεγω υμιν οτι επι πασιν τοις υπαρχουσιν αυτου καταστησει αυτον
"Amen I say to you that he will set him over all his possessions.

**24:48** εαν δε ειπη ο κακος δουλος εκεινος εν τη καρδια αυτου χρονιζει μου ο κυριος
"Yet if that wicked slave says in his heart, 'My master delays',

**24:49** και αρξηται τυπτειν τους συνδουλους αυτου εσθιη δε και πινη μετα των μεθυοντων
"and he begins to beat his fellow slaves, and to eat and drink with the drunks,

**24:50** ηξει ο κυριος του δουλου εκεινου εν ημερα η ου προσδοκα και εν ωρα η ου γινωσκει
"that slave's master will come on *a* day when he doesn't expect, and at *an* hour which he doesn't know.

**24:51** και διχοτομησει αυτον και το μερος αυτου μετα των υποκριτων θησει εκει εσται ο κλαυθμος και ο βρυγμος των οδοντων
"He will cut him in two, and set his portion with the hypocrites. There, *there* will be weeping and the grinding of teeth.

## Matthew 25
## Ten Virgins

**25:1** τοτε ομοιωθησεται η βασιλεια των ουρανων δεκα παρθενοις αιτινες λαβουσαι τας λαμπαδας εαυτων

εξηλθον εις υπαντησιν του νυμφιου
"Then the kingdom of the skies will
be like ten virgins who, taking their
lamps, went out to meet the
bridegroom.

**25:2** πεντε δε εξ αυτων ησαν μωραι
και πεντε φρονιμοι
"Five of them were fools and five
wise,

**25:3** αι γαρ μωραι λαβουσαι τας
λαμπαδας [αυτων] ουκ ελαβον μεθ
εαυτων ελαιον
"for the fools, taking [their] lamps,
didn't take oil with them.

**25:4** αι δε φρονιμοι ελαβον ελαιον
εν τοις αγγειοις μετα των λαμπαδων
εαυτων
"Yet the wise took oil in the vessels
with their lamps.

**25:5** χρονιζοντος δε του νυμφιου
ενυσταξαν πασαι και εκαθευδον
"*While* the bridegroom *was* delaying,
all dozed and slept.

**25:6** μεσης δε νυκτος κραυγη
γεγονεν ιδου ο νυμφιος εξερχεσθε
εις απαντησιν
"Yet *a* shout came in the middle of
the night, 'Look! The bridegroom!
Come out to meet *him*!'

**25:7** τοτε ηγερθησαν πασαι αι
παρθενοι εκειναι και εκοσμησαν τας
λαμπαδας εαυτων
"Then all those virgins got up and
trimmed their lamps.

**25:8** αι δε μωραι ταις φρονιμοις
ειπαν δοτε ημιν εκ του ελαιου υμων
οτι αι λαμπαδες ημων σβεννυνται
"The fools said to the wise, 'Give us
some of your oil, because our lamps
are going out.'

**25:9** απεκριθησαν δε αι φρονιμοι
λεγουσαι μηποτε ου μη αρκεση ημιν
και υμιν πορευεσθε μαλλον προς
τους πωλουντας και αγορασατε
εαυταις
'The wise answered, saying, 'No,
unless perhaps *there* isn't enough for
us and for you. Go instead to the
sellers, and buy for yourselves.'

**25:10** απερχομενων δε αυτων
αγορασαι ηλθεν ο νυμφιος και αι
ετοιμοι εισηλθον μετ αυτου εις τους
γαμους και εκλεισθη η θυρα
"*While* they *were* going to buy, the
bridegroom came, and the prepared
*ones* went in with him to the wedding
feast, and the door was closed.

**25:11** υστερον δε ερχονται και αι
λοιπαι παρθενοι λεγουσαι κυριε
κυριε ανοιξον ημιν
"The remaining virgins came later,
saying, 'Master, master, open to us!'

**25:12** ο δε αποκριθεις ειπεν αμην
λεγω υμιν ουκ οιδα υμας
"Answering, he said, "Amen I say to
you that I haven't known you.'

**25:13** γρηγορειτε ουν οτι ουκ οιδατε
την ημεραν ουδε την ωραν
"Keep watch, then, because you
know neither the day nor the hour.

## Parable of the Talents
**25:14** ωσπερ γαρ ανθρωπος
αποδημων εκαλεσεν τους ιδιους
δουλους και παρεδωκεν αυτοις τα
υπαρχοντα αυτου
"For *it is* just as *a* man leaving on *a*
journey, *who* called his own slaves,
and handed his goods over to them.

**25:15** και ω μεν εδωκεν πεντε

ταλαντα ω δε δυο ω δε εν εκαστω κατα την ιδιαν δυναμιν και απεδημησεν ευθεως

"He gave to one five talents, yet to one two, and to one, one, according to each one's strength, and he went at once on the journey.

**25:16** πορευθεις ο τα πεντε ταλαντα λαβων ηργασατο εν αυτοις και εκερδησεν αλλα πεντε

"The *one* receiving five, going, traded with them and earned another five.

**25:17** ωσαυτως ο τα δυο εκερδησεν αλλα δυο

"Likewise, the *one receiving* two earned another two.

**25:18** ο δε το εν λαβων απελθων ωρυξεν γην και εκρυψεν το αργυριον του κυριου αυτου

"Yet the *one* receiving one, going out, dug up *the* ground and hid *the talent* of his master in the field.

**25:19** μετα δε πολυν χρονον ερχεται ο κυριος των δουλων εκεινων και συναιρει λογον μετ αυτων

"After much time, the master of those slaves comes and settles *a* word with them.

**25:20** και προσελθων ο τα πεντε ταλαντα λαβων προσηνεγκεν αλλα πεντε ταλαντα λεγων κυριε πεντε ταλαντα μοι παρεδωκας ιδε αλλα πεντε ταλαντα εκερδησα

"The *one* receiving the five talents, coming near, offered another five talents, saying, 'Master, you handed five talents over to me, but look! I earned another five talents.'

**25:21** εφη αυτω ο κυριος αυτου ευ

δουλε αγαθε και πιστε επι ολιγα ης πιστος επι πολλων σε καταστησω εισελθε εις την χαραν του κυριου σου

"His master said to him, 'Excellent, good and faithful slave! You were faithful over *a* little. I will set you over much. Go in the grace of your master!'

**25:22** προσελθων και ο τα δυο ταλαντα ειπεν κυριε δυο ταλαντα μοι παρεδωκας ιδε αλλα δυο ταλαντα εκερδησα

"The *one* of the two talents, coming near, said, 'Master, you handed two talents over to me. Look! I earned another two talents.'

**25:23** εφη αυτω ο κυριος αυτου ευ δουλε αγαθε και πιστε επι ολιγα ης πιστος επι πολλων σε καταστησω εισελθε εις την χαραν του κυριου σου

"His master said to him, 'Excellent, good and faithful slave! You were faithful over *a* little. I will set you over much. Go into the grace of your master!'

**25:24** προσελθων δε και ο το εν ταλαντον ειληφως ειπεν κυριε εγνων σε οτι σκληρος ει ανθρωπος θεριζων οπου ουκ εσπειρας και συναγων οθεν ου διεσκορπισας

"Yet the *one* taking the one talent, coming near, said, 'Master, I knew you, that you are *a* hard man, reaping where you did not sow and gathering where you did not scatter.

**25:25** και φοβηθεις απελθων εκρυψα το ταλαντον σου εν τη γη ιδε εχεις το σον

"Going out afraid, I hid your talent in the ground. Look! You have your *talent.*'

**25:26** αποκριθεις δε ο κυριος αυτου ειπεν αυτω πονηρε δουλε και οκνηρε ηδεις οτι θεριζω οπου ουκ εσπειρα και συναγω οθεν ου διεσκορπισα

"Answering, his master said to him, 'Wicked and lazy slave, you knew that I reap where I didn't sow and gather where I didn't scatter.

**25:27** εδει σε ουν βαλειν τα αργυρια μου τοις τραπεζιταις και ελθων εγω εκομισαμην αν το εμον συν τοκω

"'It was necessary for you, then, to throw my silver to the bankers, and I, coming, would have received mine with interest.

**25:28** αρατε ουν απ αυτου το ταλαντον και δοτε τω εχοντι τα δεκα ταλαντα

"'Take the talent from him, then, and give it to the *one* having the ten talents –

**25:29** τω γαρ εχοντι παντι δοθησεται και περισσευθησεται του δε μη εχοντος και ο εχει αρθησεται απ αυτου

"'for all will be given to the *one* having, and he will abound. Yet from the *one* not having, even what he has will be taken from him.

**25:30** και τον αχρειον δουλον εκβαλετε εις το σκοτος το εξωτερον εκει εσται ο κλαυθμος και ο βρυγμος των οδοντων

"'Throw the worthless slave out into the outer darkness! There, *there* will be weeping and the grinding of teeth.'"

## The Great Judgment Day

**25:31** οταν δε ελθη ο υιος του ανθρωπου εν τη δοξη αυτου και παντες οι αγγελοι μετ αυτου τοτε καθισει επι θρονου δοξης αυτου

"When the Son of Man comes in his glory and the holy angels with him, then he will sit on his glory's throne.

**25:32** και συναχθησονται εμπροσθεν αυτου παντα τα εθνη και αφορισει αυτους απ αλληλων ωσπερ ο ποιμην αφοριζει τα προβατα απο των εριφων

"All the nations will be gathered before him, and he will separate them from each other just as *a* shepherd separates the sheep from the goats.

**25:33** και στησει τα μεν προβατα εκ δεξιων αυτου τα δε εριφια εξ ευωνυμων

"He will stand the sheep at his right, yet the goats at his left.

**25:34** τοτε ερει ο βασιλευς τοις εκ δεξιων αυτου δευτε οι ευλογημενοι του πατρος μου κληρονομησατε την ητοιμασμενην υμιν βασιλειαν απο καταβολης κοσμου

"Then the king will say to those at his right,
'Come, *you* blessed of my Father,
inherit the kingdom
prepared for you
from the world's creation,

**25:35** επεινασα γαρ και εδωκατε μοι φαγειν εδιψησα και εποτισατε με ξενος ημην και συνηγαγετε με

"'for I hungered
and you gave me *something* to eat.
I thirsted and you gave me *a* drink.
I was *a* stranger

and you gathered me in,

**25:36** γυμνος και περιεβαλετε με
ησθενησα και επεσκεψασθε με εν
φυλακη ημην και ηλθατε προς με
"'naked and you clothed me,
sick and you visited me.
I was in prison,
and you came to me.'

**25:37** τοτε αποκριθησονται αυτω οι
δικαιοι λεγοντες κυριε ποτε σε
ειδομεν πεινωντα και εθρεψαμεν η
διψωντα και εποτισαμεν
"Then the righteous will answer him,
saying, 'Master, when have we seen
you hungry and we fed *you*, or thirsty
and we gave *you a* drink?

**25:38** ποτε δε σε ειδομεν ξενον και
συνηγαγομεν η γυμνον και
περιεβαλομεν
"When have we seen you *a* stranger
and we gathered you in, or naked and
we clothed you?

**25:39** ποτε δε σε ειδομεν
ασθενουντα η εν φυλακη και
ηλθομεν προς σε
"When have we seen you sick or in
prison and we came to you?'

**25:40** και αποκριθεις ο βασιλευς ερει
αυτοις αμην λεγω υμιν εφ οσον
εποιησατε ενι τουτων των αδελφων
μου των ελαχιστων εμοι εποιησατε
"Answering, the king will say to
them, 'Amen I say to you, whenever
you did so to one of the least of these
my brothers, you did so to me.'

**25:41** τοτε ερει και τοις εξ
ευωνυμων πορευεσθε απ εμου
κατηραμενοι εις το πυρ το αιωνιον
το ητοιμασμενον τω διαβολω και
τοις αγγελοις αυτου

"Then he will say to those on the left,
'Go away from me, *you* cursed,
into the eternal fire prepared
for the devil and his angels,

**25:42** επεινασα γαρ και ουκ εδωκατε
μοι φαγειν [και] εδιψησα και ουκ
εποτισατε με
"'for I hungered
and you didn't give me
*something* to eat.
[and] I thirsted
and you didn't give me *a* drink.

**25:43** ξενος ημην και ου συνηγαγετε
με γυμνος και ου περιεβαλετε με
ασθενης και εν φυλακη και ουκ
επεσκεψασθε με
"'I was *a* stranger
and you didn't gather me in,
naked and you didn't clothe me,
sick and in prison
and you didn't care for me.'

**25:44** τοτε αποκριθησονται και
αυτοι λεγοντες κυριε ποτε σε
ειδομεν πεινωντα η διψωντα η ξενον
η γυμνον η ασθενη η εν φυλακη και
ου διηκονησαμεν σοι
"Then they too will answer, saying,
'Master, when have when seen you
hungry, or thirsty, or *a* stranger, or
naked, or weak, or in prison, and we
didn't minister to you?'

**25:45** τοτε αποκριθησεται αυτοις
λεγων αμην λεγω υμιν εφ οσον ουκ
εποιησατε ενι τουτων των ελαχιστων
ουδε εμοι εποιησατε
"Then he will answer them, saying,
'Amen I say to you whenever you
didn't do it to one of the least of
these, you didn't do it to me.'

**25:46** και απελευσονται ουτοι εις

κολασιν αιωνιον οι δε δικαιοι εις
ζωην αιωνιον
"These will go away into eternal
punishment, yet the righteous into
eternal life."

## Matthew 26
### Jesus Again Predicts Crucifixion
**26:1** και εγενετο οτε ετελεσεν ο
ιησους παντας τους λογους τουτους
ειπεν τοις μαθηταις αυτου
It happened when Jesus completed
all these words, he said to his
disciples,
**26:2** οιδατε οτι μετα δυο ημερας το
πασχα γινεται και ο υιος του
ανθρωπου παραδιδοται εις το
σταυρωθηναι
"You know that after two days the
Passover comes, and the Son of Man
will be handed over to be crucified."

### The Plot to Arrest Jesus
**26:3** τοτε συνηχθησαν οι αρχιερεις
και οι πρεσβυτεροι του λαου εις την
αυλην του αρχιερεως του λεγομενου
καιαφα
Then the chief priests and the elders
of the people gathered together into
the courtyard of the high priest, the
*one* called Caiaphas[153].
**26:4** και συνεβουλευσαντο ινα τον
ιησουν δολω κρατησωσιν και
αποκτεινωσιν
They took counsel together that they
might seize Jesus by deceit and kill
*him.*
**26:5** ελεγον δε μη εν τη εορτη ινα μη
θορυβος γενηται εν τω λαω

Yet they were saying, "Not in the
feast, that there not be *an* uproar
among the people."

### Jesus Anointed in Bethany
**26:6** του δε ιησου γενομενου εν
βηθανια εν οικια σιμωνος του
λεπρου
*While* Jesus *was* staying in Bethany
in the house of Simon the leper,
**26:7** προσηλθεν αυτω γυνη εχουσα
αλαβαστρον μυρου βαρυτιμου και
κατεχεεν επι της κεφαλης αυτου
ανακειμενου
*a* woman having *a* very costly
alabaster jar of myrrh came near him
and poured it over his head, *while* he
*was* reclining *at table.*
**26:8** ιδοντες δε οι μαθηται
ηγανακτησαν λεγοντες εις τι η
απωλεια αυτη
Seeing *it*, the disciples were
indignant, saying, "Why this waste,
**26:9** εδυνατο γαρ τουτο πραθηναι
πολλου και δοθηναι πτωχοις
"for this could have been sold for
much and given to the poor!"

**26:10** γνους δε ο ιησους ειπεν αυτοις
τι κοπους παρεχετε τη γυναικι εργον
γαρ καλον ηργασατο εις εμε
Knowing *this*, Jesus said to them,
'Why cause trouble for the woman?
She's done *a* good work to me.
**26:11** παντοτε γαρ τους πτωχους
εχετε μεθ εαυτων εμε δε ου παντοτε
εχετε
"You always have the poor with you,
yet you don't always have me.
**26:12** βαλουσα γαρ αυτη το μυρον

τουτο επι του σωματος μου προς το
ενταφιασαι με εποιησεν
"Pouring out this myrrh on my body,
she did *it* to prepare for my burial.
**26:13** αμην λεγω υμιν οπου εαν
κηρυχθη το ευαγγελιον τουτο εν ολω
τω κοσμω λαληθησεται και ο
εποιησεν αυτη εις μνημοσυνον αυτης
"Amen I say to you, wherever this
gospel is preached in all the world,
what she has done will be told too in
her memory."

### Judas Arranges the Betrayal
**26:14** τοτε πορευθεις εις των δωδεκα
ο λεγομενος ιουδας ισκαριωτης προς
τους αρχιερεις
Then one of the twelve, the *one*
called Judas Iscariot, going to the
chief priests,
**26:15** ειπεν τι θελετε μοι δουναι
καγω υμιν παραδωσω αυτον οι δε
εστησαν αυτω τριακοντα αργυρια
said, "What do you want to give me,
and I will betray him to you?"

They stood thirty silver coins to him,
**26:16** και απο τοτε εζητει ευκαιριαν
ινα αυτον παραδω
and from then on, he began seeking
*a* good time that he could betray him.

### Passover Preparations
**26:17** τη δε πρωτη των αζυμων
προσηλθον οι μαθηται τω ιησου
λεγοντες που θελεις ετοιμασωμεν
σοι φαγειν το πασχα
On the first *day* of unleavened *bread*,
the disciples came to Jesus, saying,
"Where do you want that we prepare
for you to eat the Passover?"

**26:18** ο δε ειπεν υπαγετε εις την
πολιν προς τον δεινα και ειπατε
αυτω ο διδασκαλος λεγει ο καιρος
μου εγγυς εστιν προς σε ποιω το
πασχα μετα των μαθητων μου
He said, "Go into the city to *a* certain
man, and say to him, 'The teacher
says, My time is near. I will make
the Passover with my disciples with
you.'"

**26:19** και εποιησαν οι μαθηται ως
συνεταξεν αυτοις ο ιησους και
ητοιμασαν το πασχα
The disciples did as Jesus
commanded them, and they prepared
the Passover.

### Who Will Betray Me
**26:20** οψιας δε γενομενης ανεκειτο
μετα των δωδεκα [μαθητων]
*When* evening *had* come, he reclined
*at table* with the twelve [disciples].
**26:21** και εσθιοντων αυτων ειπεν
αμην λεγω υμιν οτι εις εξ υμων
παραδωσει με
*While* they *were* eating, he said,
"Amen I say to you that one of you
will betray me."

**26:22** και λυπουμενοι σφοδρα
ηρξαντο λεγειν αυτω εις εκαστος
μητι εγω ειμι κυριε
Grieving greatly, they began to say
to him, each one, "Surely I am not
*the one*, Lord."

**26:23** ο δε αποκριθεις ειπεν ο

εμβαψας μετ εμου την χειρα εν τω
τρυβλιω ουτος με παραδωσει
Answering, he said, "The one who
dipped the hand in the dish with me,
this one betrays me.

**26:24** ο μεν υιος του ανθρωπου
υπαγει καθως γεγραπται περι αυτου
ουαι δε τω ανθρωπω εκεινω δι ου ο
υιος του ανθρωπου παραδιδοται
καλον ην αυτω ει ουκ εγεννηθη ο
ανθρωπος εκεινος
"The Son of Man goes as is written
about him, yet woe to that man
through whom the Son of Man is
betrayed! It was good to him if that
man had not been born."

**26:25** αποκριθεις δε ιουδας ο
παραδιδους αυτον ειπεν μητι εγω
ειμι ραββι λεγει αυτω συ ειπας
Judas, the one betraying him,
answering, said, "Surely I am not the
one, Rabbi."

He says to him, "You spoke."

### The First Communion

**26:26** εσθιοντων δε αυτων λαβων ο
ιησους αρτον και ευλογησας
εκλασεν και δους τοις μαθηταις
ειπεν λαβετε φαγετε τουτο εστιν το
σωμα μου
While they were eating, Jesus, taking
bread and having blessed it, broke it
and gave it to the disciples. He said,
"Take, eat. This is my body."

**26:27** και λαβων ποτηριον [και]
ευχαριστησας εδωκεν αυτοις λεγων
πιετε εξ αυτου παντες
Taking a cup, having given thanks,
he gave to them, saying,
"Drink from this, all,

**26:28** τουτο γαρ εστιν το αιμα μου
της διαθηκης το περι πολλων
εκχυννομενον εις αφεσιν αμαρτιων
"for this is my blood
  of the covenant,
  poured out for many
  to the forgiveness of sins.

**26:29** λεγω δε υμιν ου μη πιω απ
αρτι εκ τουτου του γενηματος της
αμπελου εως της ημερας εκεινης
οταν αυτο πινω μεθ υμων καινον εν
τη βασιλεια του πατρος μου
"I say to you, from now on I will not
drink from this fruit of the vine until
those days when I drink it with you
new in the kingdom of my Father."

**26:30** και υμνησαντες εξηλθον εις το
ορος των ελαιων
Having sung a hymn, they went out
to the Mount of Olives.

### Jesus Predicts
### Abandonment and Denial

**26:31** τοτε λεγει αυτοις ο ιησους
παντες υμεις σκανδαλισθησεσθε εν
εμοι εν τη νυκτι ταυτη γεγραπται γαρ
παταξω τον ποιμενα και
διασκορπισθησονται τα προβατα της
ποιμνης
Then Jesus says to them, "All of you
will be scandalized in me this very
night, for it is written:

'I will strike down the shepherd,
  and the sheep of the flock
  will be scattered.'[154]

**26:32** μετα δε το εγερθηναι με προαξω υμας εις την γαλιλαιαν
"Yet after my resurrection, I will go before you to Galilee."

**26:33** αποκριθεις δε ο πετρος ειπεν αυτω ει παντες σκανδαλισθησονται εν σοι εγω ουδεποτε σκανδαλισθησομαι
Answering, Peter said to him, "If all will be scandalized in you, I will never be scandalized."

**26:34** εφη αυτω ο ιησους αμην λεγω σοι οτι εν ταυτη τη νυκτι πριν αλεκτορα φωνησαι τρις απαρνηση με
Jesus said to him, "Amen I say to you that this very night, before the rooster crows, you will deny me three *times*."

**26:35** λεγει αυτω ο πετρος καν δεη με συν σοι αποθανειν ου μη σε απαρνησομαι ομοιως και παντες οι μαθηται ειπαν
Peter says to him, "Even if it is necessary for me to die with you, I won't deny you."

All the disciples spoke likewise.

### In Gethsemane
**26:36** τοτε ερχεται μετ αυτων ο ιησους εις χωριον λεγομενον γεθσημανι και λεγει τοις μαθηταις καθισατε αυτου εως [ου] απελθων εκει προσευξωμαι
Then Jesus goes with them to *a* field called Gethsemane[155], and he says to the disciples, "Sit here until, going

there, I pray."

**26:37** και παραλαβων τον πετρον και τους δυο υιους ζεβεδαιου ηρξατο λυπεισθαι και αδημονειν
Taking Peter and the two sons of Zebedee, he began to grieve and be distressed.

**26:38** τοτε λεγει αυτοις περιλυπος εστιν η ψυχη μου εως θανατου μεινατε ωδε και γρηγορειτε μετ εμου
Then he says to them, "My soul is deeply sad unto death. Stay here and keep watch with me."

**26:39** και προελθων μικρον επεσεν επι προσωπον αυτου προσευχομενος και λεγων πατερ μου ει δυνατον εστιν παρελθατω απ εμου το ποτηριον τουτο πλην ουχ ως εγω θελω αλλ ως συ
Going forward *a* little, he fell on his face, praying and saying, "My Father, if it is possible, take this cup from me. Nevertheless, not as I will, but as you."

**26:40** και ερχεται προς τους μαθητας και ευρισκει αυτους καθευδοντας και λεγει τω πετρω ουτως ουκ ισχυσατε μιαν ωραν γρηγορησαι μετ εμου
He comes to the disciples and finds them sleeping, and he says to Peter, "So weren't you able to keep watch with me one hour?

**26:41** γρηγορειτε και προσευχεσθε ινα μη εισελθητε εις πειρασμον το μεν πνευμα προθυμον η δε σαρξ ασθενης
"Keep watch, and pray that you not

enter into testing! The spirit *is* willing, yet the body weak."

**26:42** παλιν εκ δευτερου απελθων προσηυξατο [λεγων] πατερ μου ει ου δυναται τουτο παρελθειν εαν μη αυτο πιω γενηθητω το θελημα σου

Going again *a* second time, he prayed, [saying], "My Father, if this cannot pass unless I drink it, let Your will be done."

**26:43** και ελθων παλιν ευρεν αυτους καθευδοντας ησαν γαρ αυτων οι οφθαλμοι βεβαρημενοι

Coming *to them*, he again found them sleeping, for their eyes were weighed down.

**26:44** και αφεις αυτους παλιν απελθων προσηυξατο εκ τριτου τον αυτον λογον ειπων παλιν

Leaving them, going away again, he prayed *a* third time, saying the same word again.

### The Arrest

**26:45** τοτε ερχεται προς τους μαθητας και λεγει αυτοις καθευδετε λοιπον και αναπαυεσθε ιδου ηγγικεν η ωρα και ο υιος του ανθρωπου παραδιδοται εις χειρας αμαρτωλων

Then he comes to the disciples, and he says to them, "Sleep from now on and rest! Look! The hour has come, and the Son of Man is betrayed into sinners' hands.

**26:46** εγειρεσθε αγωμεν ιδου ηγγικεν ο παραδιδους με

"Get up! Let's go! Look! The one betraying me is near."

**26:47** και ετι αυτου λαλουντος ιδου ιουδας εις των δωδεκα ηλθεν και μετ αυτου οχλος πολυς μετα μαχαιρων και ξυλων απο των αρχιερεων και πρεσβυτερων του λαου

While he *was* still speaking, look! Judas came, one of the twelve, and *a* great crowd with swords and sticks from the high priests and elders of the people.

**26:48** ο δε παραδιδους αυτον εδωκεν αυτοις σημειον λεγων ον αν φιλησω αυτος εστιν κρατησατε αυτον

The *one* betraying him had given them *a* sign, saying, "Whomever I kiss, he is *the one*. Arrest him."

**26:49** και ευθεως προσελθων τω ιησου ειπεν χαιρε ραββι και κατεφιλησεν αυτον

Coming near Jesus at once, he said, "Hail, Rabbi," and he kissed him.

**26:50** ο δε ιησους ειπεν αυτω εταιρε εφ ο παρει τοτε προσελθοντες επεβαλον τας χειρας επι τον ιησουν και εκρατησαν αυτον

Jesus said to him, "Why are you here?"

Then coming near, they laid hands on Jesus, and seized him.

### An Aborted Defense

**26:51** και ιδου εις των μετα ιησου εκτεινας την χειρα απεσπασεν την μαχαιραν αυτου και παταξας τον δουλον του αρχιερεως αφειλεν αυτου το ωτιον

Look! One of the *ones* with Jesus,

stretching out the hand, drew his sword and, having struck the slave of the high priest, cut off his ear.

**26:52** τοτε λεγει αυτω ο ιησους αποστρεψον την μαχαιραν σου εις τον τοπον αυτης παντες γαρ οι λαβοντες μαχαιραν εν μαχαιρη απολουνται

Then Jesus says to him, "Put your sword back in its place, for all those taking the sword will die by the sword.

**26:53** η δοκεις οτι ου δυναμαι παρακαλεσαι τον πατερα μου και παραστησει μοι αρτι πλειω δωδεκα λεγιωνας αγγελων

"Or do you think I can't call my Father, and He will send me now more than twelve legions of angels?

**26:54** πως ουν πληρωθωσιν αι γραφαι οτι ουτως δει γενεσθαι

"How, then, could the scripture be fulfilled that it must happen so?"

**26:55** εν εκεινη τη ωρα ειπεν ο ιησους τοις οχλοις ως επι ληστην εξηλθατε μετα μαχαιρων και ξυλων συλλαβειν με καθ ημεραν εν τω ιερω εκαθεζομην διδασκων και ουκ εκρατησατε με

In that hour, Jesus said to the crowd, "Did you come out to take me as against *a* bandit, with swords and sticks? Each day I sat in the temple teaching, and you didn't arrest me."

**26:56** τουτο δε ολον γεγονεν ινα πληρωθωσιν αι γραφαι των προφητων τοτε οι μαθηται παντες αφεντες αυτον εφυγον

Yet all this happened that the scriptures of the prophets could be fulfilled. Then all the disciples, leaving him, fled.

### Jesus Led to the High Priest

**26:57** οι δε κρατησαντες τον ιησουν απηγαγον προς καιαφαν τον αρχιερεα οπου οι γραμματεις και οι πρεσβυτεροι συνηχθησαν

The *ones* seizing Jesus led him to Caiaphas the high priest, where the writers and the elders were gathered.

**26:58** ο δε πετρος ηκολουθει αυτω [απο] μακροθεν εως της αυλης του αρχιερεως και εισελθων εσω εκαθητο μετα των υπηρετων ιδειν το τελος

Peter followed him [from] far off, to the courtyard of the high priest. Going inside, he sat with the retainers to see the end.

**26:59** οι δε αρχιερεις και το συνεδριον ολον εζητουν ψευδομαρτυριαν κατα του ιησου οπως αυτον θανατωσωσιν

The high priests and all the Sanhedrin were seeking false testimony against Jesus so they could kill him,

**26:60** και ουχ ευρον πολλων προσελθοντων ψευδομαρτυρων

and they weren't finding any, many false witnesses coming near.

**26:61** υστερον δε προσελθοντες δυο ειπαν ουτος εφη δυναμαι καταλυσαι τον ναον του θεου και δια τριων ημερων οικοδομησαι

Finally, two coming near said, "This *one* said, 'I can destroy the temple of

God and after three days build *it*.'"

## Are You Christ?

**26:62** και αναστας ο αρχιερευς ειπεν αυτω ουδεν αποκρινη τι ουτοι σου καταμαρτυρουσιν
Getting up, the high priest said to him, "Are you answering nothing? What are these accusing you of?"

**26:63** ο δε ιησους εσιωπα και ο αρχιερευς ειπεν αυτω εξορκιζω σε κατα του θεου του ζωντος ινα ημιν ειπης ει συ ει ο χριστος ο υιος του θεου
Yet Jesus kept silent, and the high priest said to him, "I put you under oath before the living God that you tell us if you are the Christ, the Son of God?"

**26:64** λεγει αυτω ο ιησους συ ειπας πλην λεγω υμιν απ αρτι οψεσθε τον υιον του ανθρωπου καθημενον εκ δεξιων της δυναμεως και ερχομενον επι των νεφελων του ουρανου
Jesus says to him, "You say. Nevertheless, I say to you from now on you will see the Son of Man seated at the right of the Power, and coming on the clouds of the sky."

**26:65** τοτε ο αρχιερευς διερρηξεν τα ιματια αυτου λεγων εβλασφημησεν τι ετι χρειαν εχομεν μαρτυρων ιδε νυν ηκουσατε την βλασφημιαν
Then the high priest tore his clothing, saying, "He blasphemed. Why do we still have need of witnesses? Look! Now you've heard the blasphemy.

**26:66** τι υμιν δοκει οι δε αποκριθεντες ειπαν ενοχος θανατου εστιν
"What does it seem to you?"

Answering, they said, "He is worthy of death."

**26:67** τοτε ενεπτυσαν εις το προσωπον αυτου και εκολαφισαν αυτον οι δε εραπισαν
Then they spat in his face, and slapped him. They struck him with fists,
**26:68** λεγοντες προφητευσον ημιν χριστε τις εστιν ο παισας σε
saying, "Prophesy to us, Christ! Who is the *one who* hit you?"

## Peter Denies Jesus

**26:69** ο δε πετρος εκαθητο εξω εν τη αυλη και προσηλθεν αυτω μια παιδισκη λεγουσα και συ ησθα μετα ιησου του γαλιλαιου
Peter was sitting outside in the courtyard. One of the female servants came near him, saying, "You were with Jesus of Galilee too."

**26:70** ο δε ηρνησατο εμπροσθεν παντων λεγων ουκ οιδα τι λεγεις
He began saying before all, "I don't know what you're saying."

**26:71** εξελθοντα δε εις τον πυλωνα ειδεν αυτον αλλη και λεγει τοις εκει ουτος ην μετα ιησου του ναζωραιου
Going out into the gateway, another

saw him. She says to those there, "This *one* was with Jesus of Nazareth."

**26:72** και παλιν ηρνησατο μετα ορκου οτι ουκ οιδα τον ανθρωπον
He denied again with *an* oath, *saying* that, "I don't know the man."

**26:73** μετα μικρον δε προσελθοντες οι εστωτες ειπον τω πετρω αληθως και συ εξ αυτων ει και γαρ η λαλια σου δηλον σε ποιει
After *a* little while, those standing by, coming near, said to Peter, "You really are from them, for even your accent makes you plain."

**26:74** τοτε ηρξατο καταθεματιζειν και ομνυειν οτι ουκ οιδα τον ανθρωπον και ευθεως αλεκτωρ εφωνησεν
Then he began to curse and to swear that, "I don't know the man," and at once, the rooster crowed.

**26:75** και εμνησθη ο πετρος του ρηματος ιησου ειρηκοτος οτι πριν αλεκτορα φωνησαι τρις απαρνηση με και εξελθων εξω εκλαυσεν πικρως
Peter remembered the word Jesus had spoken, that, "Before the rooster crows, you will deny me three *times*," and going outside, he wept bitterly.

## Matthew 27
### Jesus Led to Pilate
**27:1** πρωιας δε γενομενης συμβουλιον ελαβον παντες οι αρχιερεις και οι πρεσβυτεροι του λαου κατα του ιησου ωστε θανατωσαι αυτον
When morning came, all the chief priests and the elders of the people took counsel against Jesus so as to kill him.

**27:2** και δησαντες αυτον απηγαγον και παρεδωκαν πιλατω τω ηγεμονι
Binding him, they led him out and handed him over to Pilate[156] the governor.

### Judas' Bitter Regret
**27:3** τοτε ιδων ιουδας ο παραδους αυτον οτι κατεκριθη μεταμεληθεις εστρεψεν τα τριακοντα αργυρια τοις αρχιερευσιν και πρεσβυτεροις
Then Judas, the *one* betraying him, seeing that he was condemned, regretting *it*, returned the thirty silver *coins* to the chief priests and elders,

**27:4** λεγων ημαρτον παραδους αιμα δικαιον οι δε ειπαν τι προς ημας συ οψη
saying, "I sinned handing over righteous blood."

They said, "What *is that* to us? You see *to it*."

**27:5** και ριψας τα αργυρια εις τον ναον ανεχωρησεν και απελθων απηγξατο
Throwing down the silver into the temple, he went away and, going out, hung *himself.*

**27:6** οι δε αρχιερεις λαβοντες τα αργυρια ειπαν ουκ εξεστιν βαλειν αυτα εις τον κορβαναν επει τιμη

αιματος εστιν
The high priests, taking the silver, said, "It isn't lawful to throw them into the temple treasury since it is *a* blood price."

**27:7** συμβουλιον δε λαβοντες ηγορασαν εξ αυτων τον αγρον του κεραμεως εις ταφην τοις ξενοις
Taking counsel, they bought from them the potter's field as *a* burial place for strangers.

**27:8** διο εκληθη ο αγρος εκεινος αγρος αιματος εως της σημερον
For this reason, that field is called 'Field of Blood' to this day.

**27:9** τοτε επληρωθη το ρηθεν δια ιερεμιου του προφητου λεγοντος και ελαβον τα τριακοντα αργυρια την τιμην του τετιμημενου ον ετιμησαντο απο υιων ισραηλ
Then the word through Jeremiah the prophet was fulfilled, saying,

"They took
the thirty silver coins,
the price of *one* priced,
whom they priced
from Israel's sons;

**27:10** και εδωκαν αυτα εις τον αγρον του κεραμεως καθα συνεταξεν μοι κυριος
"and they gave them
to *buy* the potter's field
as the Lord commanded me."[157]

### Jesus Before Pilate

**27:11** ο δε ιησους εσταθη εμπροσθεν του ηγεμονος και επηρωτησεν αυτον ο ηγεμων λεγων συ ει ο βασιλευς των ιουδαιων ο δε ιησους εφη συ λεγεις
Jesus was stood before the governor, and the governor questioned him, saying, "Are you the king of the Jews?"

Jesus said, "You say."

**27:12** και εν τω κατηγορεισθαι αυτον υπο των αρχιερεων και πρεσβυτερων ουδεν απεκρινατο
In the accusation against him by the high priests and elders, he answered nothing.

**27:13** τοτε λεγει αυτω ο πιλατος ουκ ακουεις ποσα σου καταμαρτυρουσιν
Then Pilate says to him, "Don't you hear how much they accuse you of?"

**27:14** και ουκ απεκριθη αυτω προς ουδε εν ρημα ωστε θαυμαζειν τον ηγεμονα λιαν
He didn't answer him even one word, so that the governor was greatly amazed.

### Whom Shall I Release?

**27:15** κατα δε εορτην ειωθει ο ηγεμων απολυειν ενα τω οχλω δεσμιον ον ηθελον
During the feast, the governor had been accustomed to release one prisoner to the crowd, whomever they wished.

**27:16** ειχον δε τοτε δεσμιον επισημον λεγομενον βαραββαν
They had then *a* notorious prisoner named Barabbas[158].

**27:17** συνηγμενων ουν αυτων ειπεν

αυτοις ο πιλατος τινα θελετε απολυσω υμιν [τον] βαραββαν η ιησουν τον λεγομενον χριστον

While they *were* gathered together, therefore, Pilate said to them, "Whom do you want that I release to you? Barabbas, or Jesus, the *one* called Christ?"

**27:18** ηδει γαρ οτι δια φθονον παρεδωκαν αυτον

For he knew that they handed him over through envy.

**27:19** καθημενου δε αυτου επι του βηματος απεστειλεν προς αυτον η γυνη αυτου λεγουσα μηδεν σοι και τω δικαιω εκεινω πολλα γαρ επαθον σημερον κατ οναρ δι αυτον

*While* he *was* sitting on the judgment seat, his wife sent to him, saying, "*Let* nothing *be* to you and to that righteous *man*, for I suffered much today for his sake in *a* dream."

### Give Us Barabbas!

**27:20** οι δε αρχιερεις και οι πρεσβυτεροι επεισαν τους οχλους ινα αιτησωνται τον βαραββαν τον δε ιησουν απολεσωσιν

The chief priests and the elders convinced the crowds that they ask for Barabbas, yet they destroy Jesus.

**27:21** αποκριθεις δε ο ηγεμων ειπεν αυτοις τινα θελετε απο των δυο απολυσω υμιν οι δε ειπαν τον βαραββαν

The governor, answering, said to them, "Whom do you want that I release to you from the two?"

They said, "Barabbas."

**27:22** λεγει αυτοις ο πιλατος τι ουν ποιησω ιησουν τον λεγομενον χριστον λεγουσιν παντες σταυρωθητω

Pilate says to them, "What, then, will I do to Jesus, the *one* called Christ?"

All say, "Crucify!"

**27:23** ο δε εφη τι γαρ κακον εποιησεν οι δε περισσως εκραζον λεγοντες σταυρωθητω

He said, "What harm has he done?"

Yet they shouted all the more, saying, "Crucify!"

**27:24** ιδων δε ο πιλατος οτι ουδεν ωφελει αλλα μαλλον θορυβος γινεται λαβων υδωρ απενιψατο τας χειρας κατεναντι του οχλου λεγων αθωος ειμι απο του αιματος τουτου υμεις οψεσθε

Pilate, seeing that he gains nothing but rather *an* uproar happens, taking water, washed the hands before the crowd, saying, "I am innocent of this blood. You see *to it*."

**27:25** και αποκριθεις πας ο λαος ειπεν το αιμα αυτου εφ ημας και επι τα τεκνα ημων

All the crowd, answering, said, "His blood *be* on us and on our children."

**27:26** τοτε απελυσεν αυτοις τον βαραββαν τον δε ιησουν φραγελλωσας παρεδωκεν ινα

σταυρωθη
Then he released Barabbas to them.
Yet whipping Jesus, he handed him
over that he be crucified.

## Jesus Mocked and Tortured

**27:27** τοτε οι στρατιωται του
ηγεμονος παραλαβοντες τον ιησουν
εις το πραιτωριον συνηγαγον επ
αυτον οληv την σπειραν
Then the soldiers of the governor,
taking Jesus into the palace, gathered
the whole cohort together against
him.
**27:28** και εκδυσαντες αυτον
χλαμυδα κοκκινην περιεθηκαν αυτω
Stripping him, they wrapped him in
a scarlet robe.
**27:29** και πλεξαντες στεφανον εξ
ακανθων επεθηκαν επι της κεφαλης
αυτου και καλαμον εν τη δεξια
αυτου και γονυπετησαντες
εμπροσθεν αυτου ενεπαιξαν αυτω
λεγοντες χαιρε βασιλευ των
ιουδαιων
Weaving a crown from thorns, they
put it on his head, and a reed in his
right *hand*.  Bending the knees
before him, they ridiculed him,
saying, "Hail, king of the Jews!"

**27:30** και εμπτυσαντες εις αυτον
ελαβον τον καλαμον και ετυπτον εις
την κεφαλην αυτου
Spitting on him, they took the reed
and hit *him* on his head.

## Jesus Led to Death

**27:31** και οτε ενεπαιξαν αυτω
εξεδυσαν αυτον την χλαμυδα και
ενεδυσαν αυτον τα ιματια αυτου και
απηγαγον αυτον εις το σταυρωσαι
When they had mocked him, they
took the robe off him, and dressed
him in his own clothes, and led him
out to crucify.

**27:32** εξερχομενοι δε ευρον
ανθρωπον κυρηναιον ονοματι
σιμωνα τουτον ηγγαρευσαν ινα αρη
τον σταυρον αυτου
As they were going out, they found *a*
Cyrenian[159] man named Simon.
They forced this *one* that he carry his
cross.

**27:33** και ελθοντες εις τοπον
λεγομενον γολγοθα ο εστιν κρανιου
τοπος λεγομενος
Going to *a* place called Golgotha[160],
which is called "Place of *a* skull",

**27:34** εδωκαν αυτω πιειν οινον μετα
χολης μεμιγμενον και γευσαμενος
ουκ ηθελησεν πιειν
they gave him wine to drink mixed
with gall.   Tasting, he wouldn't
drink.

## Jesus on the Cross

**27:35** σταυρωσαντες δε αυτον
διεμερισαντο τα ιματια αυτου
βαλλοντες κληρον
Crucifying him, they divided his
clothing, casting *a* lot,
**27:36** και καθημενοι ετηρουν αυτον
εκει
and sitting down, they began
watching him there.
**27:37** και επεθηκαν επανω της
κεφαλης αυτου την αιτιαν αυτου
γεγραμμενην ουτος εστιν ιησους ο
βασιλευς των ιουδαιων

They placed over his head his written accusation:

"This is Jesus,
the King of the Jews".

**27:38** τοτε σταυρουνται συν αυτω δυο λησται εις εκ δεξιων και εις εξ ευωνυμων

Then they crucify with him two bandits, one at the right and one at the left.

### Bystanders Mock Him

**27:39** οι δε παραπορευομενοι εβλασφημουν αυτον κινουντες τας κεφαλας αυτων

The ones passing by began blaspheming him, shaking their heads

**27:40** και λεγοντες ο καταλυων τον ναον και εν τρισιν ημεραις οικοδομων σωσον σεαυτον ει υιος ει του θεου καταβηθι απο του σταυρου

and saying, "The *one* destroying the temple and building it in three days, save yourself! If you are the Son of God, come down from the cross!"

**27:41** ομοιως [και] οι αρχιερεις εμπαιζοντες μετα των γραμματεων και πρεσβυτερων ελεγον

Likewise [also] the chief priests, mocking him with the writers and elders, began saying,

**27:42** αλλους εσωσεν εαυτον ου δυναται σωσαι βασιλευς ισραηλ εστιν καταβατω νυν απο του σταυρου και πιστευσομεν επ αυτον

"He saved others. He can't save himself. Is he Israel's king? Let him come down now from the cross, and we will believe in him!"

**27:43** πεποιθεν επι τον θεον ρυσασθω νυν ει θελει αυτον ειπεν γαρ οτι θεου ειμι υιος

"He trusted in God. Let Him rescue now, if He wants him, for he said that, 'I am Son of God.'"

**27:44** το δ αυτο και οι λησται οι συσταυρωθεντες συν αυτω ωνειδιζον αυτον

On the same, the bandits crucified together with him were denouncing him.

### Shadows, Abandonment, Death

**27:45** απο δε εκτης ωρας σκοτος εγενετο επι πασαν την γην εως ωρας ενατης

Yet from the sixth hour, darkness came over all the land until the ninth hour.

**27:46** περι δε την ενατην ωραν εβοησεν ο ιησους φωνη μεγαλη λεγων ελωι ελωι λεμα σαβαχθανι τουτ εστιν θεε μου θεε μου ινατι με εγκατελιπες

Around the ninth hour, Jesus shouted in *a* great voice, saying,

"Eloi, Eloi, lema sabachthani" –

which is,

"My God, my God,
why have You abandoned me?"[160a]

**27:47** τινες δε των εκει εστηκοτων

ακουσαντες ελεγον οτι ηλιαν φωνει ουτος

Some of those standing there, hearing *him*, began saying that, "This *one* calls Elijah."

**27:48** και ευθεως δραμων εις εξ αυτων και λαβων σπογγον πλησας τε οξους και περιθεις καλαμω εποτιζεν αυτον

At once one of them, running and taking *a* sponge full of sour wine and putting it on *a* reed, gave *it* to him to drink.

**27:49** οι δε λοιποι ειπαν αφες ιδωμεν ει ερχεται ηλιας σωσων αυτον [[αλλος δε λαβων λογχην ενυξεν αυτου την πλευραν και εξηλθεν υδωρ και αιμα]]

Yet the rest said, "Leave him alone. Let's see if Elijah comes to save him."

[[Another, taking *a* spear, pierced his side, and water and blood came out.]]

**27:50** ο δε ιησους παλιν κραξας φωνη μεγαλη αφηκεν το πνευμα

Jesus, having cried out again in *a* great voice, let the spirit go.

### Veils Torn,
### Earth Moved, Tombs Opened

**27:51** και ιδου το καταπετασμα του ναου εσχισθη [απ] ανωθεν εως κατω εις δυο και η γη εσεισθη και αι πετραι εσχισθησαν

Look! The veil of the temple was torn in two from above to below, and the earth was shaken, and the rocks were torn.

**27:52** και τα μνημεια ανεωχθησαν και πολλα σωματα των κεκοιμημενων αγιων ηγερθησαν

The tombs were opened, and many bodies of the holy ones *who* had slept were raised.

**27:53** και εξελθοντες εκ των μνημειων μετα την εγερσιν αυτου εισηλθον εις την αγιαν πολιν και ενεφανισθησαν πολλοις

Coming out of the tombs after his resurrection, they went into the holy city and appeared to many.

**27:54** ο δε εκατονταρχος και οι μετ αυτου τηρουντες τον ιησουν ιδοντες τον σεισμον και τα γινομενα εφοβηθησαν σφοδρα λεγοντες αληθως θεου υιος ην ουτος

Yet the centurion and those watching Jesus with him, seeing the earthquake and the happenings, feared greatly, saying, "Truly this was God's son."

**27:55** ησαν δε εκει γυναικες πολλαι απο μακροθεν θεωρουσαι αιτινες ηκολουθησαν τω ιησου απο της γαλιλαιας διακονουσαι αυτω

Many women were there watching from far off, who followed Jesus from Galilee to serve him,

**27:56** εν αις ην μαρια η μαγδαληνη και μαρια η του ιακωβου και ιωσηφ μητηρ και η μητηρ των υιων ζεβεδαιου

among whom were Mary Magdalene, and Mary mother of Jacob and Joseph[161], and the mother of

Zebedee's sons.

## Jesus Buried

**27:57** οψιας δε γενομενης ηλθεν ανθρωπος πλουσιος απο αριμαθαιας τουνομα ιωσηφ ος και αυτος εμαθητευθη τω ιησου

*When* evening *had* come, *a* rich man from Arimathea[162] named Joseph came, who also was *a* disciple of Jesus.

**27:58** ουτος προσελθων τω πιλατω ητησατο το σωμα του ιησου τοτε ο πιλατος εκελευσεν αποδοθηναι

This *one*, going to Pilate, asked for the body of Jesus.   Then Pilate commanded *it* to be given.

**27:59** και λαβων το σωμα ο ιωσηφ ενετυλιξεν αυτο [εν] σινδονι καθαρα

Joseph, taking the body, wrapped it in clean linen,

**27:60** και εθηκεν αυτο εν τω καινω αυτου μνημειω ο ελατομησεν εν τη πετρα και προσκυλισας λιθον μεγαν τη θυρα του μνημειου απηλθεν

and placed it in his new tomb, which he had cut in the rock.   Rolling *a* great stone against the door of the tomb, he went out.

**27:61** ην δε εκει μαριαμ η μαγδαληνη και η αλλη μαρια καθημεναι απεναντι του ταφου

Mary Magdalene was there, and the other Mary, sitting opposite the grave.

## Guard the Tomb

**27:62** τη δε επαυριον ητις εστιν μετα την παρασκευην συνηχθησαν οι αρχιερεις και οι φαρισαιοι προς πιλατον

The following day, which is the great day of the Passover, the chief priests and the Pharisees gathered together with Pilate,

**27:63** λεγοντες κυριε εμνησθημεν οτι εκεινος ο πλανος ειπεν ετι ζων μετα τρεις ημερας εγειρομαι

saying, "Master, we remember that deceiver said while still living, 'After three days I will be raised.'

**27:64** κελευσον ουν ασφαλισθηναι τον ταφον εως της τριτης ημερας μηποτε ελθοντες οι μαθηται κλεψωσιν αυτον και ειπωσιν τω λαω ηγερθη απο των νεκρων και εσται η εσχατη πλανη χειρων της πρωτης

"Command, then, to secure the grave until the third day, unless the disciples, coming, steal him and say to the people, 'He is raised from the dead' – and the last deception will be worse than the first."

**27:65** εφη αυτοις ο πιλατος εχετε κουστωδιαν υπαγετε ασφαλισασθε ως οιδατε

Pilate said to them, "You have *a* guard.  Go, secure *it* as you know."

**27:66** οι δε πορευθεντες ησφαλισαντο τον ταφον σφραγισαντες τον λιθον μετα της κουστωδιας

Going out, they secured the grave, sealing the stone with the guard.

## Matthew 28
## Two Women Come to the Tomb

**28:1** οψε δε σαββατων τη
επιφωσκουση εις μιαν σαββατων
ηλθεν μαρια η μαγδαληνη και η αλλη
μαρια θεωρησαι τον ταφον

Yet after the Sabbaths, at first light
in the first *day* of the Sabbaths, Mary
Magdalene came and the other Mary
to see the grave.

**28:2** και ιδου σεισμος εγενετο μεγας
αγγελος γαρ κυριου καταβας εξ
ουρανου και προσελθων απεκυλισεν
τον λιθον και εκαθητο επανω αυτου

Look! *A* great earthquake happened,
for the Lord's angel, coming down
from heaven and coming near, rolled
the stone away and sat on it.

**28:3** ην δε η ειδεα αυτου ως
αστραπη και το ενδυμα αυτου
λευκον ως χιων

His appearance was like lightning,
and his clothing white like snow.

**28:4** απο δε του φοβου αυτου
εσεισθησαν οι τηρουντες και
εγενηθησαν ως νεκροι

The keepers shook from fear of him,
and became like dead *men.*

**28:5** αποκριθεις δε ο αγγελος ειπεν
ταις γυναιξιν μη φοβεισθε υμεις οιδα
γαρ οτι ιησουν τον εσταυρωμενον
ζητειτε

Answering, the angel said to the
women, "You, don't be afraid, for I
know that you seek Jesus the
crucified.

**28:6** ουκ εστιν ωδε ηγερθη γαρ
καθως ειπεν δευτε ιδετε τον τοπον
οπου εκειτο

"He isn't here, for he is risen, just as

he said. Go, see the place where he
was placed.

**28:7** και ταχυ πορευθεισαι ειπατε
τοις μαθηταις αυτου οτι ηγερθη απο
των νεκρων και ιδου προαγει υμας
εις την γαλιλαιαν εκει αυτον οψεσθε
ιδου ειπον υμιν

"Going quickly, tell his disciples that
he is raised from the dead, and look!
He goes before you to Galilee. You
will see him there. Look! I have
told you"

**28:8** και απελθουσαι ταχυ απο του
μνημειου μετα φοβου και χαρας
μεγαλης εδραμον απαγγειλαι τοις
μαθηταις αυτου

Going out quickly from the tomb
with fear and great joy, they ran to
tell his disciples.

## Jesus Appears to Them

**28:9** και ιδου ιησους υπηντησεν
αυταις λεγων χαιρετε αι δε
προσελθουσαι εκρατησαν αυτου
τους ποδας και προσεκυνησαν αυτω

Look! Jesus met them, saying,
"Greetings!"

Coming near, they grasped his feet
and worshiped him.

**28:10** τοτε λεγει αυταις ο ιησους μη
φοβεισθε υπαγετε απαγγειλατε τοις
αδελφοις μου ινα απελθωσιν εις την
γαλιλαιαν κακει με οψονται

Then Jesus says to them, "Don't be
afraid! Go, tell my brothers that they
go away to Galilee! They will see
me there."

## A Conspiracy of Silence

**28:11** πορευομενων δε αυτων ιδου τινες της κουστωδιας ελθοντες εις την πολιν απηγγειλαν τοις αρχιερευσιν απαντα τα γενομενα

*While* they *were* going, look! Some of the guards, going into the city, told the chief priests all the happenings.

**28:12** και συναχθεντες μετα των πρεσβυτερων συμβουλιον τε λαβοντες αργυρια ικανα εδωκαν τοις στρατιωταις

Gathering together with the elders and taking counsel, they gave silver to each of the soldiers,

**28:13** λεγοντες ειπατε οτι οι μαθηται αυτου νυκτος ελθοντες εκλεψαν αυτον ημων κοιμωμενων

saying, "Tell that his disciples, coming by night, stole him *while* we *were* sleeping.

**28:14** και εαν ακουσθη τουτο επι του ηγεμονος ημεις πεισομεν και υμας αμεριμνους ποιησομεν

"If this is heard by the governor, we will persuade and make you blameless."

**28:15** οι δε λαβοντες αργυρια εποιησαν ως εδιδαχθησαν και διεφημισθη ο λογος ουτος παρα ιουδαιοις μεχρι της σημερον [ημερας]

Taking the silver, they did as they were taught, and this word was spread among the Jews until the present [day].

## Jesus Commissions the Disciples

**28:16** οι δε ενδεκα μαθηται επορευθησαν εις την γαλιλαιαν εις το ορος ου εταξατο αυτοις ο ιησους

Yet the eleven disciples went to Galilee to the mountain where Jesus commanded them.

**28:17** και ιδοντες αυτον προσεκυνησαν οι δε εδιστασαν

Seeing, they worshiped him, yet they doubted.

**28:18** και προσελθων ο ιησους ελαλησεν αυτοις λεγων εδοθη μοι πασα εξουσια εν ουρανω και επι [της] γης

Coming near, Jesus spoke to them, saying, "All authority is given me in heaven and on [the] earth.

**28:19** πορευθεντες ουν μαθητευσατε παντα τα εθνη βαπτιζοντες αυτους εις το ονομα του πατρος και του υιου και του αγιου πνευματος

"Going, then, disciple all nations, baptizing them in the name of the Father and of the Son and of the Holy Spirit,

**28:20** διδασκοντες αυτους τηρειν παντα οσα ενετειλαμην υμιν και ιδου εγω μεθ υμων ειμι πασας τας ημερας εως της συντελειας του αιωνος

"teaching them to keep all, as much as I commanded you. Look! I am with you all the days, to the completion of the age."

# End Notes: Matthew

1 Jesus means "The Lord is salvation." The name derives from a Hebrew name also translated as Joshua and Jehoshua.

2 The word "Christ," from the Hebrew word, *Moshiach*, means anointed, or anointed one. Anointing, the pouring on of oil, was the means by which one was designated as king. The Latin word *Christus* is derived from the Greek χριστος, from which the English word Christ is derived. For instances in the Old Testament where the Hebrew word *Moshiach* is translated as Christ in both Greek and Latin, see also 2 Samuel 23:1; Psalm 2:2, 83:10; Lamentations 4:20; Daniel 9:25-26; Habakkuk 3:13.

3 David, in Hebrew, means "beloved." His story, beginning in Ruth 4:17, continues at 1 Samuel 16:13.

4 Abraham, in Hebrew, means "father of a multitude." He was first called Abram, meaning "exalted father." Abram/Abraham's story begins in scripture at Genesis 11:26ff.

5 Isaac, in Hebrew, means "he will laugh." His story begins at Genesis 17:19ff.

6 Jacob, in Hebrew, means "heel holder" or "supplanter." His story begins at Genesis 25:26ff.

7 Judah, in Hebrew, means "praised." Judah was the fourth son of Jacob and Lia, and the father of one of Israel's twelve tribes. His descendants became known as Jews. Judah's story begins at Genesis 29:35.

8 AV: "Pharez." Phares, in Hebrew, means "breach." His story begins at Genesis 38:29.

9 AV: "Zerah." This name appears as "Zarah" in Genesis 38:30. See also Genesis 46:12; Numbers 26:20; Judges 7:1ff; 1 Chronicles 9:6; Nehemiah 11:24.

10 AV: "Tamar." Tamar, in Hebrew, means "palm tree." See also Genesis 38:6ff.

11 AV: "Hezron." His story begins at Genesis 46:9ff.

12 AV: "Ram." See also 1 Chronicles 2:9ff; Job 32:2 (possibly).

13 AV: "Amminadab." See also 1 Chronicles 2:10.

14 AV: "Nahshon." See also Numbers 1:7ff, 7:12ff, 10:14; Ruth 4:20.

15 AV: "Salmon." See also 1 Chronicles 2:11.

16 Boaz, in Hebrew, means "swiftness." His story begins at Ruth 2:1ff.

17 Obed, in Hebrew, means "serving." Obed's story begins at Ruth 4:17.

18 Ruth, in Hebrew, means, "friendship." Ruth is first mentioned at Ruth 1:4.

19 AV: "Jesse." in Hebrew means, "I possess." His story begins at 1 Samuel 16:1ff.

20 Solomon, in Hebrew, means "peace." His story begins at 2 Samuel 5:14.

21 Uriah, in Hebrew, means "the Lord is my flame." His story begins at 2 Samuel 11:3ff.

22 Rehoboam, in Hebrew, means "a people has increased." His story begins at 1 Kings 11:43.

23 Abia, in Hebrew, means "The Lord is my father." His name is rendered elsewhere in the AV as "Abijah." For "Abia," see also Matthew 1:7; Luke 1:5.

24 Asa, in Hebrew, means "healer." His story begins at 1 Kings 15:8ff.

25 Jehoshaphat, in Hebrew, means "the Lord has judged." His story begins at 1 Kings 15:24.

26 Joram, in Hebrew, means "the Lord is lifted up." His name is also given as Jehoram. His story begins at 1 Kings 22:50.

27 AV: "Ahaziah." in Hebrew, means "the Lord holds." 2 Kings 8:24ff.

28 AV: "Jotham." in Hebrew means "the Lord is perfect." His story begins at 2 Kings 15:5ff.

29 Ahaz, in Hebrew, means "he has grasped." His story begins at 2 Kings 15:38.

30 Hezekiah, in Hebrew, means "the Lord is my strength." His story begins at 2 Kings 16:20.

31 Manasseh, in Hebrew, means "causing to forget." See also 2 Kings 20:21, 21:1ff, 23:12ff ,24:3; 2 Chronicles 32:33, 33:1ff, 34:6ff; Jeremiah 15:4.

32 Amon, in Hebrew, means "skilled worker." His story begins at 2 Kings 21:18ff.

33 Josiah, in Hebrew, means "whom the Lord heals." His story begins at 1 Kings 13:2.

34 Jechoniah, in Hebrew, means "the

Lord will establish." See also Esther 2:6; Jeremiah 24:1, 27:20, 28:4, 29:2.

35 Salathiel, in Hebrew, means "I have asked of God." His story begins at 1 Chronicles

36 See also Ezra 2:2, 3:2ff, 4:2ff, 5:2; Nehemiah 7:7, 12:1ff; Haggai 1:1ff, 2:2ff; Zechariah 4:6ff.

37 Joseph, in Hebrew, means "he will add."

38 Mary means "their rebellion."

39 Isaiah 7:14.

40 Bethlehem, in Hebrew, means "house of bread." Bethlehem first appears in scripture at Genesis 48:7.

41 Herod, in Greek, means "heroic." This Herod, son of Antipater, was appointed King of Judea by the Romans in 40 BCE. The dynasty that followed him took his name. See also Luke 1:5

42 AV: "wise men." Magos, in Greek, was the title given to astrologers and wise men by the Babylonians and their neighbors in nations to the east of Israel.

43 Jerusalem, in Hebrew, means "teaching of peace." The city is mentioned 811 times in scripture.

44 Micah 5:2.

45 Egypt, in Hebrew, means "land of the Copts." It is mentioned 611 times in Scripture.

46 Compare to Hosea 11:1.

47 Rama, in Hebrew, means "a hill." It is located about five miles north of Jerusalem. It is more frequently spelled "Ramah" in the AV. Rama first appears in scripture at Joshua 18:25.

48 Jeremiah 31:15.

49 Galilee, in Hebrew, means "circuit." It is in northern Canaan. It first appears in scripture at Joshua 13:2.

50 Nazareth, in Hebrew, means "the guarded one."

51 Exact citation unclear.

52 Isaiah 40:3.

53 Jordan, in Hebrew, means "the descender." The Jordan river separates the land of Canaan, into which Israel was going, from the plains of Moab, where they had temporarily settled. The Jordan is first mentioned in scripture at Genesis 13:10.

54 Deuteronomy 8:3.

55 Psalm 91:11-12.

56 Deuteronomy 6:16.

57 Satan, in Hebrew, means "adversary." His name is first mentioned at 1 Chronicles 21:1. See also Job 1:6ff, 2:1ff; Psalm 109:6; Zecariah 3:1ff; Matthew 12:26, 16:23; Mark 1:13, 3:23ff, 4:15, 8:33; Luke 4:8, 10:18, 11:18, 13:16, 22:13; John 13:27; Acts 5:3, 26:18; Romans 16:20; 1 Corinthians 5:5, 7:5; 2 Corinthians 2:11, 11:14, 12:7; 1 Thessalonians 2:18; 2 Thessalonians 2:9; 1 Timothy 1:20, 5:15; Revelation 2:9ff, 3:9, 12:9, 20:2ff.

58 Compare to Deuteronomy 6:13 and 10:20.

59 Capernaum, in Hebrew, means "village of comfort."

60 Isaiah 9:1-2.

61 Simon, in Hebrew, means "a rock." He is later surnamed Peter by Jesus.

62 Peter, in Greek, also means "rock."

63 Andrew, in Greek, means "manly."

64 AV: "James." in Greek means, "Supplanter."

65 Zebedee, in Greek, means "my gift."

66 John, in Hebrew, means "the Lord is a gracious giver."

67 Syria, in Hebrew, means "exalted." Syria was and is Israel's northeastern neighbor.

68 The Decapolis, in Greek, means "ten towns." These ten towns were collectively a Roman military colony stretching across southern Syria to what is now northern Jordan.

69 Exodus 20:13, and Deuteronomy 5:17.

70 Racha means "senseless, empty-headed." This was a swear word in the First Century.

71 AV: "Hell." Gehenna, in Hebrew, was originally the name of a valley south of Jerusalem where dead animals and garbage were dumped and burned. It became associated over time with destruction after death.

72 Exodus 20:14 and Deuteronomy 5:18.

73 See Deuteronomy 24:1.

74 See Numbers 30:2.

75 Exodus 21:24.

76 The underlying Greek word, επιουσιος, literally means "above being." Compare to Luke 11:3, where it is translated in Latin as *cotidie*, "daily."

77 AV adds at the end of verse 13: "For thine is the kingdom, and the power, and the glory, for ever. Amen." This gloss is missing in the earliest manuscripts.

78 The Latin word here, *simplex*, is used to describe Jacob (Genesis 25:27) and Job (Job 1:1, 8) in the Old Testament. It is used to describe innocence in Genesis 20:6 and 2 Samuel 15:11, and to describe righteous living in Proverbs 2:21, 28:10, and 29:10.

79 Mammon, according to Easton's Bible Dictionary, is "a Chaldee or Syriac word meaning "wealth" or "riches" Lu 16:9-11 also, by personification, the god of riches. See also Mt 6:24 Lu 16:9-11."

80 For the commandments concerning leprosy, see Leviticus 13 and 14.

81 Centurion, in Greek, means "commander of a hundred." Centurions were junior officers in the Roman army.

82 Isaiah 53:4.

83 AV: "Gergasenes." Gergasenes, in Hebrew, means "a stranger coming near."

84 Matthew, in Hebrew, means "gift of the Lord."

85 Hosea 6:6.

86 Philip, in Greek, means "lover of horses."

87 Bartholomew, in Hebrew, means "son of Tolmai."

88 Thomas, in Greek, means "a twin."

89 AV: "James."

90 AV: "Lebbaeus." Lebbaeus, in Greek, means "man of heart." As "Thaddaeus" in the AV, see also Mark 3:18.

91 See also Mark 3:18; Luke 6:15; Acts 1:13.

92 Canaanite, in Hebrew, in this context meant "zealous." The zealots were those in 1st Century Israel who sought by whatever means necessary to throw out the Roman occupiers and reestablish Jewish independence.

93 Judas, in Hebrew, means "he shall be praised."

94 AV: "Iscariot." See also Matthew 26:14; Mark 3:19, 14:10; Luke 6:15,

22:3; John 6:71, 12:4, 13:2ff, 14:22.

95 Samaritans were inhabitants of the region between Jerusalem and Galilee. After the Assyrian king deported that region's inhabitants in 722 BCE, he imported peoples from elsewhere to take their place. These peoples were nominally converted to Israel's faith, yet they both rejected and were rejected by the Jews who returned to the Holy Land.

96 Sodom, in Hebrew, means "burning." Sodom's story begins at Genesis 10:19.

97 AV: "Gomorrha" (here; elsewhere "Gomorrah") Gomorrah, in Hebrew, means "submersion." Gomorrah, a sister city of Sodom, was destroyed along with it.

98 Beelzebub, in Hebrew, means "the house's lord."

99 Compare to Isaiah 35:5-6.

100 Malachi 3:1.

101 AV: "Elias." Elijah, in Hebrew, means "the Lord is my God." His story begins at 1 Kings 17:1ff.

102 AV: "Chorazin." in Hebrew means "a furnace of smoke."

103 Bethsaida, in Hebrew, means "house of fish."

104 Tyre, in Greek, means "a rock." Tyre was and is a seaport, located in present-day Lebanon. Tyre is first mentioned in scripture at Joshua 19:29.

105 Sidon, in Greek, means "hunting." Sidon, too, was and is a seaport in present-day Lebanon, some twenty miles north of Tyre. The name also is rendered as Zidon in the AV. Sidon is first mentioned in scripture at Genesis 10:15ff.

106 This story is told at 1 Samuel 21.

107 Hosea 6:6.

108 Isaiah 42:1-4, 9.

109 AV (here): "Jonas." Elsewhere; "Jonah." Jonah, in Hebrew, means "dove." His story begins at 2 Kings 14:25.

110 Nineveh was a city in Mesopotamia, capital of the Assyrian empire, the city to which Jonah reluctantly preached. It first appears at Genesis 10:11ff.

111 This story is told beginning in 1 Kings 10.

111a The exact quote is unknown.

112 Isaiah 6:9-10.

113 Psalm 78:2.

114 AV: "the carpenter's son." The Greek word used means craftsman or builder, and makes its way down to us in the English word "architect," among others.

115 AV: "James." This James, the Lord's brother, became a prominent leader among the early disciples in Jerusalem, following Jesus' death and resurrection. He is assumed traditionally to have written the Letter of James.

116 This Judas, the Lord's brother, is traditionally thought to have written the Letter of Jude.

117 See also Mark 6:17.

118 See Leviticus 18:16, 20:21.

119 AV: "Gennesaret," in Hebrew means "a harp."

120 Exodus 20:12; Deuteronomy 5:16.

121 RSV: "He who speaks evil of father or mother, let him surely die." Exodus 21:7; Leviticus 20:9.

122 Isaiah 29:13.

123 Canaan, in Hebrew, means "lowland." Canaan, Noah's grandson, gave his name to the land Israel entered following the Exodus. In Jesus' day, Canaanite was a generic term for the land's non-Jewish inhabitants.

124 AV: "Magdala." Magedan, in Hebrew, means "a tower."

125 Caesarea, in Greek, means "severed." This city in Lebanon was rebuilt by Philip the tetrarch and renamed in honor of Tiberius Caesar. See also Mark 8:27.

126 AV: (here only) "Jeremias." Elsewhere, the name is rendered as "Jeremiah." The name in Hebrew means "whom the Lord has appointed."

127 A drachma was a common Greek coin.

128 Compare to Deuteronomy 19:15.

129 According to Strong's Concordance, a silver talent in Israel weighed about 100 pounds, and a gold talent weighed about 200 pounds.

130 AV: "an hundred pence." The Greek coin, a denarius, was enough to buy food for a family of four for one day.

131 Genesis 1:27.

132 Genesis 2:24.

133 Jericho, in Hebrew, means "place of fragrance." It was the first town on the road up from the Jordan

River to Jerusalem. Its story begins at Numbers 22:1.

134 AV: "Bethphage." in Hebrew means "house of unripe figs."

135 The Mount of Olives is outside Jerusalem.

136 Zechariah 9:9.

137 Psalm 118:26.

138 Jeremiah 7:11.

139 Isaiah 56:11

140 Psalm 8:2.

141 Bethany, in Hebrew, can mean either "house of dates (the fruit)," or "house of misery."

142 Psalm 118:22-23.

143 The law of Levirate marriage is found in Deuteronomy 25:5-10.

144 Exodus 3:6.

145 Deuteronomy 6:5.

146 Leviticus 19:18.

147 Psalm 110:1.

148 Phylacteries are "small black leather cubes containing parchment scrolls inscribed with the Shema and other biblical passages, wrapped on the arm and head of adult men during weekday morning prayers." The practice, called *tefillin*, continues among pious Jews to the present day. (Source: Chabad.org)

149 Verse 14 is missing here in the Latin. The AV reads: "Woe unto you, scribes and Pharisees, hypocrites! for ye devour widows' houses, and for a pretence make long prayer: therefore ye shall receive the greater damnation."

150 Abel, in Hebrew, means "vanity." He was the second son of Adam and Eve, history's first murder victim. This story begins at Genesis 4:2ff.

151 Daniel, in Hebrew, means "judgment of God." For the "desolating abomination," see also Daniel 9:27 and 12:11. This referred to the events that brought the daily sacrifices in the Temple to an end.

152 AV: "Noe" (here and in Luke's gospel; elsewhere, "Noah.") Noah, in Hebrew, means "rest." His story begins at Genesis 5:29ff.

153 Caiaphas, in Hebrew, means "as lovely."

154 Zechariah 13:7.

155 Gethsemane, in Hebrew, means "an oil press."

156 Pontius Pilate, in Greek, his first name meaning, "of the sea," and his last name meaning "armed with a spear."

157 Compare to Zechariah 11:12-13.

158 Barabbas, in Hebrew, means "son of the father."

159 Cyrenaica was an ancient Roman province in what is now Libya.

160 Golgotha, in Hebrew, means "skull."

160a Psalm 22:1

161 This was perhaps Mary the mother of Jesus.

162 AV: "Arimathaea." Arimathea, in Hebrew, means "heights."

# NOTES

# Mark

## Mark the Evangelist

**Who:** Since at least the early 2nd Century of the Common Era, this gospel has been associated with John Mark, a younger companion both of Peter and Paul, though Mark's name does not appear in the text of the gospel itself. Mark, in all probability a trilingual Jew, was living in Jerusalem at the home of his mother Mary when first mentioned in Acts 12:12. His first language would have been Aramaic, also the native tongue of Jesus. As part of his education, Mark would have learned Hebrew. In his interaction with non-Jews, he relied on the *Koine Greek* that was the common idiom in the eastern half of Rome's empire.

Mark joined Paul and Barnabas on their first missionary journey, though he did not complete the trip. Later, after a controversy between Paul and Barnabas over Mark for having abandoned the journey, Barnabas and Paul parted ways and Mark continued with Barnabas. As 2 Timothy 4:11 points out, Mark's relationship with Paul was repaired at the end. Traditionally, the gospel was thought to be a record of Peter's reminiscences and proclamation. Peter mentions Mark as his "son," in 1 Peter 5:13.

Given his frequent asides explaining Jewish customs, Mark seems to address an audience that is unfamiliar with them and thus, by inference, is not primarily Jewish. The presence of Latin loan words in Greek, such as "centurion," reinforces the sense that non-Jews were being addressed.

**What:** The literary genre Mark pioneers is called gospel. The document was originally written in *Koine* or "Common" *Greek*, the trade language of the eastern Roman empire in the 1st Century CE. Mark's written language is unpolished, almost crude. The document represents two crucial points in the development of Christianity: 1. It represents the transition from a free-flowing, oral, story-telling tradition, to a more fixed, written, literary tradition; and 2, it marks the gospel's first major cross-cultural leap: from its origins as a sub-group within Judaism to an independent religion, appealing to those beyond the confines of its original setting.

**When:** Scholars date the gospel between 50 and 75 CE. Most contemporary Bible scholars believe Mark was the first gospel. Some scholars of ancient papyri lean toward the earlier date, while others place its writing at or shortly after the destruction of Jerusalem's Temple in 70 CE.

**Where:** The exact location of Mark's writing is unknown.

**Why:** Mark writes, in part, to fix the form of the Christian proclamation. By putting Jesus' words and actions in a narrative framework, Mark created a pattern that Matthew and Luke at least shared. Mark's account becomes the fixed standard by which the authenticity of later accounts of Jesus' life will be judged.

# Outline of Mark

The Beginning
1:1-1:3
John's Ministry
1:4-1:8
Jesus' Baptism
1:9-1:11
Temptation
1:12-1:13
Jesus Begins to Preach
1:14-1:15
Jesus Calls Disciples
1:16-1:20
Power Over Unclean Spirits
1:21-1:19
Power Over Fever
1:29-1:35
Simon and Others Pursue
1:36-1:39
Power Over Wasting Illness
1:40-1:45
The Power of Forgiveness
2:1-2:12
Power Over Wrong Living
2:13-2:17
Power Over False Piety
2:18-2:22
Power Over Unreasonable
Legalism
2:23-2:28
Power Over What Has Dried Up
3:1-3:6
Jesus Thronged by Multitudes
3:7-3:12
Jesus Sets Apart Twelve Disciples
3:13-3:19
Jesus' Enemies
Link Him to Beelzebub
3:20-3:30

Power to Constitute True Family
3:31-3:35
Teaching By the Sea
4:1-4:9
Jesus Explains His Teaching
4:10-4:20
Light Hidden and Made Known
4:21-4:23
The Rich Get Richer
4:24-4:25
Kingdom Comparisons
4:26-4:34
Power Over Storms
4:35-4:41
Power Over the Legion
5:1-5:20
Two Healings
5:21-5:43
Rejected at Nazareth
6:1-6:6
Power Extended Through Disciples
6:7-6:13
Power to Trouble the Powerful
6:14-6:20
John the Baptist's Execution
6:21-6:29
The Missionaries Return to Jesus
6:30-6:33
Power to Feed Hungry Seekers
6:34-6:46
Power Over the Sea
6:47-6:52
Landing at Gennesareth
6:53-6:56
What Is Unclean?
7:1-7:15
Jesus Explains the Teaching
7:17-7:23

## Mark 1
### The Beginning

**1:1** αρχη του ευαγγελιου ιησου χριστου

Beginning of the gospel of Jesus Christ:

**1:2** καθως γεγραπται εν τω ησαια τω προφητη ιδου αποστελλω τον αγγελον μου προ προσωπου σου ος κατασκευασει την οδον σου

as is written in Isaiah the prophet,

"Look, I send my angel
before your face,
who will prepare your path[1];

**1:3** φωνη βοωντος εν τη ερημω ετοιμασατε την οδον κυριου ευθειας ποιειτε τας τριβους αυτου

"a voice calling in the desert,
Prepare the Lord's path.
Make his ways straight[2]."

### John's Ministry

**1:4** εγενετο ιωαννης ο βαπτιζων εν τη ερημω κηρυσσων βαπτισμα μετανοιας εις αφεσιν αμαρτιων

John the Baptist appeared in the desert, preaching *a* baptism of repentance, to *the* forgiveness of sins.

**1:5** και εξεπορευετο προς αυτον πασα η ιουδαια χωρα και οι ιεροσολυμιται παντες και εβαπτιζοντο υπ αυτου εν τω ιορδανη ποταμω εξομολογουμενοι τας αμαρτιας αυτων

All the Judean country and all the Jerusalemites went out to him, and were baptized by him in the Jordan River, speaking out their sins.

**1:6** και ην ο ιωαννης ενδεδυμενος τριχας καμηλου και ζωνην δερματινην περι την οσφυν αυτου και εσθιων ακριδας και μελι αγριον

John was dressed in camel hair and a leather belt around his waist, and eating locusts and wild honey.

**1:7** και εκηρυσσεν λεγων ερχεται ο ισχυροτερος μου οπισω [μου] ου ουκ ειμι ικανος κυψας λυσαι τον ιμαντα των υποδηματων αυτου

He was preaching, saying, "The mightier-than-me comes after me, who I am not worthy, bending down, to untie his shoe lace.

**1:8** εγω εβαπτισα υμας υδατι αυτος δε βαπτισει υμας πνευματι αγιω

"I baptized you by water, but he will baptize you by Holy Spirit."

### Jesus' Baptism

**1:9** και εγενετο εν εκειναις ταις ημεραις ηλθεν ιησους απο ναζαρετ της γαλιλαιας και εβαπτισθη εις τον ιορδανην υπο ιωαννου

It happened in those days, Jesus came from Nazareth of Galilee, and was baptized in the Jordan by John.

**1:10** και ευθυς αναβαινων εκ του υδατος ειδεν σχιζομενους τους ουρανους και το πνευμα ως περιστεραν καταβαινον εις αυτον

Coming up from the water, at once he saw the skies torn, and the Spirit as *a* dove coming down into him.

**1:11** και φωνη [εγενετο] εκ των ουρανων συ ει ο υιος μου ο αγαπητος εν σοι ευδοκησα

*A* voice [came] from the skies,

"You are my son, the beloved. I have been pleased in you."

## Temptation

**1:12** και ευθυς το πνευμα αυτον εκβαλλει εις την ερημον

At once the Spirit drove him into the desert.

**1:13** και ην εν τη ερημω τεσσερακοντα ημερας πειραζομενος υπο του σατανα και ην μετα των θηριων και οι αγγελοι διηκονουν αυτω

*He* was in the desert forty days, tested by Satan, and was with the wild beasts, and the angels were serving him.

## Jesus Begins to Preach

**1:14** και μετα το παραδοθηναι τον ιωαννην ηλθεν ο ιησους εις την γαλιλαιαν κηρυσσων το ευαγγελιον του θεου

After the handing over of John, Jesus came into Galilee preaching the gospel of God,

**1:15** [και λεγων] οτι πεπληρωται ο καιρος και ηγγικεν η βασιλεια του θεου μετανοειτε και πιστευετε εν τω ευαγγελιω

[and saying], that, "The time is fulfilled, and the kingdom of God has come near. Repent, and believe in the good news!"

## Jesus Calls Disciples

**1:16** και παραγων παρα την θαλασσαν της γαλιλαιας ειδεν σιμωνα και ανδρεαν τον αδελφον σιμωνος αμφιβαλλοντας εν τη

θαλασση ησαν γαρ αλιεις

Walking beside the Sea of Galilee, he saw Simon and Andrew, Simon's brother, casting nets in the sea, for *they* were fishermen.

**1:17** και ειπεν αυτοις ο ιησους δευτε οπισω μου και ποιησω υμας γενεσθαι αλιεις ανθρωπων

Jesus says to them, "Come after me, and I will make you become fishers of men."

**1:18** και ευθυς αφεντες τα δικτυα ηκολουθησαν αυτω

Leaving the nets at once, they followed him.

**1:19** και προβας ολιγον ειδεν ιακωβον τον του ζεβεδαιου και ιωαννην τον αδελφον αυτου και αυτους εν τω πλοιω καταρτιζοντας τα δικτυα

*A* little farther, he saw Jacob[3], the *son* of Zebedee, and John, his brother, and them in the boat, mending the nets.

**1:20** και ευθυς εκαλεσεν αυτους και αφεντες τον πατερα αυτων ζεβεδαιον εν τω πλοιω μετα των μισθωτων απηλθον οπισω αυτου

At once he called them, and leaving their father Zebedee in the boat with the hired help, they went out after him.

## Power Over Unclean Spirits

**1:21** και εισπορευονται εις καφαρναουμ και ευθυς τοις σαββασιν εισελθων εις την συναγωγην εδιδασκεν

They went into Capernaum, and at

once going into the synagogue[4] on the Sabbaths, he began teaching.

**1:22** και εξεπλησσοντο επι τη διδαχη αυτου ην γαρ διδασκων αυτους ως εξουσιαν εχων και ουχ ως οι γραμματεις

They were astonished at his teaching, for he was teaching them as *one* having authority, and not as the writers.

**1:23** και ευθυς ην εν τη συναγωγη αυτων ανθρωπος εν πνευματι ακαθαρτω και ανεκραξεν

At once *a* man in *an* unclean spirit was in the synagogue, and he shouted,

**1:24** λεγων τι ημιν και σοι ιησου ναζαρηνε ηλθες απολεσαι ημας οιδα σε τις ει ο αγιος του θεου

saying, "What to us and to you, Jesus Nazarene? Do you come to destroy us? I know you, who you are – the holy of God."

**1:25** και επετιμησεν αυτω ο ιησους [λεγων] φιμωθητι και εξελθε εξ αυτου

Jesus threatened him [saying], "Muzzle, and come out of him!"

**1:26** και σπαραξαν αυτον το πνευμα το ακαθαρτον και φωνησαν φωνη μεγαλη εξηλθεν εξ αυτου

The unclean spirit convulsed him and, shouting with *a* great voice, came out of him.

**1:27** και εθαμβηθησαν απαντες ωστε συζητειν αυτους λεγοντας τι εστιν τουτο διδαχη καινη κατ εξουσιαν και τοις πνευμασιν τοις ακαθαρτοις επιτασσει και υπακουουσιν αυτω

All were astounded, so as to seek among themselves saying, "What is this? *A* new teaching? He commands even the unclean spirits, and *they* obey him!"

**1:28** και εξηλθεν η ακοη αυτου ευθυς πανταχου εις ολην την περιχωρον της γαλιλαιας

The rumor of him went out at once everywhere in all of the surrounding regions of Galilee.

### Power Over Fever

**1:29** και ευθυς εκ της συναγωγης εξελθοντες ηλθον εις την οικιαν σιμωνος και ανδρεου μετα ιακωβου και ιωαννου

Going out of the synagogue, he went at once into Simon and Andrew's house, with Jacob and John.

**1:30** η δε πενθερα σιμωνος κατεκειτο πυρεσσουσα και ευθυς λεγουσιν αυτω περι αυτης

Simon's mother-in-law lay down fevering, and at once they tell him about her.

**1:31** και προσελθων ηγειρεν αυτην κρατησας της χειρος και αφηκεν αυτην ο πυρετος και διηκονει αυτοις

Coming near, he raised her, grasping the hand. The fever left her, and she served them.

**1:32** οψιας δε γενομενης οτε εδυσεν ο ηλιος εφερον προς αυτον παντας τους κακως εχοντας και τους δαιμονιζομενους

Evening come, when the sun set[5], they brought to him all those having harms, and the demonized,

**1:33** και ην ολη η πολις επισυνηγμενη προς την θυραν

and the whole city was gathered at the door.

**1:34** και εθεραπευσεν πολλους κακως εχοντας ποικιλαις νοσοις και δαιμονια πολλα εξεβαλεν και ουκ ηφιεν λαλειν τα δαιμονια οτι ηδεισαν αυτον [χριστον ειναι]

He healed many having harms of various sicknesses, and threw out many demons. He wouldn't allow the demons to speak because they knew him [to be Christ].

**1:35** και πρωι εννυχα λιαν αναστας εξηλθεν [και απηλθεν] εις ερημον τοπον κακει προσηυχετο

Getting up by night, very early in the morning, he went out [and came] to a desert place, and prayed there.

### Simon and Others Pursue

**1:36** και κατεδιωξεν αυτον σιμων και οι μετ αυτου

Simon hunted him, and those with him.

**1:37** και ευρον αυτον και λεγουσιν αυτω οτι παντες ζητουσιν σε

They found him, and say to him that, "All seek you."

**1:38** και λεγει αυτοις αγωμεν αλλαχου εις τας εχομενας κωμοπολεις ινα και εκει κηρυξω εις τουτο γαρ εξηλθον

He says to them, "Let's go elsewhere into the surrounding towns so I can preach there too, for I came out to *do* this."

**1:39** και ηλθεν κηρυσσων εις τας συναγωγας αυτων εις ολην την γαλιλαιαν και τα δαιμονια εκβαλλων

He went preaching into all their synagogues, and throwing out demons in the whole of Galilee.

### Power Over Wasting Illness

**1:40** και ερχεται προς αυτον λεπρος παρακαλων αυτον [και γονυπετων] λεγων αυτω οτι εαν θελης δυνασαι με καθαρισαι

A leper comes to him, calling him, [and knee bent] saying to him that, "If you will, you can make me clean."

**1:41** και σπλαγχνισθεις εκτεινας την χειρα αυτου ηψατο και λεγει αυτω θελω καθαρισθητι

Moved, stretching out his hand, he touched. He says to him, "I will. Be clean."

**1:42** και ευθυς απηλθεν απ αυτου η λεπρα και εκαθαρισθη

The leprosy went out from him at once, and he was cleansed.

**1:43** και εμβριμησαμενος αυτω ευθυς εξεβαλεν αυτον

Rebuking him strongly, he threw him out at once.

**1:44** και λεγει αυτω ορα μηδενι μηδεν ειπης αλλα υπαγε σεαυτον δειξον τω ιερει και προσενεγκε περι του καθαρισμου σου α προσεταξεν μωυσης εις μαρτυριον αυτοις

He says to him, "Show no one anything, but go, show yourself to the priest, and offer for your cleansing what Moses commanded as *a* witness to them."

**1:45** ο δε εξελθων ηρξατο κηρυσσειν πολλα και διαφημιζειν τον λογον ωστε μηκετι αυτον δυνασθαι φανερως εις πολιν εισελθειν αλλ εξω επ ερημοις τοποις [ην] και ηρχοντο προς αυτον παντοθεν

But going out, he began to preach many *things*, and to spread the word, so that *Jesus* could no longer go openly into the city, but [was] outside, in desert places, and they came to him from everywhere.

## Mark 2
## The Power of Forgiveness

**2:1** και εισελθων παλιν εις καφαρναουμ δι ημερων ηκουσθη οτι εν οικω εστιν

Going again into Capernaum after *some* days, it was heard that he is in *the* house.

**2:2** και συνηχθησαν πολλοι ωστε μηκετι χωρειν μηδε τα προς την θυραν και ελαλει αυτοις τον λογον

Many were gathered, so that there was no longer space, not even that by the door, and he was speaking the word to them.

**2:3** και ερχονται φεροντες προς αυτον παραλυτικον αιρομενον υπο τεσσαρων

They come, bringing to him *a* paralytic carried by four.

**2:4** και μη δυναμενοι προσενεγκαι αυτω δια τον οχλον απεστεγασαν την στεγην οπου ην και εξορυξαντες

χαλωσιν τον κραβαττον οπου ο παραλυτικος κατεκειτο

Not able to come near him because of the crowd, they unroofed the roof where he was and, digging through, they let down the cot where the paralytic was placed.

**2:5** και ιδων ο ιησους την πιστιν αυτων λεγει τω παραλυτικω τεκνον αφιενται σου αι αμαρτιαι

Seeing their faith, Jesus says to the paralytic, "Child, your sins are forgiven."

**2:6** ησαν δε τινες των γραμματεων εκει καθημενοι και διαλογιζομενοι εν ταις καρδιαις αυτων

Yet some of the writers were sitting there and thinking in their hearts,

**2:7** τι ουτος ουτως λαλει βλασφημει τις δυναται αφιεναι αμαρτιας ει μη εις ο θεος

"Why does he speak this way? He blasphemes. Who can forgive sins except the one God?"

**2:8** και ευθυς επιγνους ο ιησους τω πνευματι αυτου οτι [ουτως] διαλογιζονται εν εαυτοις λεγει [αυτοις] τι ταυτα διαλογιζεσθε εν ταις καρδιαις υμων

Jesus, knowing at once in his spirit that they thought thus in themselves, says [to them], "Why do you think these *things* in your hearts?

**2:9** τι εστιν ευκοπωτερον ειπειν τω παραλυτικω αφιενται σου αι αμαρτιαι η ειπειν εγειρου [και] αρον τον κραβαττον σου και περιπατει

"What is easier: to say to the

paralytic, 'Your sins are forgiven', or to say, 'Get up, [and] take your cot, and walk'?

**2:10** ινα δε ειδητε οτι εξουσιαν εχει ο υιος του ανθρωπου αφιεναι αμαρτιας επι της γης λεγει τω παραλυτικω
"Yet that you may know that the Son of Man has authority to forgive sins on the earth", he says to the paralytic,

**2:11** σοι λεγω εγειρε αρον τον κραβαττον σου και υπαγε εις τον οικον σου
"I say to you, 'Get up, take your cot, and go to your house!'"

**2:12** και ηγερθη και ευθυς αρας τον κραβαττον εξηλθεν εμπροσθεν παντων ωστε εξιστασθαι παντας και δοξαζειν τον θεον [λεγοντας] οτι ουτως ουδεποτε ειδομεν
He got up and, taking the cot at once, went out before all, so that all were astonished and glorified God [saying] that, "We've never seen such."

### Power Over Wrong Living

**2:13** και εξηλθεν παλιν παρα την θαλασσαν και πας ο οχλος ηρχετο προς αυτον και εδιδασκεν αυτους
He went out again beside the sea, and the entire crowd came to him, and he began teaching them.

**2:14** και παραγων ειδεν λευιν τον του αλφαιου καθημενον επι το τελωνιον και λεγει αυτω ακολουθει μοι και αναστας ηκολουθησεν αυτω
Passing by, he saw Levi, the *son* of Alphaeus, sitting in the tax booth, and he says to him, "Follow me."

Getting up, he followed him.

**2:15** και γινεται κατακεισθαι αυτον εν τη οικια αυτου και πολλοι τελωναι και αμαρτωλοι συνανεκειντο τω ιησου και τοις μαθηταις αυτου ησαν γαρ πολλοι και ηκολουθουν αυτω
It happens *that* he *is* sitting *at table* in his house, and many tax gatherers and sinners were sitting with Jesus and his disciples, for *there* were many, and they were following him.

**2:16** και οι γραμματεις των φαρισαιων ιδοντες οτι εσθιει μετα των αμαρτωλων και τελωνων ελεγον τοις μαθηταις αυτου οτι μετα των τελωνων και αμαρτωλων εσθιει
The writers of the Pharisees, seeing that he eats with sinners and tax gatherers, said to his disciples that, "Does he eat with tax gatherers and sinners?"

**2:17** και ακουσας ο ιησους λεγει αυτοις [οτι] ου χρειαν εχουσιν οι ισχυοντες ιατρου αλλ οι κακως εχοντες ουκ ηλθον καλεσαι δικαιους αλλα αμαρτωλους
Hearing, Jesus says to them [that], "The strong don't need *a* doctor, but the *ones* having harms. I have not come to call the righteous, but sinners."

### Power Over False Piety

**2:18** και ησαν οι μαθηται ιωαννου και οι φαρισαιοι νηστευοντες και

ερχονται και λεγουσιν αυτω δια τι οι
μαθηται ιωαννου και οι μαθηται των
φαρισαιων νηστευουσιν οι δε σοι
[μαθηται] ου νηστευουσιν

John's disciples and the Pharisees
were fasting, and they come and say
to him, "Why are John's disciples
and the Pharisees' disciples fasting,
yet your disciples aren't fasting?"

**2:19** και ειπεν αυτοις ο ιησους μη
δυνανται οι υιοι του νυμφωνος εν ω
ο νυμφιος μετ αυτων εστιν νηστευειν
οσον χρονον εχουσιν τον νυμφιον
μετ αυτων ου δυνανται νηστευειν

Jesus said to them, "The sons of the
wedding hall can't fast while the
groom is with them. As long a time
as they have the groom with them,
they can't fast.

**2:20** ελευσονται δε ημεραι οταν
απαρθη απ αυτων ο νυμφιος και τοτε
νηστευσουσιν εν εκεινη τη ημερα

"Yet days will come when the groom
is taken away from them, and then
they will fast on that day.

**2:21** ουδεις επιβλημα ρακους
αγναφου επιραπτει επι ιματιον
παλαιον ει δε μη αιρει το πληρωμα
απ αυτου το καινον του παλαιου και
χειρον σχισμα γινεται

"No one sews a patch of unshrunk
cloth on an old garment. Otherwise,
the fullness pulls away from it, the
new from the old, and a worse tear
happens.

**2:22** και ουδεις βαλλει οινον νεον εις
ασκους παλαιους ει δε μη ρηξει ο
οινος τους ασκους και ο οινος
απολλυται και οι ασκοι [αλλα οινον

νεον εις ασκους καινους]

"No one throws new wine into old
skins. Otherwise, the wine tears the
skins apart. The wine is lost and the
skins. [New wine goes into new
skins.]

## Power Over
## Unreasonable Legalism

**2:23** και εγενετο αυτον εν τοις
σαββασιν διαπορευεσθαι δια των
σποριμων και οι μαθηται αυτου
ηρξαντο οδον ποιειν τιλλοντες τους
σταχυας

It happened that he was going
through grain fields on the Sabbath,
and his disciples, making the
journey, began to pluck the heads of
the grain.

**2:24** και οι φαρισαιοι ελεγον αυτω
ιδε τι ποιουσιν τοις σαββασιν ο ουκ
εξεστιν

The Pharisees began saying to him,
"Look! Why are they doing what is
not lawful on the Sabbaths?"

**2:25** και λεγει αυτοις ουδεποτε
ανεγνωτε τι εποιησεν δαυιδ οτε
χρειαν εσχεν και επεινασεν αυτος
και οι μετ αυτου

He says to them, "Have you never
known what David did when he had
a need and was hungry, he and those
with him –

**2:26** [πως] εισηλθεν εις τον οικον
του θεου επι αβιαθαρ αρχιερεως και
τους αρτους της προθεσεως εφαγεν
ους ουκ εξεστιν φαγειν ει μη τους
ιερεις και εδωκεν και τοις συν αυτω
ουσιν

"[how] he went into the house of God under Abiathar the high priest, and ate the loaves of setting forth, which isn't lawful to eat except for the priests, and he gave also to those being with him?"

**2:27** και ελεγεν αυτοις το σαββατον δια τον ανθρωπον εγενετο και ουχ ο ανθρωπος δια το σαββατον
He began saying to them, "The Sabbath came to be for man's sake, and not man for the Sabbath's sake,
**2:28** ωστε κυριος εστιν ο υιος του ανθρωπου και του σαββατου
"so that the Son of Man is Lord of the Sabbath too."

## Mark 3
### Power Over What Has Dried Up
**3:1** και εισηλθεν παλιν εις συναγωγην και ην εκει ανθρωπος εξηραμμενην εχων την χειρα
He went again into *a* synagogue, and *a* man was there having a dried-up hand.
**3:2** και παρετηρουν αυτον ει τοις σαββασιν θεραπευσει αυτον ινα κατηγορησωσιν αυτου
They were watching him if he would heal him on the Sabbaths, so that they could accuse him.
**3:3** και λεγει τω ανθρωπω τω την χειρα εχοντι ξηραν εγειρε εις το μεσον
He says to the man having the withered hand, "Get up in the middle."

**3:4** και λεγει αυτοις εξεστιν τοις σαββασιν αγαθοποιησαι η κακοποιησαι ψυχην σωσαι η αποκτειναι οι δε εσιωπων
He says to them, "Is it lawful to do good on the Sabbaths, or to do harm, to save *a* soul or to destroy?"

But they were silent.
**3:5** και περιβλεψαμενος αυτους μετ οργης συλλυπουμενος επι τη πωρωσει της καρδιας αυτων λεγει τω ανθρωπω εκτεινον την χειρα σου και εξετεινεν και απεκατεσταθη η χειρ αυτου
Looking around at them with anger, deeply grieved over the hardness of their hearts, he says to the man, "Stretch out your hand."

He stretched out, and his hand was restored.
**3:6** και εξελθοντες οι φαρισαιοι ευθυς μετα των ηρωδιανων συμβουλιον εδιδουν κατ αυτου οπως αυτον απολεσωσιν
The Pharisees, going out at once with the Herodians, began giving counsel against him, how they could destroy him.

### Jesus Thronged by Multitudes
**3:7** και ο ιησους μετα των μαθητων αυτου ανεχωρησεν προς την θαλασσαν και πολυ πληθος απο της γαλιλαιας ηκολουθησεν και απο της ιουδαιας
Jesus withdrew with his disciples to the sea, and *a* large crowd followed from Galilee and Judea,

3:8 και απο ιεροσολυμων και απο της ιδουμαιας και περαν του ιορδανου και περι τυρον και σιδωνα πληθος πολυ ακουοντες οσα ποιει ηλθον προς αυτον

and from Jerusalem, and from Idumea and beyond the Jordan, and around Tyre and Sidon – a large crowd, hearing as much as he is doing, came to him.

3:9 και ειπεν τοις μαθηταις αυτου ινα πλοιαριον προσκαρτερη αυτω δια τον οχλον ινα μη θλιβωσιν αυτον

He told his disciples that they make a boat ready for him because of the crowd, that it not crush him,

3:10 πολλους γαρ εθεραπευσεν ωστε επιπιπτειν αυτω ινα αυτου αψωνται οσοι ειχον μαστιγας

for he healed many, so *they sought* to lay hands on him, so that as many as had afflictions might be touched by him.

3:11 και τα πνευματα τα ακαθαρτα οταν αυτον εθεωρουν προσεπιπτον αυτω και εκραζον λεγοντα οτι συ ει ο υιος του θεου

The unclean spirits, when they began to see him, would fall face-first before him and shout out, saying, "You are the son of God."

3:12 και πολλα επετιμα αυτοις ινα μη αυτον φανερον ποιησωσιν

He commanded them much that they not make him known.

**Jesus Sets Apart Twelve Disciples**
3:13 και αναβαινει εις το ορος και προσκαλειται ους ηθελεν αυτος και

απηλθον προς αυτον

He goes up onto the mountain, and calls those he himself wanted, and they came to him.

3:14 και εποιησεν δωδεκα ους και αποστολους ωνομασεν ινα ωσιν μετ αυτου και ινα αποστελλη αυτους κηρυσσειν

He made twelve, whom he also named apostles, so that they could be with him, and that he could send them to preach,

3:15 και εχειν εξουσιαν εκβαλλειν τα δαιμονια και εποιησεν τους δωδεκα

and to have authority to throw out the demons. He made them twelve.

3:16 και επεθηκεν ονομα τω σιμωνι πετρον

He laid the name Peter on Simon;

3:17 και ιακωβον τον του ζεβεδαιου και ιωαννην τον αδελφον του ιακωβου και επεθηκεν αυτοις ονομα βοανηργες ο εστιν υιοι βροντης

and Jacob the *son* of Zebedee, and John the brother of Jacob, and he laid on them the name Boanerges, which is "Sons of Thunder";

3:18 και ανδρεαν και φιλιππον και βαρθολομαιον και μαθθαιον και θωμαν και ιακωβον τον του αλφαιου και θαδδαιον και σιμωνα τον καναναιον

and Andrew, and Philip, and Bartholomew, and Matthew, and Thomas, and Jacob the *brother* of Alphaeus, and Thaddeus, and Simon the Canaanite,

3:19 και ιουδαν ισκαριωθ ος και παρεδωκεν αυτον και ερχεται εις

οικον
and Judas Iscariot, who also betrayed him.

## Jesus' Enemies
## Link Him to Beelzebub

He goes into a house,

**3:20** και συνερχεται παλιν [ο] οχλος ωστε μη δυνασθαι αυτους μηδε αρτον φαγειν

and [the] crowd comes together again, so that it wasn't possible for them even to eat bread.

**3:21** και ακουσαντες οι παρ αυτου εξηλθον κρατησαι αυτον ελεγον γαρ οτι εξεστη

Hearing, those from him went out to seize him, for they were saying that he was crazy.

**3:22** και οι γραμματεις οι απο ιεροσολυμων καταβαντες ελεγον οτι βεελζεβουλ εχει και οτι εν τω αρχοντι των δαιμονιων εκβαλλει τα δαιμονια

The writers, those from Jerusalem, coming down, began saying that, "He has Beelzebul," and that, "He throws out the demons by the ruler of demons."

**3:23** και προσκαλεσαμενος αυτους εν παραβολαις ελεγεν αυτοις πως δυναται σατανας σαταναν εκβαλλειν

Calling them together, he was saying to them in parables, "How can Satan throw out Satan?

**3:24** και εαν βασιλεια εφ εαυτην μερισθη ου δυναται σταθηναι η βασιλεια εκεινη

"If a kingdom is divided against itself, that kingdom can't stand.

**3:25** και εαν οικια εφ εαυτην μερισθη ου δυνησεται η οικια εκεινη στηναι

"If a house is divided against itself, that house can't stand.

**3:26** και ει ο σατανας ανεστη εφ εαυτον και εμερισθη ου δυναται στηναι αλλα τελος εχει

"If Satan has risen against himself and is divided, he can't stand, but has an end.

**3:27** αλλ ου δυναται ουδεις εις την οικιαν του ισχυρου εισελθων τα σκευη αυτου διαρπασαι εαν μη πρωτον τον ισχυρον δηση και τοτε την οικιαν αυτου διαρπασει

"No one going into the house of a strong man can plunder his goods if he first does not bind the strong man – and then he plunders his house.

**3:28** αμην λεγω υμιν οτι παντα αφεθησεται τοις υιοις των ανθρωπων τα αμαρτηματα και αι βλασφημιαι οσα εαν βλασφημησωσιν

"Amen I say to you that all the sins will be forgiven to the sons of men, and all blasphemies, as much as they may blaspheme.

**3:29** ος δ αν βλασφημηση εις το πνευμα το αγιον ουκ εχει αφεσιν εις τον αιωνα αλλα ενοχος εστιν αιωνιου αμαρτηματος

"But whoever blasphemes against the Holy Spirit does not have forgiveness to eternity, but is guilty of an eternal sin" –

**3:30** οτι ελεγον πνευμα ακαθαρτον εχει

because they were saying, "He has

*an* unclean Spirit."

## Power to Constitute True Family

**3:31** και ερχονται η μητηρ αυτου και οι αδελφοι αυτου και εξω στηκοντες απεστειλαν προς αυτον καλουντες αυτον

His mother and his brothers come and, standing outside, send to him, calling him.

**3:32** και εκαθητο περι αυτον οχλος και λεγουσιν αυτω ιδου η μητηρ σου και οι αδελφοι σου εξω ζητουσιν σε

*A* crowd was sitting around him, and they say to him, "Look, your mother and your brothers are looking for you outside."

**3:33** και αποκριθεις αυτοις λεγει τις εστιν η μητηρ μου και οι αδελφοι

Answering them, he says, "Who is my mother and brothers?"

**3:34** και περιβλεψαμενος τους περι αυτον κυκλω καθημενους λεγει ιδε η μητηρ μου και οι αδελφοι μου

Looking around at those seated in *a* circle around him, he said, "Look! My mother and my brothers.

**3:35** ος αν ποιηση το θελημα του θεου ουτος αδελφος μου και αδελφη και μητηρ εστιν

"Whoever does the will of God, this *one* is my brother and sister and mother."

## Mark 4
## Teaching By the Sea

**4:1** και παλιν ηρξατο διδασκειν παρα

την θαλασσαν και συναγεται προς αυτον οχλος πλειστος ωστε αυτον εις πλοιον εμβαντα καθησθαι εν τη θαλασση και πας ο οχλος προς την θαλασσαν επι της γης ησαν

He began to teach again beside the sea, and a great crowd gathered to him so that he went up to sit in a boat on the sea, and all the crowd were on the shore beside the sea.

**4:2** και εδιδασκεν αυτους εν παραβολαις πολλα και ελεγεν αυτοις εν τη διδαχη αυτου

He was teaching them many *things* in parables, and he said to them in his teaching,

**4:3** ακουετε ιδου εξηλθεν ο σπειρων σπειραι

"Listen! Look! *A* sower went out to sow.

**4:4** και εγενετο εν τω σπειρειν ο μεν επεσεν παρα την οδον και ηλθεν τα πετεινα και κατεφαγεν αυτο

"It happened in the sowing that some fell along the road, and the birds came and ate it.

**4:5** και αλλο επεσεν επι το πετρωδες [και] οπου ουκ ειχεν γην πολλην και ευθυς εξανετειλεν δια το μη εχειν βαθος γης

"Other fell on the rocky ground [also], where it didn't have much soil, and it sprung up at once for not having depth of soil.

**4:6** και οτε ανετειλεν ο ηλιος εκαυματισθη και δια το μη εχειν ριζαν εξηρανθη

"When the sun rose, it was scorched, and because it had no root, it dried up.

**4:7** και αλλο επεσεν εις τας ακανθας και ανεβησαν αι ακανθαι και συνεπνιξαν αυτο και καρπον ουκ εδωκεν

"Other fell into the thorns, and the thorns choked it, and it gave no fruit.

**4:8** και αλλα επεσεν εις την γην την καλην και εδιδου καρπον αναβαινοντα και αυξανομενα και εφερεν εις τριακοντα και εν εξηκοντα και εν εκατον

"Other fell into the good soil, and gave fruit, rising up and growing, and it bore fruit: one thirty, and one sixty, and one *a* hundred."

**4:9** και ελεγεν ος εχει ωτα ακουειν ακουετω

He said, "Let who has ears to hear, hear!"

## Jesus Explains His Teaching

**4:10** και οτε εγενετο κατα μονας ηρωτων αυτον οι περι αυτον συν τοις δωδεκα τας παραβολας

When it happened that they were alone, those around him with the twelve *were* asking him the parables.

**4:11** και ελεγεν αυτοις υμιν το μυστηριον δεδοται της βασιλειας του θεου εκεινοις δε τοις εξω εν παραβολαις τα παντα γινεται

He said to them, "The mystery of the kingdom of God is given to you, yet to those outside, all happens in parables,

**4:12** ινα βλεποντες βλεπωσιν και μη ιδωσιν και ακουοντες ακουωσιν και μη συνιωσιν μηποτε επιστρεψωσιν και αφεθη αυτοις

"that,

Seeing, they may see
and not observe,
and hearing, they may hear
and not understand,
unless perhaps they repent,
and *it* be forgiven them.[5a]"

**4:13** και λεγει αυτοις ουκ οιδατε την παραβολην ταυτην και πως πασας τας παραβολας γνωσεσθε

He says to them, "Don't you understand this parable? How will you understand all the parables?

**4:14** ο σπειρων τον λογον σπειρει

"The sower sows the word.

**4:15** ουτοι δε εισιν οι παρα την οδον οπου σπειρεται ο λογος και οταν ακουσωσιν ευθυς ερχεται ο σατανας και αιρει τον λογον τον εσπαρμενον εις αυτους

"These are those along the path, where the word is sown. When they hear, Satan comes at once and takes away the word sown in them.

**4:16** και ουτοι εισιν ομοιως οι επι τα πετρωδη σπειρομενοι οι οταν ακουσωσιν τον λογον ευθυς μετα χαρας λαμβανουσιν αυτον

"These are like the ones sown on rocky soil who, when they hear the word, they receive it at once with joy.

**4:17** και ουκ εχουσιν ριζαν εν εαυτοις αλλα προσκαιροι εισιν ειτα γενομενης θλιψεως η διωγμου δια τον λογον ευθυς σκανδαλιζονται

"They have no root in themselves, but are fickle. Then, *when* trouble or persecution *are* coming for the word's sake, they are scandalized at once.

**4:18** και αλλοι εισιν οι εις τας ακανθας σπειρομενοι ουτοι εισιν οι τον λογον ακουσαντες

"Others are the ones sown into the thorns. These are those hearing the word,

**4:19** και αι μεριμναι του αιωνος και η απατη του πλουτου και αι περι τα λοιπα επιθυμιαι εισπορευομεναι συμπνιγουσιν τον λογον και ακαρπος γινεται

"and the anxieties of the age, and the deception of riches, and lusts over the rest, entering in, choke the word, and it becomes fruitless.

**4:20** και εκεινοι εισιν οι επι την γην την καλην σπαρεντες οιτινες ακουουσιν τον λογον και παραδεχονται και καρποφορουσιν εν τριακοντα και [εν] εξηκοντα και [εν] εκατον

"Those are the ones sown on good soil, who hear the word, and receive it, and bear fruit: one thirty, and [one] sixty, and [one] *a* hundred.

### Light Hidden and Made Known

**4:21** και ελεγεν αυτοις οτι μητι ερχεται ο λυχνος ινα υπο τον μοδιον τεθη η υπο την κλινην ουχ ινα επι την λυχνιαν τεθη

He began saying to them that, "The light doesn't come so that it can be placed under *a* basket or under *a* couch, does it? Isn't it placed on *a* lamp stand?

**4:22** ου γαρ εστιν κρυπτον εαν μη ινα φανερωθη ουδε εγενετο αποκρυφον αλλ ινα ελθη εις φανερον

"*Nothing* is hidden except that it may be made clear, nor is something made secret but that it may come into the open.

**4:23** ει τις εχει ωτα ακουειν ακουετω

"If someone has ears to hear, let him hear!"

### The Rich Get Richer

**4:24** και ελεγεν αυτοις βλεπετε τι ακουετε εν ω μετρω μετρειτε μετρηθησεται υμιν και προστεθησεται υμιν

He said to them, "Watch what you hear! In what measure you measure, it will be measured to you, and will be added to you.

**4:25** ος γαρ εχει δοθησεται αυτω και ος ουκ εχει και ο εχει αρθησεται απ αυτου

"For who has, it will be given to him, and who does not have, even what he has will be taken from him."

### Kingdom Comparisons

**4:26** και ελεγεν ουτως εστιν η βασιλεια του θεου ως ανθρωπος βαλη τον σπορον επι της γης

He said, "Thus is the kingdom of God, as *a* man throws seed on the ground.

**4:27** και καθευδη και εγειρηται νυκτα και ημεραν και ο σπορος βλαστα και μηκυνηται ως ουκ οιδεν αυτος

"He sleeps and gets up, night and day, and the seed sprouts and grows, as he does not know.

**4:28** αυτοματη η γη καρποφορει πρωτον χορτον ειτεν σταχυν ειτεν

πληρη σιτον εν τω σταχυι
"The ground bears fruit of itself: first
the grass, then the head, then the full
grain in the head.

**4:29** οταν δε παραδοι ο καρπος
ευθυς αποστελλει το δρεπανον οτι
παρεστηκεν ο θερισμος
"But when the fruit is given, he sends
the sickle at once that he may gather
the harvest."

**4:30** και ελεγεν πως ομοιωσωμεν
την βασιλειαν του θεου η εν τινι
αυτην παραβολη θωμεν
He said, "How will we compare the
kingdom of God, or what parable
will we give it?
**4:31** ως κοκκω σιναπεως ος οταν
σπαρη επι της γης μικροτερον ον
παντων των σπερματων των επι της
γης
"It is like a mustard seed which,
when sown on the ground, is smaller
than all the seeds on the ground.
**4:32** και οταν σπαρη αναβαινει και
γινεται μειζον παντων των λαχανων
και ποιει κλαδους μεγαλους ωστε
δυνασθαι υπο την σκιαν αυτου τα
πετεινα του ουρανου κατασκηνουν
"When it is sown, it rises up and
becomes greater than all the herbs,
and makes great branches, so that the
birds of the sky can make nests under
its shadow."

**4:33** και τοιαυταις παραβολαις
πολλαις ελαλει αυτοις τον λογον
καθως ηδυναντο ακουειν
He spoke the word to them in many
such parables, just as they were able

to hear.
**4:34** χωρις δε παραβολης ουκ ελαλει
αυτοις κατ ιδιαν δε τοις ιδιοις
μαθηταις επελυεν παντα
Yet he did not speak to them without
parables. On his own, though, to his
own disciples, he explained all.

**Power Over Storms**
**4:35** και λεγει αυτοις εν εκεινη τη
ημερα οψιας γενομενης διελθωμεν
εις το περαν
He says to them on that day, evening
coming, "Let's go across to the other
side."

**4:36** και αφεντες τον οχλον
παραλαμβανουσιν αυτον ως ην εν τω
πλοιω και αλλα πλοια ην μετ αυτου
Dismissing the crowd, they take him
up as he was into the boat, and other
boats were with him.
**4:37** και γινεται λαιλαψ μεγαλη
ανεμου και τα κυματα επεβαλλεν εις
το πλοιον ωστε ηδη γεμιζεσθαι το
πλοιον
A great windstorm happens, and the
waves crashed into the boat, so that
the boat was already filled.
**4:38** και αυτος ην εν τη πρυμνη επι
το προσκεφαλαιον καθευδων και
εγειρουσιν αυτον και λεγουσιν αυτω
διδασκαλε ου μελει σοι οτι
απολλυμεθα
He was in the stern, sleeping on a
pillow, and they rouse him, and say
to him, "Teacher, doesn't it matter to
you that we're dying?"

**4:39** και διεγερθεις επετιμησεν τω

ανεμω και ειπεν τη θαλασση σιωπα πεφιμωσο και εκοπασεν ο ανεμος και εγενετο γαληνη μεγαλη

Getting up, he rebuked the wind and said to the sea, "Be quiet! Calm down!"

The wind stopped, and *a* great calm came.

**4:40** και ειπεν αυτοις τι δειλοι εστε ουπω εχετε πιστιν

He said to them, "Why are you afraid? Don't you have faith yet?"

**4:41** και εφοβηθησαν φοβον μεγαν και ελεγον προς αλληλους τις αρα ουτος εστιν οτι και ο ανεμος και η θαλασσα υπακουει αυτω

They were afraid with *a* great fear, and began saying to each other, "Who is this, then, that even the wind and sea obey him?"

## Mark 5
### Power Over the Legion

**5:1** και ηλθον εις το περαν της θαλασσης εις την χωραν των γερασηνων

They came to the shore of the sea, to the country of the Gerasenes.

**5:2** και εξελθοντος αυτου εκ του πλοιου [ευθυς] υπηντησεν αυτω εκ των μνημειων ανθρωπος εν πνευματι ακαθαρτω

While *he was* going out of the boat, *a* man in an unclean spirit met him from the tombs,

**5:3** ος την κατοικησιν ειχεν εν τοις μνημασιν και ουδε αλυσει ουκετι

ουδεις εδυνατο αυτον δησαι

who had a dwelling in the tombs, and no one could bind him any longer, not even with *a* chain;

**5:4** δια το αυτον πολλακις πεδαις και αλυσεσιν δεδεσθαι και διεσπασθαι υπ αυτου τας αλυσεις και τας πεδας συντετριφθαι και ουδεις ισχυεν αυτον δαμασαι

because he *had* often *been* bound by fetters and chains, and had wrenched the chains off himself and broken the fetters, and no one could overpower him.

**5:5** και δια παντος νυκτος και ημερας εν τοις μνημασιν και εν τοις ορεσιν ην κραζων και κατακοπτων εαυτον λιθοις

Through *it* all, he was in the tombs and in the mountains every day and night, crying out and cutting himself with stones.

**5:6** και ιδων τον ιησουν απο μακροθεν εδραμεν και προσεκυνησεν αυτον

Seeing Jesus from far away, he ran and fell down before him.

**5:7** και κραξας φωνη μεγαλη λεγει τι εμοι και σοι ιησου υιε του θεου του υψιστου ορκιζω σε τον θεον μη με βασανισης

Shouting with a great voice, he says, "What to me and to you, Jesus son of the Most High God? I adjure you, the God, that you not torture me!" –

**5:8** ελεγεν γαρ αυτω εξελθε το πνευμα το ακαθαρτον εκ του ανθρωπου

for *Jesus* was saying to him, "Come out of the man, unclean spirit!"

**5:9** και επηρωτα αυτον τι ονομα σοι και λεγει αυτω λεγιων ονομα μοι οτι πολλοι εσμεν

He demanded of him, "What is a name to you?"

He says to him, "Legion is a name to me, because we are many."

**5:10** και παρεκαλει αυτον πολλα ινα μη αυτα αποστειλη εξω της χωρας

He begged him much that he not send them out of the country.

**5:11** ην δε εκει προς τω ορει αγελη χοιρων μεγαλη βοσκομενη

A great herd of pigs was there, feeding on the mountain,

**5:12** και παρεκαλεσαν αυτον λεγοντες πεμψον ημας εις τους χοιρους ινα εις αυτους εισελθωμεν

and they begged him, saying, "Send us into the pigs, so we can go into them!"

**5:13** και επετρεψεν αυτοις και εξελθοντα τα πνευματα τα ακαθαρτα εισηλθον εις τους χοιρους και ωρμησεν η αγελη κατα του κρημνου εις την θαλασσαν ως δισχιλιοι και επνιγοντο εν τη θαλασση

He allowed them, and the unclean spirits, going out, went into the pigs, and the herd rushed down the steep bank into the sea, around two thousand, and drowned in the sea.

**5:14** και οι βοσκοντες αυτους εφυγον και απηγγειλαν εις την πολιν και εις τους αγρους και ηλθον ιδειν τι εστιν το γεγονος

Those feeding them fled and told in the city and in the fields. They came to see what it is that happened.

**5:15** και ερχονται προς τον ιησουν και θεωρουσιν τον δαιμονιζομενον καθημενον ιματισμενον και σωφρονουντα τον εσχηκοτα τον λεγιωνα και εφοβηθησαν

They come near Jesus, and see the demonized man sitting, clothed and of sound mind, the one who had the legion, and they were afraid.

**5:16** και διηγησαντο αυτοις οι ιδοντες πως εγενετο τω δαιμονιζομενω και περι των χοιρων

Those who saw told them how it happened with the demonized man, and about the pigs.

**5:17** και ηρξαντο παρακαλειν αυτον απελθειν απο των οριων αυτων

They began to beg him to go away from their borders.

**5:18** και εμβαινοντος αυτου εις το πλοιον παρεκαλει αυτον ο δαιμονισθεις ινα μετ αυτου η

While he was going up into the boat, the formerly-demonized man begged him that he might be with him.

**5:19** και ουκ αφηκεν αυτον αλλα λεγει αυτω υπαγε εις τον οικον σου προς τους σους και απαγγειλον αυτοις οσα ο κυριος σοι πεποιηκεν και ηλεησεν σε

He didn't permit him, but says to him, "Go to your house, to your own, and tell them how much the Lord has done for you, and He has had mercy on you."

**5:20** και απηλθεν και ηρξατο κηρυσσειν εν τη δεκαπολει οσα

εποιησεν αυτω ο ιησους και παντες
εθαυμαζον
*The man* went out and began to
preach in the Decapolis how much
Jesus had done for him, and all were
amazed.

## Two Healings

**5:21** και διαπερασαντος του ιησου
εν τω πλοιω παλιν εις το περαν
συνηχθη οχλος πολυς επ αυτον και
ην παρα την θαλασσαν
Crossing over the sea in the boat,
Jesus *came* again to the other shore.
*A* great crowd gathered with him,
and he was beside the sea.

**5:22** και ερχεται εις των
αρχισυναγωγων ονοματι ιαιρος και
ιδων αυτον πιπτει προς τους ποδας
αυτου
One of the synagogue rulers, named
Jairus, comes to him, and seeing him,
falls at his feet.

**5:23** και παρακαλει αυτον πολλα
λεγων οτι το θυγατριον μου εσχατως
εχει ινα ελθων επιθης τας χειρας
αυτη ινα σωθη και ζηση
He begs him much, saying that, "My
daughter has *an* end, that coming,
you can take her hands, that she may
be saved and may live!"

**5:24** και απηλθεν μετ αυτου και
ηκολουθει αυτω οχλος πολυς και
συνεθλιβον αυτον
He went out with him, and *a* great
crowd followed him, and was
pressing him.

**5:25** και γυνη ουσα εν ρυσει αιματος
δωδεκα ετη

*There was a* woman being in *a*
hemorrhage of blood twelve years,

**5:26** και πολλα παθουσα υπο
πολλων ιατρων και δαπανησασα τα
παρ αυτης παντα και μηδεν
ωφεληθεισα αλλα μαλλον εις το
χειρον ελθουσα
and having suffered many *things*
under many healers, and having
spent all that she had, and benefitted
nothing, yet rather became worse.

**5:27** ακουσασα τα περι του ιησου
ελθουσα εν τω οχλω οπισθεν ηψατο
του ιματιου αυτου
Hearing the *stories* concerning Jesus,
coming in the crowd behind, she
touched his clothes,

**5:28** ελεγεν γαρ οτι εαν αψωμαι καν
των ιματιων αυτου σωθησομαι
for she was saying that, "If I even
touch his clothes, I will be saved."

**5:29** και ευθυς εξηρανθη η πηγη του
αιματος αυτης και εγνω τω σωματι
οτι ιαται απο της μαστιγος
The flow of her blood dried up at
once, and she knew in body that she
was healed of the affliction.

**5:30** και ευθυς ο ιησους επιγνους εν
εαυτω την εξ αυτου δυναμιν
εξελθουσαν επιστραφεις εν τω οχλω
ελεγεν τις μου ηψατο των ιματιων
Jesus, knowing at once in himself the
power that went out of him, turning
to the crowd, said, "Who touched my
clothes?"

**5:31** και ελεγον αυτω οι μαθηται
αυτου βλεπεις τον οχλον
συνθλιβοντα σε και λεγεις τις μου

ηψατο
The disciples said to him, "You see the crowd pressing you, and you say, 'Who touched me?'"

**5:32** και περιεβλεπετο ιδειν την τουτο ποιησασαν
*He was* looking around to see who had done this.

**5:33** η δε γυνη φοβηθεισα και τρεμουσα ειδυια ο γεγονεν αυτη ηλθεν και προσεπεσεν αυτω και ειπεν αυτω πασαν την αληθειαν
The woman, fearing and trembling, knowing what had happened to her, came and fell before him, and told him all the truth.

**5:34** ο δε ειπεν αυτη θυγατηρ η πιστις σου σεσωκεν σε υπαγε εις ειρηνην και ισθι υγιης απο της μαστιγος σου
He said to her, "Daughter, your faith has saved you. Go in peace, and be whole from your affliction!"

**5:35** ετι αυτου λαλουντος ερχονται απο του αρχισυναγωγου λεγοντες οτι η θυγατηρ σου απεθανεν τι ετι σκυλλεις τον διδασκαλον
While he was still speaking, they come from the synagogue ruler, saying that, "Your daughter died. Why trouble the teacher further?"

**5:36** ο δε ιησους παρακουσας τον λογον λαλουμενον λεγει τω αρχισυναγωγω μη φοβου μονον πιστευε
Jesus, overhearing the word *they* had said, says to the synagogue ruler, "Don't be afraid. Only believe!"

**5:37** και ουκ αφηκεν ουδενα μετ αυτου συνακολουθησαι ει μη τον πετρον και ιακωβον και ιωαννην τον αδελφον ιακωβου
He let no one with him follow except for Peter and Jacob and John, Jacob's brother.

**5:38** και ερχονται εις τον οικον του αρχισυναγωγου και θεωρει θορυβον και κλαιοντας και αλαλαζοντας πολλα
They come to the house of the synagogue ruler, and he sees *an* uproar and weeping and many wailing.

**5:39** και εισελθων λεγει αυτοις τι θορυβεισθε και κλαιετε το παιδιον ουκ απεθανεν αλλα καθευδει
Going in, he says to them, "Why are you stirred up, and weeping? The child hasn't died, yet she's sleeping."

**5:40** και κατεγελων αυτου αυτος δε εκβαλων παντας παραλαμβανει τον πατερα του παιδιου και την μητερα και τους μετ αυτου και εισπορευεται οπου ην το παιδιον
They laughed at him, but he, throwing all out, takes the father of the child and the mother and those with him, and goes in where the child was.

**5:41** και κρατησας της χειρος του παιδιου λεγει αυτη ταλιθα κουμ ο εστιν μεθερμηνευομενον το κορασιον σοι λεγω εγειρε
Grasping the child's hand, he says to her, "*Talitha koum*", which is, translated, 'Girl, I say to you, get

up!'

**5:42** και ευθυς ανεστη το κορασιον και περιεπατει ην γαρ ετων δωδεκα και εξεστησαν ευθυς εκστασει μεγαλη

The girl got up at once and walked, for she was twelve years old, and at once they were stunned with great amazement.

**5:43** και διεστειλατο αυτοις πολλα ινα μηδεις γνοι τουτο και ειπεν δοθηναι αυτη φαγειν

He gave them strict rules that no one may know this, and he said to give her *something* to eat.

## Mark 6
## Rejected at Nazareth

**6:1** και εξηλθεν εκειθεν και ερχεται εις την πατριδα αυτου και ακολουθουσιν αυτω οι μαθηται αυτου

He went out from there, and he comes into his home country, and his disciples follow him.

**6:2** και γενομενου σαββατου ηρξατο διδασκειν εν τη συναγωγη και οι πολλοι ακουοντες εξεπλησσοντο λεγοντες ποθεν τουτω ταυτα και τις η σοφια η δοθεισα τουτω και αι δυναμεις τοιαυται δια των χειρων αυτου γινομεναι

The Sabbath come, he began to teach in the synagogue, and the many hearing were astonished, saying, "Where did he get these *things*, and who is the wisdom given to him, and these powers working through his hands?

**6:3** ουκ ουτος εστιν ο τεκτων ο υιος της μαριας και αδελφος ιακωβου και ιωσητος και ιουδα και σιμωνος και ουκ εισιν αι αδελφαι αυτου ωδε προς ημας και εσκανδαλιζοντο εν αυτω

"Isn't this the carpenter, the son of Mary, and brother of Jacob, and Joses, and Judah, and Simon, and aren't his sisters here with us?"

They were scandalized at him.

**6:4** και ελεγεν αυτοις ο ιησους οτι ουκ εστιν προφητης ατιμος ει μη εν τη πατριδι αυτου και εν τοις συγγενευσιν αυτου και εν τη οικια αυτου

Jesus said to them that, "A prophet is not despised except in his home country, and among his kin, and in his house."

**6:5** και ουκ εδυνατο εκει ποιησαι ουδεμιαν δυναμιν ει μη ολιγοις αρρωστοις επιθεις τας χειρας εθεραπευσεν

He couldn't work any power there, except laying hands on *a* few sick, he healed *them*.

**6:6** και εθαυμασεν δια την απιστιαν αυτων και περιηγεν τας κωμας κυκλω διδασκων

He was astonished by their disbelief, and he was going around the surrounding villages teaching.

## Power Extended
## Through Disciples

**6:7** και προσκαλειται τους δωδεκα και ηρξατο αυτους αποστελλειν δυο

δυο και εδιδου αυτοις εξουσιαν των
πνευματων των ακαθαρτων
He called together the twelve, and
began to send them out two *by* two,
and he gave them authority over
unclean spirits.
**6:8** και παρηγγειλεν αυτοις ινα
μηδεν αιρωσιν εις οδον ει μη ραβδον
μονον μη αρτον μη πηραν μη εις την
ζωνην χαλκον
He commanded them that they take
nothing on the road except *a* stick
only: not bread, not *a* bag, not
money in the belt,
**6:9** αλλα υποδεδεμενους σανδαλια
και μη ενδυσασθαι δυο χιτωνας
but *to be* shod in sandals, and not to
put on two shirts.
**6:10** και ελεγεν αυτοις οπου εαν
εισελθητε εις οικιαν εκει μενετε εως
αν εξελθητε εκειθεν
He began saying to them, "Wherever
you go into *a* house, stay there until
you go out from there.
**6:11** και ος αν τοπος μη δεξηται
υμας μηδε ακουσωσιν υμων
εκπορευομενοι εκειθεν εκτιναξατε
τον χουν τον υποκατω των ποδων
υμων εις μαρτυριον αυτοις
"Whatever place does not receive
you or hear you, shake off the dust
from under your feet going out from
there as *a* witness to them."

**6:12** και εξελθοντες εκηρυξαν ινα
μετανοωσιν
Going out, they preached that *those
hearing* should repent.
**6:13** και δαιμονια πολλα εξεβαλλον
και ηλειφον ελαιω πολλους

αρρωστους και εθεραπευον
They threw out many demons, and
anointed many sick with oil, and they
healed.

### Power to Trouble the Powerful
**6:14** και ηκουσεν ο βασιλευς
ηρωδης φανερον γαρ εγενετο το
ονομα αυτου και ελεγον οτι ιωαννης
ο βαπτιζων εγηγερται εκ νεκρων και
δια τουτο ενεργουσιν αι δυναμεις εν
αυτω
King Herod heard, for his name
became known, and he began saying
that, "John the Baptizer has been
raised from the dead, and these
powers are working in him because
of this."

**6:15** αλλοι δε ελεγον οτι ηλιας εστιν
αλλοι δε ελεγον οτι προφητης ως εις
των προφητων
Others were saying that, "He is
Elijah," and others were saying that,
"*He is a* prophet like one of the
prophets."

**6:16** ακουσας δε ο ηρωδης ελεγεν ον
εγω απεκεφαλισα ιωαννην ουτος
ηγερθη
Herod, hearing, said, "John whom I
beheaded, he has been raised."

**6:17** αυτος γαρ ο ηρωδης αποστειλας
εκρατησεν τον ιωαννην και εδησεν
αυτον εν φυλακη δια ηρωδιαδα την
γυναικα φιλιππου του αδελφου
αυτου οτι αυτην εγαμησεν
For Herod himself, sending, seized
John and bound him in chains

because of Herodias, the wife of his brother Philip, for he married her.

**6:18** ελεγεν γαρ ο ιωαννης τω ηρωδη οτι ουκ εξεστιν σοι εχειν την γυναικα του αδελφου σου

John was saying to Herod that, "It isn't lawful for you to have your brother's wife."

**6:19** η δε ηρωδιας ενειχεν αυτω και ηθελεν αυτον αποκτειναι και ουκ ηδυνατο

Herodias held *a* grudge against him and wanted to kill him, and she couldn't,

**6:20** ο γαρ ηρωδης εφοβειτο τον ιωαννην ειδως αυτον ανδρα δικαιον και αγιον και συνετηρει αυτον και ακουσας αυτου πολλα ηπορει και ηδεως αυτου ηκουεν

for Herod feared John, knowing him *a* righteous and holy man. He preserved him and, hearing him many times, he was at *a* loss, and was hearing him gladly.

### John the Baptist's Execution

**6:21** και γενομενης ημερας ευκαιρου οτε ηρωδης τοις γενεσιοις αυτου δειπνον εποιησεν τοις μεγιστασιν αυτου και τοις χιλιαρχοις και τοις πρωτοις της γαλιλαιας

*An* opportune time came when Herod made *a* feast on his birthday for his great nobles, and the military commanders, and the first ones of Galilee.

**6:22** και εισελθουσης της θυγατρος αυτου ηρωδιαδος και ορχησαμενης ηρεσεν τω ηρωδη και τοις

συνανακειμενοις ο δε βασιλευς ειπεν τω κορασιω αιτησον με ο εαν θελης και δωσω σοι

The daughter of Herodias, coming in and dancing, pleased Herod and those reclining *at table.* The king said to the girl, "Ask me whatever you want, and I will give *it* to you."

**6:23** και ωμοσεν αυτη ο τι εαν με αιτησης δωσω σοι εως ημισους της βασιλειας μου

He swore to her, "Whatever you ask me, I will give you, even to half my kingdom!"

**6:24** και εξελθουσα ειπεν τη μητρι αυτης τι αιτησωμαι η δε ειπεν την κεφαλην ιωαννου του βαπτιζοντος

Going out, she asked her mother, "What should I ask?"

She said, "The head of John the Baptizer."

**6:25** και εισελθουσα ευθυς μετα σπουδης προς τον βασιλεα ητησατο λεγουσα θελω ινα εξαυτης δως μοι επι πινακι την κεφαλην ιωαννου του βαπτιστου

Going in at once with haste to the king, she asked saying, "I want that you give me right now the head of John the Baptizer on *a* plate."

**6:26** και περιλυπος γενομενος ο βασιλευς δια τους ορκους και τους ανακειμενους ουκ ηθελησεν αθετησαι αυτην

The king, becoming very sad, didn't

want to deny her because of the oaths and those reclining *at table.*

**6:27** και ευθυς αποστειλας ο βασιλευς σπεκουλατορα επεταξεν ενεγκαι την κεφαλην αυτου

Sending at once, the king commanded *a* scout to bring his head.

**6:28** και απελθων απεκεφαλισεν αυτον εν τη φυλακη και ηνεγκεν την κεφαλην αυτου επι πινακι και εδωκεν αυτην τω κορασιω και το κορασιον εδωκεν αυτην τη μητρι αυτης

Going out, *the scout* beheaded him in the prison, and brought his head on *a* plate. He gave it to the girl, and the girl gave it to her mother.

**6:29** και ακουσαντες οι μαθηται αυτου ηλθον και ηραν το πτωμα αυτου και εθηκαν αυτο εν μνημειω

His disciples, hearing, came and took his body, and buried it in *a* tomb.

### The Missionaries Return to Jesus

**6:30** και συναγονται οι αποστολοι προς τον ιησουν και απηγγειλαν αυτω παντα οσα εποιησαν και οσα εδιδαξαν

The apostles[6] gather together to Jesus, and they told him all: as much as they had done, and as much as they had taught.

**6:31** και λεγει αυτοις δευτε υμεις αυτοι κατ ιδιαν εις ερημον τοπον και αναπαυσασθε ολιγον ησαν γαρ οι ερχομενοι και οι υπαγοντες πολλοι και ουδε φαγειν ευκαιρουν

He says to them, "Come away by yourselves into *a* desert place and rest *a* little," for many were coming and going, and they didn't even have time to eat.

**6:32** και απηλθον εν τω πλοιω εις ερημον τοπον κατ ιδιαν

They went out in a boat to *a* desert place by themselves.

**6:33** και ειδον αυτους υπαγοντας και εγνωσαν πολλοι και πεζη απο πασων των πολεων συνεδραμον εκει και προηλθον αυτους

Many saw them going, and knew, and going there by land from all the cities, they came there before them.

### Power to Feed Hungry Seekers

**6:34** και εξελθων ειδεν πολυν οχλον και εσπλαγχνισθη επ αυτους οτι ησαν ως προβατα μη εχοντα ποιμενα και ηρξατο διδασκειν αυτους πολλα

Going out, he saw *a* great crowd, and was moved over them, because they were like sheep not having *a* shepherd. He began to teach them many *things.*

**6:35** και ηδη ωρας πολλης γενομενης προσελθοντες αυτω οι μαθηται αυτου ελεγον οτι ερημος εστιν ο τοπος και ηδη ωρα πολλη

*A* late hour already come, his disciples, coming to him, said that, "The place is desert, and the hour already late.

**6:36** απολυσον αυτους ινα απελθοντες εις τους κυκλω αγρους και κωμας αγορασωσιν εαυτοις τι φαγωσιν

"Dismiss them that, going out into the surround fields and villages, they can buy themselves what they can eat."

**6:37** ο δε αποκριθεις ειπεν αυτοις δοτε αυτοις υμεις φαγειν και λεγουσιν αυτω απελθοντες αγορασωμεν δηναριων διακοσιων αρτους και δωσομεν αυτοις φαγειν
Answering, he said to them, "You give them *something* to eat."

They say to him, "Will we go out and buy two hundred denarii[7] of bread, and give them to eat?"

**6:38** ο δε λεγει αυτοις ποσους εχετε αρτους υπαγετε ιδετε και γνοντες λεγουσιν πεντε και δυο ιχθυας
He says to them, "How many loaves do you have? Go see."

Finding out, they say, "Five, and two fish."

**6:39** και επεταξεν αυτοις ανακλιθηναι παντας συμποσια συμποσια επι τω χλωρω χορτω
He commanded them all to sit down, group *by* group, on the green grass.

**6:40** και ανεπεσαν πρασιαι πρασιαι κατα εκατον και κατα πεντηκοντα
They sat down, gathering *by* gathering, by fifties and by hundreds[8].

**6:41** και λαβων τους πεντε αρτους και τους δυο ιχθυας αναβλεψας εις τον ουρανον ευλογησεν και κατεκλασεν τους αρτους και εδιδου τοις μαθηταις ινα παρατιθωσιν αυτοις και τους δυο ιχθυας εμερισεν πασιν
Taking the five loaves and the two fish, looking up into the sky, he blessed and broke the loaves and gave to the disciples, so they could set them before them. He divided the two fish for all,

**6:42** και εφαγον παντες και εχορτασθησαν
and all ate and were full.

**6:43** και ηραν κλασματα δωδεκα κοφινων πληρωματα και απο των ιχθυων
They took up twelve baskets full of fragments, and from the fish.

**6:44** και ησαν οι φαγοντες τους αρτους πεντακισχιλιοι ανδρες
The *ones* eating the loaves were five thousand males.

**6:45** και ευθυς ηναγκασεν τους μαθητας αυτου εμβηναι εις το πλοιον και προαγειν εις το περαν προς βηθσαιδαν εως αυτος απολυει τον οχλον
At once he compelled his disciples to go up into the boat, and go before to the other side near Bethsaida, while he dismissed the crowd.

**6:46** και αποταξαμενος αυτοις απηλθεν εις το ορος προσευξασθαι
Taking leave of them, he went out onto the mountain to pray.

### Power Over the Sea

**6:47** και οψιας γενομενης ην το πλοιον εν μεσω της θαλασσης και αυτος μονος επι της γης
Evening come, the boat was in the middle of the sea, and he alone on the land.

**6:48** και ιδων αυτους
βασανιζομενους εν τω ελαυνειν ην
γαρ ο ανεμος εναντιος αυτοις περι
τεταρτην φυλακην της νυκτος
ερχεται προς αυτους περιπατων επι
της θαλασσης και ηθελεν παρελθειν
αυτους
Seeing them straining in the rowing,
for the wind was against them, he
comes to them around the fourth
watch of the night, walking on the
sea. He wanted to pass by them[9],
**6:49** οι δε ιδοντες αυτον επι της
θαλασσης περιπατουντα εδοξαν οτι
φαντασμα εστιν και ανεκραξαν
yet they, seeing him walking on the
sea, thought that it is *a* ghost. They
cried out,
**6:50** παντες γαρ αυτον ειδον και
εταραχθησαν ο δε ευθυς ελαλησεν
μετ αυτων και λεγει αυτοις θαρσειτε
εγω ειμι μη φοβεισθε
for all saw him, and were terrified.
He spoke to them at once, and says
to them, "Cheer up! I am. Don't be
afraid!"

**6:51** και ανεβη προς αυτους εις το
πλοιον και εκοπασεν ο ανεμος και
λιαν εν εαυτοις εξισταντο
He climbed up into the boat with
them, and the wind stopped, and they
were greatly astonished in
themselves,
**6:52** ου γαρ συνηκαν επι τοις αρτοις
αλλ ην αυτων η καρδια πεπωρωμενη
for they hadn't understood about the
loaves[10], yet their heart was
hardened.

### Landing at Gennesareth
**6:53** και διαπερασαντες επι την γην
ηλθον εις γεννησαρετ και
προσωρμισθησαν
Crossing over to the land, they came
to Gennesaret and anchored.
**6:54** και εξελθοντων αυτων εκ του
πλοιου ευθυς επιγνοντες αυτον
*As* they *were* going out of the boat,
recognizing him at once,
**6:55** περιεδραμον ολην την χωραν
εκεινην και ηρξαντο επι τοις
κραβαττοις τους κακως εχοντας
περιφερειν οπου ηκουον οτι εστιν
they ran together from that entire
region, and began to bring on cots
those having harms wherever they
heard that he is.
**6:56** και οπου αν εισεπορευετο εις
κωμας η εις πολεις η εις αγρους εν
ταις αγοραις ετιθεσαν τους
ασθενουντας και παρεκαλουν αυτον
ινα καν του κρασπεδου του ιματιου
αυτου αψωνται και οσοι αν ηψαντο
αυτου εσωζοντο
Where he entered into villages or
into cities or into fields, they placed
the sick in the marketplaces, and
begged him that they might touch
even the fringe of his clothes. As
many touched him were saved.

### Mark 7
### What Is Unclean?
**7:1** και συναγονται προς αυτον οι
φαρισαιοι και τινες των γραμματεων
ελθοντες απο ιεροσολυμων
The Pharisees gathered with him,
and some of the writers coming from

Jerusalem.

**7:2** και ιδοντες τινας των μαθητων αυτου οτι κοιναις χερσιν τουτ εστιν ανιπτοις εσθιουσιν τους αρτους

Seeing some of his disciples eat bread with common hands, that is unwashed,

**7:3** οι γαρ φαρισαιοι και παντες οι ιουδαιοι εαν μη πυγμη νιψωνται τας χειρας ουκ εσθιουσιν κρατουντες την παραδοσιν των πρεσβυτερων

(for the Pharisees and all the Jews do not eat unless washing the hands to fist, holding fast the traditions of the elders;

**7:4** και απ αγορας εαν μη ραντισωνται ουκ εσθιουσιν και αλλα πολλα εστιν α παρελαβον κρατειν βαπτισμους ποτηριων και ξεστων και χαλκιων

and unless they wash *food* from the marketplace, they do not eat, and many other *traditions* that they have received: the washing of cups, and jugs, and bowls)

**7:5** και επερωτωσιν αυτον οι φαρισαιοι και οι γραμματεις δια τι ου περιπατουσιν οι μαθηται σου κατα την παραδοσιν των πρεσβυτερων αλλα κοιναις χερσιν εσθιουσιν τον αρτον

the Pharisees and the writers demanded of him, "Why are your disciples not walking according to the traditions of the elders, but eat bread with common hands?

**7:6** ο δε ειπεν αυτοις καλως επροφητευσεν ησαιας περι υμων των υποκριτων ως γεγραπται οτι ουτος ο

λαος τοις χειλεσιν με τιμα η δε καρδια αυτων πορρω απεχει απ εμου

He said to them, "Isaiah prophesied well about you hypocrites, as is written that,

"This people honors me with lips,
but their heart has pulled
far away from me.

**7:7** ματην δε σεβονται με διδασκοντες διδασκαλιας ενταλματα ανθρωπων

"They worship me in vain,
teaching *as* doctrines
*the* commandments of men."[11]

**7:8** αφεντες την εντολην του θεου κρατειτε την παραδοσιν των ανθρωπων

"Leaving the commandments of God, they hold fast the traditions of men."

**7:9** και ελεγεν αυτοις καλως αθετειτε την εντολην του θεου ινα την παραδοσιν υμων τηρησητε

He said to them, "You well reject the commandment of God so that you may keep your tradition.

**7:10** μωυσης γαρ ειπεν τιμα τον πατερα σου και την μητερα σου και ο κακολογων πατερα η μητερα θανατω τελευτατω

"Moses said,

'Honor your father
and your mother'[12],

and

'Let who curses father or mother
surely die'[13].

**7:11** υμεις δε λεγετε εαν ειπη ανθρωπος τω πατρι η τη μητρι κορβαν ο εστιν δωρον ο εαν εξ εμου ωφεληθης

"But you say, 'If a man says to father or mother, 'What gift you might be owed from me is Corban'[14],

**7:12** ουκετι αφιετε αυτον ουδεν ποιησαι τω πατρι η τη μητρι

"you no longer allow him to do anything for father or mother,

**7:13** ακυρουντες τον λογον του θεου τη παραδοσει υμων η παρεδωκατε και παρομοια τοιαυτα πολλα ποιειτε

"nullifying the word of God by your tradition which you hand on. You do many other such *things*."

**7:14** και προσκαλεσαμενος παλιν τον οχλον ελεγεν αυτοις ακουσατε μου παντες και συνετε

Calling the crowd together again, he began saying to them, "Listen to me, all, and understand.

**7:15** ουδεν εστιν εξωθεν του ανθρωπου εισπορευομενον εις αυτον ο δυναται κοινωσαι αυτον αλλα τα εκ του ανθρωπου εκπορευομενα εστιν τα κοινουντα τον ανθρωπον

"*There* is nothing outside of man going into him that can make him unclean. What come out of *a* man, those are what make *a* man unclean."

### Jesus Explains the Teaching

16 **7:17** και οτε εισηλθεν εις οικον απο του οχλου επηρωτων αυτον οι μαθηται αυτου την παραβολην

When he went into *a* house away from the crowd, the disciples asked him the parable.

**7:18** και λεγει αυτοις ουτως και υμεις ασυνετοι εστε ου νοειτε οτι παν το εξωθεν εισπορευομενον εις τον ανθρωπον ου δυναται αυτον κοινωσαι

He says to them, "So are you without understanding too? Don't you know that anything outside coming into the man can't make him unclean,

**7:19** οτι ουκ εισπορευεται αυτου εις την καρδιαν αλλ εις την κοιλιαν και εις τον αφεδρωνα εκπορευεται καθαριζων παντα τα βρωματα

"because it doesn't go into his heart, but into his gut, and goes out into the latrine, cleansing all foods."[15]

**7:20** ελεγεν δε οτι το εκ του ανθρωπου εκπορευομενον εκεινο κοινοι τον ανθρωπον

He began saying that, "What comes out of the man, that makes the man unclean.

**7:21** εσωθεν γαρ εκ της καρδιας των ανθρωπων οι διαλογισμοι οι κακοι εκπορευονται πορνειαι κλοπαι φονοι

"From inside, from the men's heart, come the wicked thoughts. Lust, theft, murder come from inside.

**7:22** μοιχειαι πλεονεξιαι πονηριαι δολος ασελγεια οφθαλμος πονηρος βλασφημια υπερηφανια αφροσυνη

"Adulteries, greed, harmful intentions, deceit, debauchery, evil eye, blasphemy, arrogance, foolishness;

**7:23** παντα ταυτα τα πονηρα εσωθεν εκπορευεται και κοινοι τον ανθρωπον

"all these wicked *things* come out
from inside, and make the man
unclean."

**Power to Heal Even Outsiders**

**7:24** εκειθεν δε αναστας απηλθεν εις
τα ορια τυρου [και σιδωνος] και
εισελθων εις οικιαν ουδενα ηθελεν
γνωναι και ουκ ηδυνασθη λαθειν

Getting up from there, he went away
to the regions of Tyre [and Sidon],
and going into *a* house, he wanted no
one to know, and he couldn't be
hidden.

**7:25** αλλ ευθυς ακουσασα γυνη περι
αυτου ης ειχεν το θυγατριον αυτης
πνευμα ακαθαρτον ελθουσα
προσεπεσεν προς τους ποδας αυτου

At once *a* woman whose daughter
had *an* unclean spirit, hearing about
him, coming, fell before his feet.

**7:26** η δε γυνη ην ελληνις
συροφοινικισσα τω γενει και ηρωτα
αυτον ινα το δαιμονιον εκβαλη εκ
της θυγατρος αυτης

The woman was Greek,
Syrophoenican by race, and she
asked him that he throw the demon
out of her daughter.

**7:27** και ελεγεν αυτη αφες πρωτον
χορτασθηναι τα τεκνα ου γαρ εστιν
καλον λαβειν τον αρτον των τεκνων
και τοις κυναριοις βαλειν

He said to her, "Let the children eat
first. It isn't good to take the bread
of the children and to throw it to the
dogs."

**7:28** η δε απεκριθη και λεγει αυτω
ναι κυριε και τα κυναρια υποκατω
της τραπεζης εσθιουσιν απο των
ψιχιων των παιδιων

She answered, and she says to him,
"Yes, Lord, and the dogs under the
table eat from the crumbs of the
children."

**7:29** και ειπεν αυτη δια τουτον τον
λογον υπαγε εξεληλυθεν εκ της
θυγατρος σου το δαιμονιον

He said to her, "Because of this
word, go. The demon has gone out
of your daughter."

**7:30** και απελθουσα εις τον οικον
αυτης ευρεν το παιδιον βεβλημενον
επι την κλινην και το δαιμονιον
εξεληλυθος

Going out to her house, she found
the child lying on the bed, and the
demon gone out.

**Power to Release Those
Imprisoned Within Themselves**

**7:31** και παλιν εξελθων εκ των
οριων τυρου ηλθεν δια σιδωνος εις
την θαλασσαν της γαλιλαιας ανα
μεσον των οριων δεκαπολεως

Again going out of the regions of
Tyre, he came through Sidon to the
Sea of Galilee, into the middle of the
regions of the Decapolis.

**7:32** και φερουσιν αυτω κωφον και
μογιλαλον και παρακαλουσιν αυτον
ινα επιθη αυτω την χειρα

They bring *a* deaf-mute to him, and
they beg him that he place the hand
on him.

**7:33** και απολαβομενος αυτον απο
του οχλου κατ ιδιαν εβαλεν τους

δακτυλους αυτου εις τα ωτα αυτου και πτυσας ηψατο της γλωσσης αυτου

Taking him away from the crowd by himself, he put his fingers in his ears, and spitting, touched his tongue.

**7:34** και αναβλεψας εις τον ουρανον εστεναξεν και λεγει αυτω εφφαθα ο εστιν διανοιχθητι

Looking up into the sky, he sighed deeply and says to him, "Ephphatha", which is, 'Be opened'.

**7:35** και ηνοιγησαν αυτου αι ακοαι και ελυθη ο δεσμος της γλωσσης αυτου και ελαλει ορθως

His ears were opened, and the fetter of his tongue was loosed, and he began speaking rightly.

**7:36** και διεστειλατο αυτοις ινα μηδενι λεγωσιν οσον δε αυτοις διεστελλετο αυτοι μαλλον περισσοτερον εκηρυσσον

He charged them expressly that they say nothing, but as much as he charged *them*, the more rather they preached.

**7:37** και υπερπερισσως εξεπλησσοντο λεγοντες καλως παντα πεποιηκεν και τους κωφους ποιει ακουειν και αλαλους λαλειν

They were astonished beyond measure, saying, "He has done all well. He even makes the deaf hear, and the mute speak."

# Mark 8
## Power (Again)
## To Feed the Hungry

**8:1** εν εκειναις ταις ημεραις παλιν πολλου οχλου οντος και μη εχοντων τι φαγωσιν προσκαλεσαμενος τους μαθητας λεγει αυτοις

In those days, *when a* great crowd again *was* together and had nothing they could eat, calling together the disciples, he says to them,

**8:2** σπλαγχνιζομαι επι τον οχλον οτι ηδη ημεραι τρεις προσμενουσιν μοι και ουκ εχουσιν τι φαγωσιν

"I am moved over the crowd because they already stay with me three days, and don't have what they can eat.

**8:3** και εαν απολυσω αυτους νηστεις εις οικον αυτων εκλυθησονται εν τη οδω και τινες αυτων απο μακροθεν εισιν

"If I let them go fasting to their house, they will faint on the road, and some of them are from far away."

**8:4** και απεκριθησαν αυτω οι μαθηται αυτου οτι ποθεν τουτους δυνησεται τις ωδε χορτασαι αρτων επ ερημιας

His disciples answered him that, "How can anyone feed these *people* bread here in the desert?"

**8:5** και ηρωτα αυτους ποσους εχετε αρτους οι δε ειπαν επτα

He asked them, "How many loaves do you have?"

They said, "Seven."

**8:6** και παραγγελλει τω οχλω αναπεσειν επι της γης και λαβων τους επτα αρτους ευχαριστησας εκλασεν και εδιδου τοις μαθηταις αυτου ινα παρατιθωσιν και παρεθηκαν τω οχλω

He commanded the crowd to sit down on the ground. Taking the seven loaves, giving thanks, he broke and gave to his disciples so they could give *them* out, and they set them before the crowd.

**8:7** και ειχον ιχθυδια ολιγα και ευλογησας αυτα ειπεν και ταυτα παρατιθεναι

They had *a* few fish and, giving thanks for them, he said to set these out also.

**8:8** και εφαγον και εχορτασθησαν και ηραν περισσευματα κλασματων επτα σπυριδας

They ate and were full, and seven large baskets of fragments were left.

**8:9** ησαν δε ως τετρακισχιλιοι και απελυσεν αυτους

Around four thousand were *there*, and he dismissed them.

### Will a Sign Be Given?

**8:10** και ευθυς εμβας εις το πλοιον μετα των μαθητων αυτου ηλθεν εις τα μερη δαλμανουθα

Going up at once into the boat with his disciples, he came to the coasts of Dalmanutha.

**8:11** και εξηλθον οι φαρισαιοι και ηρξαντο συζητειν αυτω ζητουντες παρ αυτου σημειον απο του ουρανου πειραζοντες αυτον

The Pharisees came out and began to dispute him, seeking from him *a* sign from the sky, testing him.

**8:12** και αναστεναξας τω πνευματι αυτου λεγει τι η γενεα αυτη ζητει σημειον αμην λεγω ει δοθησεται τη γενεα ταυτη σημειον

Sighing deeply in his spirit, he says, "Why does this generation seek *a* sign? Amen, I say if this generation will be given *a* sign."

**8:13** και αφεις αυτους παλιν εμβας απηλθεν εις το περαν

Letting them go, going up *into the boat* again, he went away to the other side.

### The Pharisees' Leaven

**8:14** και επελαθοντο λαβειν αρτους και ει μη ενα αρτον ουκ ειχον μεθ εαυτων εν τω πλοιω

They forgot to bring bread, and had only one loaf with them in the boat.

**8:15** και διεστελλετο αυτοις λεγων ορατε βλεπετε απο της ζυμης των φαρισαιων και της ζυμης ηρωδου

He charged them directly, saying, "Watch! Beware of the leaven of the Pharisees and the leaven of Herod."

**8:16** και διελογιζοντο προς αλληλους οτι αρτους ουκ εχουσιν

They questioned among themselves because they have no bread.

**8:17** και γνους λεγει αυτοις τι διαλογιζεσθε οτι αρτους ουκ εχετε ουπω νοειτε ουδε συνιετε πεπωρωμενην εχετε την καρδιαν υμων

Knowing, he says to them, "Why do

you think that you have no bread? Do you still not know or comprehend? Do you have your heart hardened?

**8:18** οφθαλμους εχοντες ου βλεπετε και ωτα εχοντες ουκ ακουετε και ου μνημονευετε
"Having eyes, do you not see? Having ears, do you not hear? Do you not remember?

**8:19** οτε τους πεντε αρτους εκλασα εις τους πεντακισχιλιους ποσους κοφινους κλασματων πληρεις ηρατε λεγουσιν αυτω δωδεκα
"When I broke five loaves for the five thousand, how many baskets full of fragments did you take up?"

They say to him, "Twelve."

**8:20** οτε τους επτα εις τους τετρακισχιλιους ποσων σπυριδων πληρωματα κλασματων ηρατε και λεγουσιν αυτω επτα
"When the seven *loaves* to the four thousand, how many large baskets full of fragments did you take up?"

They say to him, "Seven."

**8:21** και ελεγεν αυτοις ουπω συνιετε
He said to them, "Don't you understand yet?"

### Power Over Blindness

**8:22** και ερχονται εις βηθσαιδαν και φερουσιν αυτω τυφλον και παρακαλουσιν αυτον ινα αυτου αψηται
They come to Bethsaida, and they bring him *a* blind man, and beg him that he touch him.

**8:23** και επιλαβομενος της χειρος του τυφλου εξηνεγκεν αυτον εξω της κωμης και πτυσας εις τα ομματα αυτου επιθεις τας χειρας αυτω επηρωτα αυτον ει τι βλεπεις
Taking hold of the blind man's hands, he led him out of the village. Spitting into his eyes, laying the hands on him, he asked him, "Do you see anything?"

**8:24** και αναβλεψας ελεγεν βλεπω τους ανθρωπους οτι ως δενδρα ορω περιπατουντας
Looking around, he says, "I see the men, because I see *them* walking, like trees."

**8:25** ειτα παλιν εθηκεν τας χειρας επι τους οφθαλμους αυτου και διεβλεψεν και απεκατεστη και ενεβλεπεν τηλαυγως απαντα
Then he laid the hands on his eyes again, and he saw plainly, and was restored, and looked clearly at all.

**8:26** και απεστειλεν αυτον εις οικον αυτου λεγων μηδε εις την κωμην εισελθης
He sent him to his house, saying, "Don't even go into the village."

### Who Am I?

**8:27** και εξηλθεν ο ιησους και οι μαθηται αυτου εις τας κωμας καισαρειας της φιλιππου και εν τη οδω επηρωτα τους μαθητας αυτου λεγων αυτοις τινα με λεγουσιν οι ανθρωποι ειναι

Jesus went out and his disciples into the villages of Caesarea of Philip. On the road he questioned his disciples, saying to them, "Who are men claiming me to be?"

**8:28** οι δε ειπαν αυτω λεγοντες οτι ιωαννην τον βαπτιστην και αλλοι ηλιαν αλλοι δε οτι εις των προφητων

They spoke to him, saying that John the Baptist, and others Elijah, yet others one of the prophets.

**8:29** και αυτος επηρωτα αυτους υμεις δε τινα με λεγετε ειναι αποκριθεις ο πετρος λεγει αυτω συ ει ο χριστος

He asked them, "But you, who do you claim me to be?"

Peter, answering, says to him, "You are the Christ."

**8:30** και επετιμησεν αυτοις ινα μηδενι λεγωσιν περι αυτου

He ordered them that they say nothing about him.

## Jesus First Predicts His Death and Resurrection

**8:31** και ηρξατο διδασκειν αυτους οτι δει τον υιον του ανθρωπου πολλα παθειν και αποδοκιμασθηναι υπο των πρεσβυτερων και των αρχιερεων και των γραμματεων και αποκτανθηναι και μετα τρεις ημερας αναστηναι

He began to teach them that it is necessary for the Son of Man to suffer many *things*, and to be rejected by the elders and the chief priests and the writers, and to be killed, and after three days to rise again.

**8:32** και παρρησια τον λογον ελαλει και προσλαβομενος ο πετρος αυτον ηρξατο επιτιμαν αυτω

He was speaking the word openly, and Peter, taking him aside, began to rebuke him.

**8:33** ο δε επιστραφεις και ιδων τους μαθητας αυτου επετιμησεν πετρω και λεγει υπαγε οπισω μου σατανα οτι ου φρονεις τα του θεου αλλα τα των ανθρωπων

Turning and seeing his disciples, he rebuked Peter. He says, "Go behind me, Satan, because you aren't thinking the *thoughts* of God, but the *thoughts* of men."

**8:34** και προσκαλεσαμενος τον οχλον συν τοις μαθηταις αυτου ειπεν αυτοις ει τις θελει οπισω μου ελθειν απαρνησασθω εαυτον και αρατω τον σταυρον αυτου και ακολουθειτω μοι

Calling together the crowd with his disciples, he said to them, "If someone wants to come after me, let him deny himself, and take up his cross, and follow me.

**8:35** ος γαρ εαν θελη την εαυτου ψυχην σωσαι απολεσει αυτην ος δ αν απολεσει την ψυχην αυτου ενεκεν [εμου και] του ευαγγελιου σωσει αυτην

"Whoever wants to save his soul will lose it, yet whoever loses his soul for the sake of [me and of] the gospel will save it.

**8:36** τι γαρ ωφελει ανθρωπον

κερδησαι τον κοσμον ολον και ζημιωθηναι την ψυχην αυτου
"What does it benefit man to gain the whole world and to lose his soul?

**8:37** τι γαρ δοι ανθρωπος ανταλλαγμα της ψυχης αυτου
"What can man give in exchange for his soul?

**8:38** ος γαρ εαν επαισχυνθη με και τους εμους λογους εν τη γενεα ταυτη τη μοιχαλιδι και αμαρτωλω και ο υιος του ανθρωπου επαισχυνθησεται αυτον οταν ελθη εν τη δοξη του πατρος αυτου μετα των αγγελων των αγιων
"Whoever is ashamed of me and my words in this adulterous and sinful generation, the Son of Man will be ashamed of him also when he comes in the glory of his Father, with the holy angels."

## Mark 9
## Jesus Transfigured

**9:1** και ελεγεν αυτοις αμην λεγω υμιν οτι εισιν τινες ωδε των εστηκοτων οιτινες ου μη γευσωνται θανατου εως αν ιδωσιν την βασιλειαν του θεου εληλυθυιαν εν δυναμει
He said to them, "Amen, I say to you some of those standing here will not taste death until they see the kingdom of God having come in power."

**9:2** και μετα ημερας εξ παραλαμβανει ο ιησους τον πετρον και τον ιακωβον και ιωαννην και αναφερει αυτους εις ορος υψηλον κατ ιδιαν μονους και μετεμορφωθη εμπροσθεν αυτων
After six days, Jesus took Peter and Jacob and John, and led them away onto *a* high mountain by themselves alone. He was transformed before them,

**9:3** και τα ιματια αυτου εγενετο στιλβοντα λευκα λιαν οια γναφευς επι της γης ου δυναται ουτως λευκαναι
and his clothes became dazzling, very white, such as no launderer on the earth can whiten.

**9:4** και ωφθη αυτοις ηλιας συν μωυσει και ησαν συλλαλουντες τω ιησου
Elijah was seen to them with Moses, and they were together talking to Jesus.

**9:5** και αποκριθεις ο πετρος λεγει τω ιησου ραββι καλον εστιν ημας ωδε ειναι και ποιησωμεν τρεις σκηνας σοι μιαν και μωυσει μιαν και ηλια μιαν
Peter, answering, says to Jesus, "Rabbi, it is good that we are here. Let us make three tabernacles: one for you, and one for Moses, and one for Elijah."

**9:6** ου γαρ ηδει τι αποκριθη εκφοβοι γαρ εγενοντο
He didn't know what he should answer, for they were terrified.

**9:7** και εγενετο νεφελη επισκιαζουσα αυτοις και εγενετο φωνη εκ της νεφελης ουτος εστιν ο υιος μου ο αγαπητος ακουετε αυτου

*A* cloud came overshadowing them, and *a* voice came from the cloud,

"This is my beloved son. Listen to him!"

## The Disciples Struggle to Understand

**9:8** και εξαπινα περιβλεψαμενοι ουκετι ουδενα ειδον μεθ εαυτων ει μη τον ιησουν μονον

Looking around suddenly, they saw no one with them at all except Jesus alone.

**9:9** και καταβαινοντων αυτων εκ του ορους διεστειλατο αυτοις ινα μηδενι α ειδον διηγησωνται ει μη οταν ο υιος του ανθρωπου εκ νεκρων αναστη

While they were going down from the mountain, Jesus gave them strict orders that they tell no one what they saw until the Son of Man rises from the dead.

**9:10** και τον λογον εκρατησαν προς εαυτους συζητουντες τι εστιν το εκ νεκρων αναστηναι

They took hold of the word among themselves, seeking together what is the "to rise from the dead."

**9:11** και επηρωτων αυτον λεγοντες οτι λεγουσιν οι γραμματεις οτι ηλιαν δει ελθειν πρωτον

Asking him, *they were* saying that, "The writers say that Elijah must come first."

**9:12** ο δε εφη αυτοις ηλιας μεν ελθων πρωτον αποκαθιστανει παντα και πως γεγραπται επι τον υιον του ανθρωπου ινα πολλα παθη και εξουδενηθη

He said to them, "Elijah indeed *is* coming first to restore all, and how is it written about the Son of Man that he must suffer many things and be despised?

**9:13** αλλα λεγω υμιν οτι και ηλιας εληλυθεν και εποιησαν αυτω οσα ηθελον καθως γεγραπται επ αυτον

"I say to you that Elijah has already come, and they did to him as much as they wished, as is written about him."

## The Power of Prayer

**9:14** και ελθοντες προς τους μαθητας ειδον οχλον πολυν περι αυτους και γραμματεις συζητουντας προς αυτους

Coming near the disciples, he saw a large crowd around them, and the writers arguing with them.

**9:15** και ευθυς πας ο οχλος ιδοντες αυτον εξεθαμβηθησαν και προστρεχοντες ησπαζοντο αυτον

At once the entire crowd, seeing him, were greatly surprised. Running together, they greeted him.

**9:16** και επηρωτησεν αυτους τι συζητειτε προς αυτους

He asked them, "What are you arguing about with them?"

**9:17** και απεκριθη αυτω εις εκ του οχλου διδασκαλε ηνεγκα τον υιον μου προς σε εχοντα πνευμα αλαλον

One from the crowd answered, "Teacher, I brought my son to you, having *a* mute spirit.

**9:18** και οπου εαν αυτον καταλαβη ρησσει αυτον και αφριζει και τριζει τους οδοντας και ξηραινεται και ειπα τοις μαθηταις σου ινα αυτο εκβαλωσιν και ουκ ισχυσαν

"Wherever it seizes him, it throws him down, and he foams, and grinds the teeth, and dries up. I said to your disciples that they throw it out, and they couldn't."

**9:19** ο δε αποκριθεις αυτοις λεγει ω γενεα απιστος εως ποτε προς υμας εσομαι εως ποτε ανεξομαι υμων φερετε αυτον προς με

Answering, he says to them, "O faithless generation, how long will I be with you? How long will I put up with you? Bring him to me."

**9:20** και ηνεγκαν αυτον προς αυτον και ιδων αυτον το πνευμα ευθυς συνεσπαραξεν αυτον και πεσων επι της γης εκυλιετο αφριζων

They brought him to him, and seeing him, the spirit at once convulsed him. Throwing him on the ground, he writhed foaming.

**9:21** και επηρωτησεν τον πατερα αυτου ποσος χρονος εστιν ως τουτο γεγονεν αυτω ο δε ειπεν εκ παιδιοθεν

He asked his father, "How long is *it* that this has had him?"

He answered, "From childhood.

**9:22** και πολλακις και εις πυρ αυτον εβαλεν και εις υδατα ινα απολεση αυτον αλλ ει τι δυνη βοηθησον ημιν

σπλαγχνισθεις εφ ημας

"It's often even thrown him into fire and into water so it could destroy him. If you can do something, help us, having mercy on us!"

**9:23** ο δε ιησους ειπεν αυτω το ει δυνη παντα δυνατα τω πιστευοντι

Jesus said to him, "If you can? All possibilities *are* to *the* believing."

**9:24** ευθυς κραξας ο πατηρ του παιδιου ελεγεν πιστευω βοηθει μου τη απιστια

The father of the child, crying out at once, began saying, "I believe! Help my unbelief!"

**9:25** ιδων δε ο ιησους οτι επισυντρεχει οχλος επετιμησεν τω πνευματι τω ακαθαρτω λεγων αυτω το αλαλον και κωφον πνευμα εγω επιτασσω σοι εξελθε εξ αυτου και μηκετι εισελθης εις αυτον

Seeing that the crowd ran together again, Jesus rebuked the unclean spirit, saying to it, "Deaf and dumb spirit, I command you: come of out him, and never go into him again!"

**9:26** και κραξας και πολλα σπαραξας εξηλθεν και εγενετο ωσει νεκρος ωστε τους πολλους λεγειν οτι απεθανεν

Shouting and convulsing *him* much, it came out, and he became as *a* dead *man*, so that the many said that he had died.

**9:27** ο δε ιησους κρατησας της χειρος αυτου ηγειρεν αυτον και

ανεστη
Jesus, grasping his hand, lifted him up, and he stirred.

**9:28** και εισελθοντος αυτου εις οικον οι μαθηται αυτου κατ ιδιαν επηρωτων αυτον οτι ημεις ουκ ηδυνηθημεν εκβαλειν αυτο
Going into *a* house, his disciples asked him by himself, "Why couldn't we throw it out?"

**9:29** και ειπεν αυτοις τουτο το γενος εν ουδενι δυναται εξελθειν ει μη εν προσευχη
He said to them, "This type can come out in nothing except in prayer."

## A Second Prediction of Rejection and Death

**9:30** κακειθεν εξελθοντες επορευοντο δια της γαλιλαιας και ουκ ηθελεν ινα τις γνοι
Going out from there, they went through Galilee. He didn't want that anyone know,

**9:31** εδιδασκεν γαρ τους μαθητας αυτου και ελεγεν [αυτοις] οτι ο υιος του ανθρωπου παραδιδοται εις χειρας ανθρωπων και αποκτενουσιν αυτον και αποκτανθεις μετα τρεις ημερας αναστησεται
for he was teaching his disciples, and was saying [to them] that, "The Son of Man will be handed over into men's hands, and they will kill him, and killed, after three days he will rise."

**9:32** οι δε ηγνοουν το ρημα και

εφοβουντο αυτον επερωτησαι
They weren't understanding the saying, and were afraid to ask him.

## Power Over Ambition

**9:33** και ηλθον εις καφαρναουμ και εν τη οικια γενομενος επηρωτα αυτους τι εν τη οδω διελογιζεσθε
They went into Capernaum and, being in the house, he asked them, "What were you talking about, arguing on the road?"

**9:34** οι δε εσιωπων προς αλληλους γαρ διελεχθησαν εν τη οδω τις μειζων
Yet they were silent, for they debated among themselves on the road who *was* greater.

**9:35** και καθισας εφωνησεν τους δωδεκα και λεγει αυτοις ει τις θελει πρωτος ειναι εσται παντων εσχατος και παντων διακονος
Sitting down, he called the twelve, and he says to them, "If someone wants to be first, he will be last of all, and minister of all."

**9:36** και λαβων παιδιον εστησεν αυτο εν μεσω αυτων και εναγκαλισαμενος αυτο ειπεν αυτοις
Taking *a* child, he stood it in their midst, and embracing it, he said to them,

**9:37** ος αν [εν] των τοιουτων παιδιων δεξηται επι τω ονοματι μου εμε δεχεται και ος αν εμε δεχηται ουκ εμε δεχεται αλλα τον αποστειλαντα με
"Whoever receives [one] of such

children in my name, receives me, and whoever receives me doesn't receive me, but the *one who* sent me."

## Power Over Sectarianism

**9:38** εφη αυτω ο ιωαννης διδασκαλε ειδομεν τινα εν τω ονοματι σου εκβαλλοντα δαιμονια και εκωλυομεν αυτον οτι ουκ ηκολουθει ημιν
John said to him, "Teacher, we saw someone throwing out demons in your name, and we stopped him, because he wasn't following us."

**9:39** ο δε ιησους ειπεν μη κωλυετε αυτον ουδεις γαρ εστιν ος ποιησει δυναμιν επι τω ονοματι μου και δυνησεται ταχυ κακολογησαι με
Jesus said, "Don't stop him, for there is no one who does a wonder in my name, and can quickly speak evil of me.
**9:40** ος γαρ ουκ εστιν καθ ημων υπερ ημων εστιν
"Whoever is not against us is for us.

## Beware of What Separates You from Christ

**9:41** ος γαρ αν ποτιση υμας ποτηριον υδατος εν ονοματι οτι χριστου εστε αμην λεγω υμιν οτι ου μη απολεση τον μισθον αυτου
"Whoever gives you a cup of water in the name, because you are of Christ, Amen I say to you that he will surely not lose his reward.
**9:42** και ος αν σκανδαλιση ενα των μικρων τουτων των πιστευοντων καλον εστιν αυτω μαλλον ει

περικειται μυλος ονικος περι τον τραχηλον αυτου και βεβληται εις την θαλασσαν
"Whoever scandalizes one of these little ones believing, it is better to him rather that he wrap *a* donkey's millstone around his neck and be thrown into the sea.

**9:43** και εαν σκανδαλιση σε η χειρ σου αποκοψον αυτην καλον εστιν σε κυλλον εισελθειν εις την ζωην η τας δυο χειρας εχοντα απελθειν εις την γεενναν εις το πυρ το ασβεστον
"If your hand scandalizes you, cut her off. It is good for you to go crippled into life than, having two hands, to go into Gehenna, into the unquenchable fire.
**44** **9:45** και εαν ο πους σου σκανδαλιζη σε αποκοψον αυτον καλον εστιν σε εισελθειν εις την ζωην χωλον η τους δυο ποδας εχοντα βληθηναι εις την γεενναν
"If your foot scandalizes you, cut him off. It is good for you to go into life lame than, having two feet, be thrown into Gehenna.
**46** **9:47** και εαν ο οφθαλμος σου σκανδαλιζη σε εκβαλε αυτον καλον σε εστιν μονοφθαλμον εισελθειν εις την βασιλειαν του θεου η δυο οφθαλμους εχοντα βληθηναι εις γεενναν
"If your eye scandalizes you, pull him out. It is good for you to go one-eyed into the kingdom of God than, having two eyes, to be thrown into Gehenna,
**9:48** οπου ο σκωληξ αυτων ου τελευτα και το πυρ ου σβεννυται

"where their worm does not die, and the fire isn't quenched.

### Every Victim Will Be Salted
**9:49** πας γαρ πυρι αλισθησεται

"Everything will be salted with fire.[16]

**9:50** καλον το αλας εαν δε το αλας αναλον γενηται εν τινι αυτο αρτυσετε εχετε εν εαυτοις αλα και ειρηνευετε εν αλληλοις

"The salt is good, yet if the salt becomes saltless, how can it be seasoned? Have salt in yourselves, and be at peace with each other."

## Mark 10
### Power to Interpret Ancient Law
**10:1** και εκειθεν αναστας ερχεται εις τα ορια της ιουδαιας και περαν του ιορδανου και συμπορευονται παλιν οχλοι προς αυτον και ως ειωθει παλιν εδιδασκεν αυτους

Going up from there, he comes to the boundaries of Judea and across the Jordan. Again, crowds come to him, and as he was accustomed, he began teaching them again.

**10:2** και [προσελθοντες φαρισαιοι] επηρωτων αυτον ει εξεστιν ανδρι γυναικα απολυσαι πειραζοντες αυτον

[Pharisees, coming], questioned him if it is lawful for a husband to divorce a wife, testing him.

**10:3** ο δε αποκριθεις ειπεν αυτοις τι υμιν ενετειλατο μωυσης

Answering, he said to them, "What did Moses command you?"

**10:4** οι δε ειπαν επετρεψεν μωυσης

βιβλιον αποστασιου γραψαι και απολυσαι

They said, "Moses permitted to write a book of divorce and to release."[17]

**10:5** ο δε ιησους ειπεν αυτοις προς την σκληροκαρδιαν υμων εγραψεν υμιν την εντολην ταυτην

Jesus said to them, "He wrote this commandment to you for your hardness of heart.

**10:6** απο δε αρχης κτισεως αρσεν και θηλυ εποιησεν [αυτους]

"Yet from the beginning of creation *He* made [them] male and female.

**10:7** ενεκεν τουτου καταλειψει ανθρωπος τον πατερα αυτου και την μητερα

"For this reason,

*a* man will leave
   his father and mother,

**10:8** και εσονται οι δυο εις σαρκα μιαν ωστε ουκετι εισιν δυο αλλα μια σαρξ

"and the two will be in one flesh[18],

so that they are no longer two, but one flesh.

**10:9** ο ουν ο θεος συνεζευξεν ανθρωπος μη χωριζετω

"What then God has joined together, let man not separate."

### The Disciples
### Again Struggle to Understand
**10:10** και εις την οικιαν παλιν οι μαθηται περι τουτου επηρωτων αυτον

In the house, the disciples questioned

him about this again.

**10:11** και λεγει αυτοις ος αν απολυση την γυναικα αυτου και γαμηση αλλην μοιχαται επ αυτην
He says to them, "Whoever divorces his wife and marries another, commits adultery against her.

**10:12** και εαν αυτη απολυσασα τον ανδρα αυτης γαμηση αλλον μοιχαται
"If she, divorcing her husband, marries another, she commits adultery."

## Power to Receive Offerings

**10:13** και προσεφερον αυτω παιδια ινα αυτων αψηται οι δε μαθηται επετιμησαν αυτοις
They were bringing children to him so he could touch them, but the disciples rebuked them.

**10:14** ιδων δε ο ιησους ηγανακτησεν και ειπεν αυτοις αφετε τα παιδια ερχεσθαι προς με μη κωλυετε αυτα των γαρ τοιουτων εστιν η βασιλεια του θεου
Jesus, seeing, became indignant and said to them, "Let the children come to me. Don't forbid them, for of such is the kingdom of God!

**10:15** αμην λεγω υμιν ος αν μη δεξηται την βασιλειαν του θεου ως παιδιον ου μη εισελθη εις αυτην
"Amen I say to you, whoever won't receive the kingdom of God as *a* child will not go into her."

**10:16** και εναγκαλισαμενος αυτα κατευλογει τιθεις τας χειρας επ αυτα
Embracing them, laying the hands on them, he blessed *them.*

## Power of Enduring Values

**10:17** και εκπορευομενου αυτου εις οδον προσδραμων εις και γονυπετησας αυτον επηρωτα αυτον διδασκαλε αγαθε τι ποιησω ινα ζωην αιωνιον κληρονομησω
As he was going out onto the road, *someone* running to him and bending the knee before him asked him, "Good teacher, what can I do so I can inherit eternal life?"

**10:18** ο δε ιησους ειπεν αυτω τι με λεγεις αγαθον ουδεις αγαθος ει μη εις ο θεος
Jesus said to him, "Why do you call me good? No one *is* good except the one God.

**10:19** τας εντολας οιδας μη φονευσης μη μοιχευσης μη κλεψης μη ψευδομαρτυρησης μη αποστερησης τιμα τον πατερα σου και την μητερα
"You've known the commandments:

Don't kill.
Don't commit adultery.
Don't steal.
Don't bear false witness.
Don't defraud.
Honor your father and mother."

**10:20** ο δε εφη αυτω διδασκαλε ταυτα παντα εφυλαξαμην εκ νεοτητος μου
He said to him, "Teacher, I have kept all these from my youth."

**10:21** ο δε ιησους εμβλεψας αυτω ηγαπησεν αυτον και ειπεν αυτω εν σε υστερει υπαγε οσα εχεις πωλησον και δος [τοις] πτωχοις και εξεις θησαυρον εν ουρανω και δευρο ακολουθει μοι

Jesus, looking at him, loved him. He said to him, "One *thing* is lacking to you. Go, sell whatever you have, and give [to] the poor, and you will have treasure in heaven. And come, follow me."

**10:22** ο δε στυγνασας επι τω λογω απηλθεν λυπουμενος ην γαρ εχων κτηματα πολλα

Yet he went out grieving, shocked at the word, for he was holding many possessions.

**10:23** και περιβλεψαμενος ο ιησους λεγει τοις μαθηταις αυτου πως δυσκολως οι τα χρηματα εχοντες εις την βασιλειαν του θεου εισελευσονται

Jesus, looking around, says to his disciples, "How hardly will those having riches go into the kingdom of God!"

**10:24** οι δε μαθηται εθαμβουντο επι τοις λογοις αυτου ο δε ιησους παλιν αποκριθεις λεγει αυτοις τεκνα πως δυσκολον εστιν εις την βασιλειαν του θεου εισελθειν

The disciples were astonished at his words. Yet Jesus, again answering, says to them, "Children, how hard it is to go into the kingdom of God!

**10:25** ευκοπωτερον εστιν καμηλον δια τρυμαλιας ραφιδος διελθειν η πλουσιον εις την βασιλειαν του θεου εισελθειν

"*It* is easier for *a* camel to go through *a* needle's eye than *for a* rich man to go into the kingdom of God."

**10:26** οι δε περισσως εξεπλησσοντο λεγοντες προς αυτον και τις δυναται σωθηναι

They were astonished beyond measure, saying to him, "Who can be saved?"

**10:27** εμβλεψας αυτοις ο ιησους λεγει παρα ανθρωποις αδυνατον αλλ ου παρα θεω παντα γαρ δυνατα παρα [τω] θεω

Looking at them, Jesus says, "With men, *it is* impossible, but not with God. All *is* possible with God."

**10:28** ηρξατο λεγειν ο πετρος αυτω ιδου ημεις αφηκαμεν παντα και ηκολουθηκαμεν σοι

Peter began to say to him, "Look, we've left all and followed you."

**10:29** εφη ο ιησους αμην λεγω υμιν ουδεις εστιν ος αφηκεν οικιαν η αδελφους η αδελφας η μητερα η πατερα η τεκνα η αγρους ενεκεν εμου και [ενεκεν] του ευαγγελιου

Jesus said, "Amen I say to you, *there* is no one who has left house or brothers or sisters or mother or father or children or fields for my sake and the gospel's [sake]

**10:30** εαν μη λαβη εκατονταπλασιονα νυν εν τω καιρω τουτω οικιας και αδελφους και αδελφας και μητερας και τεκνα και αγρους μετα διωγμων και εν τω

αιωνι τω ερχομενω ζωην αιωνιον
"who may not receive a hundred-fold now in this age, houses and brothers and sisters and mothers and children and fields, after persecution[19], and in the coming age eternal life.

**10:31** πολλοι δε εσονται πρωτοι εσχατοι και [οι] εσχατοι πρωτοι
"Yet many first *ones* will be last and [the] last *ones* first."

### Power to Face the Future

**10:32** ησαν δε εν τη οδω αναβαινοντες εις ιεροσολυμα και ην προαγων αυτους ο ιησους και εθαμβουντο οι δε ακολουθουντες εφοβουντο και παραλαβων παλιν τους δωδεκα ηρξατο αυτοις λεγειν τα μελλοντα αυτω συμβαινειν
They were on the road, going up to Jerusalem, and Jesus was going before them. They were astonished, and the ones following were afraid. Taking the twelve again, he began to say to them the things that would happen to him,

**10:33** οτι ιδου αναβαινομεν εις ιεροσολυμα και ο υιος του ανθρωπου παραδοθησεται τοις αρχιερευσιν και τοις γραμματευσιν και κατακρινουσιν αυτον θανατω και παραδωσουσιν αυτον τοις εθνεσιν
that, "Look, we are going up to Jerusalem, and the Son of Man will be handed over to the high priests and the writers. They will condemn him to death, and hand him over to the Gentiles.

**10:34** και εμπαιξουσιν αυτω και εμπτυσουσιν αυτω και μαστιγωσουσιν αυτον και αποκτενουσιν και μετα τρεις ημερας αναστησεται
"They will mock him, and spit on him, and torture him, and kill, and after three days he will rise."

### Jacob and John Ask for Privilege

**10:35** και προσπορευονται αυτω ιακωβος και ιωαννης οι [δυο] υιοι ζεβεδαιου λεγοντες αυτω διδασκαλε θελομεν ινα ο εαν αιτησωμεν σε ποιησης ημιν
Jacob and John, the two sons of Zebedee, come to him, saying to him, "Teacher, we want that you do for us whatever we ask."

**10:36** ο δε ειπεν αυτοις τι θελετε ποιησω υμιν
He said to them, "What do you want *that* I can do for you?"

**10:37** οι δε ειπαν αυτω δος ημιν ινα εις σου εκ δεξιων και εις εξ αριστερων καθισωμεν εν τη δοξη σου
They said to him, "Give us that we may sit one at your right and one at the left in your glory!"

**10:38** ο δε ιησους ειπεν αυτοις ουκ οιδατε τι αιτεισθε δυνασθε πιειν το ποτηριον ο εγω πινω η το βαπτισμα ο εγω βαπτιζομαι βαπτισθηναι
Jesus said to them, "You don't know what you are asking. Can you drink the cup which I drink, or be baptized in the baptism which I am baptized?"

**10:39** οι δε ειπαν αυτω δυναμεθα ο δε ιησους ειπεν αυτοις το ποτηριον ο εγω πινω πιεσθε και το βαπτισμα ο εγω βαπτιζομαι βαπτισθησεσθε
They said to him, "We can."

Jesus said to them, "The cup which I drink you will drink, and the baptism in which I am baptized you will be baptized in.
**10:40** το δε καθισαι εκ δεξιων μου η εξ ευωνυμων ουκ εστιν εμον δουναι αλλ οις ητοιμασται
"Yet to sit at my right or at my left isn't mine to give, but to those *for whom* they are readied."

### Power to Refocus Indignation
**10:41** και ακουσαντες οι δεκα ηρξαντο αγανακτειν περι ιακωβου και ιωαννου
The ten, hearing, began to be indignant about Jacob and John.
**10:42** και προσκαλεσαμενος αυτους ο ιησους λεγει αυτοις οιδατε οτι οι δοκουντες αρχειν των εθνων κατακυριευουσιν αυτων και οι μεγαλοι αυτων κατεξουσιαζουσιν αυτων
Calling them together, Jesus says to them, "You know that those seeming to rule over the Gentiles lord it over them, and their great ones exercise their authority.
**10:43** ουχ ουτως δε εστιν εν υμιν αλλ ος αν θελη μεγας γενεσθαι εν υμιν εσται υμων διακονος
"Yet it isn't this way among you. Whoever wants to be great among you will be your servant.

**10:44** και ος αν θελη εν υμιν ειναι πρωτος εσται παντων δουλος
"Whoever wants to be first among you will be slave of all.
**10:45** και γαρ ο υιος του ανθρωπου ουκ ηλθεν διακονηθηναι αλλα διακονησαι και δουναι την ψυχην αυτου λυτρον αντι πολλων
"For the Son of Man also did not come to be served but to serve, and to give his soul *a* ransom for many."

### Power to Give Vision
**10:46** και ερχονται εις ιεριχω και εκπορευομενου αυτου απο ιεριχω και των μαθητων αυτου και οχλου ικανου ο υιος τιμαιου βαρτιμαιος τυφλος προσαιτης εκαθητο παρα την οδον
They come to Jericho, and *as* he and his disciples and a considerable crowd *were* coming out of Jericho, the son of Timaeus, Bartimaeus, a blind beggar, was seated beside the road.
**10:47** και ακουσας οτι ιησους ο ναζαρηνος εστιν ηρξατο κραζειν και λεγειν υιε δαυιδ ιησου ελεησον με
Hearing that it is Jesus Nazarene, he began to shout and to say, "David's son, Jesus, have mercy on me!"

**10:48** και επετιμων αυτω πολλοι ινα σιωπηση ο δε πολλω μαλλον εκραζεν υιε δαυιδ ελεησον με
Many rebuked him that he be quiet, yet he shouted all the more, "David's son, have mercy on me!"

**10:49** και στας ο ιησους ειπεν

φωνησατε αυτον και φωνουσιν τον τυφλον λεγοντες αυτω θαρσει εγειρε φωνει σε
Stopping, Jesus said, "Call him."

They call the blind man, saying to him, "Cheer up! Get up! He's calling you."

**10:50** ο δε αποβαλων το ιματιον αυτου αναπηδησας ηλθεν προς τον ιησουν
Throwing off his garment, leaping up, he came to Jesus.

**10:51** και αποκριθεις αυτω ο ιησους ειπεν τι σοι θελεις ποιησω ο δε τυφλος ειπεν αυτω ραββουνι ινα αναβλεψω
Jesus, answering, says to him, "What do you want that I can do for you?"

The blind *man* said to him, "Rabbouni, that I may see!"

**10:52** και ο ιησους ειπεν αυτω υπαγε η πιστις σου σεσωκεν σε και ευθυς ανεβλεψεν και ηκολουθει αυτω εν τη οδω
Jesus said to him, "Go! Your faith has saved you."

He saw at once, and followed him on the road.

### Mark 11
### Jesus Prepares
### to Enter Jerusalem

**11:1** και οτε εγγιζουσιν εις ιεροσολυμα εις βηθφαγη και βηθανιαν προς το ορος των ελαιων αποστελλει δυο των μαθητων αυτου
When they come near Jerusalem, to Bethphage and Bethany, near to the Mount of Olives, he sends two of his disciples.

**11:2** και λεγει αυτοις υπαγετε εις την κωμην την κατεναντι υμων και ευθυς εισπορευομενοι εις αυτην ευρησετε πωλον δεδεμενον εφ ον ουδεις ουπω ανθρωπων εκαθισεν λυσατε αυτον και φερετε
He says to them, "Go into the village opposite you, and going into it at once you will find a colt tied up, on which no one of men yet has sat. Untie it, and bring *it*.

**11:3** και εαν τις υμιν ειπη τι ποιειτε τουτο ειπατε ο κυριος αυτου χρειαν εχει και ευθυς αυτον αποστελλει παλιν ωδε
"If someone asks you, 'Why are you doing this?' answer, 'The Lord has need of it, and he sends it here again at once.'"

**11:4** και απηλθον και ευρον πωλον δεδεμενον προς θυραν εξω επι του αμφοδου και λυουσιν αυτον
They went out and found the colt tied outside in the street near *a* door, and they untie it.

**11:5** και τινες των εκει εστηκοτων ελεγον αυτοις τι ποιειτε λυοντες τον πωλον
Some of those standing there said to them, "What are you doing untying the colt?"

**11:6** οι δε ειπαν αυτοις καθως ειπεν ο ιησους και αφηκαν αυτους

They spoke to them just as Jesus said, and they let them.

## Jesus Enters Jerusalem

**11:7** και φερουσιν τον πωλον προς τον ιησουν και επιβαλλουσιν αυτω τα ιματια αυτων και εκαθισεν επ αυτον

They bring the colt to Jesus, and throw their coats on it, and he sat on it.

**11:8** και πολλοι τα ιματια αυτων εστρωσαν εις την οδον αλλοι δε στιβαδας κοψαντες εκ των αγρων

Many spread their coats on the road, yet others *were* cutting leafy branches from the fields.

**11:9** και οι προαγοντες και οι ακολουθουντες εκραζον ωσαννα ευλογημενος ο ερχομενος εν ονοματι κυριου

Those going before and those following shouted,

"Hosanna!
Blessed *is* the one coming
in the Lord's name!"

**11:10** ευλογημενη η ερχομενη βασιλεια του πατρος ημων δαυιδ ωσαννα εν τοις υψιστοις

"Blessed *is* the coming kingdom of our father David!
Hosanna in the highest!"[20]

**11:11** και εισηλθεν εις ιεροσολυμα εις το ιερον και περιβλεψαμενος παντα οψε ηδη ουσης της ωρας εξηλθεν εις βηθανιαν μετα των δωδεκα

He went into Jerusalem, into the temple, and looking around at all, the hour of evening already come, he went out to Bethany with the twelve.

## Power to Curse the Unfruitful

**11:12** και τη επαυριον εξελθοντων αυτων απο βηθανιας επεινασεν

*While* they *were* going out of Bethany the following morning, he was hungry.

**11:13** και ιδων συκην απο μακροθεν εχουσαν φυλλα ηλθεν ει αρα τι ευρησει εν αυτη και ελθων επ αυτην ουδεν ευρεν ει μη φυλλα ο γαρ καιρος ουκ ην συκων

Seeing *a* fig tree far off having leaves, he went if perhaps he could find something on her. Coming to her, he found nothing except leaves, for it wasn't the season of figs.

**11:14** και αποκριθεις ειπεν αυτη μηκετι εις τον αιωνα εκ σου μηδεις καρπον φαγοι και ηκουον οι μαθηται αυτου

Answering, he said to her, "Let no one eat fruit from you any more in eternity."

His disciples heard him.

**11:15** και ερχονται εις ιεροσολυμα και εισελθων εις το ιερον ηρξατο εκβαλλειν τους πωλουντας και τους αγοραζοντας εν τω ιερω και τας τραπεζας των κολλυβιστων και τας καθεδρας των πωλουντων τας περιστερας κατεστρεψεν

They come into Jerusalem and, going into the temple, he began to throw out the sellers and the buyers in the temple, and he overturned the tables and the chairs of those selling the doves.

**11:16** και ουκ ηφιεν ινα τις διενεγκη σκευος δια του ιερου

He wouldn't allow that anyone carry *a* vessel through the temple.

**11:17** και εδιδασκεν και ελεγεν ου γεγραπται οτι ο οικος μου οικος προσευχης κληθησεται πασιν τοις εθνεσιν υμεις δε πεποιηκατε αυτον σπηλαιον ληστων

He was teaching and saying, "Isn't it written that,

'My house will be called a house of prayer for all nations'²¹?

Yet you have made it

'*a* cave of thieves.²²'"

**11:18** και ηκουσαν οι αρχιερεις και οι γραμματεις και εζητουν πως αυτον απολεσωσιν εφοβουντο γαρ αυτον πας γαρ ο οχλος εξεπλησσετο επι τη διδαχη αυτου

The chief priests and the writers heard, and they sought how to destroy him, for they feared him – for the entire crowd was astonished at his teaching.

**11:19** και οταν οψε εγενετο εξεπορευοντο εξω της πολεως

When evening came, they went out from the city.

**11:20** και παραπορευομενοι πρωι ειδον την συκην εξηραμμενην εκ ριζων

Passing by early, they saw the fig tree dried up from the roots.

**11:21** και αναμνησθεις ο πετρος λεγει αυτω ραββι ιδε η συκη ην κατηρασω εξηρανται

Peter, remembering, says to him, "Rabbi, look! The fig tree which you cursed has dried up."

### Power of Certain Prayer

**11:22** και αποκριθεις ο ιησους λεγει αυτοις εχετε πιστιν θεου

Jesus, answering, says to him, "Have *the* faith of God.

**11:23** αμην λεγω υμιν οτι ος αν ειπη τω ορει τουτω αρθητι και βληθητι εις την θαλασσαν και μη διακριθη εν τη καρδια αυτου αλλα πιστευη οτι ο λαλει γινεται εσται αυτω

"Amen, I say to you that whoever says to this mountain, 'Be taken up and thrown into the sea', and does not doubt in his heart, yet believes that what he says will happen, it will be to him.

**11:24** δια τουτο λεγω υμιν παντα οσα προσευχεσθε και αιτεισθε πιστευετε οτι ελαβετε και εσται υμιν

"For this reason I say to all of you, as much as you pray and ask, believe that you have received and it will be to you.

**11:25** και οταν στηκετε προσευχομενοι αφιετε ει τι εχετε κατα τινος ινα και ο πατηρ υμων ο εν τοις ουρανοις αφη υμιν τα παραπτωματα υμων

"When you stand praying, forgive if you have something against someone, so that your Father who *is* in the skies also may forgive you your offenses."

## Power
## Over Impertinent Questions

26  **11:27** και ερχονται παλιν εις ιεροσολυμα και εν τω ιερω περιπατουντος αυτου ερχονται προς αυτον οι αρχιερεις και οι γραμματεις και οι πρεσβυτεροι

They come again into Jerusalem, and *while* he *was* walking around in the temple, the high priests and the writers and the elders come to him.

**11:28** και ελεγον αυτω εν ποια εξουσια ταυτα ποιεις η τις σοι εδωκεν την εξουσιαν ταυτην ινα ταυτα ποιης

They began saying to him, "In what authority are you doing these *things*, or who has given you that authority that you do these *things*?"

**11:29** ο δε ιησους ειπεν αυτοις επερωτησω υμας ενα λογον και αποκριθητε μοι και ερω υμιν εν ποια εξουσια ταυτα ποιω

Jesus said to them, "I will ask you one word. Answer me, and I will say to you in what authority I do these *things*.

**11:30** το βαπτισμα το ιωαννου εξ ουρανου ην η εξ ανθρωπων αποκριθητε μοι

"Was the baptism of John from heaven or from men? Answer me."

**11:31** και διελογιζοντο προς εαυτους λεγοντες εαν ειπωμεν εξ ουρανου ερει δια τι [ουν] ουκ επιστευσατε αυτω

They considered among themselves, saying, "If we say, 'From heaven', he will say, 'Why [then] did you not believe him?'

**11:32** αλλα ειπωμεν εξ ανθρωπων εφοβουντο τον οχλον απαντες γαρ ειχον τον ιωαννην οντως οτι προφητης ην

"But if we say, 'From men' ..."

They feared the crowd, for all held John indeed, that he was *a* prophet.

**11:33** και αποκριθεντες τω ιησου λεγουσιν ουκ οιδαμεν και ο ιησους λεγει αυτοις ουδε εγω λεγω υμιν εν ποια εξουσια ταυτα ποιω

Answering Jesus, they say, "We don't know."

Jesus says to them, "Nor do I say to you in what authority I do these things."

## Mark 12
## Power to Announce
## Judgment for Sin

**12:1** και ηρξατο αυτοις εν παραβολαις λαλειν αμπελωνα ανθρωπος εφυτευσεν και περιεθηκεν φραγμον και ωρυξεν υποληνιον και ωκοδομησεν πυργον και εξεδετο αυτον γεωργοις και απεδημησεν

He began to speak to them in parables, "*A* man planted *a* vineyard, and set *a* wall around it, and dug out *a* wine vat, and built *a* tower. He rented it out to tenants and went abroad.

**12:2** και απεστειλεν προς τους γεωργους τω καιρω δουλον ινα παρα των γεωργων λαβη απο των καρπων

του αμπελωνος
"He sent a slave to the tenants at the time so that he could receive *part* of the fruit of the vineyard from the tenants.

**12:3** και λαβοντες αυτον εδειραν και απεστειλαν κενον
"Taking him, they beat him and sent *him* out empty.

**12:4** και παλιν απεστειλεν προς αυτους αλλον δουλον κακεινον εκεφαλιωσαν και ητιμασαν
"He sent another slave to them again and that one they wounded in the head and abused.

**12:5** και αλλον απεστειλεν κακεινον απεκτειναν και πολλους αλλους ους μεν δεροντες ους δε αποκτεννοντες
"He sent another and that one they killed, and many others, some of whom they beat, and some of whom they killed.

**12:6** ετι ενα ειχεν υιον αγαπητον απεστειλεν αυτον εσχατον προς αυτους λεγων οτι εντραπησονται τον υιον μου
"Still having one, *a* beloved son, he sent him last to them, saying that, 'They will respect my son.'

**12:7** εκεινοι δε οι γεωργοι προς εαυτους ειπαν οτι ουτος εστιν ο κληρονομος δευτε αποκτεινωμεν αυτον και ημων εσται η κληρονομια
"But those tenants said to themselves that, 'This is the heir. Come, let's kill him, and the inheritance will be ours!'

**12:8** και λαβοντες απεκτειναν αυτον και εξεβαλον αυτον εξω του αμπελωνος
"Taking him, they killed him and threw him out of the vineyard.

**12:9** τι ποιησει ο κυριος του αμπελωνος ελευσεται και απολεσει τους γεωργους και δωσει τον αμπελωνα αλλοις
"What will the lord of the vineyard do? He will come and destroy the tenants, and give the vineyard to others.

**12:10** ουδε την γραφην ταυτην ανεγνωτε λιθον ον απεδοκιμασαν οι οικοδομουντες ουτος εγενηθη εις κεφαλην γωνιας
"Haven't you known this scripture:

'The stone
which the builders rejected,
this has become
the head of the corner.

**12:11** παρα κυριου εγενετο αυτη και εστιν θαυμαστη εν οφθαλμοις ημων
"'This came from the Lord,
and it is astounding in our eyes.[23]'"

**12:12** και εζητουν αυτον κρατησαι και εφοβηθησαν τον οχλον εγνωσαν γαρ οτι προς αυτους την παραβολην ειπεν και αφεντες αυτον απηλθον
They were looking to seize him, and were afraid of the crowd, for they knew that he spoke the parable about them. Leaving him, they went away.

**Power to Maintain Perspective**
**12:13** και αποστελλουσιν προς αυτον τινας των φαρισαιων και των ηρωδιανων ινα αυτον αγρευσωσιν λογω
They send to him some of the

Pharisees and of the Herodians, so they could trap him in word.

**12:14** και ελθοντες λεγουσιν αυτω διδασκαλε οιδαμεν οτι αληθης ει και ου μελει σοι περι ουδενος ου γαρ βλεπεις εις προσωπον ανθρωπων αλλ επ αληθειας την οδον του θεου διδασκεις εξεστιν δουναι κηνσον καισαρι η ου

Coming, they say to him, "Teacher, we know that you are true, and you don't regard anyone's position, for you do not look on man's face, yet you teach the path of God in truth. Is it lawful to give tax to Caesar, or not?

**12:15** δωμεν η μη δωμεν ο δε ειδως αυτων την υποκρισιν ειπεν αυτοις τι με πειραζετε φερετε μοι δηναριον ινα ιδω

"Shall we give or shall we not give?"

Knowing their hypocrisy, he said to them, "Why are you testing me? Bring me a denarius so I can see."

**12:16** οι δε ηνεγκαν και λεγει αυτοις τινος η εικων αυτη και η επιγραφη οι δε ειπαν αυτω καισαρος

They brought one, and he says to them, "Whose is this image and inscription?"

They said to him, "Caesar's."

**12:17** ο δε ιησους ειπεν τα καισαρος αποδοτε καισαρι και τα του θεου τω θεω και εξεθαυμαζον επ αυτω

Jesus said, "Give Caesar's *things* to Caesar, and God's *things* to God."

They were amazed at him.

## Questioned about the Resurrection

**12:18** και ερχονται σαδδουκαιοι προς αυτον οιτινες λεγουσιν αναστασιν μη ειναι και επηρωτων αυτον λεγοντες

Sadducees come to him, who say there is no resurrection, and they asked him, saying,

**12:19** διδασκαλε μωυσης εγραψεν ημιν οτι εαν τινος αδελφος αποθανη και καταλιπη γυναικα και μη αφη τεκνον ινα λαβη ο αδελφος αυτου την γυναικα και εξαναστηση σπερμα τω αδελφω αυτου

"Teacher, Moses wrote us that if a brother dies, and leaves behind *a* wife, and doesn't leave *a* child, that his brother should take the woman, and raise up seed to his brother.[24]

**12:20** επτα αδελφοι ησαν και ο πρωτος ελαβεν γυναικα και αποθνησκων ουκ αφηκεν σπερμα

"*There* were seven brothers, and the first took *a* wife and, dying, left no seed.

**12:21** και ο δευτερος ελαβεν αυτην και απεθανεν μη καταλιπων σπερμα και ο τριτος ωσαυτως

"The second took her and died, leaving no seed, and the third the same way.

**12:22** και οι επτα ουκ αφηκαν σπερμα εσχατον παντων και η γυνη απεθανεν

"The seven left no seed. Last of all, the woman also died.

**12:23** εν τη αναστασει τινος αυτων

εσται γυνη οι γαρ επτα εσχον αυτην γυναικα
"In the resurrection, whose of those will the woman be, for the seven had her *as* wife?"

**12:24** εφη αυτοις ο ιησους ου δια τουτο πλανασθε μη ειδοτες τας γραφας μηδε την δυναμιν του θεου
Jesus said to them, "Are you not deceived through this, knowing neither the scriptures nor the power of God?

**12:25** οταν γαρ εκ νεκρων αναστωσιν ουτε γαμουσιν ουτε γαμιζονται αλλ εισιν ως αγγελοι εν τοις ουρανοις
"When they are raised from the dead, they neither marry nor are given in marriage, but are as angels in the skies.

**12:26** περι δε των νεκρων οτι εγειρονται ουκ ανεγνωτε εν τη βιβλω μωυσεως επι του βατου πως ειπεν αυτω ο θεος λεγων εγω ο θεος αβρααμ και θεος ισαακ και θεος ιακωβ
"Yet concerning the dead, that they are raised, haven't you read in the book of Moses about the bush, how God spoke to him, saying,

'I am the God of Abraham,
and God of Isaac,
and God of Jacob'[25]?

**12:27** ουκ εστιν θεος νεκρων αλλα ζωντων πολυ πλανασθε
"*He* isn't God of the dead, but of the living. You are greatly deceived."

## Which Commandment Is First?

**12:28** και προσελθων εις των γραμματεων ακουσας αυτων συζητουντων ειδως οτι καλως απεκριθη αυτοις επηρωτησεν αυτον ποια εστιν εντολη πρωτη παντων
One of the writers, coming to him, hearing them disputing, seeing that he answered them well, asked him, "Which commandment is first of all?"

**12:29** απεκριθη ο ιησους οτι πρωτη εστιν ακουε ισραηλ κυριος ο θεος ημων κυριος εις εστιν
Jesus answered that, "The first is,

'Hear, Israel,
the Lord our God is one Lord.
**12:30** και αγαπησεις κυριον τον θεον σου εξ ολης καρδιας σου και εξ ολης της ψυχης σου και εξ ολης της διανοιας σου και εξ ολης της ισχυος σου
"'You will love the Lord your God
from all your heart,
and from all your soul,
and from all your mind,
and from all your strength.'[26]

**12:31** δευτερα αυτη αγαπησεις τον πλησιον σου ως σεαυτον μειζων τουτων αλλη εντολη ουκ εστιν
"This is second:

'You will love your neighbor
as yourself.' [26a]

No commandment is greater than these."

**12:32** ειπεν αυτω ο γραμματευς καλως διδασκαλε επ αληθειας ειπες οτι εις εστιν και ουκ εστιν αλλος πλην αυτου

The writer said to him, "Well, teacher! You've said in truth that He is one, and no other is except Him.

**12:33** και το αγαπαν αυτον εξ ολης καρδιας και εξ ολης της συνεσεως και εξ ολης της ισχυος και το αγαπαν τον πλησιον ως εαυτον περισσοτερον εστιν παντων των ολοκαυτωματων και θυσιων

"To love him from the whole heart, and from all the understanding, and from all the strength, and to love the neighbor as one's self is greater than all burnt offerings and sacrifices."

**12:34** και ο ιησους ιδων αυτον οτι νουνεχως απεκριθη ειπεν αυτω ου μακραν [ει] απο της βασιλειας του θεου και ουδεις ουκετι ετολμα αυτον επερωτησαι

Jesus, seeing him that he answered wisely, said to him, "[You are] not far from the kingdom of God."

No one dared to question him further.

### Whose Son Is Christ?

**12:35** και αποκριθεις ο ιησους ελεγεν διδασκων εν τω ιερω πως λεγουσιν οι γραμματεις οτι ο χριστος υιος δαυιδ εστιν

Jesus, answering, teaching in the temple, began saying, "How are the writers saying that the Christ is David's son?

**12:36** αυτος δαυιδ ειπεν εν τω πνευματι τω αγιω ειπεν κυριος τω κυριω μου καθου εκ δεξιων μου εως αν θω τους εχθρους σου υποκατω των ποδων σου

"David himself said in the Holy Spirit,

'The Lord said to my Lord,
    Sit at my right,
until I set your enemies
    under your feet.[26b]'

**12:37** αυτος δαυιδ λεγει αυτον κυριον και ποθεν αυτου εστιν υιος και ο πολυς οχλος ηκουεν αυτου ηδεως

"David himself calls him, 'Lord'. How is he his son?"

The great crowd was hearing him gladly.

### Beware of Pride of Position

**12:38** και εν τη διδαχη αυτου ελεγεν βλεπετε απο των γραμματεων των θελοντων εν στολαις περιπατειν και ασπασμους εν ταις αγοραις

He was saying in his teaching, "Watch out for the writers, those wanting to walk around in stoles and wanting greetings in the marketplaces,

**12:39** και πρωτοκαθεδριας εν ταις συναγωγαις και πρωτοκλισιας εν τοις δειπνοις

"and first seats in the synagogues, and places of honor in the suppers;

**12:40** οι κατεσθιοντες τας οικιας των χηρων και προφασει μακρα

προσευχομενοι ουτοι λημψονται περισσοτερον κριμα
"the ones devouring the houses of widows and *making* long prayers as *a* pretense. These will receive greater judgment."

## Power to Discern a Genuine Gift
**12:41** και καθισας κατεναντι του γαζοφυλακιου εθεωρει πως ο οχλος βαλλει χαλκον εις το γαζοφυλακιον και πολλοι πλουσιοι εβαλλον πολλα
Sitting facing the treasury, he was watching how the crowd throws copper into the treasure box. Many rich people were throwing in much.
**12:42** και ελθουσα μια χηρα πτωχη εβαλεν λεπτα δυο ο εστιν κοδραντης
One poor widow, coming, threw in two small coins, which is *a* quarter of *a* denarius.
**12:43** και προσκαλεσαμενος τους μαθητας αυτου ειπεν αυτοις αμην λεγω υμιν οτι η χηρα αυτη η πτωχη πλειον παντων εβαλεν των βαλλοντων εις το γαζοφυλακιον
Calling his disciples, he said to them, "Amen I say to you that this poor widow threw in more than all those throwing into the treasury.
**12:44** παντες γαρ εκ του περισσευοντος αυτοις εβαλον αυτη δε εκ της υστερησεως αυτης παντα οσα ειχεν εβαλεν ολον τον βιον αυτης
"All threw in out of what abounded to them, yet she threw in out of what was lacking to her, as much as she had, her whole life."

## Mark 13
## Power to Foretell the Future
**13:1** και εκπορευομενου αυτου εκ του ιερου λεγει αυτω εις των μαθητων αυτου διδασκαλε ιδε ποταποι λιθοι και ποταπαι οικοδομαι
Coming out of the temple, one of his disciples says to him, "Teacher, look what sort of stones and what sort of buildings!"

**13:2** και ο ιησους ειπεν αυτω βλεπεις ταυτας τας μεγαλας οικοδομας ου μη αφεθη ωδε λιθος επι λιθον ος ου μη καταλυθη
Jesus said to him, "You see these great buildings? Not one stone will be left here on another that will not be destroyed."

**13:3** και καθημενου αυτου εις το ορος των ελαιων κατεναντι του ιερου επηρωτα αυτον κατ ιδιαν πετρος και ιακωβος και ιωαννης και ανδρεας
While he was sitting on the Mount of Olives across from the temple by himself, Peter asks him, with Jacob and John and Andrew,
**13:4** ειπον ημιν ποτε ταυτα εσται και τι το σημειον οταν μελλη ταυτα συντελεισθαι παντα
"Tell us when these will be, and what the sign will be when these all are about to take place."

## Signs of the End of the Age
**13:5** ο δε ιησους ηρξατο λεγειν αυτοις βλεπετε μη τις υμας πλανηση
Jesus began to say to them, "Watch that no one deceives you.

**13:6** πολλοι ελευσονται επι τω ονοματι μου λεγοντες οτι εγω ειμι και πολλους πλανησουσιν

"Many will come in my name, saying that, 'I am', and they will deceive many.

**13:7** οταν δε ακουσητε πολεμους και ακοας πολεμων μη θροεισθε δει γενεσθαι αλλ ουπω το τελος

"Yet when you hear of wars and rumors of wars, don't be startled. It must happen, yet the end *is* not yet.

**13:8** εγερθησεται γαρ εθνος επ εθνος και βασιλεια επι βασιλειαν εσονται σεισμοι κατα τοπους εσονται λιμοι αρχη ωδινων ταυτα

"Nation will rise up against nation and kingdom against kingdom. *There* will be earthquakes in various places. *There* will be famines. These *are the* beginning of troubles.

**13:9** βλεπετε δε υμεις εαυτους παραδωσουσιν υμας εις συνεδρια και εις συναγωγας δαρησεσθε και επι ηγεμονων και βασιλεων σταθησεσθε ενεκεν εμου εις μαρτυριον αυτοις

"Yet you watch yourselves. They will hand you over to Sanhedrins, and will beat you in synagogues, and you will stand before governors and kings for my sake, as witness to them.

**13:10** και εις παντα τα εθνη πρωτον δει κηρυχθηναι το ευαγγελιον

"The gospel must first be preached in all the nations.

**13:11** και οταν αγωσιν υμας παραδιδοντες μη προμεριμνατε τι λαλησητε αλλ ο εαν δοθη υμιν εν εκεινη τη ωρα τουτο λαλειτε ου γαρ εστε υμεις οι λαλουντες αλλα το πνευμα το αγιον

"When they lead you out, handing you over, don't worry beforehand what you will say. Yet what is given you in that hour, speak this, for you won't be the *ones* speaking, but the Holy Spirit.

**13:12** και παραδωσει αδελφος αδελφον εις θανατον και πατηρ τεκνον και επαναστησονται τεκνα επι γονεις και θανατωσουσιν αυτους

"Brother will hand over brother to death, and *a* father *a* child, and children will rise up against parents and cause them death.

**13:13** και εσεσθε μισουμενοι υπο παντων δια το ονομα μου ο δε υπομεινας εις τελος ουτος σωθησεται

"You will be hated by all because of my name, yet the *one* enduring to the end, this *one* will be saved.

### A Desolating Abomination

**13:14** οταν δε ιδητε το βδελυγμα της ερημωσεως εστηκοτα οπου ου δει ο αναγινωσκων νοειτω τοτε οι εν τη ιουδαια φευγετωσαν εις τα ορη

"Yet when you see the abomination of desolation standing where it ought not **(let the reader understand)**, then let those in Judea flee to the mountains.

**13:15** ο επι του δωματος μη καταβατω μηδε εισελθατω τι αραι εκ της οικιας αυτου

"Let one on *a* housetop not go down or go in to to take something from his house.

**13:16** και ο εις τον αγρον μη επιστρεψατω εις τα οπισω αραι το ιματιον αυτου

"Let one in the field not turn back to those left behind, to take his clothing.

**13:17** ουαι δε ταις εν γαστρι εχουσαις και ταις θηλαζουσαις εν εκειναις ταις ημεραις

"Woe to those having in the womb and to those nursing in those days!

**13:18** προσευχεσθε δε ινα μη γενηται χειμωνος

"Pray that it may not happen in winter,

**13:19** εσονται γαρ αι ημεραι εκειναι θλιψις οια ου γεγονεν τοιαυτη απ αρχης κτισεως ην εκτισεν ο θεος εως του νυν και ου μη γενηται

"for those days will be tribulation such as has not been from the beginning of the creation which God created until this now, and may not come.

**13:20** και ει μη εκολοβωσεν κυριος τας ημερας ουκ αν εσωθη πασα σαρξ αλλα δια τους εκλεκτους ους εξελεξατο εκολοβωσεν τας ημερας

"Unless the Lord had cut short the days, no flesh would be saved. Yet for the sake of the elect whom He has chosen, He has cut short the days.

### Beware of False Christs!

**13:21** και τοτε εαν τις υμιν ειπη ιδε ωδε ο χριστος ιδε εκει μη πιστευετε

"Then if someone says to you, 'Look, Christ *is* here', or 'Look,

there', don't believe!

**13:22** εγερθησονται γαρ ψευδοχριστοι και ψευδοπροφηται και δωσουσιν σημεια και τερατα προς το αποπλαναν ει δυνατον τους εκλεκτους

"False Christs and false prophets will rise up, and give signs and wonders to deceive the elect, if possible.

**13:23** υμεις δε βλεπετε προειρηκα υμιν παντα

"Yet you watch. I have told you all in advance.

### Signs of a
### Disintegrating World Order

**13:24** αλλα εν εκειναις ταις ημεραις μετα την θλιψιν εκεινην ο ηλιος σκοτισθησεται και η σεληνη ου δωσει το φεγγος αυτης

"But in those days, after that trouble, the sun will be darkened, and the moon will not give her brightness.

**13:25** και οι αστερες εσονται εκ του ουρανου πιπτοντες και αι δυναμεις αι εν τοις ουρανοις σαλευθησονται

"The stars will be falling from the skies, and the powers which are in the skies will be shaken.

**13:26** και τοτε οψονται τον υιον του ανθρωπου ερχομενον εν νεφελαις μετα δυναμεως πολλης και δοξης

"Then they will see the Son of Man coming in the clouds, with great power and glory.

**13:27** και τοτε αποστελει τους αγγελους και επισυναξει τους εκλεκτους [αυτου] εκ των τεσσαρων ανεμων απ ακρου γης εως ακρου ουρανου

"Then he will send out the angels, and gather together [his] elect from the four winds, from the boundary of earth even to the boundary of heaven.

## Signs to Look For

**13:28** απο δε της συκης μαθετε την παραβολην οταν ηδη ο κλαδος αυτης απαλος γενηται και εκφυη τα φυλλα γινωσκετε οτι εγγυς το θερος εστιν

"Learn the parable from the fig tree. When her branches are already tender and put out the leaves, you know that the summer is near.

**13:29** ουτως και υμεις οταν ιδητε ταυτα γινομενα γινωσκετε οτι εγγυς εστιν επι θυραις

"So also when you see these happening, know that it is near, at *the* gates.

**13:30** αμην λεγω υμιν οτι ου μη παρελθη η γενεα αυτη μεχρις ου ταυτα παντα γενηται

"Amen I say to you that this generation will not pass away until all these happen.

**13:31** ο ουρανος και η γη παρελευσονται οι δε λογοι μου ου παρελευσονται

"The sky and the earth will pass away, yet my words will not pass away.

**13:32** περι δε της ημερας εκεινης η της ωρας ουδεις οιδεν ουδε οι αγγελοι εν ουρανω ουδε ο υιος ει μη ο πατηρ

"Yet no one knows concerning those days or those hours: not the angels in heaven, nor the son – only the Father.

**13:33** βλεπετε αγρυπνειτε ουκ οιδατε γαρ ποτε ο καιρος [εστιν]

"Watch! Be alert! You do not know when the time [is].

**13:34** ως ανθρωπος αποδημος αφεις την οικιαν αυτου και δους τοις δουλοις αυτου την εξουσιαν εκαστω το εργον αυτου και τω θυρωρω ενετειλατο ινα γρηγορη

"As *a* man going on *a* journey, leaving his house and giving his slaves the authority over each of his works, and commands the doorkeeper that he keep watch,

**13:35** γρηγορειτε ουν ουκ οιδατε γαρ ποτε ο κυριος της οικιας ερχεται η οψε η μεσονυκτιον η αλεκτοροφωνιας η πρωι

"keep watch, therefore! You do not know when the Lord of the house is coming, at evening, or midnight, or cock-crow, or morning,

**13:36** μη ελθων εξαιφνης ευρη υμας καθευδοντας

"unless coming unexpectedly, he find you sleeping.

**13:37** ο δε υμιν λεγω πασιν λεγω γρηγορειτε

"What I say to you, I say to all: keep watch!"

## Mark 14
## The Plot to Seize Jesus

**14:1** ην δε το πασχα και τα αζυμα μετα δυο ημερας και εζητουν οι αρχιερεις και οι γραμματεις πως αυτον εν δολω κρατησαντες αποκτεινωσιν

It was the Passover, and after two

days *the feast of* unleavened *bread,* and the chief priests and the writers were looking for how they could kill him, seizing him by deceit,

**14:2** ελεγον γαρ μη εν τη εορτη μηποτε εσται θορυβος του λαου

for they were saying, "Not during the feast, unless *a* riot happen among the people."

### Jesus Anointed for Burial

**14:3** και οντος αυτου εν βηθανια εν τη οικια σιμωνος του λεπρου κατακειμενου αυτου ηλθεν γυνη εχουσα αλαβαστρον μυρου ναρδου πιστικης πολυτελους συντριψασα την αλαβαστρον κατεχεεν αυτου της κεφαλης

*While* he *was* in Bethany in the house of Simon the leper reclining *at table,* *a* woman came to him having *a* jar of very costly spikenard ointment. Breaking the jar, she poured it over his head.

**14:4** ησαν δε τινες αγανακτουντες προς εαυτους εις τι η απωλεια αυτη του μυρου γεγονεν

Some were indignant in themselves, *saying,* "Why has this waste of ointment happened?

**14:5** ηδυνατο γαρ τουτο το μυρον πραθηναι επανω δηναριων τριακοσιων και δοθηναι τοις πτωχοις και ενεβριμωντο αυτη

"This ointment could have been sold for more than three hundred denarii, and given to the poor."

They raged at her.

**14:6** ο δε ιησους ειπεν αφετε αυτην

τι αυτη κοπους παρεχετε καλον εργον ηργασατο εν εμοι

But Jesus said, "Leave her alone. Why trouble her? She has done *a* good work in me.

**14:7** παντοτε γαρ τους πτωχους εχετε μεθ εαυτων και οταν θελητε δυνασθε αυτοις [παντοτε] ευ ποιησαι εμε δε ου παντοτε εχετε

"You always have the poor with you, and whenever you want you can [always] do good for them. But you don't always have me.

**14:8** ο εσχεν εποιησεν προελαβεν μυρισαι το σωμα μου εις τον ενταφιασμον

"What she had, she did. She has come beforehand to anoint my body for burial.

**14:9** αμην δε λεγω υμιν οπου εαν κηρυχθη το ευαγγελιον εις ολον τον κοσμον και ο εποιησεν αυτη λαληθησεται εις μνημοσυνον αυτης

"Amen I say to you that wherever the gospel is preached in the entire world, what she has done also will be told in memory of her."

### Judas Seeks to Betray Jesus

**14:10** και ιουδας ισκαριωθ ο εις των δωδεκα απηλθεν προς τους αρχιερεις ινα αυτον παραδοι αυτοις

Judas Iscariot, who *was* one of the twelve, went out to the high priests so he could hand him over to them.

**14:11** οι δε ακουσαντες εχαρησαν και επηγγειλαντο αυτω αργυριον δουναι και εζητει πως αυτον ευκαιρως παραδοι

Hearing, they were glad, and

promised to give him silver. He began looking for how to hand him over conveniently.

### Preparation for the Passover

**14:12** και τη πρωτη ημερα των αζυμων οτε το πασχα εθυον λεγουσιν αυτω οι μαθηται αυτου που θελεις απελθοντες ετοιμασωμεν ινα φαγης το πασχα

The first day of unleavened bread, when the Passover was offered, his disciples say to him, "Where do you want us to go and prepare so you can eat the Passover?"

**14:13** και αποστελλει δυο των μαθητων αυτου και λεγει αυτοις υπαγετε εις την πολιν και απαντησει υμιν ανθρωπος κεραμιον υδατος βασταζων ακολουθησατε αυτω

He sends two of his disciples and says to them, "Go into the city and a man carrying a jug of water will meet you. Follow him,

**14:14** και οπου εαν εισελθη ειπατε τω οικοδεσποτη οτι ο διδασκαλος λεγει που εστιν το καταλυμα μου οπου το πασχα μετα των μαθητων μου φαγω

"and wherever he goes in, say to the master of the house that, 'The teacher says, Where is my lodging place where I can eat the Passover with my disciples?'

**14:15** και αυτος υμιν δειξει αναγαιον μεγα εστρωμενον ετοιμον και εκει ετοιμασατε ημιν

"He will show you a large upper room, prepared and furnished, and you will prepare for us there."

**14:16** και εξηλθον οι μαθηται και ηλθον εις την πολιν και ευρον καθως ειπεν αυτοις και ητοιμασαν το πασχα

The disciples went out and came into the city. They found it as he said to them, and prepared the Passover.

### Power to See

**14:17** και οψιας γενομενης ερχεται μετα των δωδεκα

When evening had come, he comes with the twelve.

**14:18** και ανακειμενων αυτων και εσθιοντων ο ιησους ειπεν αμην λεγω υμιν οτι εις εξ υμων παραδωσει με ο εσθιων μετ εμου

While they were reclining at table and eating, Jesus said to them, "Amen I say to you that one of you who is eating with me will betray me."

**14:19** ηρξαντο λυπεισθαι και λεγειν αυτω εις κατα εις μητι εγω

They began to grieve and to say to him, each one, "Not I?"

**14:20** ο δε ειπεν αυτοις εις των δωδεκα ο εμβαπτομενος μετ εμου εις το [εν] τρυβλιον

Jesus said to them, "One of the twelve who is dipping with me into the cup.

**14:21** οτι ο μεν υιος του ανθρωπου υπαγει καθως γεγραπται περι αυτου ουαι δε τω ανθρωπω εκεινω δι ου ο υιος του ανθρωπου παραδιδοται καλον αυτω ει ουκ εγεννηθη ο ανθρωπος εκεινος

"The Son of Man goes as is written about him, but woe to that man through whom the Son of Man is betrayed! Better to him if that man had not been born!"

## This Is My Body

**14:22** και εσθιοντων αυτων λαβων αρτον ευλογησας εκλασεν και εδωκεν αυτοις και ειπεν λαβετε τουτο εστιν το σωμα μου

*While* they *were* eating, taking the bread, blessing, he broke and gave to them. He said, "Take *this*. This is my body."

## This Is My Blood

**14:23** και λαβων ποτηριον ευχαριστησας εδωκεν αυτοις και επιον εξ αυτου παντες

Taking the cup, giving thanks, he gave to them, and all drank from it.

**14:24** και ειπεν αυτοις τουτο εστιν το αιμα μου της διαθηκης το εκχυννομενον υπερ πολλων

He said to them, "This is my blood of the covenant, poured out over many.

**14:25** αμην λεγω υμιν οτι ουκετι ου μη πιω εκ του γενηματος της αμπελου εως της ημερας εκεινης οταν αυτο πινω καινον εν τη βασιλεια του θεου

"Amen I say to you that I will no longer drink from the fruit of the vineyard until that day when I drink new in the kingdom of God."

## Power to Bear Denial

**14:26** και υμνησαντες εξηλθον εις το ορος των ελαιων

Singing *a* hymn, they went out to the Mount of Olives.

**14:27** και λεγει αυτοις ο ιησους οτι παντες σκανδαλισθησεσθε οτι γεγραπται παταξω τον ποιμενα και τα προβατα διασκορπισθησονται

Jesus says to them that, "All will be scandalized, because it is written:

'I will strike the shepherd,
and the sheep will be scattered.'[27]

**14:28** αλλα μετα το εγερθηναι με προαξω υμας εις την γαλιλαιαν

"But after my Resurrection, I will go before you to Galilee."

**14:29** ο δε πετρος εφη αυτω ει και παντες σκανδαλισθησονται αλλ ουκ εγω

Peter said to him, "Even if all are scandalized, not I!"

**14:30** και λεγει αυτω ο ιησους αμην λεγω σοι οτι συ σημερον ταυτη τη νυκτι πριν η δις αλεκτορα φωνησαι τρις με απαρνηση

Jesus says to him, "Amen I say to you that today, this very night, before the rooster crows twice, you will deny me three *times*."

**14:31** ο δε εκπερισσως ελαλει εαν δεη με συναποθανειν σοι ου μη σε απαρνησομαι ωσαυτως [δε] και παντες ελεγον

*Peter* said insistently, "If it is

necessary for me to die with you, I will never deny you!"

All were saying the same.

## In Gethsemani

**14:32** και ερχονται εις χωριον ου το ονομα γεθσημανι και λεγει τοις μαθηταις αυτου καθισατε ωδε εως προσευξωμαι

They come to *a* field which *was* named Gethsemani, and he says to his disciples, "Sit here until I come near."

**14:33** και παραλαμβανει τον πετρον και τον ιακωβον και τον ιωαννην μετ αυτου και ηρξατο εκθαμβεισθαι και αδημονειν

He takes Peter and Jacob and John with him, and he began to be greatly troubled and distressed.

**14:34** και λεγει αυτοις περιλυπος εστιν η ψυχη μου εως θανατου μεινατε ωδε και γρηγορειτε

He says to them, "My soul is grieved even to death. Stay here and keep watch."

**14:35** και προελθων μικρον επιπτεν επι της γης και προσηυχετο ινα ει δυνατον εστιν παρελθη απ αυτου η ωρα

Going forward *a* little, he fell on the ground and prayed that if it is possible, the hour might pass from him.

**14:36** και ελεγεν αββα ο πατηρ παντα δυνατα σοι παρενεγκε το ποτηριον τουτο απ εμου αλλ ου τι

εγω θελω αλλα τι συ

He said, "Abba, Father, all *things* are possible to you. Let this cup pass from me! Yet not what I will, but what you."

**14:37** και ερχεται και ευρισκει αυτους καθευδοντας και λεγει τω πετρω σιμων καθευδεις ουκ ισχυσας μιαν ωραν γρηγορησαι

He comes and finds them sleeping, and he says to Peter, "Simon, are you sleeping? Couldn't you keep watch one hour?

**14:38** γρηγορειτε και προσευχεσθε ινα μη ελθητε εις πειρασμον το μεν πνευμα προθυμον η δε σαρξ ασθενης

"Watch and pray that you not go into testing! The spirit *is* willing, yet the flesh *is* weak."

**14:39** και παλιν απελθων προσηυξατο [τον αυτον λογον ειπων]

Going away again, he prayed [saying the same word].

**14:40** και παλιν ελθων ευρεν αυτους καθευδοντας ησαν γαρ αυτων οι οφθαλμοι καταβαρυνομενοι και ουκ ηδεισαν τι αποκριθωσιν αυτω

Coming again, he found them sleeping, for their eyes were very heavy, and they didn't know what they could say to him.

**14:41** και ερχεται το τριτον και λεγει αυτοις καθευδετε [το] λοιπον και αναπαυεσθε απεχει ηλθεν η ωρα ιδου παραδιδοται ο υιος του ανθρωπου εις τας χειρας των αμαρτωλων

He comes the third time and says to

them, "Sleep from now on, and rest! It's enough. Look, the hour has come! The Son of Man is betrayed into the hands of sinners.

**14:42** εγειρεσθε αγωμεν ιδου ο παραδιδους με ηγγικεν

"Get up! Let's go. Look, the one betraying me has come near!"

### Judas Betrays Jesus

**14:43** και ευθυς ετι αυτου λαλουντος παραγινεται [ο] ιουδας εις των δωδεκα και μετ αυτου οχλος μετα μαχαιρων και ξυλων παρα των αρχιερεων και των γραμματεων και των πρεσβυτερων

At once, *while* he *was* still speaking, Judas arrives, one of the twelve, and with him *a* crowd with swords and sticks from the high priests and the writers and the elders.

**14:44** δεδωκει δε ο παραδιδους αυτον συσσημον αυτοις λεγων ον αν φιλησω αυτος εστιν κρατησατε αυτον και απαγετε ασφαλως

The betrayer had given them *a* sign, saying, "Whoever I kiss, he is the one. Seize him and take *him* away under guard!"

**14:45** και ελθων ευθυς προσελθων αυτω λεγει ραββι και κατεφιλησεν αυτον

Coming at once, approaching him, he says, "Rabbi", and he kissed him.

**14:46** οι δε επεβαλον τας χειρας αυτω και εκρατησαν αυτον

They laid hands on him and seized him.

**14:47** εις δε [τις] των παρεστηκοτων σπασαμενος την μαχαιραν επαισεν τον δουλον του αρχιερεως και αφειλεν αυτου το ωταριον

One of those standing by, drawing the sword, struck the slave of the high priest, and cut off his ear.

**14:48** και αποκριθεις ο ιησους ειπεν αυτοις ως επι ληστην εξηλθατε μετα μαχαιρων και ξυλων συλλαβειν με

Jesus, answering, said to them, "Have you come out with swords and sticks to arrest me, as against *a* bandit?

**14:49** καθ ημεραν ημην προς υμας εν τω ιερω διδασκων και ουκ εκρατησατε με αλλ ινα πληρωθωσιν αι γραφαι

"I was with you daily in the temple teaching and you didn't arrest me. But so the scriptures can be fulfilled…"

**14:50** και αφεντες αυτον εφυγον παντες

Leaving him, all fled.

**14:51** και νεανισκος τις συνηκολουθει αυτω περιβεβλημενος σινδονα επι γυμνου και κρατουσιν αυτον

A certain youth follows him, *a* linen cloth wrapped around his naked *body*, and they grab him.

**14:52** ο δε καταλιπων την σινδονα γυμνος εφυγεν

Leaving the linen cloth, he fled naked.

## Jesus On Trial

**14:53** και απηγαγον τον ιησουν προς τον αρχιερεα και συνερχονται παντες οι αρχιερεις και οι πρεσβυτεροι και οι γραμματεις

They led Jesus to the high priest, and all the high priests and the elders and the writers come together.

**14:54** και ο πετρος απο μακροθεν ηκολουθησεν αυτω εως εσω εις την αυλην του αρχιερεως και ην συγκαθημενος μετα των υπηρετων και θερμαινομενος προς το φως

Peter followed him from far off even into the courtyard of the high priest, and was sitting with the servants and warming *himself* at the light.

**14:55** οι δε αρχιερεις και ολον το συνεδριον εζητουν κατα του ιησου μαρτυριαν εις το θανατωσαι αυτον και ουχ ηυρισκον

The high priests and the entire Sanhedrin were looking for testimony against Jesus to kill him, and they weren't finding *it*,

**14:56** πολλοι γαρ εψευδομαρτυρουν κατ αυτου και ισαι αι μαρτυριαι ουκ ησαν

for many testified falsely against him, and the testimonies weren't agreeing.

**14:57** και τινες ανασταντες εψευδομαρτυρουν κατ αυτου λεγοντες

Some, rising, testified falsely against him, saying

**14:58** οτι ημεις ηκουσαμεν αυτου λεγοντος οτι εγω καταλυσω τον ναον τουτον τον χειροποιητον και δια τριων ημερων αλλον αχειροποιητον οικοδομησω

that, "We heard him saying that, 'I will destroy this temple made by hands, and after three days will build another not made by hands.'"

**14:59** και ουδε ουτως ιση ην η μαρτυρια αυτων

Even so their testimony was not agreeing.

**14:60** και αναστας ο αρχιερευς εις μεσον επηρωτησεν τον ιησουν λεγων ουκ αποκρινη ουδεν τι ουτοι σου καταμαρτυρουσιν

The high priest, standing in the midst, demanded of Jesus, saying, "Aren't you answering anything to what they testify against you?"

**14:61** ο δε εσιωπα και ουκ απεκρινατο ουδεν παλιν ο αρχιερευς επηρωτα αυτον και λεγει αυτω συ ει ο χριστος ο υιος του ευλογητου

Yet he kept silent and answered nothing. The high priest again demanded of him, and says to him, "Are you the Christ, the son of the blessed?"

**14:62** ο δε ιησους ειπεν εγω ειμι και οψεσθε τον υιον του ανθρωπου εκ δεξιων καθημενον της δυναμεως και ερχομενον μετα των νεφελων του ουρανου

Jesus said, "I am, and you will see the Son of Man seated at right of the power and coming with the clouds of the sky."

**14:63** ο δε αρχιερευς διαρρηξας τους

χιτωνας αυτου λεγει τι ετι χρειαν
εχομεν μαρτυρων
The high priest, tearing his robes[28],
says, "Why do we still need
witnesses?

**14:64** ηκουσατε της βλασφημιας τι
υμιν φαινεται οι δε παντες
κατεκριναν αυτον ενοχον ειναι
θανατου
"You heard the blasphemy. What
does it seem to you?"

All judged him to be worthy of
death.

**14:65** και ηρξαντο τινες εμπτυειν
αυτω και περικαλυπτειν αυτου το
προσωπον και κολαφιζειν αυτον και
λεγειν αυτω προφητευσον και οι
υπηρεται ραπισμασιν αυτον ελαβον
Some began to spit on him, and to
blindfold his face, and to slap him,
and to say to him, "Prophesy!"

The servants received him with
beatings.

### Peter Denies Him

**14:66** και οντος του πετρου κατω εν
τη αυλη ερχεται μια των παιδισκων
του αρχιερεως
*While* Peter *was* below in the
courtyard, one of the high priest's
female servants comes.

**14:67** και ιδουσα τον πετρον
θερμαινομενον εμβλεψασα αυτω
λεγει και συ μετα του ναζαρηνου
ησθα του ιησου
Seeing Peter warming *himself*,
looking at him, she says, "You were
with Jesus the Nazarene too."

**14:68** ο δε ηρνησατο λεγων ουτε
οιδα ουτε επισταμαι συ τι λεγεις και
εξηλθεν εξω εις το προαυλιον
He denied it, saying, "I neither know
nor understand what you are saying."

He went outside into the forecourt,

**14:69** και η παιδισκη ιδουσα αυτον
ηρξατο παλιν λεγειν τοις παρεστωσιν
οτι ουτος εξ αυτων εστιν
and the servant girl, seeing him,
again began to say to those standing
around that, "This is one of them."

**14:70** ο δε παλιν ηρνειτο και μετα
μικρον παλιν οι παρεστωτες ελεγον
τω πετρω αληθως εξ αυτων ει και
γαρ γαλιλαιος ει
He again denied *it*. After *a* little,
those standing by again said to Peter,
"You really are from them, for
you're Galilean."

**14:71** ο δε ηρξατο αναθεματιζειν και
ομνυναι οτι ουκ οιδα τον ανθρωπον
τουτον ον λεγετε
Yet he began to curse and swear that,
"I don't know this man you're
talking about!"

**14:72** και ευθυς εκ δευτερου
αλεκτωρ εφωνησεν και ανεμνησθη ο
πετρος το ρημα ως ειπεν αυτω ο
ιησους οτι πριν αλεκτορα δις
φωνησαι τρις με απαρνηση και
επιβαλων εκλαιεν
At once the rooster crowed *a* second
*time*, and Peter remembered the word
which Jesus said to him, that,
"Before the rooster crows twice, you

will deny me three times."

Breaking down, he wept.

## Mark 15
## Jesus Before Pilate

**15:1** και ευθυς πρωι συμβουλιον ποιησαντες οι αρχιερεις μετα των πρεσβυτερων και γραμματεων και ολον το συνεδριον δησαντες τον ιησουν απηνεγκαν και παρεδωκαν πιλατω
At morning, the high priests making counsel at once with the elders and the writers and the entire Sanhedrin, binding Jesus, led him out and handed him over to Pilate.

**15:2** και επηρωτησεν αυτον ο πιλατος συ ει ο βασιλευς των ιουδαιων ο δε αποκριθεις αυτω λεγει συ λεγεις
Pilate demanded of him, "Are you the king of the Jews?"

Answering, he says to him, "You say."

**15:3** και κατηγορουν αυτου οι αρχιερεις πολλα
The high priests began accusing him of many *things*.

**15:4** ο δε πιλατος παλιν επηρωτα αυτον [λεγων] ουκ αποκρινη ουδεν ιδε ποσα σου κατηγορουσιν
Pilate again questioned him, [saying], "Are you answering nothing? Look how much they accuse you of!"

**15:5** ο δε ιησους ουκετι ουδεν απεκριθη ωστε θαυμαζειν τον πιλατον
Yet Jesus no longer answered anything, so as to amaze Pilate.

## Pilate Releases Barabbas

**15:6** κατα δε εορτην απελυεν αυτοις ενα δεσμιον ον παρητουντο
At the feast, he would release to them one prisoner whom they excused.

**15:7** ην δε ο λεγομενος βαραββας μετα των στασιαστων δεδεμενος οιτινες εν τη στασει φονον πεποιηκεισαν
One called Barabbas was bound with some of the rebels who had committed murder in the uprising.

**15:8** και αναβας ο οχλος ηρξατο αιτεισθαι καθως εποιει αυτοις
The crowd, rising up, began to ask as he would do for them.

**15:9** ο δε πιλατος απεκριθη αυτοις λεγων θελετε απολυσω υμιν τον βασιλεα των ιουδαιων
Yet Pilate *was* answering them, saying, "Do you want that I free for you the king of the Jews?"

**15:10** εγινωσκεν γαρ οτι δια φθονον παραδεδωκεισαν αυτον [οι αρχιερεις]
He knew that the [the high priests] had handed him over out of jealousy.

**15:11** οι δε αρχιερεις ανεσεισαν τον οχλον ινα μαλλον τον βαραββαν απολυση αυτοις
Yet the high priests stirred up the crowd that he release Barabbas to

them instead.

**15:12** ο δε πιλατος παλιν αποκριθεις ελεγεν αυτοις τι ουν ποιησω [ον] λεγετε τον βασιλεα των ιουδαιων
Pilate, again answering, said to them, "What then will I do to [him] you call the king of the Jews?"

**15:13** οι δε παλιν εκραξαν σταυρωσον αυτον
They cried out again, "Crucify him!"

**15:14** ο δε πιλατος ελεγεν αυτοις τι γαρ εποιησεν κακον οι δε περισσως εκραξαν σταυρωσον αυτον
Pilate said to them, "What harm has he done?"

Yet they cried out more so, "Crucify him!"

**15:15** ο δε πιλατος βουλομενος τω οχλω το ικανον ποιησαι απελυσεν αυτοις τον βαραββαν και παρεδωκεν τον ιησουν φραγελλωσας ινα σταυρωθη
Pilate, wanting to satisfy the crowd, released Barabbas to them and handed Jesus over to torture, so he could be crucified.

### Jesus Mocked and Beaten

**15:16** οι δε στρατιωται απηγαγον αυτον εσω της αυλης ο εστιν πραιτωριον και συγκαλουσιν ολην την σπειραν
The soldiers lead him into the courtyard, which is the headquarters, and they gather together the entire cohort.

**15:17** και ενδιδυσκουσιν αυτον πορφυραν και περιτιθεασιν αυτω πλεξαντες ακανθινον στεφανον
They dress him in purple and, weaving *a* crown of thorns, put *it* on him.

**15:18** και ηρξαντο ασπαζεσθαι αυτον χαιρε βασιλευ των ιουδαιων
They began to salute him, "Hail, king of the Jews!"

**15:19** και ετυπτον αυτου την κεφαλην καλαμω και ενεπτυον αυτω και τιθεντες τα γονατα προσεκυνουν αυτω
They struck him on the head with *a* reed, and spat on him and, falling on the knees, paid homage to him.

**15:20** και οτε ενεπαιξαν αυτω εξεδυσαν αυτον την πορφυραν και ενεδυσαν αυτον τα ιματια αυτου και εξαγουσιν αυτον ινα σταυρωσωσιν αυτον
When they had mocked him, they took off the purple, and dressed him in his clothing, and lead him out so they could crucify him.

**15:21** και αγγαρευουσιν παραγοντα τινα σιμωνα κυρηναιον ερχομενον απ αγρου τον πατερα αλεξανδρου και ρουφου ινα αρη τον σταυρον αυτου
They compel *a* passerby *who was* coming from the country, *a* certain Simon the Cyrenian, the father of Alexander and Rufus, that he carry his cross.

### The Crucifixion

**15:22** και φερουσιν αυτον επι τον

γολγοθαν τοπον ο εστιν μεθερμηνευομενος κρανιου τοπος

They carry him to the place Golgotha, which is, translated, place of *the* skull.

**15:23** και εδιδουν αυτω εσμυρνισμενον οινον ος δε ουκ ελαβεν

They gave him drugged wine[29], which he wouldn't take.

**15:24** και σταυρουσιν αυτον και διαμεριζονται τα ιματια αυτου βαλλοντες κληρον επ αυτα τις τι αρη

They crucify him, and divide his garments, casting lots over them who would take what.

**15:25** ην δε ωρα τριτη και εσταυρωσαν αυτον

It was the third hour, and they crucified him.

**15:26** και ην η επιγραφη της αιτιας αυτου επιγεγραμμενη ο βασιλευς των ιουδαιων

The inscription of his accusation was written, "The king of the Jews."

**15:27** και συν αυτω σταυρουσιν δυο ληστας ενα εκ δεξιων και ενα εξ ευωνυμων αυτου

They crucify with him two bandits, one at *his* right, and one at his left.

## Passersby
## Revile Him on the Cross

[28] **15:29** και οι παραπορευομενοι εβλασφημουν αυτον κινουντες τας κεφαλας αυτων και λεγοντες ουα ο καταλυων τον ναον και οικοδομων [εν] τρισιν ημεραις

The passersby were blaspheming him, shaking their heads and saying, "Ha! Who *is* destroying the temple and building it in three days?

**15:30** σωσον σεαυτον καταβας απο του σταυρου

"Save yourself, coming down from the cross!"

**15:31** ομοιως και οι αρχιερεις εμπαιζοντες προς αλληλους μετα των γραμματεων ελεγον αλλους εσωσεν εαυτον ου δυναται σωσαι

Likewise also the high priests, mocking among themselves with the writers, were saying, "He saved others. He can't save himself.

**15:32** ο χριστος ο βασιλευς ισραηλ καταβατω νυν απο του σταυρου ινα ιδωμεν και πιστευσωμεν και οι συνεσταυρωμενοι συν αυτω ωνειδιζον αυτον

"Let the Christ, Israel's king, come down now from the cross, so we can see and believe!"

Those crucified with him were insulting him.

## Jesus Dies in Agony

**15:33** και γενομενης ωρας εκτης σκοτος εγενετο εφ ολην την γην εως ωρας ενατης

*When* the sixth hour came, darkness came over the entire land until the ninth hour.

**15:34** και τη ενατη ωρα εβοησεν ο ιησους φωνη μεγαλη ελωι ελωι λαμα σαβαχθανι ο εστιν μεθερμηνευομενον ο θεος μου [ο θεος μου] εις τι εγκατελιπες με

At the ninth hour, Jesus shouted in *a* great voice,

"Eloi, Eloi, lama sabachthani",

which is, translated,

'My God, [my God],
what have You
abandoned me into?[30]'

**15:35** και τινες των παρεστηκοτων ακουσαντες ελεγον ιδε ηλιαν φωνει
Some of the passersby, hearing, said, "Look, he calls Elijah!"

**15:36** δραμων δε τις γεμισας σπογγον οξους περιθεις καλαμω εποτιζεν αυτον λεγων αφετε ιδωμεν ει ερχεται ηλιας καθελειν αυτον
Someone running, filling *a* sponge with sour wine, putting it on *a* reed, gave to him to drink, saying, "Let *him*! Let's see if Elijah comes to take him down."

**15:37** ο δε ιησους αφεις φωνην μεγαλην εξεπνευσεν
Jesus, shouting in *a* great voice, breathed out the breath,

**15:38** και το καταπετασμα του ναου εσχισθη εις δυο απ ανωθεν εως κατω
and the curtain of the temple was torn in two from above to below.

**15:39** ιδων δε ο κεντυριων ο παρεστηκως εξ εναντιας αυτου οτι ουτως εξεπνευσεν ειπεν αληθως ουτος ο ανθρωπος υιος θεου ην
The centurion standing by opposite him, seeing that he breathed out the breath so, said, "Truly this man was *a* son of God."

## The Women Look On

**15:40** ησαν δε και γυναικες απο μακροθεν θεωρουσαι εν αις και μαριαμ η μαγδαληνη και μαρια η ιακωβου του μικρου και ιωσητος μητηρ και σαλωμη
There were also women watching from far off, among them also Mary the Magdalene, and Mary the mother of Jacob the less and Joses, and Salome.

**15:41** αι οτε ην εν τη γαλιλαια ηκολουθουν αυτω και διηκονουν αυτω και αλλαι πολλαι αι συναναβασαι αυτω εις ιεροσολυμα
When he was in Galilee, they began following him and serving him, and many others who came up with him to Jerusalem.

## Jesus Is Buried

**15:42** και ηδη οψιας γενομενης επει ην παρασκευη ο εστιν προσαββατον
Evening already come, when it was preparation day, which is before the Sabbath,

**15:43** ελθων ιωσηφ απο αριμαθαιας ευσχημων βουλευτης ος και αυτος ην προσδεχομενος την βασιλειαν του θεου τολμησας εισηλθεν προς τον πιλατον και ητησατο το σωμα του ιησου
Joseph of Arimathea, *a* respected counselor who was himself expecting the kingdom of God, coming bravely, went in to Pilate, and asked for the body of Jesus.

**15:44** ο δε πιλατος εθαυμασεν ει ηδη τεθνηκεν και προσκαλεσαμενος τον κεντυριωνα επηρωτησεν αυτον ει ηδη απεθανεν

Pilate wondered if he had already died and, calling the centurion, questioned if he was already dead.

**15:45** και γνους απο του κεντυριωνος εδωρησατο το πτωμα τω ιωσηφ

Learning from the centurion, he gave the corpse to Joseph.

**15:46** και αγορασας σινδονα καθελων αυτον ενειλησεν τη σινδονι και εθηκεν αυτον εν μνηματι ο ην λελατομημενον εκ πετρας και προσεκυλισεν λιθον επι την θυραν του μνημειου

Having bought linen cloth, taking him down, he wrapped him in the linen cloth and put him in *a* tomb which was carved from stone. He rolled *a* stone over the door of the tomb.

**15:47** η δε μαρια η μαγδαληνη και μαρια η ιωσητος εθεωρουν που τεθειται

Yet Mary the Magdalene and Mary of Joses saw where he was placed.

## Mark 16
## Power Over Death

**16:1** και διαγενομενου του σαββατου [η] μαρια η μαγδαληνη και μαρια η [του] ιακωβου και σαλωμη ηγορασαν αρωματα ινα ελθουσαι αλειψωσιν αυτον

When the Sabbath had passed, Mary the Magdalene, and Mary of Jacob,

and Salome bought spices so that, coming, they could anoint him.

**16:2** και λιαν πρωι [τη] μια των σαββατων ερχονται επι το μνημειον ανατειλαντος του ηλιου

Very early the first *day* of the Sabbaths, they come to the tomb, the sun rising.

**16:3** και ελεγον προς εαυτας τις αποκυλισει ημιν τον λιθον εκ της θυρας του μνημειου

They were saying to each other, "Who will roll back the stone over the door of the tomb for us?"

**16:4** και αναβλεψασαι θεωρουσιν οτι ανακεκυλισται ο λιθος ην γαρ μεγας σφοδρα

Looking around, they see that the stone was rolled back, for it was very large.

**16:5** και εισελθουσαι εις το μνημειον ειδον νεανισκον καθημενον εν τοις δεξιοις περιβεβλημενον στολην λευκην και εξεθαμβηθησαν

Going into the tomb, they see *a* youth sitting at the right, wrapped in *a* white robe, and they were astounded.

**16:6** ο δε λεγει αυταις μη εκθαμβεισθε ιησουν ζητειτε τον ναζαρηνον τον εσταυρωμενον ηγερθη ουκ εστιν ωδε ιδε ο τοπος οπου εθηκαν αυτον

He says to them, "Don't be astounded. You seek Jesus the Nazarene, the *one* crucified. He has risen. He isn't here. Look, *this is* the place where they put him!

**16:7** αλλα υπαγετε ειπατε τοις μαθηταις αυτου και τω πετρω οτι προαγει υμας εις την γαλιλαιαν εκει αυτον οψεσθε καθως ειπεν υμιν "But go! Tell his disciples and Peter that he goes before you to Galilee. You will see him there, just as he said to you."

**16:8** και εξελθουσαι εφυγον απο του μνημειου ειχεν γαρ αυτας τρομος και εκστασις και ουδενι ουδεν ειπαν εφοβουντο γαρ Going out, they fled from the tomb, for trembling and astonishment had them, and they said nothing to anyone for they were afraid.

### Demonstrations and Disbelief

**16:9** [[αναστας δε πρωι πρωτη σαββατου εφανη πρωτον μαρια τη μαγδαληνη παρ ης εκβεβληκει επτα δαιμονια [[Rising up early the first of the Sabbath, he appeared first to Mary the Magdalene, from whom he had thrown out seven demons.

**16:10** εκεινη πορευθεισα απηγγειλεν τοις μετ αυτου γενομενοις πενθουσιν και κλαιουσιν She, coming, told it to those with him *while they were* grieving and weeping.

**16:11** κακεινοι ακουσαντες οτι ζη και εθεαθη υπ αυτης ηπιστησαν Hearing that he lives and was seen by her, they didn't believe.

**16:12** μετα δε ταυτα δυσιν εξ αυτων περιπατουσιν εφανερωθη εν ετερα μορφη πορευομενοις εις αγρον

After these *things*, he appeared in another form to two of them, walking and going into the country.

**16:13** κακεινοι απελθοντες απηγγειλαν τοις λοιποις ουδε εκεινοις επιστευσαν Going out, they told the rest, yet they didn't believe them either.

**16:14** υστερον [δε] ανακειμενοις αυτοις τοις ενδεκα εφανερωθη και ωνειδισεν την απιστιαν αυτων και σκληροκαρδιαν οτι τοις θεασαμενοις αυτον εγηγερμενον [εκ νεκρων] ουκ επιστευσαν Later, he appeared to those seated *at table* with the twelve. He rebuked their disbelief and heart hardness, because they didn't believe those who had seen him risen [from the dead].

### The Risen One Commissions His Disciples

**16:15** και ειπεν αυτοις πορευθεντες εις τον κοσμον απαντα κηρυξατε το ευαγγελιον παση τη κτισει He said to them, "Going into all the world, preach the gospel to the whole creation!

**16:16** ο πιστευσας και βαπτισθεις σωθησεται ο δε απιστησας κατακριθησεται "Who *is* believing and baptized will be saved, but the unbelieving will be condemned.

**16:17** σημεια δε τοις πιστευσασιν ακολουθησει ταυτα εν τω ονοματι μου δαιμονια εκβαλουσιν γλωσσαις λαλησουσιν "These signs will follow those believing in my name: they will throw out demons; they will speak tongues;

**16:18** [και εν ταις χερσιν] οφεις αρουσιν καν θανασιμον τι πιωσιν ου μη αυτους βλαψη επι αρρωστους χειρας επιθησουσιν και καλως εξουσιν

"they will take up snakes [in the hands]; and if they drink some death-dealing *poison*, it will by no means harm them. They will lay hands on the sick, and they will have health."

### The Lord Ascends
### and the Disciples Set Out

**16:19** ο μεν ουν κυριος [ιησους] μετα το λαλησαι αυτοις ανελημφθη εις τον ουρανον και εκαθισεν εκ δεξιων του θεου

Therefore, the Lord [Jesus], after he had spoken to them, was taken up to the sky and sat at the right of God.

**16:20** εκεινοι δε εξελθοντες εκηρυξαν πανταχου του κυριου συνεργουντος και τον λογον β ε β α ι ο υ ν τ ο ς δ ι α τ ω ν επακολουθουντων σημειων ]]

Going out, they preached everywhere, the Lord working with them and confirming the word through signs following.]]

# End Notes: Mark

Mark 1  Malachi 3:1.

Mark 2  Isaiah 40:3.

Mark 3  AV reads "James."

Mark 4  A synagogue is the local gathering of Jews for worship, teaching, community, and service. The name derives from the Greek word, συναγωγη, which originally meant "bringing together," or "gathering." In time, the word came to designate the place of gathering, as well as the community that gathered within it. The synagogue is the model for later churches and mosques.

Mark 5  The Sabbath ends at sunset. The people could not lawfully come to Jesus until the Sabbath was over.

Mark 5a  Compare to Isaiah 6:9-10

Mark 6  The Greek word αποστολος comes from a verb meaning "to send." The disciples only become apostles when they are sent out to share the Good News.

Mark 7  A denarius, the type of money cited, was enough to buy food for a family of four for one day.

Mark 8  Note the quasi-military organization of the crowd.

Mark 9  Compare Exodus 33:22: "... and when My glory passes by, I will put you in *the* rock's opening and protect you by My right hand until I pass by."

Mark 10 See Exodus 16. God alone is able to supply bread from heaven.

Mark 11  Isaiah 29:13.

Mark 12  Exodus 20:12; Deuteronomy 5:16.

Mark 13  RSV: "He who speaks evil of father or mother, let him surely die." Exodus 21:17; Leviticus 20:9.

Mark 14  *Corban* means "a gift offered to God."

Mark 15  Compare to RSV: "...since it enters, not his heart but his stomach, and so passes on?" (Thus he declared all foods clean.)"

Mark 16  See Leviticus 2:13.

Mark 17  See Deuteronomy 24:1-4.

Mark 18 Genesis 2:24.

Mark 19  The Greek word is the genitive masculine plural of διωγμος, "pursuit, persecution, harassment."

Mark 20  See Psalm 118:26.

Mark 21  Isaiah 56:7.

Mark 22  Jeremiah 7:11.

Mark 23  Psalm 118:22-23.

Mark 24  See Deuteronomy 25:5-10.

Mark 25  Exodus 3:6.

Mark 26  Deuteronomy 6:4.

Mark 26a  Compare to Leviticus 19:18.

Mark 26b  Psalm 110:1

Mark 27 See Zechariah 13:7.

Mark 28 Tearing one's clothing was a sign of grief.

Mark 29 Wine with myrrh was offered as an anesthetic, to numb the intense pain of crucifixion.

Mark 30 Psalm 22:1.

# Luke

### Luke the Evangelist

**Who:** This book, along with the book of Acts, has traditionally been associated with Luke, the "beloved physician" cited by Paul in Colossians 4:14 and 2 Timothy 4:11. The book is addressed to Theophilus, whose name in Greek, θεοφιλυς, means "friend of God." Scholars differ as to whether this Theophilus was an actual person, or whether the author is addressing each "friend of God" who will read the account. Internally, the major characters include Zachariah, Elizabeth, Mary, John the Baptist, Jesus, and the original disciples.

**What:** Luke's gospel is the first volume in a two volume set including the Book of Acts. The two books appear separately in the New Testament due to the physical limitations of bookmaking in the ancient world. Luke-Acts together is an orderly account of "those things which are most surely believed among us," concerning the life of Jesus, based both on prior accounts and on the author's own understanding and experience.

**When:** Traditionally dated to the early 60s of the Common Era, many contemporary scholars now believe it was written closer to the end of the 1st Century. Internally, the book stretches from the conception of John the Baptist to the Resurrection of Jesus.

**Where:** The exact place of composition is unknown, though the author's association with Paul's missionary journeys indicates a composition written somewhere in the arc of the Apostle's travels.

**Why:** In its own words, the book is written:

*ut cognoscas eorum verborum*
*de quibus eruditus es veritatem*
"That thou mightest know
the certainty of those things,
wherein thou hast been
instructed."
(Luke 1:4)

# Outline of Luke

Jesus Instructs the Disciples
24:44-24:49
Jesus Leads Them to Bethany
24:50-24:51
The Believers Return to Jerusalem
24:52-24:53

# Luke 1
## Prologue

**1:1** επειδηπερ πολλοι επεχειρησαν αναταξασθαι διηγησιν περι των πεπληροφορημενων εν ημιν πραγματων

Inasmuch as many have tried to compile a narrative concerning those matters accomplished among us,

**1:2** καθως παρεδοσαν ημιν οι απ αρχης αυτοπται και υπηρεται γενομενοι του λογου

even as those eye-witnesses from the beginning handed on to us and, having become servants of the word,

**1:3** εδοξεν καμοι παρηκολουθηκοτι ανωθεν πασιν ακριβως καθεξης σοι γραψαι κρατιστε θεοφιλε

it seemed also to me, having followed closely from above all *events* accurately in succession, to write to you, excellent Theophilus,

**1:4** ινα επιγνως περι ων κατηχηθης λογων την ασφαλειαν

that you may know the accuracy of the words which you were taught.

## Zachariah and Elizabeth

**1:5** εγενετο εν ταις ημεραις ηρωδου βασιλεως της ιουδαιας ιερευς τις ονοματι ζαχαριας εξ εφημεριας αβια και γυνη αυτω εκ των θυγατερων ααρων και το ονομα αυτης ελισαβετ

It happened in the days of King Herod[1] of Judea[2]: *There was a* certain priest named Zachariah[3] from Abia's[4] division, and his wife from Aaron's[5] daughters, and her name Elizabeth[6].

**1:6** ησαν δε δικαιοι αμφοτεροι εναντιον του θεου πορευομενοι εν πασαις ταις εντολαις και δικαιωμασιν του κυριου αμεμπτοι

Both were righteous before God, walking in all the commandments and regulations of the Lord, blameless.

**1:7** και ουκ ην αυτοις τεκνον καθοτι ην [η] ελισαβετ στειρα και αμφοτεροι προβεβηκοτες εν ταις ημεραις αυτων ησαν

*There* was no child to them because Elizabeth was sterile, and both were well-advanced in their days.

## Zachariah's
## Fateful Encounter With an Angel

**1:8** εγενετο δε εν τω ιερατευειν αυτον εν τη ταξει της εφημεριας αυτου εναντι του θεου

It happened in his priestly service in the order of his division before God,

**1:9** κατα το εθος της ιερατειας ελαχεν του θυμιασαι εισελθων εις τον ναον του κυριου

according to the custom of the priesthood, it fell *to him* by lot to go in and burn incense in the temple of the Lord.

**1:10** και παν το πληθος ην του λαου προσευχομενον εξω τη ωρα του θυμιαματος

All the multitude of the people was outside praying at the hour of incense.

**1:11** ωφθη δε αυτω αγγελος κυριου εστως εκ δεξιων του θυσιαστηριου του θυμιαματος

Yet he saw the Lord's angel standing at the right of the altar of incense.

**1:12** και εταραχθη ζαχαριας ιδων και φοβος επεπεσεν επ αυτον
Zachariah was troubled, seeing *this*, and fearing, he fell before him.

### The Angelic Message

**1:13** ειπεν δε προς αυτον ο αγγελος μη φοβου ζαχαρια διοτι εισηκουσθη η δεησις σου και η γυνη σου ελισαβετ γεννησει υιον σοι και καλεσεις το ονομα αυτου ιωαννην
The angel said to him, "Don't be afraid, Zachariah, because your plea is heard. Your wife Elizabeth will birth you *a* son, and you will call his name John[7].

**1:14** και εσται χαρα σοι και αγαλλιασις και πολλοι επι τη γενεσει αυτου χαρησονται
"He will be joy and rejoicing to you, and many will rejoice over his birth.

**1:15** εσται γαρ μεγας ενωπιον κυριου και οινον και σικερα ου μη πιη και πνευματος αγιου πλησθησεται ετι εκ κοιλιας μητρος αυτου
"He will be great before the Lord. He will drink no wine or strong drink, and will be filled by Holy Spirit from his mother's womb.

**1:16** και πολλους των υιων ισραηλ επιστρεψει επι κυριον τον θεον αυτων
"He will turn many of Israel's sons back to the Lord their God.

**1:17** και αυτος προελευσεται ενωπιον αυτου εν πνευματι και δυναμει ηλιου επιστρεψαι καρδιας πατερων επι τεκνα και απειθεις εν φρονησει δικαιων ετοιμασαι κυριω λαον κατεσκευασμενον
"He will go before him in the spirit and power of Elijah[8], to turn the fathers' hearts to the children, and the disobedient to the wisdom of the righteous, to make ready for the Lord *a* people prepared."

### Zachariah Hesitates

**1:18** και ειπεν ζαχαριας προς τον αγγελον κατα τι γνωσομαι τουτο εγω γαρ ειμι πρεσβυτης και η γυνη μου προβεβηκυια εν ταις ημεραις αυτης
Zachariah said to the angel, "How can I know this, for I am old and my wife well-advanced in her days?"

**1:19** και αποκριθεις ο αγγελος ειπεν αυτω εγω ειμι γαβριηλ ο παρεστηκως ενωπιον του θεου και απεσταλην λαλησαι προς σε και ευαγγελισασθαι σοι ταυτα
The angel, answering, said to him, "I am Gabriel[9], the *one* standing before God, and I was sent to speak to you and to share this good news with you.

**1:20** και ιδου εση σιωπων και μη δυναμενος λαλησαι αχρι ης ημερας γενηται ταυτα ανθ ων ουκ επιστευσας τοις λογοις μου οιτινες πληρωθησονται εις τον καιρον αυτων
"Look! You will be silent and unable to speak until the day this happens, because you were unbelieving to my words, which will be fulfilled in their time."

**1:21** και ην ο λαος προσδοκων τον

ζαχαριαν και εθαυμαζον εν τω χρονιζειν εν τω ναω αυτον

The people waited for Zachariah, and they were astonished at his delay in the temple.

**1:22** εξελθων δε ουκ εδυνατο λαλησαι αυτοις και επεγνωσαν οτι οπτασιαν εωρακεν εν τω ναω και αυτος ην διανευων αυτοις και διεμενεν κωφος

Coming out, he couldn't speak to them, and they realized that he had seen *a* vision in the temple. He was making signs to them and remained mute.

### Zachariah Returns Home

**1:23** και εγενετο ως επλησθησαν αι ημεραι της λειτουργιας αυτου απηλθεν εις τον οικον αυτου

It happened as the days of his service were fulfilled, he went away to his house.

**1:24** μετα δε ταυτας τας ημερας συνελαβεν ελισαβετ η γυνη αυτου και περιεκρυβεν εαυτην μηνας πεντε λεγουσα

After these days, Elizabeth his wife conceived, and she hid herself five months, saying

**1:25** οτι ουτως μοι πεποιηκεν κυριος εν ημεραις αις επειδεν αφελειν ονειδος μου εν ανθρωποις

that, "The Lord has done so for me in the days when He looked to take away my disgrace among men."

### Gabriel Sent to Nazareth

**1:26** εν δε τω μηνι τω εκτω απεσταλη ο αγγελος γαβριηλ απο

του θεου εις πολιν της γαλιλαιας η ονομα ναζαρεθ

In the sixth month, the angel Gabriel was sent from God to *a* city of Galilee[10] whose name *was* Nazareth[11],

**1:27** προς παρθενον εμνηστευμενην ανδρι ω ονομα ιωσηφ εξ οικου δαυιδ και το ονομα της παρθενου μαριαμ

to *a* virgin engaged to *a* man whose name *was* Joseph[12], of the house of David[13], and the virgin's name *was* Mary[14].

**1:28** και εισελθων προς αυτην ειπεν χαιρε κεχαριτωμενη ο κυριος μετα σου

Going in to her, he said, "Greetings, highly-favored! The Lord *is* with you."

**1:29** η δε επι τω λογω διεταραχθη και διελογιζετο ποταπος ειη ο ασπασμος ουτος

She was troubled at the word, and wondered what sort of greeting this might be.

### The Angelic Message to Mary

**1:30** και ειπεν ο αγγελος αυτη μη φοβου μαριαμ ευρες γαρ χαριν παρα τω θεω

The angel said to her, "Don't be afraid Mary, for you have found grace with God.

**1:31** και ιδου συλλημψη εν γαστρι και τεξη υιον και καλεσεις το ονομα αυτου ιησουν

"Look! You will conceive in womb and birth *a* son, and you will call his name Jesus[15].

**1:32** ουτος εσται μεγας και υιος υψιστου κληθησεται και δωσει αυτω κυριος ο θεος τον θρονον δαυιδ του πατρος αυτου

"He will be great, and will be called son of the Most High, and the Lord God will give him the throne of his father David.

**1:33** και βασιλευσει επι τον οικον ιακωβ εις τους αιωνας και της βασιλειας αυτου ουκ εσται τελος

"He will reign over the house of Jacob[16] to the ages, and there will be no end of his kingdom."

### Mary Hesitates

**1:34** ειπεν δε μαριαμ προς τον αγγελον πως εσται τουτο επει ανδρα ου γινωσκω

Mary said to the angel, "How will this be, since I do not know *a* man?"

**1:35** και αποκριθεις ο αγγελος ειπεν αυτη πνευμα αγιον επελευσεται επι σε και δυναμις υψιστου επισκιασει σοι διο και το γεννωμενον αγιον κληθησεται υιος θεου

The angel, answering, said to her, "Holy Spirit will come over you, and *the* Most High's power will overshadow you. Therefore also, the *one* born will be called holy, God's son.

**1:36** και ιδου ελισαβετ η συγγενις σου και αυτη συνειληφεν υιον εν γηρει αυτης και ουτος μην εκτος εστιν αυτη τη καλουμενη στειρα

"Look! Elizabeth your kinswoman, she too has conceived *a* son in her old age, and this is the sixth month to her who was called sterile –

**1:37** οτι ουκ αδυνατησει παρα του θεου παν ρημα

"for not every word will be impossible with God."

**1:38** ειπεν δε μαριαμ ιδου η δουλη κυριου γενοιτο μοι κατα το ρημα σου και απηλθεν απ αυτης ο αγγελος

Mary said, "Look! I am the Lord's slave. Let it be to me according to your word," and the angel went away from her.

### Mary Visits Elizabeth

**1:39** αναστασα δε μαριαμ εν ταις ημεραις ταυταις επορευθη εις την ορεινην μετα σπουδης εις πολιν ιουδα

Mary, getting up in those days, went out with haste to the hill country, to *a* city of Judah.

**1:40** και εισηλθεν εις τον οικον ζαχαριου και ησπασατο την ελισαβετ

She went into the house of Zachariah and greeted Elizabeth.

**1:41** και εγενετο ως ηκουσεν τον ασπασμον της μαριας η ελισαβετ εσκιρτησεν το βρεφος εν τη κοιλια αυτης και επλησθη πνευματος αγιου η ελισαβετ

It happened as Elizabeth heard the greeting of Mary, the infant leapt in her womb, and Elizabeth was filled by Holy Spirit.

**1:42** και ανεφωνησεν κραυγη μεγαλη και ειπεν ευλογημενη συ εν γυναιξιν και ευλογημενος ο καρπος της κοιλιας σου

She cried out with *a* great voice and

said,

"Blessed *are* you among women,
and blessed *is*
the fruit of your womb!

**1:43** και ποθεν μοι τουτο ινα ελθη η μητηρ του κυριου μου προς εμε

"How *is* this to me that the mother of my Lord should come to me?

**1:44** ιδου γαρ ως εγενετο η φωνη του ασπασμου σου εις τα ωτα μου εσκιρτησεν εν αγαλλιασει το βρεφος εν τη κοιλια μου

"For look!  As the sound of your greeting came to my ears, the infant in my womb leapt in joy.

**1:45** και μακαρια η πιστευσασα οτι εσται τελειωσις τοις λελαλημενοις αυτη παρα κυριου

"Blessed is the *one* believing that the words spoken to her from the Lord will be fulfilled!"

### The Magnificat

**1:46** και ειπεν μαριαμ μεγαλυνει η ψυχη μου τον κυριον

Mary said,

"My soul lifts up the Lord,

**1:47** και ηγαλλιασεν το πνευμα μου επι τω θεω τω σωτηρι μου

"and my spirit has rejoiced
in God, the *One* saving me!

**1:48** οτι επεβλεψεν επι την ταπεινωσιν της δουλης αυτου ιδου γαρ απο του νυν μακαριουσιν με πασαι αι γενεαι

"He has looked
on the humility of His slave,
for look!
From this moment
all generations

will consider me blessed.

**1:49** οτι εποιησεν μοι μεγαλα ο δυνατος και αγιον το ονομα αυτου

"The Mighty *One*
has done great things for me,
and His name *is* holy.

**1:50** και το ελεος αυτου εις γενεας και γενεας τοις φοβουμενοις αυτον

"His mercy *is*
to generations and generations
of *those* fearing Him.

**1:51** εποιησεν κρατος εν βραχιονι αυτου διεσκορπισεν υπερηφανους διανοια καρδιας αυτων

"He has worked power in His arm,
and has scattered the arrogant
by their hearts' purposes.

**1:52** καθειλεν δυναστας απο θρονων και υψωσεν ταπεινους

"He has thrown down
the mighty from thrones,
and lifted up the humble.

**1:53** πεινωντας ενεπλησεν αγαθων και πλουτουντας εξαπεστειλεν κενους

"He has filled
the hungry with good
and sent the rich away empty.

**1:54** αντελαβετο ισραηλ παιδος αυτου μνησθηναι ελεους

"He has helped
Israel His child
to call to mind mercy,

**1:55** καθως ελαλησεν προς τους πατερας ημων τω αβρααμ και τω σπερματι αυτου εις τον αιωνα

"just as He said to our fathers:
to Abraham[16a] and to his seed
to the ages."

**1:56** εμεινεν δε μαριαμ συν αυτη ως μηνας τρεις και υπεστρεψεν εις τον οικον αυτης

Mary stayed with her three months, and went back to her house.

### Elizabeth Births a Son
**1:57** τη δε ελισαβετ επλησθη ο χρονος του τεκειν αυτην και εγεννησεν υιον

Elizabeth's time to give birth was fulfilled, and she birthed *a* son.

**1:58** και ηκουσαν οι περιοικοι και οι συγγενεις αυτης οτι εμεγαλυνεν κυριος το ελεος αυτου μετ αυτης και συνεχαιρον αυτη

Those living nearby and her kin heard that the Lord had enlarged His mercy with her, and they rejoiced with her.

**1:59** και εγενετο εν τη ημερα τη ογδοη ηλθον περιτεμειν το παιδιον και εκαλουν αυτο επι τω ονοματι του πατρος αυτου ζαχαριαν

It happened on the eighth day they came to circumcise the child, and they were calling him by his father's name, Zachariah.

**1:60** και αποκριθεισα η μητηρ αυτου ειπεν ουχι αλλα κληθησεται ιωαννης

His mother, answering, said, "No, but he will be called John."

**1:61** και ειπαν προς αυτην οτι ουδεις εστιν εκ της συγγενειας σου ος καλειται τω ονοματι τουτω

They said to her that, "No one from your kin is called by this name."

**1:62** ενενευον δε τω πατρι αυτου το τι αν θελοι καλεισθαι αυτο

They nodded to his father what he wanted to call him.

**1:63** και αιτησας πινακιδιον εγραψεν λεγων ιωαννης εστιν ονομα αυτου και εθαυμασαν παντες

Asking for *a* writing tablet, he wrote saying, "John is his name," and all were astonished.

**1:64** ανεωχθη δε το στομα αυτου παραχρημα και η γλωσσα αυτου και ελαλει ευλογων τον θεον

His mouth was opened at once, and his tongue, and he spoke praising God.

**1:65** και εγενετο επι παντας φοβος τους περιοικουντας αυτους και εν ολη τη ορεινη της ιουδαιας διελαλειτο παντα τα ρηματα ταυτα

Fear came on all those living around them, and all these words were told in all the hill country of Judea.

**1:66** και εθεντο παντες οι ακουσαντες εν τη καρδια αυτων λεγοντες τι αρα το παιδιον τουτο εσται και γαρ χειρ κυριου ην μετ αυτου

All those hearing set *this* in their hearts, saying, "What will this child be, for the Lord's hand was with him?"

### Zachariah's Prophecy
**1:67** και ζαχαριας ο πατηρ αυτου επλησθη πνευματος αγιου και επροφητευσεν λεγων

Zachariah, his father, was filled by Holy Spirit, and he prophesied, saying,

**1:68** ευλογητος κυριος ο θεος του

ισραηλ οτι επεσκεψατο και εποιησεν
λυτρωσιν τω λαω αυτου
"Blessed is the Lord God of Israel,
for He has visited
and worked redemption
for His people.
**1:69** και ηγειρεν κερας σωτηριας
ημιν εν οικω δαυιδ παιδος αυτου
"He has raised
*a* horn of salvation to us
in the house of David, His child,
**1:70** καθως ελαλησεν δια στοματος
των αγιων απ αιωνος προφητων
αυτου
"just as was spoken
through the mouth of the holy ones
from the ages, His prophets;
**1:71** σωτηριαν εξ εχθρων ημων και
εκ χειρος παντων των μισουντων
ημας
"salvation from our enemies,
and from the hands
of all those hating us;
**1:72** ποιησαι ελεος μετα των
πατερων ημων και μνησθηναι
διαθηκης αγιας αυτου
"to work mercy with our fathers,
and to remember
His holy covenant,
**1:73** ορκον ον ωμοσεν προς αβρααμ
τον πατερα ημων του δουναι ημιν
"the oath which He swore
to Abraham our father,
toward giving us
**1:74** αφοβως εκ χειρος εχθρων
ρυσθεντας λατρευειν αυτω
"without fear of the enemies' hand,
rescuing *us* to serve Him,
**1:75** εν οσιοτητι και δικαιοσυνη
ενωπιον αυτου πασαις ταις ημεραις

ημων
"in holiness and righteousness
before Him all our days.
**1:76** και συ δε παιδιον προφητης
υψιστου κληθηση προπορευση γαρ
ενωπιον κυριου ετοιμασαι οδους
αυτου
"You also, child, will be called
the Most High's prophet,
for you will go before the Lord
to make His paths ready."
**1:77** του δουναι γνωσιν σωτηριας τω
λαω αυτου εν αφεσει αμαρτιων
αυτων
"to give knowledge of salvation
to His people,
in forgiveness of their sins,
**1:78** δια σπλαγχνα ελεους θεου
ημων εν οις επισκεψεται ημας
ανατολη εξ υψους
"through the guts
of our God's mercy,
in which He has visited us,
rising from on high,
**1:79** επιφαναι τοις εν σκοτει και
σκια θανατου καθημενοις του
κατευθυναι τους ποδας ημων εις
οδον ειρηνης
"to shine on those seated
in darkness and death's shadow,
to guide our feet
in the path of peace."

**1:80** το δε παιδιον ηυξανεν και
εκραταιουτο πνευματι και ην εν ταις
ερημοις εως ημερας αναδειξεως
αυτου προς τον ισραηλ
The child grew and became strong in
spirit, and he was in the deserts until
the day of his public appearance to

Israel.

## Luke 2
### Caesar Decrees a Census

**2:1** εγενετο δε εν ταις ημεραις εκειναις εξηλθεν δογμα παρα καισαρος αυγουστου απογραφεσθαι πασαν την οικουμενην

It happened in those days *a* dogma went out from Caesar Augustus to enroll all the world.

**2:2** αυτη απογραφη πρωτη εγενετο ηγεμονευοντος της συριας κυρηνιου

This first enrollment happened, Cyrenius governing Syria[17].

**2:3** και επορευοντο παντες απογραφεσθαι εκαστος εις την εαυτου πολιν

All went out to be enrolled, each to his own city.

**2:4** ανεβη δε και ιωσηφ απο της γαλιλαιας εκ πολεως ναζαρεθ εις την ιουδαιαν εις πολιν δαυιδ ητις καλειται βηθλεεμ δια το ειναι αυτον εξ οικου και πατριας δαυιδ

Joseph too went up from Galilee, from Nazareth city, into Judea, to David's city which is called Bethlehem[18], because he was of David's house and lineage,

**2:5** απογραψασθαι συν μαριαμ τη εμνηστευμενη αυτω ουση εγκυω

to be enrolled with Mary, engaged to him, being pregnant.

### A Birth on the Road

**2:6** εγενετο δε εν τω ειναι αυτους εκει επλησθησαν αι ημεραι του τεκειν αυτην

It happened in their being there, the days were completed for her to give birth.

**2:7** και ετεκεν τον υιον αυτης τον πρωτοτοκον και εσπαργανωσεν αυτον και ανεκλινεν αυτον εν φατνη διοτι ουκ ην αυτοις τοπος εν τω καταλυματι

She birthed her first-born son, and wrapped him in baby clothes, and put him in *a* feed trough, because *there* was no place for them in the inn.

### Announcement to the Shepherds

**2:8** και ποιμενες ησαν εν τη χωρα τη αυτη αγραυλουντες και φυλασσοντες φυλακας της νυκτος επι την ποιμνην αυτων

Shepherds were in that same country, staying outside and keeping watches by night over their flock.

**2:9** και αγγελος κυριου επεστη αυτοις και δοξα κυριου περιελαμψεν αυτους και εφοβηθησαν φοβον μεγαν

*The* Lord's angel stood over them, and *the* Lord's glory shone around them, and they were afraid with *a* great fear.

**2:10** και ειπεν αυτοις ο αγγελος μη φοβεισθε ιδου γαρ ευαγγελιζομαι υμιν χαραν μεγαλην ητις εσται παντι τω λαω

The angel said to them, "Don't be afraid, for look! I tell you good news of great joy, which will be to all the people.

**2:11** οτι ετεχθη υμιν σημερον σωτηρ ος εστιν χριστος κυριος εν πολει δαυιδ

"For *a* savior who is Christ[19] the Lord is born to you this very day in David's city.

**2:12** και τουτο υμιν σημειον ευρησετε βρεφος εσπαργανωμενον και κειμενον εν φατνη

"This is *a* sign to you: you will see *an* infant wrapped in baby clothes and lying in *a* feed trough."

**2:13** και εξαιφνης εγενετο συν τω αγγελω πληθος στρατιας ουρανιου αινουντων τον θεον και λεγοντων

It happened suddenly: with the angel, *a* multitude of heaven's soldiers, praising God and saying,

**2:14** δοξα εν υψιστοις θεω και επι γης ειρηνη εν ανθρωποις ευδοκιας

"Glory in the highest to God,
and on earth peace
among men of good will!"

**2:15** και εγενετο ως απηλθον απ αυτων εις τον ουρανον οι αγγελοι οι ποιμενες ελαλουν προς αλληλους διελθωμεν δη εως βηθλεεμ και ιδωμεν το ρημα τουτο το γεγονος ο ο κυριος εγνωρισεν ημιν

It happened as the angels went away from them into the sky, the shepherds began saying to each other, "Let's go to Bethlehem and see this word that has happened, which the Lord made known to us."

**2:16** και ηλθαν σπευσαντες και ανευραν την τε μαριαμ και τον ιωσηφ και το βρεφος κειμενον εν τη φατνη

They went hurrying, and found Mary and Joseph, and the infant lying in the feed trough.

**2:17** ιδοντες δε εγνωρισαν περι του ρηματος του λαληθεντος αυτοις περι του παιδιου τουτου

Seeing *him*, they made known about the sayings spoken to them concerning this child,

**2:18** και παντες οι ακουσαντες εθαυμασαν περι των λαληθεντων υπο των ποιμενων προς αυτους

and all *those* hearing were astonished about the words said by the shepherds to them.

**2:19** η δε μαρια παντα συνετηρει τα ρηματα ταυτα συμβαλλουσα εν τη καρδια αυτης

Mary treasured all these sayings, considering in her heart.

**2:20** και υπεστρεψαν οι ποιμενες δοξαζοντες και αινουντες τον θεον επι πασιν οις ηκουσαν και ειδον καθως ελαληθη προς αυτους

The shepherds returned, glorifying and praising God over all that they had heard and seen, even as was spoken to them.

**Circumcision and Presentation**

**2:21** και οτε επλησθησαν ημεραι οκτω του περιτεμειν αυτον και εκληθη το ονομα αυτου ιησους το κληθεν υπο του αγγελου προ του συλλημφθηναι αυτον εν τη κοιλια

When eight days were completed for his circumcision[20], his name was called Jesus, the *name* called by the angel before his conception in the womb.

**2:22** και οτε επλησθησαν αι ημεραι

του καθαρισμου αυτων κατα τον νομον μωυσεως ανηγαγον αυτον εις ιεροσολυμα παραστησαι τω κυριω

When the days of their cleansing[21] were completed according to the law of Moses, they brought him to Jerusalem to present to the Lord,

**2:23** καθως γεγραπται εν νομω κυριου οτι παν αρσεν διανοιγον μητραν αγιον τω κυριω κληθησεται

even as is written in the Lord's law, that,

"Every male opening *a* womb
will be called holy to the Lord"[22],

**2:24** και του δουναι θυσιαν κατα το ειρημενον εν τω νομω κυριου ζευγος τρυγονων η δυο νοσσους περιστερων

and to give the offering according to the saying in the Lord's law,

"*A* pair of pigeons,
or two young doves."[23]

### Simeon Acknowledges the Lord

**2:25** και ιδου ανθρωπος ην εν ιερουσαλημ ω ονομα συμεων και ο ανθρωπος ουτος δικαιος και ευλαβης προσδεχομενος παρακλησιν του ισραηλ και πνευμα ην αγιον επ αυτον

Look! *A* man was in Jerusalem whose name was Simeon, and this man was righteous and devout, waiting for the consolation of Israel, and Holy Spirit was on him.

**2:26** και ην αυτω κεχρηματισμενον υπο του πνευματος του αγιου μη ιδειν θανατον πριν [η] αν ιδη τον χριστον κυριου

It was revealed to him by the Holy Spirit not to see death before he saw the Lord's Christ.

**2:27** και ηλθεν εν τω πνευματι εις το ιερον και εν τω εισαγαγειν τους γονεις το παιδιον ιησουν του ποιησαι αυτους κατα το ειθισμενον του νομου περι αυτου

He came in the Spirit to the temple, *while* the parents' *were* bringing the child Jesus in to do for him according to the custom of the law concerning him.

**2:28** και αυτος εδεξατο αυτο εις τας αγκαλας και ευλογησεν τον θεον και ειπεν

He took him in his arms and blessed God and said,

**2:29** νυν απολυεις τον δουλον σου δεσποτα κατα το ρημα σου εν ειρηνη

"Now You release
Your slave, Master,
according to Your word, in peace,

**2:30** οτι ειδον οι οφθαλμοι μου το σωτηριον σου

"for my eyes have seen
Your salvation,

**2:31** ο ητοιμασας κατα προσωπον παντων των λαων

"whom You have prepared
before the face of all the peoples:

**2:32** φως εις αποκαλυψιν εθνων και δοξαν λαου σου ισραηλ

"light to *the* revelation of nations,
and glory of Your people Israel."

**2:33** και ην ο πατηρ αυτου και η μητηρ θαυμαζοντες επι τοις

λαλουμενοις περι αυτου
The father was astonished, and the mother, over the *things* said about him.

**2:34** και ευλογησεν αυτους συμεων και ειπεν προς μαριαμ την μητερα αυτου ιδου ουτος κειται εις πτωσιν και αναστασιν πολλων εν τω ισραηλ και εις σημειον αντιλεγομενον
Simeon blessed them and said to Mary his mother, "Look, he is destined to *the* fall and *the* rise of many in Israel, and to *a* sign spoken against,

**2:35** και σου αυτης την ψυχην διελευσεται ρομφαια οπως αν αποκαλυφθωσιν εκ πολλων καρδιων διαλογισμοι
"and *a* sword will pass through your own soul, so that the motives of many hearts may be revealed."

### Anna's Prophecy

**2:36** και ην αννα προφητις θυγατηρ φανουηλ εκ φυλης ασηρ αυτη προβεβηκυια εν ημεραις πολλαις ζησασα μετα ανδρος ετη επτα απο της παρθενιας αυτης
Anna was *a* prophet, daughter of Phanuel from Asher's[24] tribe, she *being* advanced in many days, living seven years with *a* husband from her virginity.

**2:37** και αυτη χηρα εως ετων ογδοηκοντα τεσσαρων η ουκ αφιστατο του ιερου νηστειαις και δεησεσιν λατρευουσα νυκτα και ημεραν
She *had been a* widow until the eighty-fourth year, who did not leave

the temple, worshiping in fasting and prayer night and day.

**2:38** και αυτη τη ωρα επιστασα ανθωμολογειτο τω θεω και ελαλει περι αυτου πασιν τοις προσδεχομενοις λυτρωσιν ιερουσαλημ
Approaching at that very hour, she began praising God and speaking about him to all *those* waiting for Jerusalem's redemption.

### The Family Returns to Nazareth

**2:39** και ως ετελεσαν παντα τα κατα τον νομον κυριου επεστρεψαν εις την γαλιλαιαν εις πολιν εαυτων ναζαρεθ
As they finished all the *rites* according to the Lord's law, they went back to Galilee, to their own city, Nazareth.

**2:40** το δε παιδιον ηυξανεν και εκραταιουτο πληρουμενον σοφια και χαρις θεου ην επ αυτο
The child grew and was strengthened, full of wisdom, and God's grace was on it.

### Jesus in Jerusalem at Age Twelve

**2:41** και επορευοντο οι γονεις αυτου κατ ετος εις ιερουσαλημ τη εορτη του πασχα
His parents went up each year to Jerusalem for the feast of Passover[25].

**2:42** και οτε εγενετο ετων δωδεκα αναβαινοντων αυτων κατα το εθος της εορτης
It happened when he was twelve years old, *when* they *were* going up according to the custom of the feast,

**2:43** και τελειωσαντων τας ημερας εν τω υποστρεφειν αυτους υπεμεινεν ιησους ο παις εν ιερουσαλημ και ουκ εγνωσαν οι γονεις αυτου

and the days *being* completed for their return, the child Jesus remained in Jerusalem, and his parents did not know.

**2:44** νομισαντες δε αυτον ειναι εν τη συνοδια ηλθον ημερας οδον και ανεζητουν αυτον εν τοις συγγενευσιν και τοις γνωστοις

Thinking him to be among the travelers, they went *a* day on the road, and began looking for him among the kin and the friends.

**2:45** και μη ευροντες υπεστρεψαν εις ιερουσαλημ αναζητουντες αυτον

Not finding *him*, they turned back to Jerusalem looking for him.

**2:46** και εγενετο μετα ημερας τρεις ευρον αυτον εν τω ιερω καθεζομενον εν μεσω των διδασκαλων και ακουοντα αυτων και επερωτωντα αυτους

It happened after three days they found him in the temple, seated in the middle of the teachers, both listening to them and questioning them.

**2:47** εξισταντο δε παντες οι ακουοντες αυτου επι τη συνεσει και ταις αποκρισεσιν αυτου

All hearing him were amazed at his understanding and his answers.

**2:48** και ιδοντες αυτον εξεπλαγησαν και ειπεν προς αυτον η μητηρ αυτου τεκνον τι εποιησας ημιν ουτως ιδου ο πατηρ σου και εγω οδυνωμενοι ζητουμεν σε

They were astonished, seeing him. His mother said to him, "Child, why have you done us so? Look, your father and I are looking for you, worried!"

**2:49** και ειπεν προς αυτους τι οτι εζητειτε με ουκ ηδειτε οτι εν τοις του πατρος μου δει ειναι με

He said to them, "Why *is it* that you looked for me? Didn't you know that it is necessary for me to be in the *business* of my Father?"

**2:50** και αυτοι ου συνηκαν το ρημα ο ελαλησεν αυτοις

They didn't understand the saying that he spoke to them.

**2:51** και κατεβη μετ αυτων και ηλθεν εις ναζαρεθ και ην υποτασσομενος αυτοις και η μητηρ αυτου διετηρει παντα τα ρηματα εν τη καρδια αυτης

He went down with them and came to Nazareth and was subject to them, and his mother treasured all the sayings in her heart.

**2:52** και ιησους προεκοπτεν τη σοφια και ηλικια και χαριτι παρα θεω και ανθρωποις

Jesus grew in wisdom and age and grace before God and men.

## Luke 3
### John the Baptist
### Preaches Repentance

**3:1** εν ετει δε πεντεκαιδεκατω της ηγεμονιας τιβεριου καισαρος ηγεμονευοντος ποντιου πιλατου της

ιουδαιας και τετρααρχουντος της
γαλιλαιας ηρωδου φιλιππου δε του
αδελφου αυτου τετρααρχουντος της
ιτουραιας και τραχωνιτιδος χωρας
και λυσανιου της αβιληνης
τετρααρχουντος
In the fifteenth year of the reign of
Tiberius Caesar, Pontius Pilate[26]
governing Judea, and Herod serving
as tetrarch of Galilee, and Philip his
brother serving as tetrarch of Iturea
and the regions of Trachonitis, and
Lysanias serving as tetrarch of
Abilene,

**3:2** επι αρχιερεως αννα και καιαφα
εγενετο ρημα θεου επι ιωαννην τον
ζαχαριου υιον εν τη ερημω
under the high priesthood of Annas[27]
and Caiaphas[28], God's word came on
John the son of Zachariah in the
desert.

**3:3** και ηλθεν εις πασαν περιχωρον
του ιορδανου κηρυσσων βαπτισμα
μετανοιας εις αφεσιν αμαρτιων
He came into all the regions around
the Jordan[29] preaching *a* baptism of
repentance to the forgiveness of sins,

**3:4** ως γεγραπται εν βιβλω λογων
ησαιου του προφητου φωνη βοωντος
εν τη ερημω ετοιμασατε την οδον
κυριου ευθειας ποιειτε τας τριβους
αυτου
as is written in the book of Isaiah[30]
the prophet's words,

> "*A* voice shouting in the desert,
> 'Prepare the Lord's way!
> Make his paths straight!

**3:5** πασα φαραγξ πληρωθησεται και
παν ορος και βουνος ταπεινωθησεται
και εσται τα σκολια εις ευθειας και
αι τραχειαι εις οδους λειας

> "'Every valley will be filled,
> and every mountain and hill
> brought low.
> The crooked will be as straight,
> and the rough as smooth roads,

**3:6** και οψεται πασα σαρξ το
σωτηριον του θεου

> "'and all flesh will see
> the salvation of God.'"[31]

**3:7** ελεγεν ουν τοις εκπορευομενοις
οχλοις βαπτισθηναι υπ αυτου
γεννηματα εχιδνων τις υπεδειξεν
υμιν φυγειν απο της μελλουσης
οργης
He was saying, therefore, to the
crowds coming out to be baptized by
him, "Vipers' spawn, who warned
you to flee from the coming anger?

**3:8** ποιησατε ουν καρπους αξιους
της μετανοιας και μη αρξησθε λεγειν
εν εαυτοις πατερα εχομεν τον
αβρααμ λεγω γαρ υμιν οτι δυναται ο
θεος εκ των λιθων τουτων εγειραι
τεκνα τω αβρααμ
"Work fruit, therefore, worthy of
repentance, and don't begin to say
among yourselves, 'We have father
Abraham', for I say to you that God
can raise up children of Abraham
from these stones!

**3:9** ηδη δε και η αξινη προς την
ριζαν των δενδρων κειται παν ουν
δενδρον μη ποιουν καρπον [καλον]
εκκοπτεται και εις πυρ βαλλεται
"The axe is already laid at the root of
the trees. Every tree then not making
[good] fruit is cut down and thrown

into fire."

## The Crowd Questions John

**3:10** και επηρωτων αυτον οι οχλοι λεγοντες τι ουν ποιησωμεν

The crowds questioned him, saying, "What then can we do?"

**3:11** αποκριθεις δε ελεγεν αυτοις ο εχων δυο χιτωνας μεταδοτω τω μη εχοντι και ο εχων βρωματα ομοιως ποιειτω

Answering, he said to them, "Let the *one* having two shirts share with the *one* not having, and the *one* having food do likewise."

**3:12** ηλθον δε και τελωναι βαπτισθηναι και ειπαν προς αυτον διδασκαλε τι ποιησωμεν

Tax collectors also came to be baptized, and they said to him, "Teacher, what can we do?"

**3:13** ο δε ειπεν προς αυτους μηδεν πλεον παρα το διατεταγμενον υμιν πρασσετε

He said to them, "Collect nothing more than is commanded you."

**3:14** επηρωτων δε αυτον και στρατευομενοι λεγοντες τι ποιησωμεν και ημεις και ειπεν αυτοις μηδενα διασεισητε μηδε συκοφαντησητε και αρκεισθε τοις οψωνιοις υμων

Soldiers also questioned him, saying, "What can we do also?"

He said to them, "Rob no one, nor defraud, and be content in your wages."

## Is John the Christ?

**3:15** προσδοκωντος δε του λαου και διαλογιζομενων παντων εν ταις καρδιαις αυτων περι του ιωαννου μηποτε αυτος ειη ο χριστος

All the people *were* watching and considering in their hearts about John, if perhaps he might be the Christ.

**3:16** απεκρινατο λεγων πασιν ο ιωαννης εγω μεν υδατι βαπτιζω υμας ερχεται δε ο ισχυροτερος μου ου ουκ ειμι ικανος λυσαι τον ιμαντα των υποδηματων αυτου αυτος υμας βαπτισει εν πνευματι αγιω και πυρι

John answered, saying to all, "I baptize you by water, yet the Mightier-than-me comes, who I am not worthy to untie the lace of his sandals. He will baptize you in Holy Spirit and fire,

**3:17** ου το πτυον εν τη χειρι αυτου διακαθαραι την αλωνα αυτου και συναγαγειν τον σιτον εις την αποθηκην αυτου το δε αχυρον κατακαυσει πυρι ασβεστω

"whose winnowing fan is in his hand, to thoroughly purge his threshing floor, and to gather the wheat into his barn. Yet he will burn the chaff with unquenchable fire."

**3:18** πολλα μεν ουν και ετερα παρακαλων ευηγγελιζετο τον λαον

Urging them in many other *ways*, he evangelized the people.

## Herod Imprisons John

**3:19** ο δε ηρωδης ο τετρααρχης ελεγχομενος υπ αυτου περι ηρωδιαδος της γυναικος του αδελφου αυτου και περι παντων ων εποιησεν πονηρων ο ηρωδης

Yet Herod the tetrarch, rebuked by him over Herodias, the wife of his brother, and over all the wicked *things* that Herod did,

**3:20** προσεθηκεν και τουτο επι πασιν κατεκλεισεν τον ιωαννην εν φυλακη

added this also over all: to lock John up in prison.

## Jesus' Baptism

**3:21** εγενετο δε εν τω βαπτισθηναι απαντα τον λαον και ιησου βαπτισθεντος και προσευχομενου ανεωχθηναι τον ουρανον

It happened in baptizing all the people Jesus also *was* baptized and, praying, the sky *was* opened.

**3:22** και καταβηναι το πνευμα το αγιον σωματικω ειδει ως περιστεραν επ αυτον και φωνην εξ ουρανου γενεσθαι συ ει ο υιος μου ο αγαπητος εν σοι ευδοκησα

The Holy Spirit came down bodily upon him, seen as *a* dove, and *a* voice came from heaven,

"You are my beloved son.
I am pleased in you.[31a]"

## The Genealogy of Jesus

**3:23** και αυτος ην ιησους αρχομενος ωσει ετων τριακοντα ων υιος ως ενομιζετο ιωσηφ του ηλι

Jesus was himself beginning around thirty years of age, being the son, as was supposed, of Joseph, of Eli,

**3:24** του μαθθατ του λευι του μελχι του ιανναι του ιωσηφ

of Matthat, of Levi, of Melchi, of Jannai, of Joseph,

**3:25** του ματταθιου του αμως του ναουμ του εσλι του ναγγαι

of Mattathias, of Amos, of Nahum, of Esli, of Naggai,

**3:26** του μααθ του ματταθιου του σεμειν του ιωσηχ του ιωδα

of Maath, of Mattathias, of Semei, of Josech, of Joda,

**3:27** του ιωαναν του ρησα του ζοροβαβελ του σαλαθιηλ του νηρι

of Johanan, of Resa, of Zerubbabel[32], of Salathiel[33], of Neri,

**3:28** του μελχι του αδδι του κωσαμ του ελμαδαμ του ηρ

of Melchi, of Addi, of Kosam, of Elmadam, of Er,

**3:29** του ιησου του ελιεζερ του ιωριμ του μαθθατ του λευι

of Jesus, of Eliezer, of Jorim, of Matthat, of Levi,

**3:30** του συμεων του ιουδα του ιωσηφ του ιωναμ του ελιακιμ

of Simeon, of Judah, of Joseph, of Jonah, of Eliakim,

**3:31** του μελεα του μεννα του ματταθα του ναθαμ του δαυιδ

of Melea, of Menna, of Mattatha, of Nathan[34], of David,

**3:32** του ιεσσαι του ιωβηδ του βοος του σαλα του ναασσων

of Jesse[35], of Jobed[36], of Boaz[37], of Sala[38], of Naason[39],

**3:33** του αδμιν του αρνι του εσρωμ

του φαρες του ιουδα
of Admin[40], of Arni[41], of Esrom[42], of Pharez[43], of Judah[44],

**3:34** του ιακωβ του ισαακ του αβρααμ του θαρα του ναχωρ
of Jacob, of Isaac[45], of Abraham, of Terah[47], of Nachor[48],

**3:35** του σερουχ του ραγαυ του φαλεκ του εβερ του σαλα
of Seruch[49], of Ragau[50], of Phalek, of Heber[51], of Salah[52],

**3:36** του καιναμ του αρφαξαδ του σημ του νωε του λαμεχ
of Kainan, of Arphaxad[53], of Shem[54], of Noah[55], of Lamech[56],

**3:37** του μαθουσαλα του ενωχ του ιαρετ του μαλελεηλ του καιναμ
of Methusaleh[57], of Enoch[58], of Jared[59], of Malaleel[60], of Kainan[61],

**3:38** του ενως του σηθ του αδαμ του θεου
of Enos[62], of Seth[63], of Adam[64], of God.

## Luke 4
## The Temptation

**4:1** ιησους δε πληρης πνευματος αγιου υπεστρεψεν απο του ιορδανου και ηγετο εν τω πνευματι εν τη ερημω
Jesus, full of Holy Spirit, turned back from the Jordan and was led in the Spirit into the desert,

**4:2** ημερας τεσσερακοντα πειραζομενος υπο του διαβολου και ουκ εφαγεν ουδεν εν ταις ημεραις εκειναις και συντελεσθεισων αυτων επεινασεν
tested forty days by the devil. He ate nothing in those days and, completing them, he was hungry.

**4:3** ειπεν δε αυτω ο διαβολος ει υιος ει του θεου ειπε τω λιθω τουτω ινα γενηται αρτος
The devil said to him, "If you are the son of God, say to this stone that it become bread."

**4:4** και απεκριθη προς αυτον ο ιησους γεγραπται οτι ουκ επ αρτω μονω ζησεται ο ανθρωπος
Jesus answered toward him, "It is written that,

'Man will not live
from bread alone.'"[65]

**4:5** και αναγαγων αυτον εδειξεν αυτω πασας τας βασιλειας της οικουμενης εν στιγμη χρονου
Leading him up, he showed him all the kingdoms of the world in *a* moment of time.

**4:6** και ειπεν αυτω ο διαβολος σοι δωσω την εξουσιαν ταυτην απασαν και την δοξαν αυτων οτι εμοι παραδεδοται και ω εαν θελω διδωμι αυτην
The devil said to him, "I will give you the authority over all this, and their glory, because it is given to me and I give her to whomever I want.

**4:7** συ ουν εαν προσκυνησης ενωπιον εμου εσται σου πασα
"You, then, if you worship before me, all will be yours."

**4:8** και αποκριθεις ο ιησους ειπεν αυτω γεγραπται κυριον τον θεον σου

προσκυνησεις και αυτω μονω
λατρευσεις
Answering, Jesus said to him, "It is written,

> 'You will worship
> the Lord your God,
> and serve Him only.'[66]

**4:9** ηγαγεν δε αυτον εις ιερουσαλημ και εστησεν επι το πτερυγιον του ιερου και ειπεν [αυτω] ει υιος ει του θεου βαλε σεαυτον εντευθεν κατω
He led him to Jerusalem and set him on the highest point of the temple. He said [to him], "If you are the son of God, throw yourself down below.
**4:10** γεγραπται γαρ οτι τοις αγγελοις αυτου εντελειται περι σου του διαφυλαξαι σε
"For it is written that,

> 'He will command His angels
> about you to protect you',

**4:11** και οτι επι χειρων αρουσιν σε μηποτε προσκοψης προς λιθον τον ποδα σου
"and that,
> 'They will take you up in hands,
> unless you strike your foot
> on a stone.'"[67]

**4:12** και αποκριθεις ειπεν αυτω ο ιησους οτι ειρηται ουκ εκπειρασεις κυριον τον θεον σου
Answering, Jesus said to him that, "It is said,

> 'You will not test
> the Lord your God.'"[68]

**4:13** και συντελεσας παντα πειρασμον ο διαβολος απεστη απ αυτου αχρι καιρου
Having completed every test, the devil withdrew from him until *the* time.

### Jesus Begins His Preaching
**4:14** και υπεστρεψεν ο ιησους εν τη δυναμει του πνευματος εις την γαλιλαιαν και φημη εξηλθεν καθ ολης της περιχωρου περι αυτου
Jesus turned back in the power of the Spirit into Galilee, and *a* report went out to all of the surrounding region about him.
**4:15** και αυτος εδιδασκεν εν ταις συναγωγαις αυτων δοξαζομενος υπο παντων
He began teaching in their synagogues[69], glorified by all.

### Jesus in Nazareth
**4:16** και ηλθεν εις ναζαρα ου ην τεθραμμενος και εισηλθεν κατα το ειωθος αυτω εν τη ημερα των σαββατων εις την συναγωγην και ανεστη αναγνωναι
He came to Nazareth where he grew up, and went into the synagogue according to his custom on the Sabbath day, and got up to read.
**4:17** και επεδοθη αυτω βιβλιον του προφητου ησαιου και ανοιξας το βιβλιον ευρεν [τον] τοπον ου ην γεγραμμενον
The book of the prophet Isaiah was given to him and, opening the book, he found [the] place where it was written,

**4:18** πνευμα κυριου επ εμε ου εινεκεν εχρισεν με ευαγγελισασθαι πτωχοις απεσταλκεν με κηρυξαι αιχμαλωτοις αφεσιν και τυφλοις αναβλεψιν αποστειλαι τεθραυσμενους εν αφεσει

"'The Lord's Spirit is on me,
for He has anointed me
to evangelize the poor.[70]
He has sent me to proclaim
release to captives
and give sight to the blind,
to send the oppressed in liberty –
**4:19** κηρυξαι ενιαυτον κυριου δεκτον

"'to proclaim the acceptable
year of the Lord.'"[71]

**4:20** και πτυξας το βιβλιον αποδους τω υπηρετη εκαθισεν και παντων οι οφθαλμοι εν τη συναγωγη ησαν ατενιζοντες αυτω
Closing the book, giving it back to the attendant, he sat down, and the eyes of all in the synagogue were fixed on him.
**4:21** ηρξατο δε λεγειν προς αυτους οτι σημερον πεπληρωται η γραφη αυτη εν τοις ωσιν υμων
He began to say to them that, "This very day this scripture is fulfilled among you."

**4:22** και παντες εμαρτυρουν αυτω και εθαυμαζον επι τοις λογοις της χαριτος τοις εκπορευομενοις εκ του στοματος αυτου και ελεγον ουχι υιος εστιν ιωσηφ ουτος
All bore witness to him and were amazed at the graceful words coming out of his mouth. They were saying, "Isn't this the son of Joseph?"

**4:23** και ειπεν προς αυτους παντως ερειτε μοι την παραβολην ταυτην ιατρε θεραπευσον σεαυτον οσα ηκουσαμεν γενομενα εις την καφαρναουμ ποιησον και ωδε εν τη πατριδι σου
He said to them, "No doubt you will quote this proverb to me: 'Doctor, heal yourself!' As much as we've heard happened in Capernaum[72], do also here in your homeland!"

**4:24** ειπεν δε αμην λεγω υμιν οτι ουδεις προφητης δεκτος εστιν εν τη πατριδι αυτου
He said, "Amen I say to you that no prophet is acceptable in his homeland.
**4:25** επ αληθειας δε λεγω υμιν πολλαι χηραι ησαν εν ταις ημεραις ηλιου εν τω ισραηλ οτε εκλεισθη ο ουρανος ετη τρια και μηνας εξ ως εγενετο λιμος μεγας επι πασαν την γην
"In truth I say to you, many widows were in Israel in Elijah's days, when the sky was closed for three years and six months as a great famine came over all the land.[73]
**4:26** και προς ουδεμιαν αυτων επεμφθη ηλιας ει μη εις σαρεπτα της σιδωνιας προς γυναικα χηραν
"Elijah wasn't sent to any of them, except to a widow woman in Sarepta of the Sidonians[74].
**4:27** και πολλοι λεπροι ησαν εν τω

ισραηλ επι ελισαιου του προφητου
και ουδεις αυτων εκαθαρισθη ει μη
ναιμαν ο συρος

"Many lepers were in Israel in Elisha[75] the prophet's *time*, and not one of them was cleansed except Naaman[76] the Syrian."

**4:28** και επλησθησαν παντες θυμου
εν τη συναγωγη ακουοντες ταυτα

All in the synagogue were enraged, hearing these *words*.

**4:29** και ανασταντες εξεβαλον αυτον
εξω της πολεως και ηγαγον αυτον
εως οφρυος του ορους εφ ου η πολις
ωκοδομητο   αυτων   ωστε
κατακρημνισαι αυτον

Rising up, they dragged him out of the city and led him to the brow of the hill on which their city was built, so as to thrown him down.

**4:30** αυτος δε διελθων δια μεσου
αυτων επορευετο

Yet he, passing through the midst of them, went out.

### Jesus Teaches in Capernaum

**4:31** και κατηλθεν εις καφαρναουμ
πολιν της γαλιλαιας και ην διδασκων
αυτους εν τοις σαββασιν

He went down to Capernaum, *a* city of Galilee, and was teaching them on the Sabbaths.

**4:32** και εξεπλησσοντο επι τη διδαχη
αυτου οτι εν εξουσια ην ο λογος
αυτου

They were astounded at his teaching, because his word was in authority.

**4:33** και εν τη συναγωγη ην
ανθρωπος εχων πνευμα δαιμονιου

ακαθαρτου και ανεκραξεν φωνη
μεγαλη

*A* man having *the* spirit of *an* unclean demon was in the synagogue, and he shouted in *a* great voice,

**4:34** εα τι ημιν και σοι ιησου
ναζαρηνε ηλθες απολεσαι ημας οιδα
σε τις ει ο αγιος του θεου

"Ah, what to us and to you, Jesus Nazarene?   Have you come to destroy us? I know you, who you are – the holy of God!"

**4:35** και επετιμησεν αυτω ο ιησους
λεγων φιμωθητι και εξελθε απ αυτου
και ριψαν αυτον το δαιμονιον εις το
μεσον εξηλθεν απ αυτου μηδεν
βλαψαν αυτον

Jesus rebuked him, saying, "Muzzle, and come out of him!"

The demon, throwing him down in the midst, went out of him, not injuring him.

**4:36** και εγενετο θαμβος επι παντας
και συνελαλουν προς αλληλους
λεγοντες τις ο λογος ουτος οτι εν
εξουσια και δυναμει επιτασσει τοις
ακαθαρτοις   πνευμασιν   και
εξερχονται

Amazement came over all, and they began talking to each other, saying, "Who *is* this word, that he commands the unclean spirits in authority and power and they go out?"

**4:37** και εξεπορευετο ηχος περι
αυτου εις παντα τοπον της
περιχωρου

*An* echo about him went out into every place in the surrounding region.

### Jesus Heals in Capernaum

**4:38** αναστας δε απο της συναγωγης εισηλθεν εις την οικιαν σιμωνος πενθερα δε του σιμωνος ην συνεχομενη πυρετω μεγαλω και ηρωτησαν αυτον περι αυτης

Getting up from the synagogue, he went into Simon's[77] house. Simon's mother-in-law was held fast by *a* great fever, and they told him about her.

**4:39** και επιστας επανω αυτης επετιμησεν τω πυρετω και αφηκεν αυτην παραχρημα δε αναστασα διηκονει αυτοις

Standing over her, he rebuked the fever and it released her. Getting up at once, she served them.

**4:40** δυνοντος δε του ηλιου απαντες οσοι ειχον ασθενουντας νοσοις ποικιλαις ηγαγον αυτους προς αυτον ο δε ενι εκαστω αυτων τας χειρας επιτιθεις εθεραπευεν αυτους

*When* the sun set, all brought to him as many as had weaknesses of various illnesses. Laying hands on each one of them, he healed them.

**4:41** εξηρχετο δε και δαιμονια απο πολλων κραζοντα και λεγοντα οτι συ ει ο υιος του θεου και επιτιμων ουκ εια αυτα λαλειν οτι ηδεισαν τον χριστον αυτον ειναι

The demons also went out of many, shouting and saying that, "You are the son of God!"

He rebuked and wouldn't let them speak because they knew him to be the Christ.

**4:42** γενομενης δε ημερας εξελθων επορευθη εις ερημον τοπον και οι οχλοι επεζητουν αυτον και ηλθον εως αυτου και κατειχον αυτον του μη πορευεσθαι απ αυτων

When the day had come, going out, he went into *a* desert place. The crowd was looking for him, and they came to him and held him, that he not go away from them.

**4:43** ο δε ειπεν προς αυτους οτι και ταις ετεραις πολεσιν ευαγγελισασθαι με δει την βασιλειαν του θεου οτι επι τουτο απεσταλην

He said to them that, "It is necessary for me to evangelize the kingdom of God in the other cities too, because I was sent for this."

**4:44** και ην κηρυσσων εις τας συναγωγας της ιουδαιας

He began preaching in all the synagogues of Judea.

### Luke 5
### Jesus Calls Disciples
### by Lake Gennesareth

**5:1** εγενετο δε εν τω τον οχλον επικεισθαι αυτω και ακουειν τον λογον του θεου και αυτος ην εστως παρα την λιμνην γεννησαρετ

It happened *while* the crowd pressed on him and listened to the word of God, he too was standing beside Lake Gennesaret[78].

**5:2** και ειδεν πλοια δυο εστωτα παρα

Gospels, 235

την λιμνην οι δε αλιεις απ αυτων αποβαντες επλυνον τα δικτυα

He saw two boats sitting beside the lake. The fishermen, having gotten out of them, were mending the nets.

**5:3** εμβας δε εις εν των πλοιων ο ην σιμωνος ηρωτησεν αυτον απο της γης επαναγαγειν ολιγον καθισας δε εκ του πλοιου εδιδασκεν τους οχλους

Getting into one of the boats which was Simon's, he asked him to put out *a* little from the land. Seated, he began teaching the crowds from the boat.

**5:4** ως δε επαυσατο λαλων ειπεν προς τον σιμωνα επαναγαγε εις το βαθος και χαλασατε τα δικτυα υμων εις αγραν

As he finished speaking, he said to Simon, "Put out into the deep and cast your nets for the catch."

**5:5** και αποκριθεις σιμων ειπεν επιστατα δι ολης νυκτος κοπιασαντες ουδεν ελαβομεν επι δε τω ρηματι σου χαλασω τα δικτυα

Simon, answering, said, "Master, we took nothing working the whole night, yet at your word I will cast the nets"

**5:6** και τουτο ποιησαντες συνεκλεισαν πληθος ιχθυων πολυ διερρησσετο δε τα δικτυα αυτων

Doing this, they enclosed *a* great quantity of fish, yet their nets were breaking.

**5:7** και κατενευσαν τοις μετοχοις εν τω ετερω πλοιω του ελθοντας

συλλαβεσθαι αυτοις και ηλθον και επλησαν αμφοτερα τα πλοια ωστε βυθιζεσθαι αυτα

They signaled to the partners in the other boat to come and help them, and they came and filled both the boats so as to sink them.

**5:8** ιδων δε σιμων πετρος προσεπεσεν τοις γονασιν ιησου λεγων εξελθε απ εμου οτι ανηρ αμαρτωλος ειμι κυριε

Simon Peter, seeing, fell on his knees before Jesus saying, "Go away from me, Lord, for I'm *a* sinful man!"

**5:9** θαμβος γαρ περιεσχεν αυτον και παντας τους συν αυτω επι τη αγρα των ιχθυων ων συνελαβον

For amazement seized him and all those with him over the catch of fish which they had taken,

**5:10** ομοιως δε και ιακωβον και ιωαννην υιους ζεβεδαιου οι ησαν κοινωνοι τω σιμωνι και ειπεν προς τον σιμωνα ιησους μη φοβου απο του νυν ανθρωπους εση ζωγρων

yet likewise also Jacob[79] and John, Zebedee's sons. They were partners with Simon. Jesus said to Simon, "Don't be afraid. From now on you will be catching men."

**5:11** και καταγαγοντες τα πλοια επι την γην αφεντες παντα ηκολουθησαν αυτω

Bringing the boats to the land, they followed him, leaving all.

### Jesus Heals a Leper

**5:12** και εγενετο εν τω ειναι αυτον

εν μια των πολεων και ιδου ανηρ πληρης λεπρας ιδων δε τον ιησουν πεσων επι προσωπον εδεηθη αυτου λεγων κυριε εαν θελης δυνασαι με καθαρισαι

It happened while he was in one of the cities and, look! *There was a man* full of leprosy. Seeing Jesus, falling on his face, he begged him, saying, "Lord, if you will, you can make me clean."

**5:13** και εκτεινας την χειρα ηψατο αυτου λεγων θελω καθαρισθητι και ευθεως η λεπρα απηλθεν απ αυτου

Stretching the hand, he touched him, saying, "I will. Be clean," and the leprosy went away from him at once.

**5:14** και αυτος παρηγγειλεν αυτω μηδενι ειπειν αλλα απελθων δειξον σεαυτον τω ιερει και προσενεγκε περι του καθαρισμου σου καθως προσεταξεν μωυσης εις μαρτυριον αυτοις

He commanded him to say nothing, yet, "Going, show yourself to the priest, and offer for your cleansing as Moses commanded as testimony to them."[80]

**5:15** διηρχετο δε μαλλον ο λογος περι αυτου και συνηρχοντο οχλοι πολλοι ακουειν και θεραπευεσθαι απο των ασθενειων αυτων

Yet the word rather went out further about him, and many crowds came together to hear and to be healed from their weaknesses.

**5:16** αυτος δε ην υποχωρων εν ταις ερημοις και προσευχομενος

He began withdrawing to the deserts and praying.

## Healing a Paralytic

**5:17** και εγενετο εν μια των ημερων και αυτος ην διδασκων και ησαν καθημενοι φαρισαιοι και νομοδιδασκαλοι οι ησαν εληλυθοτες εκ πασης κωμης της γαλιλαιας και ιουδαιας και ιερουσαλημ και δυναμις κυριου ην εις το ιασθαι αυτον

It happened in one of the days, and he was teaching, and Pharisees and teachers of the law were seated. They were coming from all the regions of Galilee and Judea and Jerusalem, and the Lord's power was *there* for him to heal.

**5:18** και ιδου ανδρες φεροντες επι κλινης ανθρωπον ος ην παραλελυμενος και εζητουν αυτον εισενεγκειν και θειναι [αυτον] ενωπιον αυτου

Look! Men *came* bearing *a* man on *a* cot who was paralyzed. They were seeking to bring him in and place [him] before him.

**5:19** και μη ευροντες ποιας εισενεγκωσιν αυτον δια τον οχλον αναβαντες επι το δωμα δια των κεραμων καθηκαν αυτον συν τω κλινιδιω εις το μεσον εμπροσθεν του ιησου

Not finding how they could bring him in because of the crowd, going up on the housetop, they let him down by the cot through the roof tiles into the midst before Jesus.

**5:20** και ιδων την πιστιν αυτων ειπεν ανθρωπε αφεωνται σοι αι αμαρτιαι

σου
Seeing their faith, he said, "Man, your sins are forgiven you."

**5:21** και ηρξαντο διαλογιζεσθαι οι γραμματεις και οι φαρισαιοι λεγοντες τις εστιν ουτος ος λαλει βλασφημιας τις δυναται αμαρτιας αφειναι ει μη μονος ο θεος
The writers and the Pharisees began to question, saying, "Who is this who speaks blasphemy? Who can forgive sins except God alone?"

**5:22** επιγνους δε ο ιησους τους διαλογισμους αυτων αποκριθεις ειπεν προς αυτους τι διαλογιζεσθε εν ταις καρδιαις υμων
Jesus, knowing their questions, answering, said to them, "Why do you question in your hearts?

**5:23** τι εστιν ευκοπωτερον ειπειν αφεωνται σοι αι αμαρτιαι σου η ειπειν εγειρε και περιπατει
"What is easier? To say, 'Your sins are forgiven you', or to say, 'Get up and walk!'?

**5:24** ινα δε ειδητε οτι ο υιος του ανθρωπου εξουσιαν εχει επι της γης αφιεναι αμαρτιας ειπεν τω παραλελυμενω σοι λεγω εγειρε και αρας το κλινιδιον σου πορευου εις τον οικον σου
"Yet so you may know that the Son of Man has authority on the earth to forgive sins," he said to the paralytic, "I say to you, get up and, taking your cot, go to your house!'"

**5:25** και παραχρημα αναστας ενωπιον αυτων αρας εφ ο κατεκειτο απηλθεν εις τον οικον αυτου δοξαζων τον θεον
Getting up immediately before them, taking what he had been placed on, he went out to his house praising God.

**5:26** και εκστασις ελαβεν απαντας και εδοξαζον τον θεον και επλησθησαν φοβου λεγοντες οτι ειδομεν παραδοξα σημερον
Astonishment took all, and they were glorifying God and filled with fear, saying that, "We have seen wonders this day."

### Jesus Calls Levi

**5:27** και μετα ταυτα εξηλθεν και εθεασατο τελωνην ονοματι λευιν καθημενον επι το τελωνιον και ειπεν αυτω ακολουθει μοι
After that he went out, and he saw *a* tax collector named Levi[81] seated at the tax booth. He said to him, "Follow me!"

**5:28** και καταλιπων παντα αναστας ηκολουθει αυτω
Leaving all, getting up, he followed him.

**5:29** και εποιησεν δοχην μεγαλην λευις αυτω εν τη οικια αυτου και ην οχλος πολυς τελωνων και αλλων οι ησαν μετ αυτων κατακειμενοι
Levi made him *a* great banquet in his house, and *there* was *a* great crowd of tax collectors and others. They were seated with them.

**5:30** και εγογγυζον οι φαρισαιοι και οι γραμματεις αυτων προς τους μαθητας αυτου λεγοντες δια τι μετα

των τελωνων και αμαρτωλων
εσθιετε και πινετε

The Pharisees and their writers began complaining to his disciples, saying, "Why do you eat and drink with tax collectors and sinners?"

**5:31** και αποκριθεις [ο] ιησους ειπεν προς αυτους ου χρειαν εχουσιν οι υγιαινοντες ιατρου αλλα οι κακως εχοντες

Answering, Jesus said to them, "The healthy have no need for a doctor, but those having harms.

**5:32** ουκ εληλυθα καλεσαι δικαιους αλλα αμαρτωλους εις μετανοιαν

"I haven't come to call the righteous, but sinners to repentance."

### A Question About Fasting

**5:33** οι δε ειπαν προς αυτον οι μαθηται ιωαννου νηστευουσιν πυκνα και δεησεις ποιουνται ομοιως και οι των φαρισαιων οι δε σοι εσθιουσιν και πινουσιν

They said to him, "John's disciples are fasting often and making prayers, and likewise those of the Pharisees. Yet yours are eating and drinking."

**5:34** ο δε ιησους ειπεν προς αυτους μη δυνασθε τους υιους του νυμφωνος εν ω ο νυμφιος μετ αυτων εστιν ποιησαι νηστευσαι

Jesus said to them, "Can the sons of the wedding make a fast while the groom is with them?

**5:35** ελευσονται δε ημεραι και οταν απαρθη απ αυτων ο νυμφιος τοτε νηστευσουσιν εν εκειναις ταις ημεραις

"Days will come also when the groom is taken from them. They will fast then, in those days."

### Old and New

**5:36** ελεγεν δε και παραβολην προς αυτους οτι ουδεις επιβλημα απο ιματιου καινου σχισας επιβαλλει επι ιματιον παλαιον ει δε μη γε και το καινον σχισει και τω παλαιω ου συμφωνησει το επιβλημα το απο του καινου

He was speaking a parable to them also, that, "No one taking a patch from old clothing puts it on new clothing. Otherwise the new tears and the patch from the new doesn't match the old.

**5:37** και ουδεις βαλλει οινον νεον εις ασκους παλαιους ει δε μη γε ρηξει ο οινος ο νεος τους ασκους και αυτος εκχυθησεται και οι ασκοι απολουνται

"No one puts new wine into old skins. Otherwise the new wine tears the skins, and it is poured out, and the skins are destroyed.

**5:38** αλλα οινον νεον εις ασκους καινους βλητεον

"Yet new wine must be put into new skins."

**5:39** [ουδεις πιων παλαιον θελει νεον λεγει γαρ ο παλαιος χρηστος εστιν]

["No one drinking old *wine* wants the new, for he says, 'The old is better.'"]

## Luke 6
## In a Grain Field

**6:1** εγενετο δε εν σαββατω διαπορευεσθαι αυτον δια σποριμων και ετιλλον οι μαθηται αυτου και ησθιον τους σταχυας ψωχοντες ταις χερσιν

It happened on the Sabbath *while* he *was* passing through *a* grain field, his disciples began plucking and eating the heads of grain, rubbing *them* with the hands.

**6:2** τινες δε των φαρισαιων ειπαν τι ποιειτε ο ουκ εξεστιν τοις σαββασιν

Some of the Pharisees said, "Why are you doing what isn't lawful on the Sabbaths?"

**6:3** και αποκριθεις προς αυτους ειπεν [ο] ιησους ουδε τουτο ανεγνωτε ο εποιησεν δαυιδ οτε επεινασεν αυτος και οι μετ αυτου

Answering, Jesus said to them, "Haven't you read this, what David did when he was hungry, and those with him?

**6:4** [ως] εισηλθεν εις τον οικον του θεου και τους αρτους της προθεσεως λαβων εφαγεν και εδωκεν τοις μετ αυτου ους ουκ εξεστιν φαγειν ει μη μονους τους ιερεις

"[How] he went into the house of God and, taking the loaves of setting forth, he ate, and he gave to those with him, which are not lawful to eat except for the priests alone?"[82]

**6:5** και ελεγεν αυτοις κυριος εστιν του σαββατου ο υιος του ανθρωπου

He began saying to them, "The Son of Man is Lord of the Sabbath."

## Another Sabbath Dispute

**6:6** εγενετο δε εν ετερω σαββατω εισελθειν αυτον εις την συναγωγην και διδασκειν και ην ανθρωπος εκει και η χειρ αυτου η δεξια ην ξηρα

It happened on another Sabbath, *while* he went into the synagogue and *was* teaching, and *a* man was there and his right hand was withered.

**6:7** παρετηρουντο δε αυτον οι γραμματεις και οι φαρισαιοι ει εν τω σαββατω θεραπευει ινα ευρωσιν κατηγορειν αυτου

The scribes and the Pharisees were watching him if he would heal on the Sabbath, so they could find *cause* to accuse him.

**6:8** αυτος δε ηδει τους διαλογισμους αυτων ειπεν δε τω ανδρι τω ξηραν εχοντι την χειρα εγειρε και στηθι εις το μεσον και αναστας εστη

Yet he had known their thoughts, and he said to the man having the withered hand, "Get up and stand in the midst."

Rising, he stood up.

**6:9** ειπεν δε [ο] ιησους προς αυτους επερωτω υμας ει εξεστιν τω σαββατω αγαθοποιησαι η κακοποιησαι ψυχην σωσαι η απολεσαι

Jesus said to them, "I ask you, is it lawful on the Sabbath to do good or to do harm, to save *a* soul or to destroy?"

**6:10** και περιβλεψαμενος παντας

αυτους ειπεν αυτω εκτεινον την χειρα σου ο δε εποιησεν και απεκατεσταθη η χειρ αυτου

Looking around at all of them, he said to him, "Stretch out your hand."

He did so, and his hand was restored.

**6:11** αυτοι δε επλησθησαν ανοιας και διελαλουν προς αλληλους τι αν ποιησαιεν τω ιησου

They were filled with folly and began considering with each other what they would like to do to Jesus.

### Jesus Chooses Disciples

**6:12** εγενετο δε εν ταις ημεραις ταυταις εξελθειν αυτον εις το ορος προσευξασθαι και ην διανυκτερευων εν τη προσευχη του θεου

It happened in those days, *while* he *was* going out onto *a* mountain to pray, he too was in prayer to God all night.

**6:13** και οτε εγενετο ημερα προσεφωνησεν τους μαθητας αυτου και εκλεξαμενος απ αυτων δωδεκα ους και αποστολους ωνομασεν

When it was day, he called together his disciples and chose twelve of them, whom he called apostles[83]:

**6:14** σιμωνα ον και ωνομασεν πετρον και ανδρεαν τον αδελφον αυτου και ιακωβον και ιωαννην και φιλιππον και βαρθολομαιον

Simon whom he named Peter, and Andrew his brother, and Jacob, and John, and Philip, and Bartholomew,

**6:15** και μαθθαιον και θωμαν [και] ιακωβον αλφαιου και σιμωνα τον καλουμενον ζηλωτην

and Matthew, and Thomas, [and] Jacob of Alphaeus, and Simon, the *one* called Zealot,

**6:16** και ιουδαν ιακωβου και ιουδαν ισκαριωθ ος εγενετο προδοτης

and Judas of Jacob[84], and Judas Iscariot, who became *the* betrayer.

### Jesus Preaches in a Flat Place

**6:17** και καταβας μετ αυτων εστη επι τοπου πεδινου και οχλος πολυς μαθητων αυτου και πληθος πολυ του λαου απο πασης της ιουδαιας και ιερουσαλημ και της παραλιου τυρου και σιδωνος οι ηλθον ακουσαι αυτου και ιαθηναι απο των νοσων αυτων

Going down with them, he stood on *a* level place. *A* large crowd of his disciples and *a* great multitude of people from all Judea and Jerusalem and the coastal districts of Tyre[85] and Sidon[86] came to hear him and to be healed from their illnesses,

**6:18** και οι ενοχλουμενοι απο πνευματων ακαθαρτων εθεραπευοντο

and the *ones* troubled by unclean spirits were healed.

**6:19** και πας ο οχλος εζητουν απτεσθαι αυτου οτι δυναμις παρ αυτου εξηρχετο και ιατο παντας

The whole crowd was seeking to touch him because power went out from him and healed all.

**6:20** και αυτος επαρας τους οφθαλμους αυτου εις τους μαθητας αυτου ελεγεν μακαριοι οι πτωχοι οτι υμετερα εστιν η βασιλεια του θεου

Lifting up his eyes to his disciples, he began saying,

Gospels, 241

"Blessed *are* the poor,
because the kingdom of God
is yours.

**6:21** μακαριοι οι πεινωντες νυν οτι χορτασθησεσθε μακαριοι οι κλαιοντες νυν οτι γελασετε

"Blessed *are* the hungering now,
because you will be filled.
Blessed *are* the weeping now,
because you will laugh.

**6:22** μακαριοι εστε οταν μισησωσιν υμας οι ανθρωποι και οταν αφορισωσιν υμας και ονειδισωσιν και εκβαλωσιν το ονομα υμων ως πονηρον ενεκα του υιου του ανθρωπου

"You are blessed when men hate you, and when they separate you, and insult and throw down your name as evil for the Son of Man's sake.

**6:23** χαρητε εν εκεινη τη ημερα και σκιρτησατε ιδου γαρ ο μισθος υμων πολυς εν τω ουρανω κατα τα αυτα γαρ εποιουν τοις προφηταις οι πατερες αυτων

"Rejoice in that day and leap for joy, for look! Your reward is great in the sky, for their fathers did according to the same to the prophets.

**6:24** πλην ουαι υμιν τοις πλουσιοις οτι απεχετε την παρακλησιν υμων

"Yet woe to you rich,
because you receive
your consolation.

**6:25** ουαι υμιν οι εμπεπλησμενοι νυν οτι πεινασετε ουαι οι γελωντες νυν οτι πενθησετε και κλαυσετε

"Woe to you filled now,
because you will hunger.
Woe to the laughing now,

because you will weep and cry.

**6:26** ουαι οταν καλως υμας ειπωσιν παντες οι ανθρωποι κατα τα αυτα γαρ εποιουν τοις ψευδοπροφηταις οι πατερες αυτων

"Woe when all the men call you good, for their fathers did according to the same to the false prophets[87].

### Love Your Enemies

**6:27** αλλα υμιν λεγω τοις ακουουσιν αγαπατε τους εχθρους υμων καλως ποιειτε τοις μισουσιν υμας

"I say to you who are listening, love your enemies! Do good to those hating you!

**6:28** ευλογειτε τους καταρωμενους υμας προσευχεσθε περι των επηρεαζοντων υμας

"Bless those cursing you! Pray for those abusing you!

**6:29** τω τυπτοντι σε επι την σιαγονα παρεχε και την αλλην και απο του αιροντος σου το ιματιον και τον χιτωνα μη κωλυσης

"To one striking you on the cheek, offer the other also, and don't forbid the shirt to one taking your coat!

**6:30** παντι αιτουντι σε διδου και απο του αιροντος τα σα μη απαιτει

"Give to all asking you, and don't demand back your own from those taking away!

### Proactive Reciprocity

**6:31** και καθως θελετε ινα ποιωσιν υμιν οι ανθρωποι ποιειτε αυτοις ομοιως

"Just as you wish that men do to you, you do likewise to them!

**6:32** και ει αγαπατε τους αγαπωντας υμας ποια υμιν χαρις εστιν και γαρ οι αμαρτωλοι τους αγαπωντας αυτους αγαπωσιν

"If you love those loving you, what grace is *it* to you? Even the sinners love those loving them.

**6:33** και [γαρ] εαν αγαθοποιητε τους αγαθοποιουντας υμας ποια υμιν χαρις εστιν και οι αμαρτωλοι το αυτο ποιουσιν

"If you do good to those doing good to you, what grace is *it* to you? Even the sinners do the same.

**6:34** και εαν δανισητε παρ ων ελπιζετε λαβειν ποια υμιν χαρις [εστιν] και αμαρτωλοι αμαρτωλοις δανιζουσιν ινα απολαβωσιν τα ισα

"If you give *to those* from whom you hope to receive, what grace [is] *it* to you? Even sinners give so they can receive back the same.

**6:35** πλην αγαπατε τους εχθρους υμων και αγαθοποιειτε και δανιζετε μηδεν απελπιζοντες και εσται ο μισθος υμων πολυς και εσεσθε υιοι υψιστου οτι αυτος χρηστος εστιν επι τους αχαριστους και πονηρους

"Love the ones hating you, and do good, and give, expecting nothing back, and your reward will be great, and you will be sons of the Most High – for He is good to the graceless and wicked!

**6:36** γινεσθε οικτιρμονες καθως ο πατηρ υμων οικτιρμων εστιν

"Be merciful even as your Father is merciful!

**6:37** και μη κρινετε και ου μη κριθητε και μη καταδικαζετε και ου μη καταδικασθητε απολυετε και απολυθησεσθε

"Don't judge and you may not be judged. Don't condemn and you may not be condemned. Forgive and you will be forgiven!

**6:38** διδοτε και δοθησεται υμιν μετρον καλον πεπιεσμενον σεσαλευμενον υπερεκχυννομενον δωσουσιν εις τον κολπον υμων ω γαρ μετρω μετρειτε αντιμετρηθησεται υμιν

"Give and it will be given to you, *a* good measure, pressed, shaken, poured out, will be given into your embrace, for by the measure you measure it will be measured to you!"

## The Blind Can't Lead the Blind

**6:39** ειπεν δε και παραβολην αυτοις μητι δυναται τυφλος τυφλον οδηγειν ουχι αμφοτεροι εις βοθυνον εμπεσουνται

He spoke a parable to them also. "*The* blind can't lead *the* blind, can they? Won't both fall into *a* pit?

**6:40** ουκ εστιν μαθητης υπερ τον διδασκαλον κατηρτισμενος δε πας εσται ως ο διδασκαλος αυτου

"*A* disciple isn't above the teacher, yet each completed *disciple* will be like his teacher.

**6:41** τι δε βλεπεις το καρφος το εν τω οφθαλμω του αδελφου σου την δε δοκον την εν τω ιδιω οφθαλμω ου κατανοεις

"Why do you see the speck in your brother's eye, yet you don't consider the log in your own eye?

**6:42** πως δυνασαι λεγειν τω αδελφω

σου αδελφε αφες εκβαλω το καρφος το εν τω οφθαλμω σου αυτος την εν τω οφθαλμω σου δοκον ου βλεπων υποκριτα εκβαλε πρωτον την δοκον εκ του οφθαλμου σου και τοτε διαβλεψεις το καρφος το εν τω οφθαλμω του αδελφου σου εκβαλειν

"How can you say to your brother, 'Brother, let me throw the speck out of your eye' – *when* you don't consider the log in your own eye! Hypocrite! First throw the log out of your eye, and then you will see through to throw the speck out of your brother's eye!

## Good Trees, Bad Trees

**6:43** ου γαρ εστιν δενδρον καλον ποιουν καρπον σαπρον ουδε παλιν δενδρον σαπρον ποιουν καρπον καλον

"*A* good tree isn't making bad fruit, nor again *a* bad tree making good fruit.

**6:44** εκαστον γαρ δενδρον εκ του ιδιου καρπου γινωσκεται ου γαρ εξ ακανθων συλλεγουσιν συκα ουδε εκ βατου σταφυλην τρυγωσιν

"Each tree is known by its own fruit. Figs aren't gathered from thorn trees, nor does *one* gather grapes from *a* bath.

**6:45** ο αγαθος ανθρωπος εκ του αγαθου θησαυρου της καρδιας προφερει το αγαθον και ο πονηρος εκ του πονηρου προφερει το πονηρον εκ γαρ περισσευματος καρδιας λαλει το στομα αυτου

"The good man brings out the good from the good treasure of his heart, and the wicked man brings out the wicked from the wicked – for his mouth speaks from the overflow of the heart.

**6:46** τι δε με καλειτε κυριε κυριε και ου ποιειτε α λεγω

"Why do you call me, 'Lord, Lord', and you don't do what I say?

## How Firm a Foundation

**6:47** πας ο ερχομενος προς με και ακουων μου των λογων και ποιων αυτους υποδειξω υμιν τινι εστιν ομοιος

"Everyone coming to me and hearing my words and doing them – I will show you what he is like.

**6:48** ομοιος εστιν ανθρωπω οικοδομουντι οικιαν ος εσκαψεν και εβαθυνεν και εθηκεν θεμελιον επι την πετραν πλημμυρης δε γενομενης προσερηξεν ο ποταμος τη οικια εκεινη και ουκ ισχυσεν σαλευσαι αυτην δια το καλως οικοδομησθαι αυτην

"He is like *a* man building *a* house, who dug out and placed *a* foundation on the rock. *A* flood coming, the river burst against that house and couldn't shake her because of her good construction.

**6:49** ο δε ακουσας και μη ποιησας ομοιος εστιν ανθρωπω οικοδομησαντι οικιαν επι την γην χωρις θεμελιου η προσερηξεν ο ποταμος και ευθυς συνεπεσεν και εγενετο το ρηγμα της οικιας εκεινης μεγα

"Yet the *one* hearing and not doing is like *a* man building *a* house on the ground without *a* foundation, which the river burst against and it collapsed at once, and the ruin of that house was great."

## Luke 7
### Healing a Centurion's Slave

**7:1** επειδη επληρωσεν παντα τα ρηματα αυτου εις τας ακοας του λαου εισηλθεν εις καφαρναουμ

When he had completed all his teachings in the hearing of the people, he went into Capernaum.

**7:2** εκατονταρχου δε τινος δουλος κακως εχων ημελλεν τελευταν ος ην αυτω εντιμος

A slave of *a* certain centurion[88] who was precious to him, having *an* illness, was about to die.

**7:3** ακουσας δε περι του ιησου απεστειλεν προς αυτον πρεσβυτερους των ιουδαιων ερωτων αυτον οπως ελθων διασωση τον δουλον αυτου

Hearing about Jesus, he sent elders of the Jews to him asking him that coming he might see his slave through.

**7:4** οι δε παραγενομενοι προς τον ιησουν παρεκαλουν αυτον σπουδαιως λεγοντες οτι αξιος εστιν ω παρεξη τουτο

The *ones* sent to Jesus were urging him earnestly, saying that, "He is worthy that you offer him this,

**7:5** αγαπα γαρ το εθνος ημων και την συναγωγην αυτος ωκοδομησεν ημιν

"for he loves our race, and he

himself built the synagogue for us."

**7:6** ο δε ιησους επορευετο συν αυτοις ηδη δε αυτου ου μακραν απεχοντος απο της οικιας επεμψεν φιλους ο εκατονταρχης λεγων αυτω κυριε μη σκυλλου ου γαρ ικανος ειμι ινα υπο την στεγην μου εισελθης

Jesus went with them. While he was already not far away from the house, the centurion sent friends saying to him, "Lord, don't trouble *yourself*, for I am not worthy that you should come under my roof.

**7:7** διο ουδε εμαυτον ηξιωσα προς σε ελθειν αλλα ειπε λογω και ιαθητω ο παις μου

"For this reason I didn't presume to come to you. Yet say *a* word and my servant will be healed.

**7:8** και γαρ εγω ανθρωπος ειμι υπο εξουσιαν τασσομενος εχων υπ εμαυτον στρατιωτας και λεγω τουτω πορευθητι και πορευεται και αλλω ερχου και ερχεται και τω δουλω μου ποιησον τουτο και ποιει

"For I too am *a* man under authority, having soldiers set under me. I say to this one, 'Go', and he goes, and to another, 'Come', and he comes, and to my slave, 'Do this', and he does."

**7:9** ακουσας δε ταυτα ο ιησους εθαυμασεν αυτον και στραφεις τω ακολουθουντι αυτω οχλω ειπεν λεγω υμιν ουδε εν τω ισραηλ τοσαυτην πιστιν ευρον

Hearing these *words*, Jesus was astounded at him. Turning to the crowd following him, he said, "I say to you not even in Israel have I found such faith."

**7:10** και υποστρεψαντες εις τον οικον οι πεμφθεντες ευρον τον δουλον υγιαινοντα

Turning back to the house, the *ones* sent found the slave in good health.

### Power Over Death

**7:11** και εγενετο εν τω εξης επορευθη εις πολιν καλουμενην ναιν και συνεπορευοντο αυτω οι μαθηται αυτου και οχλος πολυς

It happened on the next day he went into *a* city called Nain, and his disciples and *a* large crowd were following him.

**7:12** ως δε ηγγισεν τη πυλη της πολεως και ιδου εξεκομιζετο τεθνηκως μονογενης υιος τη μητρι αυτου και αυτη ην χηρα και οχλος της πολεως ικανος ην συν αυτη

As he came near the gate of the city, look! *A* dead man was being carried out for burial, only son of his mother, and she was *a* widow. *A* considerable crowd from the city was with her.

**7:13** και ιδων αυτην ο κυριος εσπλαγχνισθη επ αυτη και ειπεν αυτη μη κλαιε

Seeing her, the Lord was moved to pity over her, and he said to her, "Don't cry!"

**7:14** και προσελθων ηψατο της σορου οι δε βασταζοντες εστησαν και ειπεν νεανισκε σοι λεγω εγερθητι

Coming near, he touched the coffin.

The ones carrying it stood still, and he said, "Young man, I say to you, get up!"

**7:15** και ανεκαθισεν ο νεκρος και ηρξατο λαλειν και εδωκεν αυτον τη μητρι αυτου

The dead man sat up and began to speak, and he gave him to his mother.

**7:16** ελαβεν δε φοβος παντας και εδοξαζον τον θεον λεγοντες οτι προφητης μεγας ηγερθη εν ημιν και οτι επεσκεψατο ο θεος τον λαον αυτου

Fear took all and they glorified God, saying that, "*A* great prophet has risen among us," and that, "God has *a* care for His people."

**7:17** και εξηλθεν ο λογος ουτος εν ολη τη ιουδαια περι αυτου και παση τη περιχωρω

This word went out in all Judea and the surrounding regions about him.

### John the Baptist Sends to Jesus

**7:18** και απηγγειλαν ιωαννη οι μαθηται αυτου περι παντων τουτων

His disciples told John about all these *things*.

**7:19** και προσκαλεσαμενος δυο τινας των μαθητων αυτου ο ιωαννης επεμψεν προς τον κυριον λεγων συ ει ο ερχομενος η ετερον προσδοκωμεν

Calling two of his disciples, John sent to the Lord, saying, "Are you the coming one, or should we wait for another?"

7:20 παραγενομενοι δε προς αυτον οι ανδρες ειπαν ιωαννης ο βαπτιστης απεστειλεν ημας προς σε λεγων συ ει ο ερχομενος η αλλον προσδοκωμεν
The men, coming to him, said, "John the Baptist sent us to you, saying, 'Are you the coming one, or should we wait for another?'"

7:21 εν εκεινη τη ωρα εθεραπευσεν πολλους απο νοσων και μαστιγων και πνευματων πονηρων και τυφλοις πολλοις εχαρισατο βλεπειν
In that hour he healed many from illnesses and afflictions and evil spirits, and graced many blind to see.

7:22 και αποκριθεις ειπεν αυτοις πορευθεντες απαγγειλατε ιωαννη α ειδετε και ηκουσατε τυφλοι αναβλεπουσιν χωλοι περιπατουσιν λεπροι καθαριζονται και κωφοι ακουουσιν νεκροι εγειρονται πτωχοι ευαγγελιζονται
Answering, he said to them, "Going, tell John what you've seen and heard:

The blind see.
The lame walk.
Lepers are cleansed
and the deaf hear.
The dead are raised.
The poor are evangelized[89].

7:23 και μακαριος εστιν ος εαν μη σκανδαλισθη εν εμοι
"Blessed is one who is not scandalized in me."

## Jesus Speaks About John

7:24 απελθοντων δε των αγγελων ιωαννου ηρξατο λεγειν προς τους οχλους περι ιωαννου τι εξηλθατε εις την ερημον θεασασθαι καλαμον υπο ανεμου σαλευομενον
While John's messengers were going out, he began to speak to the crowds about John: "What did you go out into the desert to see? A reed shaken by the wind?

7:25 αλλα τι εξηλθατε ιδειν ανθρωπον εν μαλακοις ιματιοις ημφιεσμενον ιδου οι εν ιματισμω ενδοξω και τρυφη υπαρχοντες εν τοις βασιλειοις εισιν
"What did you go out to see? A man dressed in soft clothing? Look! Those in glorious clothes and having luxuries are in the kings' houses.

7:26 αλλα τι εξηλθατε ιδειν προφητην ναι λεγω υμιν και περισσοτερον προφητου
"What did you go out to see? A prophet? Yes, I say to you, and more than a prophet.

7:27 ουτος εστιν περι ου γεγραπται ιδου αποστελλω τον αγγελον μου προ προσωπου σου ος κατασκευασει την οδον σου εμπροσθεν σου
"This is about whom it is written:

'Look! I send my messenger
before your face,
who will prepare your path
before you.'[90]

7:28 λεγω υμιν μειζων εν γεννητοις γυναικων ιωαννου ουδεις εστιν ο δε μικροτερος εν τη βασιλεια του θεου

μειζων αυτου εστιν
"I say to you no one among those born of women is greater than John. Yet the least in the kingdom of God is greater than him."

**7:29** και πας ο λαος ακουσας και οι τελωναι εδικαιωσαν τον θεον βαπτισθεντες το βαπτισμα ιωαννου
The whole crowd and the tax collectors, hearing, justified God, having been baptized in John's baptism.

**7:30** οι δε φαρισαιοι και οι νομικοι την βουλην του θεου ηθετησαν εις εαυτους μη βαπτισθεντες υπ αυτου
Yet the Pharisees and the lawyers rejected the counsel of God in themselves, not being baptized by him.

### Who Are They Like?

**7:31** τινι ουν ομοιωσω τους ανθρωπους της γενεας ταυτης και τινι εισιν ομοιοι
"To whom, then, will I compare the men of this generation, and what are they like?

**7:32** ομοιοι εισιν παιδιοις τοις εν αγορα καθημενοις και προσφωνουσιν αλληλοις α λεγει ηυλησαμεν υμιν και ουκ ωρχησασθε εθρηνησαμεν και ουκ εκλαυσατε
"They are like children sitting in the marketplace and calling to each other, who say, 'We played the flute for you and you did not dance. We sang a dirge for you and you did not weep.'

**7:33** εληλυθεν γαρ ιωαννης ο βαπτιστης μη εσθιων αρτον μητε πινων οινον και λεγετε δαιμονιον εχει
"For John the Baptist came not eating bread or drinking wine, and you say, 'He has a demon.'

**7:34** εληλυθεν ο υιος του ανθρωπου εσθιων και πινων και λεγετε ιδου ανθρωπος φαγος και οινοποτης φιλος τελωνων και αμαρτωλων
"The Son of Man came eating and drinking, and you say, 'Look at the man! A glutton and a drunk, friend of tax collectors and sinners!'

**7:35** και εδικαιωθη η σοφια απο παντων των τεκνων αυτης
"The wisdom is justified by all her children."

### Dinner at a Pharisee's House

**7:36** ηρωτα δε τις αυτον των φαρισαιων ινα φαγη μετ αυτου και εισελθων εις τον οικον του φαρισαιου κατεκλιθη
One of the Pharisees asked him that he eat with him. Going into the house of the Pharisee, he reclined at table.

**7:37** και ιδου γυνη ητις ην εν τη πολει αμαρτωλος και επιγνουσα οτι κατακειται εν τη οικια του φαρισαιου κομισασα αλαβαστρον μυρου
Look! A woman who was a sinner in the city, and hearing that he reclines at table in the house of the Pharisee, buying a vase of myrrh,

**7:38** και στασα οπισω παρα τους ποδας αυτου κλαιουσα τοις δακρυσιν ηρξατο βρεχειν τους ποδας αυτου και ταις θριξιν της κεφαλης αυτης

εξεμασσεν και κατεφιλει τους ποδας
αυτου και ηλειφεν τω μυρω
and standing behind at his feet
weeping, began to wash his feet with
tears. She began drying them with
her hair, and kissing his feet, and
anointing with myrrh.

**7:39** ιδων δε ο φαρισαιος ο καλεσας
αυτον ειπεν εν εαυτω λεγων ουτος ει
ην [ο] προφητης εγινωσκεν αν τις
και ποταπη η γυνη ητις απτεται
αυτου οτι αμαρτωλος εστιν
The Pharisee who had invited him
spoke in himself, saying, "If this was
*a* prophet, he would know who and
what sort of woman this *is* who
touches him – that she is *a* sinner."

**7:40** και αποκριθεις ο ιησους ειπεν
προς αυτον σιμων εχω σοι τι ειπειν ο
δε διδασκαλε ειπε φησιν
Jesus, answering, said to him,
"Simon, I have something to say to
you."

He said, "Teacher, speak!"

**7:41** δυο χρεοφειλεται ησαν δανιστη
τινι ο εις ωφειλεν δηναρια
πεντακοσια ο δε ετερος πεντηκοντα
"*There* were two debtors of *a* certain
creditor. The first owed five
hundred denarii, yet the second fifty.
**7:42** μη εχοντων αυτων αποδουναι
αμφοτεροις εχαρισατο τις ουν αυτων
πλειον αγαπησει αυτον
"*Since* they had nothing to repay, he
forgave both. Who of them, then,
will love him more?"

**7:43** αποκριθεις σιμων ειπεν
υπολαμβανω οτι ω το πλειον
εχαρισατο ο δε ειπεν αυτω ορθως
εκρινας
Simon, answering, said, "I suppose
that the *one* who was forgiven
more."

He said to him, "You judged
correctly."

**7:44** και στραφεις προς την γυναικα
τω σιμωνι εφη βλεπεις ταυτην την
γυναικα εισηλθον σου εις την οικιαν
υδωρ μοι επι ποδας ουκ εδωκας αυτη
δε τοις δακρυσιν εβρεξεν μου τους
ποδας και ταις θριξιν αυτης εξεμαξεν
Turning to the woman, he said to
Simon, "You see this woman? I
came into your house. You didn't
give me water for the feet, yet she
washed my feet with tears, and dried
them with her hair.
**7:45** φιλημα μοι ουκ εδωκας αυτη δε
αφ ης εισηλθον ου διελιπεν
καταφιλουσα μου τους ποδας
"You didn't give me *a* kiss, yet since
I came in she hasn't stopped kissing
my feet.
**7:46** ελαιω την κεφαλην μου ουκ
ηλειψας αυτη δε μυρω ηλειψεν τους
ποδας μου
"You didn't anoint my head with oil,
yet she has anointed my feet with
myrrh.
**7:47** ου χαριν λεγω σοι αφεωνται αι
αμαρτιαι αυτης αι πολλαι οτι
ηγαπησεν πολυ ω δε ολιγον αφιεται
ολιγον αγαπα
"For which grace, I say to you her

many sins are forgiven, because she has loved much. Yet who is forgiven little, loves little."

**7:48** ειπεν δε αυτη αφεωνται σου αι αμαρτιαι
He said to her, "Your sins are forgiven."

**7:49** και ηρξαντο οι συνανακειμενοι λεγειν εν εαυτοις τις ουτος εστιν ος και αμαρτιας αφιησιν
The *ones* reclining *at table* with him began to say among themselves, "Who is this who even forgives sins?"

**7:50** ειπεν δε προς την γυναικα η πιστις σου σεσωκεν σε πορευου εις ειρηνην
He said to the woman, "Your faith has saved you. Go in peace."

## Luke 8
### Supported by Women
**8:1** και εγενετο εν τω καθεξης και αυτος διωδευεν κατα πολιν και κωμην κηρυσσων και ευαγγελιζομενος την βασιλειαν του θεου και οι δωδεκα συν αυτω
It happened in the succession *that* he also was going through city and town, preaching and evangelizing the kingdom of God, and the twelve with him.

**8:2** και γυναικες τινες αι ησαν τεθεραπευμεναι απο πνευματων πονηρων και ασθενειων μαρια η καλουμενη μαγδαληνη αφ ης δαιμονια επτα εξεληλυθει
*There* were some women he had healed from wicked spirits and weaknesses: Mary called Magdalene[91], from whom he had thrown out seven demons;

**8:3** και ιωαννα γυνη χουζα επιτροπου ηρωδου και σουσαννα και ετεραι πολλαι αιτινες διηκονουν αυτοις εκ των υπαρχοντων αυταις
and Joanna[92] wife of Chusa, Herod's steward; and Susanna; and many others who were serving them out of their possessions.

### The Parable of the Sower
**8:4** συνιοντος δε οχλου πολλου και των κατα πολιν επιπορευομενων προς αυτον ειπεν δια παραβολης
A great crowd *having* gathered and coming out to him from each city, he said through parable,

**8:5** εξηλθεν ο σπειρων του σπειραι τον σπορον αυτου και εν τω σπειρειν αυτον ο μεν επεσεν παρα την οδον και κατεπατηθη και τα πετεινα του ουρανου κατεφαγεν αυτο
"The sower went out to sow his seed. In his sowing some fell along the road and was trampled, and the birds of the sky ate it.

**8:6** και ετερον κατεπεσεν επι την πετραν και φυεν εξηρανθη δια το μη εχειν ικμαδα
"Other fell on the rock and, growing up, it withered for not having moisture.

**8:7** και ετερον επεσεν εν μεσω των ακανθων και συμφυεισαι αι ακανθαι απεπνιξαν αυτο

"Other fell in the midst of thorns and the thorns, growing up with *it*, choked it.

**8:8** και ετερον επεσεν εις την γην την αγαθην και φυεν εποιησεν καρπον εκατονταπλασιονα ταυτα λεγων εφωνει ο εχων ωτα ακουειν ακουετω
"Other fell into the good soil and, growing up, made fruit *a* hundred-fold."

Saying these, he called out, "Let the *one* having ears to hear, hear!"

### What Does It Mean?
**8:9** επηρωτων δε αυτον οι μαθηται αυτου τις αυτη ειη η παραβολη
His disciples were asking him, "What might this parable be?"

**8:10** ο δε ειπεν υμιν δεδοται γνωναι τα μυστηρια της βασιλειας του θεου τοις δε λοιποις εν παραβολαις ινα βλεποντες μη βλεπωσιν και ακουοντες μη συνιωσιν
He said, "It is given to you to know the mysteries of the kingdom of God, yet to the rest in parables that,

'Seeing, they may not see,
and hearing, they
may not understand.'[93]

**8:11** εστιν δε αυτη η παραβολη ο σπορος εστιν ο λογος του θεου
"This is the parable. The seed is the word of God.
**8:12** οι δε παρα την οδον εισιν οι ακουσαντες ειτα ερχεται ο διαβολος και αιρει τον λογον απο της καρδιας αυτων ινα μη πιστευσαντες σωθωσιν
"The *ones* along the road are the *ones* hearing, then the devil comes and takes the word from their hearts that they not be saved believing.

**8:13** οι δε επι της πετρας οι οταν ακουσωσιν μετα χαρας δεχονται τον λογον και ουτοι ριζαν ουκ εχουσιν οι προς καιρον πιστευουσιν και εν καιρω πειρασμου αφιστανται
"The *ones* on the rock, when they hear they receive the word with joy, and these have no root. They believe for *a* time and fall away in *a* time of testing.

**8:14** το δε εις τας ακανθας πεσον ουτοι εισιν οι ακουσαντες και υπο μεριμνων και πλουτου και ηδονων του βιου πορευομενοι συμπνιγονται και ου τελεσφορουσιν
"The *one* falling into the thorns, these are the *ones* hearing and, going under *the* anxiety and riches and pleasures of life, they are choked and bear no fruit.

**8:15** το δε εν τη καλη γη ουτοι εισιν οιτινες εν καρδια καλη και αγαθη ακουσαντες τον λογον κατεχουσιν και καρποφορουσιν εν υπομονη
"Yet the *one* in the good soil, such are those who, hearing in *an* honest and good heart, hold fast the word and bear fruit in patience.

### Hidden and Made Known
**8:16** ουδεις δε λυχνον αψας καλυπτει αυτον σκευει η υποκατω κλινης τιθησιν αλλ επι λυχνιας τιθησιν ινα οι εισπορευομενοι

βλεπωσιν το φως

"No one lighting *a* lamp covers it with *a* dish or puts it under *a* couch. He puts it on *a* lamp stand that the *ones* coming in may see the light.

**8:17** ου γαρ εστιν κρυπτον ο ου φανερον γενησεται ουδε αποκρυφον ο ου μη γνωσθη και εις φανερον ελθη

"For nothing is hidden that will not become clear, and nothing secret that will not be made known and come into the clear.

**8:18** βλεπετε ουν πως ακουετε ος αν γαρ εχη δοθησεται αυτω και ος αν μη εχη και ο δοκει εχειν αρθησεται απ αυτου

"Watch, then, how you hear, for whoever has, it will be given him, and whoever does not have, even what he thinks he has will be taken from him."

### Jesus' Family Visits Him

**8:19** παρεγενετο δε προς αυτον η μητηρ και οι αδελφοι αυτου και ουκ ηδυναντο συντυχειν αυτω δια τον οχλον

His mother and his brothers came to him, and they couldn't get near him because of the crowd.

**8:20** απηγγελη δε αυτω η μητηρ σου και οι αδελφοι σου εστηκασιν εξω ιδειν θελοντες σε

It was told him, "Your mother and your brothers are standing outside, wanting to see you."

**8:21** ο δε αποκριθεις ειπεν προς αυτους μητηρ μου και αδελφοι μου

ουτοι εισιν οι τον λογον του θεου ακουοντες και ποιουντες

Answering, he said to them, "These are my mother and my brothers: the *ones* hearing the word of God and doing *it*."

### Stilling the Storm

**8:22** εγενετο δε εν μια των ημερων και αυτος ενεβη εις πλοιον και οι μαθηται αυτου και ειπεν προς αυτους διελθωμεν εις το περαν της λιμνης και ανηχθησαν

It happened in one of those days, he too went up into *a* boat, and the disciples. He said to them, "Let's go across to the other side of the lake," and they set sail.

**8:23** πλεοντων δε αυτων αφυπνωσεν και κατεβη λαιλαψ ανεμου εις την λιμνην και συνεπληρουντο και εκινδυνευον

*While* they *were* sailing he fell asleep, and *a* windstorm came down onto the lake, and swamped *the boat*, and endangered *them*.

**8:24** προσελθοντες δε διηγειραν αυτον λεγοντες επιστατα επιστατα απολλυμεθα ο δε διεγερθεις επετιμησεν τω ανεμω και τω κλυδωνι του υδατος και επαυσαντο και εγενετο γαληνη

Coming near, they roused him, saying, "Teacher, teacher, we're dying!"

Roused completely, he rebuked the wind and the waves of water, and they ceased, and it became calm.

**8:25** ειπεν δε αυτοις που η πιστις

υμων φοβηθεντες δε εθαυμασαν λεγοντες προς αλληλους τις αρα ουτος εστιν οτι και τοις ανεμοις επιτασσει και τω υδατι και υπακουουσιν αυτω

He said to them, "Where is your faith?"

Fearing, they were astounded, saying to each other, "Who then is this, that he commands even the winds and the water, and they obey him?"

## A Man Living Among Tombs

**8:26** και κατεπλευσαν εις την χωραν των γερασηνων ητις εστιν αντιπερα της γαλιλαιας

They sailed to the shore of the Gerasenes[94], which is across from Galilee.

**8:27** εξελθοντι δε αυτω επι την γην υπηντησεν ανηρ τις εκ της πολεως εχων δαιμονια και χρονω ικανω ουκ ενεδυσατο ιματιον και εν οικια ουκ εμενεν αλλ εν τοις μνημασιν

*While* he *was* going out onto the land, *a* certain man from the city having *a* demon opposed him. He hadn't worn clothes for *a* long time, and didn't stay in *a* house, yet in the tombs.

**8:28** ιδων δε τον ιησουν ανακραξας προσεπεσεν αυτω και φωνη μεγαλη ειπεν τι εμοι και σοι ιησου υιε [του θεου] του υψιστου δεομαι σου μη με βασανισης

Seeing Jesus, shouting, he fell before him and said in *a* great voice, "What to me and to you, Jesus son of the Most High [God]? I beg you that

you not torture me!" –

**8:29** παρηγγελλεν γαρ τω πνευματι τω ακαθαρτω εξελθειν απο του ανθρωπου πολλοις γαρ χρονοις συνηρπακει αυτον και εδεσμευετο αλυσεσιν και πεδαις φυλασσομενος και διαρρησσων τα δεσμα ηλαυνετο απο του δαιμονιου εις τας ερημους

for he was commanding the unclean spirit to come out of the man. Many times he had *been* seized and bound by chains and guarded by fetters. Breaking the chains, he had been driven out into the deserts by the demon.

**8:30** επηρωτησεν δε αυτον ο ιησους τι σοι ονομα εστιν ο δε ειπεν λεγιων οτι εισηλθεν δαιμονια πολλα εις αυτον

Jesus demanded of him, "What is *a* name to you?"

He said, "Legion," for many demons had gone into him.

**8:31** και παρεκαλουν αυτον ινα μη επιταξη αυτοις εις την αβυσσον απελθειν

He was begging him that he not command them to go out into the abyss.

**8:32** ην δε εκει αγελη χοιρων ικανων βοσκομενη εν τω ορει και παρεκαλεσαν αυτον ινα επιτρεψη αυτοις εις εκεινους εισελθειν και επετρεψεν αυτοις

*A* considerable herd of pigs was there, feeding on the mountain. They urged him that he allow them to go into them, and he allowed them.

**8:33** εξελθοντα δε τα δαιμονια απο
του ανθρωπου εισηλθον εις τους
χοιρους και ωρμησεν η αγελη κατα
του κρημνου εις την λιμνην και
απεπνιγη

The demons, going out of the man,
went into the pigs, and the herd
rushed down the steep cliff into the
lake and drowned.

**8:34** ιδοντες δε οι βοσκοντες το
γεγονος εφυγον και απηγγειλαν εις
την πολιν και εις τους αγρους

The pig herders, seeing what
happened, fled and told in the city
and in the fields.

**8:35** εξηλθον δε ιδειν το γεγονος και
ηλθον προς τον ιησουν και ευρον
καθημενον τον ανθρωπον αφ ου τα
δαιμονια εξηλθεν ιματισμενον και
σωφρονουντα παρα τους ποδας [του]
ιησου και εφοβηθησαν

They came out to see what happened,
and came to Jesus. They found the
man from whom the demons went
out sitting, clothed and of sound
mind at the feet [of] Jesus, and they
were afraid.

**8:36** απηγγειλαν δε αυτοις οι ιδοντες
πως εσωθη ο δαιμονισθεις

The *ones* seeing told them how the
demonized had been saved.

**8:37** και ηρωτησεν αυτον απαν το
πληθος της περιχωρου των
γερασηνων απελθειν απ αυτων οτι
φοβω μεγαλω συνειχοντο αυτος δε
εμβας εις πλοιον υπεστρεψεν

All the multitude of the Gerasene's
region begged Jesus to go away from
them, for they were held fast by a
great fear. Going up onto the boat,
he turned back.

**8:38** εδειτο δε αυτου ο ανηρ αφ ου
εξεληλυθει τα δαιμονια ειναι συν
αυτω απελυσεν δε αυτον λεγων

The man from whom the demons had
gone out begged him to be with him.
Yet he sent him away, saying,

**8:39** υποστρεφε εις τον οικον σου
και διηγου οσα σοι εποιησεν ο θεος
και απηλθεν καθ ολην την πολιν
κηρυσσων οσα εποιησεν αυτω ο
ιησους

"Go back to your house, and tell as
much as God did for you."

He went back through all the city,
preaching as much as Jesus did for
him.

### Twin Healings in Galilee

**8:40** εν δε τω υποστρεφειν τον
ιησουν απεδεξατο αυτον ο οχλος
ησαν γαρ παντες προσδοκωντες
αυτον

The crowd received Jesus gladly in
his return, for all were looking for
him.

**8:41** και ιδου ηλθεν ανηρ ω ονομα
ιαιρος και ουτος αρχων της
συναγωγης υπηρχεν και πεσων παρα
τους ποδας ιησου παρεκαλει αυτον
εισελθειν εις τον οικον αυτου

Look! *There* was *a* man whose name
*was* Jairus[95], and he was *a* ruler of
the synagogue. Falling at Jesus' feet,
he urged him to come into his house,

**8:42** οτι θυγατηρ μονογενης ην αυτω
ως ετων δωδεκα και αυτη
απεθνησκεν εν δε τω υπαγειν αυτον

οι οχλοι συνεπνιγον αυτον
because *an* only-born daughter was
his who was twelve years old, and
she was dying. In going with him,
the crowds were pressing him.
**8:43** και γυνη ουσα εν ρυσει αιματος
απο ετων δωδεκα ητις ουκ ισχυσεν
απ ουδενος θεραπευθηναι
*A* woman, being in *a* flow of blood
for twelve years, who was unable to
be healed by anyone,
**8:44** προσελθουσα οπισθεν ηψατο
του κρασπεδου του ιματιου αυτου
και παραχρημα εστη η ρυσις του
αιματος αυτης
coming close behind, touched the
fringe of his garment[96]. Immediately
her flow of blood stood still.
**8:45** και ειπεν ο ιησους τις ο
αψαμενος μου αρνουμενων δε
παντων ειπεν ο πετρος επιστατα οι
οχλοι συνεχουσιν σε και
αποθλιβουσιν
Jesus said, "Who touched me?"

*When* all *were* denying, Peter said,
"Teacher, the crowds hold you fast
and crowd around you."

**8:46** ο δε ιησους ειπεν ηψατο μου τις
εγω γαρ εγνων δυναμιν
εξεληλυθυιαν απ εμου
Yet Jesus said, "Who touched me,
for I knew power went out of me?"

**8:47** ιδουσα δε η γυνη οτι ουκ
ελαθεν τρεμουσα ηλθεν και
προσπεσουσα αυτω δι ην αιτιαν
ηψατο αυτου απηγγειλεν ενωπιον
παντος του λαου και ως ιαθη

παραχρημα
The woman, seeing that she couldn't
hide, came trembling and, falling
down before him, told before all the
crowd the reason why she had
touched him, and how she had been
healed at once.
**8:48** ο δε ειπεν αυτη θυγατηρ η
πιστις σου σεσωκεν σε πορευου εις
ειρηνην
He said to her, "Daughter, your faith
has saved you. Go in peace."

**8:49** ετι αυτου λαλουντος ερχεται τις
παρα του αρχισυναγωγου λεγων οτι
τεθνηκεν η θυγατηρ σου μηκετι
σκυλλε τον διδασκαλον
While he *was* yet speaking, someone
comes from the synagogue ruler,
saying that, "Your daughter has died.
Don't trouble the teacher further."

**8:50** ο δε ιησους ακουσας απεκριθη
αυτω μη φοβου μονον πιστευσον και
σωθησεται
Yet Jesus, hearing, answered him,
"Don't be afraid. Only believe, and
she will be saved."

**8:51** ελθων δε εις την οικιαν ουκ
αφηκεν εισελθειν τινα συν αυτω ει
μη πετρον και ιωαννην και ιακωβον
και τον πατερα της παιδος και την
μητερα
Coming into the house, he let no one
go in with him except Peter and John
and Jacob, and the father of the girl
and the mother.
**8:52** εκλαιον δε παντες και
εκοπτοντο αυτην ο δε ειπεν μη

κλαιετε ου γαρ απεθανεν αλλα καθευδει

*While* all *were* weeping and wailing for her, Jesus said, "Don't weep, for she hasn't died, but is sleeping."

**8:53** και κατεγελων αυτου ειδοτες οτι απεθανεν

They laughed at him, seeing that she had died.

**8:54** αυτος δε κρατησας της χειρος αυτης εφωνησεν λεγων η παις εγειρε

Taking her hand, he spoke, saying, "Child, rise!"

**8:55** και επεστρεψεν το πνευμα αυτης και ανεστη παραχρημα και διεταξεν αυτη δοθηναι φαγειν

Her spirit returned, and she got up at once. He commanded her to be given *something* to eat.

**8:56** και εξεστησαν οι γονεις αυτης ο δε παρηγγειλεν αυτοις μηδενι ειπειν το γεγονος

Her parents were amazed, yet he commanded them to tell no one what had happened.

## Luke 9
### Jesus Sends the Twelve to Preach and Heal

**9:1** συγκαλεσαμενος δε τους δωδεκα εδωκεν αυτοις δυναμιν και εξουσιαν επι παντα τα δαιμονια και νοσους θεραπευειν

Calling the twelve together, he gave them power and authority over all the demons, and to heal diseases.

**9:2** και απεστειλεν αυτους κηρυσσειν την βασιλειαν του θεου και ιασθαι

He sent them to preach the kingdom of God and to heal.

**9:3** και ειπεν προς αυτους μηδεν αιρετε εις την οδον μητε ραβδον μητε πηραν μητε αρτον μητε αργυριον μητε δυο χιτωνας εχειν

He said to them, "Take nothing on the road: not staff, not bag, not bread, not silver, and not to have two shirts.

**9:4** και εις ην αν οικιαν εισελθητε εκει μενετε και εκειθεν εξερχεσθε

"Whatever house you go into, stay there and go out from there.

**9:5** και οσοι αν μη δεχωνται υμας εξερχομενοι απο της πολεως εκεινης τον κονιορτον απο των ποδων υμων αποτινασσετε εις μαρτυριον επ αυτους

"As many as will not receive you, going out from that city, shake the dust from your feet as witness against them."

**9:6** εξερχομενοι δε διηρχοντο κατα τας κωμας ευαγγελιζομενοι και θεραπευοντες πανταχου

Going out, they passed through each of the towns, evangelizing and healing all.

### Herod Hears of Jesus

**9:7** ηκουσεν δε ηρωδης ο τετρααρχης τα γινομενα παντα και διηπορει δια το λεγεσθαι υπο τινων οτι ιωαννης ηγερθη εκ νεκρων

Herod the tetrach heard all that was happening. He was confused, because it was said by some that John had risen from the dead,

**9:8** υπο τινων δε οτι ηλιας εφανη αλλων δε οτι προφητης τις των αρχαιων ανεστη

by others that Elijah had appeared, yet by others that one of the old prophets had risen up.

**9:9** ειπεν δε [ο] ηρωδης ιωαννην εγω απεκεφαλισα τις δε εστιν ουτος περι ου ακουω τοιαυτα και εζητει ιδειν αυτον

Herod said, "I beheaded John. Who is this about whom I hear such?"

And he sought to see him.

## The Apostles Return

**9:10** και υποστρεψαντες οι αποστολοι διηγησαντο αυτω οσα εποιησαν και παραλαβων αυτους υπεχωρησεν κατ ιδιαν εις πολιν καλουμενην βηθσαιδα

The apostles, turning back, recounted to him as much as they had done. Receiving them, he went away by himself into *a* city called Bethsaida[27].

**9:11** οι δε οχλοι γνοντες ηκολουθησαν αυτω και αποδεξαμενος αυτους ελαλει αυτοις περι της βασιλειας του θεου και τους χρειαν εχοντας θεραπειας ιατο

Yet the crowds, knowing, followed him. Receiving them gladly, he was speaking to them about the kingdom of God, and he healed those having need of healing.

## Feed the Crowd!

**9:12** η δε ημερα ηρξατο κλινειν προσελθοντες δε οι δωδεκα ειπαν αυτω απολυσον τον οχλον ινα πορευθεντες εις τας κυκλω κωμας και αγρους καταλυσωσιν και ευρωσιν επισιτισμον οτι ωδε εν ερημω τοπω εσμεν

Yet the day began to decline. The twelve, coming to him, said to him, "Dismiss the crowd so, going to the surrounding towns and fields, they can lodge and find food, because we're in a desert place here."

**9:13** ειπεν δε προς αυτους δοτε αυτοις φαγειν υμεις οι δε ειπαν ουκ εισιν ημιν πλειον η αρτοι πεντε και ιχθυες δυο ει μητι πορευθεντες ημεις αγορασωμεν εις παντα τον λαον τουτον βρωματα

He said to them, "You give them *something* to eat."

They said, "*There* aren't to us more than five loaves and two fish, unless we go and buy food for all this people."

**9:14** ησαν γαρ ωσει ανδρες πεντακισχιλιοι ειπεν δε προς τους μαθητας αυτου κατακλινατε αυτους κλισιας ωσει ανα πεντηκοντα

*There* were about five thousand men. He said to his disciples, "Make them sit down by groups of around fifty and up."

**9:15** και εποιησαν ουτως και κατεκλιναν απαντας

They did so, and all sat down.

**9:16** λαβων δε τους πεντε αρτους και τους δυο ιχθυας αναβλεψας εις τον ουρανον ευλογησεν αυτους και κατεκλασεν και εδιδου τοις μαθηταις παραθειναι τω οχλω

Taking the five loaves and the two fish, looking up into the sky, he blessed and broke them, and gave *them* to the disciples to set before the crowd.

**9:17** και εφαγον και εχορτασθησαν παντες και ηρθη το περισσευσαν αυτοις κλασματων κοφινοι δωδεκα

All ate and were satisfied, and the leftovers were taken up by them, twelve baskets of fragments.

## Who Am I?

**9:18** και εγενετο εν τω ειναι αυτον προσευχομενον κατα μονας συνησαν αυτω οι μαθηται και επηρωτησεν αυτους λεγων τινα με οι οχλοι λεγουσιν ειναι

It happened while he was praying by himself, the disciples gathered to him. He asked them, saying, "Who do the crowds claim me to be?"

**9:19** οι δε αποκριθεντες ειπαν ιωαννην τον βαπτιστην αλλοι δε ηλιαν αλλοι δε οτι προφητης τις των αρχαιων ανεστη

Answering, they said, "John the Baptist, but others Elijah, and others that some prophet of the old *ones* has risen."

**9:20** ειπεν δε αυτοις υμεις δε τινα με λεγετε ειναι πετρος δε αποκριθεις ειπεν τον χριστον του θεου

He said to them, "You, who do you claim me to be?"

Peter, answering, said, "The Christ of God."

**9:21** ο δε επιτιμησας αυτοις παρηγγειλεν μηδενι λεγειν τουτο

Rebuking them, he commanded them to say this to no one,

**9:22** ειπων οτι δει τον υιον του ανθρωπου πολλα παθειν και αποδοκιμασθηναι απο των πρεσβυτερων και αρχιερεων και γραμματεων και αποκτανθηναι και τη τριτη ημερα εγερθηναι

saying that, "It is necessary that the Son of Man suffer many *things*, and be rejected by the elders and high priests and writers, and be killed, and the third day be raised."

## Deny Yourself

**9:23** ελεγεν δε προς παντας ει τις θελει οπισω μου ερχεσθαι αρνησασθω εαυτον και αρατω τον σταυρον αυτου καθ ημεραν και ακολουθειτω μοι

He began saying to all, "If someone wants to come after me, let him deny himself and take up his cross each day and follow me.

**9:24** ος γαρ αν θελη την ψυχην αυτου σωσαι απολεσει αυτην ος δ αν απολεση την ψυχην αυτου ενεκεν εμου ουτος σωσει αυτην

"For whoever wants to save his soul will lose her, yet whoever loses his soul for my sake, this *one* will save her.

**9:25** τι γαρ ωφελειται ανθρωπος κερδησας τον κοσμον ολον εαυτον δε απολεσας η ζημιωθεις

"What does *a* man profit gaining the whole world yet losing himself or suffering loss?

**9:26** ος γαρ αν επαισχυνθη με και τους εμους λογους τουτον ο υιος του ανθρωπου επαισχυνθησεται οταν ελθη εν τη δοξη αυτου και του πατρος και των αγιων αγγελων

"For whoever is ashamed of me and these words of mine, the Son of Man will be ashamed *of him* when he comes in his glory and the Father's and the holy angels'.

**9:27** λεγω δε υμιν αληθως εισιν τινες των αυτου εστηκοτων οι ου μη γευσωνται θανατου εως αν ιδωσιν την βασιλειαν του θεου

"I say to you truly, some of those who are standing here will not taste death until they see the kingdom of God."

### Jesus Changed Before Them

**9:28** εγενετο δε μετα τους λογους τουτους ωσει ημεραι οκτω παραλαβων πετρον και ιωαννην και ιακωβον ανεβη εις το ορος προσευξασθαι

It happened around eight days after these words, taking Peter and John and Jacob, he went up onto *a* mountain to pray.

**9:29** και εγενετο εν τω προσευχεσθαι αυτον το ειδος του προσωπου αυτου ετερον και ο ιματισμος αυτου λευκος εξαστραπτων

It happened in his praying the appearance of his face *became* different and his clothes flashing white like lightning.

**9:30** και ιδου ανδρες δυο συνελαλουν αυτω οιτινες ησαν μωυσης και ηλιας

Look! Two men were talking with him, who were Moses and Elijah.

**9:31** οι οφθεντες εν δοξη ελεγον την εξοδον αυτου ην ημελλεν πληρουν εν ιερουσαλημ

Seen in glory, they were talking of his exodus, which he was about to fulfill in Jerusalem.

**9:32** ο δε πετρος και οι συν αυτω ησαν βεβαρημενοι υπνω διαγρηγορησαντες δε ειδον την δοξαν αυτου και τους δυο ανδρας τους συνεστωτας αυτω

Peter and the *ones* with him were weighed down by sleep. Waking fully, they saw his glory and the two men standing with him.

**9:33** και εγενετο εν τω διαχωριζεσθαι αυτους απ αυτου ειπεν ο πετρος προς τον ιησουν επιστατα καλον εστιν ημας ωδε ειναι και ποιησωμεν σκηνας τρεις μιαν σοι και μιαν μωυσει και μιαν ηλια μη ειδως ο λεγει

It happened as they went away from him, Peter said to Jesus, "Teacher, it is good for us to be here. Let us make three tents: one for you, and one for Moses, and one for Elijah" – not knowing what he says.

**9:34** ταυτα δε αυτου λεγοντος εγενετο νεφελη και επεσκιαζεν αυτους εφοβηθησαν δε εν τω εισελθειν αυτους εις την νεφελην

As he *was* saying these *words, a* cloud came and overshadowed them, and they were afraid as they went into the cloud.

**9:35** και φωνη εγενετο εκ της νεφελης λεγουσα ουτος εστιν ο υιος μου ο εκλελεγμενος αυτου ακουετε

*A* voice came from the cloud saying,

"This is My son, the chosen. Listen to him!"

**9:36** και εν τω γενεσθαι την φωνην ευρεθη ιησους μονος και αυτοι εσιγησαν και ουδενι απηγγειλαν εν εκειναις ταις ημεραις ουδεν ων εωρακαν

In the voice's coming, Jesus alone was found. They were silent and told no one in those days anything that they had seen.

## An Anguished Father, an Only Son

**9:37** εγενετο δε τη εξης ημερα κατελθοντων αυτων απο του ορους συνηντησεν αυτω οχλος πολυς

It happened the following day *while* they *were* going down from the mountain *a* large crowd gathered to him.

**9:38** και ιδου ανηρ απο του οχλου εβοησεν λεγων διδασκαλε δεομαι σου επιβλεψαι επι τον υιον μου οτι μονογενης μοι εστιν

Look! *A* man from the crowd cried out, saying, "Teacher, I beg you to look at my son because he is *the* only one to me!

**9:39** και ιδου πνευμα λαμβανει αυτον και εξαιφνης κραζει και σπαρασσει αυτον μετα αφρου και μολις αποχωρει απ αυτου συντριβον αυτον

"Look! A spirit takes him, and it shouts suddenly, and throws him into convulsions with foaming, and hardly goes away from him, crushing him.

**9:40** και εδεηθην των μαθητων σου ινα εκβαλωσιν αυτο και ουκ ηδυνηθησαν

"I begged your disciples that they throw it out, and they couldn't."

**9:41** αποκριθεις δε ο ιησους ειπεν ω γενεα απιστος και διεστραμμενη εως ποτε εσομαι προς υμας και ανεξομαι υμων προσαγαγε ωδε τον υιον σου

Jesus, answering, said, "O faithless and perverted generation, how long will I be with you and be patient with you? Bring your son here."

**9:42** ετι δε προσερχομενου αυτου ερρηξεν αυτον το δαιμονιον και συνεσπαραξεν επετιμησεν δε ο ιησους τω πνευματι τω ακαθαρτω και ιασατο τον παιδα και απεδωκεν αυτον τω πατρι αυτου

While he was coming near, the demon tore and convulsed him. Jesus, rebuking the unclean spirit and healing the child, gave him again to his father.

**9:43** εξεπλησσοντο δε παντες επι τη μεγαλειοτητι του θεου παντων δε θαυμαζοντων επι πασιν οις εποιει ειπεν προς τους μαθητας αυτου

All were astounded over the magnificence of God, for all *were* astonished at all that he was doing. He said to his disciples,

**9:44** θεσθε υμεις εις τα ωτα υμων τους λογους τουτους ο γαρ υιος του ανθρωπου μελλει παραδιδοσθαι εις χειρας ανθρωπων

"You put these words into your ears, for the Son of Man is about to be handed over into men's hands."

**9:45** οι δε ηγνοουν το ρημα τουτο και ην παρακεκαλυμμενον απ αυτων ινα μη αισθωνται αυτο και εφοβουντο ερωτησαι αυτον περι του ρηματος τουτου

They didn't understand this saying, and it was hidden from them that they might not understand it, and they were afraid to ask him about this saying.

### Who Is Greater?

**9:46** εισηλθεν δε διαλογισμος εν αυτοις το τις αν ειη μειζων αυτων

*A* question came among them which of them might be greater.

**9:47** ο δε ιησους ειδως τον διαλογισμον της καρδιας αυτων επιλαβομενος παιδιον εστησεν αυτο παρ εαυτω

Jesus, knowing the question of their heart, taking *a* child, stood it beside him.

**9:48** και ειπεν αυτοις ος εαν δεξηται τουτο το παιδιον επι τω ονοματι μου εμε δεχεται και ος αν εμε δεξηται δεχεται τον αποστειλαντα με ο γαρ

μικροτερος εν πασιν υμιν υπαρχων ουτος εστιν μεγας

He said to them, "Whoever receives this child in my name receives me, and whoever receives me receives the *One who* sent me. For the *one* being small among you, this *one* is great."

### One Who Isn't a Follower

**9:49** αποκριθεις δε ιωαννης ειπεν επιστατα ειδομεν τινα εν τω ονοματι σου εκβαλλοντα δαιμονια και εκωλυομεν αυτον οτι ουκ ακολουθει μεθ ημων

Answering, John said, "Teacher, we saw someone throwing out demons in your name, and we stopped him because he doesn't follow after us."

**9:50** ειπεν δε προς αυτον ιησους μη κωλυετε ος γαρ ουκ εστιν καθ υμων υπερ υμων εστιν

Jesus said to him, "Don't stop *him*, for whoever is not against you is for you."

### Jesus Set His Face
### Toward Jerusalem

**9:51** εγενετο δε εν τω συμπληρουσθαι τας ημερας της αναλημψεως αυτου και αυτος το προσωπον εστηρισεν του πορευεσθαι εις ιερουσαλημ

It happened in the fulfillment of the days of his ascension, he too set his face to go to Jerusalem.

**9:52** και απεστειλεν αγγελους προ προσωπου αυτου και πορευθεντες εισηλθον εις κωμην σαμαριτων ως ετοιμασαι αυτω

He sent messengers before his face and, going, they went into *a* Samaritan[98] village to prepare for him.

**9:53** και ουκ εδεξαντο αυτον οτι το προσωπον αυτου ην πορευομενον εις ιερουσαλημ

They wouldn't receive him because his face was going to Jerusalem.

**9:54** ιδοντες δε οι μαθηται ιακωβος και ιωαννης ειπαν κυριε θελεις ειπωμεν πυρ καταβηναι απο του ουρανου και αναλωσαι αυτους

The disciples Jacob and John, seeing, said, "Lord, do you want that we call fire to come down from the sky and destroy them?"

**9:55** στραφεις δε επετιμησεν αυτοις

Turning, he rebuked them,

**9:56** και επορευθησαν εις ετεραν κωμην

and they went into another village.

### The Cost of Following

**9:57** και πορευομενων αυτων εν τη οδω ειπεν τις προς αυτον ακολουθησω σοι οπου εαν απερχη

*While* they *were* going on the road, someone said to him, "I will follow you wherever you go!"

**9:58** και ειπεν αυτω [ο] ιησους αι αλωπεκες φωλεους εχουσιν και τα πετεινα του ουρανου κατασκηνωσεις ο δε υιος του ανθρωπου ουκ εχει που την κεφαλην κλινη

Jesus said to him, "The foxes have dens, and the birds of the sky nests, yet the Son of Man has nowhere to rest his head."

**9:59** ειπεν δε προς ετερον ακολουθει μοι ο δε ειπεν επιτρεψον μοι πρωτον απελθοντι θαψαι τον πατερα μου

He said to another, "Follow me."

He said, "Let me turn back first, going out to bury my father."

**9:60** ειπεν δε αυτω αφες τους νεκρους θαψαι τους εαυτων νεκρους συ δε απελθων διαγγελλε την βασιλειαν του θεου

He said to him, "Leave the dead to bury their own dead. Yet you, coming, proclaim the kingdom of God!"

**9:61** ειπεν δε και ετερος ακολουθησω σοι κυριε πρωτον δε επιτρεψον μοι αποταξασθαι τοις εις τον οικον μου

Another said, "I will follow you, Lord, yet first let me turn back to take leave of those in my house."

**9:62** ειπεν δε [προς αυτον] ο ιησους ουδεις επιβαλων την χειρα επ αροτρον και βλεπων εις τα οπισω ευθετος εστιν τη βασιλεια του θεου

Jesus said [to him], "No one putting *the* hand on *a* plow and looking at the *things* behind is fit for the kingdom of God."

## Luke 10
## Jesus Sends
## Seventy-two Evangelists

**10:1** μετα δε ταυτα ανεδειξεν ο κυριος ετερους εβδομηκοντα [δυο] και απεστειλεν αυτους ανα δυο [δυο] προ προσωπου αυτου εις πασαν πολιν και τοπον ου ημελλεν αυτος ερχεσθαι
After these *things*, the Lord appointed another seventy [-two] and sent them two by [two] before his face into every city and place where he was about to go.

**10:2** ελεγεν δε προς αυτους ο μεν θερισμος πολυς οι δε εργαται ολιγοι δεηθητε ουν του κυριου του θερισμου οπως εργατας εκβαλη εις τον θερισμον αυτου
He said to them, "The harvest is great, yet the workers few. Pray, then, the Lord of the harvest that He send workers into His harvest.

**10:3** υπαγετε ιδου αποστελλω υμας ως αρνας εν μεσω λυκων
"Go! Look, I send you as lambs in the midst of wolves.

**10:4** μη βασταζετε βαλλαντιον μη πηραν μη υποδηματα και μηδενα κατα την οδον ασπασησθε
"Don't carry *a* coin purse or *a* bag or sandals, and greet no one on the road!

**10:5** εις ην δ αν εισελθητε οικιαν πρωτον λεγετε ειρηνη τω οικω τουτω
"Into whatever house you go, say first, 'Peace to this house'.

**10:6** και εαν εκει η υιος ειρηνης επαναπαησεται επ αυτον η ειρηνη υμων ει δε μη γε εφ υμας ανακαμψει
"If *a* son of peace is there, your peace will rest upon him. Yet if not, indeed, it will come back on you.

**10:7** εν αυτη δε τη οικια μενετε εσθιοντες και πινοντες τα παρ αυτων αξιος γαρ ο εργατης του μισθου αυτου μη μεταβαινετε εξ οικιας εις οικιαν
"Stay in the same house, eating and drinking the *things* from theirs, for the worker is worthy of his reward. Don't go from house to house.

**10:8** και εις ην αν πολιν εισερχησθε και δεχωνται υμας εσθιετε τα παρατιθεμενα υμιν
"Into whatever city you go and they receive you, eat the *things* set before you.

**10:9** και θεραπευετε τους εν αυτη ασθενεις και λεγετε αυτοις ηγγικεν εφ υμας η βασιλεια του θεου
"Heal the sick in it, and say to them, 'The kingdom of God has come near you.'

**10:10** εις ην δ αν πολιν εισελθητε και μη δεχωνται υμας εξελθοντες εις τας πλατειας αυτης ειπατε
"Yet into whatever city you go and they won't receive you, going out into their streets say,

**10:11** και τον κονιορτον τον κολληθεντα ημιν εκ της πολεως υμων εις τους ποδας απομασσομεθα υμιν πλην τουτο γινωσκετε οτι ηγγικεν η βασιλεια του θεου
"'Even the dust clinging to our feet from your city we wipe off against you. Nevertheless, know this: that the kingdom of God has come near.'

**10:12** λεγω υμιν οτι σοδομοις εν τη

ημερα εκεινη ανεκτοτερον εσται η τη
πολει εκεινη

"I say to you that it will be more
tolerable for the Sodomites[99] on that
day than for that city.

## Woe to the Unrepentant

**10:13** ουαι σοι χοραζιν ουαι σοι
βηθσαιδα οτι ει εν τυρω και σιδωνι
εγενηθησαν αι δυναμεις αι γενομεναι
εν υμιν παλαι αν εν σακκω και
σποδω καθημενοι μετενοησαν

"Woe to you, Chorazin[100]! Woe to
you, Bethsaida! For if the wonders
that happened in you had happened
in Tyre and Sidon, they long ago
would have repented, sitting in
sackcloth and ashes!

**10:14** πλην τυρω και σιδωνι
ανεκτοτερον εσται εν τη κρισει η
υμιν

"Nevertheless, it will be more
tolerable to Tyre and Sidon in the
judgment than to you!

**10:15** και συ καφαρναουμ μη εως
ουρανου υψωθηση εως του αδου
καταβηση

'And you, Capernaum? Will you be
lifted up to heaven? You will go
down to Hades.

**10:16** ο ακουων υμων εμου ακουει
και ο αθετων υμας εμε αθετει ο δε
εμε αθετων αθετει τον αποστειλαντα
με

"The *one* hearing you hears me, and
the *one* rejecting you rejects me.
The *one* rejecting me rejects the *One
who* sent me."

## The Seventy-two Return

**10:17** υπεστρεψαν δε οι
εβδομηκοντα [δυο] μετα χαρας
λεγοντες κυριε και τα δαιμονια
υποτασσεται ημιν εν τω ονοματι σου

The seventy[-two] turned back with
joy, saying, "Lord, even the demons
are subject to us in your name!"

**10:18** ειπεν δε αυτοις εθεωρουν τον
σαταναν ως αστραπην εκ του
ουρανου πεσοντα

He said to them, "I saw Satan fallen
from the sky like lightning.

**10:19** ιδου δεδωκα υμιν την
εξουσιαν του πατειν επανω οφεων
και σκορπιων και επι πασαν την
δυναμιν του εχθρου και ουδεν υμας
ου μη αδικηση

"Look! I've given you the authority
to walk on snakes and scorpions and
on every power of the enemy, and
nothing will harm you.

**10:20** πλην εν τουτω μη χαιρετε οτι
τα πνευματα υμιν υποτασσεται
χαιρετε δε οτι τα ονοματα υμων
εγγεγραπται εν τοις ουρανοις

"Nevertheless, don't rejoice in this:
that the spirits are subject to you.
Rejoice that your names are written
in the skies."

## Jesus Exults in Holy Spirit

**10:21** εν αυτη τη ωρα ηγαλλιασατο
τω πνευματι τω αγιω και ειπεν
εξομολογουμαι σοι πατερ κυριε του
ουρανου και της γης οτι απεκρυψας
ταυτα απο σοφων και συνετων και
απεκαλυψας αυτα νηπιοις ναι ο
πατηρ οτι ουτως ευδοκια εγενετο

εμπροσθεν σου
In that same hour he rejoiced in the Holy Spirit and said, "I confess to you, Father, Lord of the sky and the earth, that You have hidden these from the wise and knowing and revealed them to children. Yes, Father, for so it became pleasing before You.

**10:22** παντα μοι παρεδοθη υπο του πατρος μου και ουδεις γινωσκει τις εστιν ο υιος ει μη ο πατηρ και τις εστιν ο πατηρ ει μη ο υιος και ω εαν βουληται ο υιος αποκαλυψαι
"All has been given me from my Father, and no one knows who the Son is except the Father, and who the Father is except the Son and *one* to whom the Son chooses to reveal *Him*."

### The Eyes Who See
**10:23** και στραφεις προς τους μαθητας κατ ιδιαν ειπεν μακαριοι οι οφθαλμοι οι βλεποντες α βλεπετε
Turning to the disciples in the same moment, he said, "Blessed *are* the eyes seeing what you see!

**10:24** λεγω γαρ υμιν οτι πολλοι προφηται και βασιλεις ηθελησαν ιδειν α υμεις βλεπετε και ουκ ειδαν και ακουσαι α ακουετε και ουκ ηκουσαν
"I say to you that many prophets and kings wanted to see what you see, and they couldn't see; and to hear what you hear, and they couldn't hear."

### A Lawyer Tests Him
**10:25** και ιδου νομικος τις ανεστη εκπειραζων αυτον λεγων διδασκαλε τι ποιησας ζωην αιωνιον κληρονομησω
Look! *A* certain lawyer, getting up, tested him, saying, "Teacher, doing what will I inherit eternal life?"

**10:26** ο δε ειπεν προς αυτον εν τω νομω τι γεγραπται πως αναγινωσκεις
He said to him, "What is written in the law? How do you read?"

**10:27** ο δε αποκριθεις ειπεν αγαπησεις κυριον τον θεον σου εξ ολης καρδιας σου και εν ολη τη ψυχη σου και εν ολη τη ισχυι σου και εν ολη τη διανοια σου και τον πλησιον σου ως σεαυτον
Answering, he said,

"You will love the Lord your God
    from all your heart,
    and in all your soul,
    and in all your strength,
    and in all your mind[101],
and your neighbor as yourself."[102]

**10:28** ειπεν δε αυτω ορθως απεκριθης τουτο ποιει και ζηση
He said to him, "You answered rightly. Do this and you will live."

**10:29** ο δε θελων δικαιωσαι εαυτον ειπεν προς τον ιησουν και τις εστιν μου πλησιον
Yet wanting to justify himself, he said to Jesus, "Who is my

neighbor?"

## A Man Who Fell Among Robbers

**10:30** υπολαβων ο ιησους ειπεν ανθρωπος τις κατεβαινεν απο ιερουσαλημ εις ιεριχω και λησταις περιεπεσεν οι και εκδυσαντες αυτον και πληγας επιθεντες απηλθον αφεντες ημιθανη

Jesus, taking up *the question*, said, "*A* certain man was going down from Jerusalem to Jericho, and he fell among robbers. Stripping him and laying blows on him, they went away, leaving him half dead.

**10:31** κατα συγκυριαν δε ιερευς τις κατεβαινεν [εν] τη οδω εκεινη και ιδων αυτον αντιπαρηλθεν

"By chance *a* certain priest was going down [on] that road and, seeing him, passed by on the other side.

**10:32** ομοιως δε και λευιτης κατα τον τοπον ελθων και ιδων αντιπαρηλθεν

"Likewise too *a* Levite[103] going past the place and seeing, passed by on the other side.

**10:33** σαμαριτης δε τις οδευων ηλθεν κατ αυτον και ιδων εσπλαγχνισθη

"Yet *a* certain Samaritan on *a* journey came on him and, seeing, was moved to pity.

**10:34** και προσελθων κατεδησεν τα τραυματα αυτου επιχεων ελαιον και οινον επιβιβασας δε αυτον επι το ιδιον κτηνος ηγαγεν αυτον εις πανδοχειον και επεμεληθη αυτου

"Coming to him, he bound up his wounds, pouring oil and wine over *them*. Setting him on his own beast, he led him to *an* inn and cared for him.

**10:35** και επι την αυριον εκβαλων δυο δηναρια εδωκεν τω πανδοχει και ειπεν επιμεληθητι αυτου και ο τι αν προσδαπανησης εγω εν τω επανερχεσθαι με αποδωσω σοι

"Taking two denarii in the morning, he gave them to the inn-keeper and said, 'Take care of him, and on my return I will pay you back whatever you spend.'

**10:36** τις τουτων των τριων πλησιον δοκει σοι γεγονεναι του εμπεσοντος εις τους ληστας

"Who of these three seems to you to have been *a* neighbor to the *one* who fell among robbers?"

**10:37** ο δε ειπεν ο ποιησας το ελεος μετ αυτου ειπεν δε αυτω [ο] ιησους πορευου και συ ποιει ομοιως

He said, "The *one* working mercy with him."

Jesus said to him, "Go, and you do likewise."

## Jesus in Martha's Home

**10:38** εν δε τω πορευεσθαι αυτους αυτος εισηλθεν εις κωμην τινα γυνη δε τις ονοματι μαρθα υπεδεξατο αυτον εις την οικιαν

In their traveling, he came into *a* village, and *a* certain woman named Martha[104] received him into the house.

**10:39** και τηδε ην αδελφη

καλουμενη μαριαμ [η] και
παρακαθεσθεισα προς τους ποδας
του κυριου ηκουεν τον λογον αυτου
*A* sister was hers, called Mary, and
[she], seated at the Lord's feet, was
listening to his word.

**10:40** η δε μαρθα περιεσπατο περι
πολλην διακονιαν επιστασα δε ειπεν
κυριε ου μελει σοι οτι η αδελφη μου
μονην με κατελειπεν διακονειν ειπον
ουν αυτη ινα μοι συναντιλαβηται
Yet Martha was distracted by much
serving. Stopping, she said, "Lord,
doesn't it matter to you that my sister
left me to serve alone? Tell her,
then, that she come help me!"

**10:41** αποκριθεις δε ειπεν αυτη ο
κυριος μαρθα μαρθα μεριμνας και
θορυβαζη περι πολλα
Answering, the Lord said to her,
"Martha, Martha, you are anxious
and troubled over many *things,*

**10:42** ολιγων δε εστιν χρεια η ενος
μαριαμ γαρ την αγαθην μεριδα
εξελεξατο ητις ουκ αφαιρεθησεται
αυτης
"yet the one of little is needed. Mary
has chosen *a* good measure which
will not be taken from her."

## Luke 11
## Teach Us to Pray

**11:1** και εγενετο εν τω ειναι αυτον
εν τοπω τινι προσευχομενον ως
επαυσατο ειπεν τις των μαθητων
αυτου προς αυτον κυριε διδαξον
ημας προσευχεσθαι καθως και
ιωαννης εδιδαξεν τους μαθητας

αυτου
It happened *while* he *was* in *a* certain
place praying, as he paused, one of
his disciples said to him, "Lord,
teach us to pray like John taught his
disciples."

**11:2** ειπεν δε αυτοις οταν
προσευχησθε λεγετε πατερ
αγιασθητω το ονομα σου ελθετω η
βασιλεια σου
He said to them, "When you pray,
say:
   Father, may Your name be holy;
      may your kingdom come.

**11:3** τον αρτον ημων τον επιουσιον
διδου ημιν το καθ ημεραν
   "Give us our
      next day's bread each day,

**11:4** και αφες ημιν τας αμαρτιας
ημων και γαρ αυτοι αφιομεν παντι
οφειλοντι ημιν και μη εισενεγκης
ημας εις πειρασμον
   "and let go of our sins,
      for we also let go
         of all owing us.
   Do not lead us into testing."

**11:5** και ειπεν προς αυτους τις εξ
υμων εξει φιλον και πορευσεται
προς αυτον μεσονυκτιου και ειπη
αυτω φιλε χρησον μοι τρεις αρτους
He said to them, "Who of you having
*a* friend, and he comes to him at
midnight and says to him, 'Friend,
loan me three loaves of bread,

**11:6** επειδη φιλος μου παρεγενετο εξ
οδου προς με και ουκ εχω ο
παραθησω αυτω
"'for *a* friend of mine has come from

the road to me, and I have nothing which I can set before him';

**11:7** κακεινος εσωθεν αποκριθεις ειπη μη μοι κοπους παρεχε ηδη η θυρα κεκλεισται και τα παιδια μου μετ εμου εις την κοιτην εισιν ου δυναμαι αναστας δουναι σοι

"that *one*, answering from within, says, 'Don't bother me. The door is already closed and my children are with me in the bed. I can't get up to give you *something*.'

**11:8** λεγω υμιν ει και ου δωσει αυτω αναστας δια το ειναι φιλον αυτου δια γε την αναιδειαν αυτου εγερθεις δωσει αυτω οσων χρηζει

"I say to you, if he won't give to him getting up because of being his friend, yet because of his shamelessness, getting up he will give him as much as he needs.

**11:9** καγω υμιν λεγω αιτειτε και δοθησεται υμιν ζητειτε και ευρησετε κρουετε και ανοιγησεται υμιν

"I say to you, ask and it will be given you; seek and you will find; knock and it will be opened to you.

**11:10** πας γαρ ο αιτων λαμβανει και ο ζητων ευρισκει και τω κρουοντι ανοιγησεται

"For each *one* asking receives, and the *one* seeking finds, and to the *one* knocking it will be opened.

**11:11** τινα δε εξ υμων τον πατερα αιτησει ο υιος ιχθυν μη αντι ιχθυος οφιν αυτω επιδωσει

"Which father among you if the son asks for fish will give him *a* snake instead of fish?

**11:12** η και αιτησει ωον επιδωσει αυτω σκορπιον

"Or if he asks for *an* egg, will he give him *a* scorpion?

**11:13** ει ουν υμεις πονηροι υπαρχοντες οιδατε δοματα αγαθα διδοναι τοις τεκνοις υμων ποσω μαλλον ο πατηρ [ο] εξ ουρανου δωσει πνευμα αγιον τοις αιτουσιν αυτον

"If then you, being wicked, know to give good gifts to your children, how much more will the Father from heaven give Holy Spirit to those asking Him?"

### Whose Power Works in Jesus?

**11:14** και ην εκβαλλων δαιμονιον κωφον εγενετο δε του δαιμονιου εξελθοντος ελαλησεν ο κωφος και εθαυμασαν οι οχλοι

He was throwing out *a* mute demon. It happened in the demon's going out the mute man spoke, and the crowds were astonished.

**11:15** τινες δε εξ αυτων ειπον εν βεελζεβουλ τω αρχοντι των δαιμονιων εκβαλλει τα δαιμονια

Some of them were saying, "He throws out the demons by Beelzebul[105], the ruler of demons."

**11:16** ετεροι δε πειραζοντες σημειον εξ ουρανου εζητουν παρ αυτου

Others were testing, seeking *a* sign from heaven from him.

**11:17** αυτος δε ειδως αυτων τα διανοηματα ειπεν αυτοις πασα βασιλεια εφ εαυτην διαμερισθεισα ερημουται και οικος επι οικον πιπτει

Knowing their thoughts, he said to them, "Every kingdom divided against itself is laid waste, and *a* house against *a* house falls.

**11:18** ει δε και ο σατανας εφ εαυτον διεμερισθη πως σταθησεται η βασιλεια αυτου οτι λεγετε εν βεελζεβουλ εκβαλλειν με τα δαιμονια

"If Satan too is divided against himself, how will he or his kingdom stand, because you claim me to throw out the demons by Beelzebul?

**11:19** ει δε εγω εν βεελζεβουλ εκβαλλω τα δαιμονια οι υιοι υμων εν τινι εκβαλλουσιν δια τουτο αυτοι υμων κριται εσονται

"Yet if I throw out the demons by Beelzebul, by whom are your sons throwing them out? Therefore, they will be your judges.

**11:20** ει δε εν δακτυλω θεου [εγω] εκβαλλω τα δαιμονια αρα εφθασεν εφ υμας η βασιλεια του θεου

"Yet if I throw out the demons by God's finger, the kingdom of God indeed has come upon you.

### The Mighty Man Overcome
**11:21** οταν ο ισχυρος καθωπλισμενος φυλασση την εαυτου αυλην εν ειρηνη εστιν τα υπαρχοντα αυτου

"When the strong man fully armed guards his courtyard, his possessions are in peace.

**11:22** επαν δε ισχυροτερος αυτου επελθων νικηση αυτον την πανοπλιαν αυτου αιρει εφ η επεποιθει και τα σκυλα αυτου διαδιδωσιν

"Yet when *a* stronger man than him coming conquers him, he takes away his armor in which he trusted and distributes his plunder.

**11:23** ο μη ων μετ εμου κατ εμου εστιν και ο μη συναγων μετ εμου σκορπιζει

"The *one* not being with me is against me, and the *one* not gathering with me scatters.

### Waterless Places, Seeking Rest
**11:24** οταν το ακαθαρτον πνευμα εξελθη απο του ανθρωπου διερχεται δι ανυδρων τοπων ζητουν αναπαυσιν και μη ευρισκον [τοτε] λεγει υποστρεψω εις τον οικον μου οθεν εξηλθον

"When the unclean spirit goes out of *a* man, it goes through waterless places seeking rest and not finding. [Then] it says, 'I will go back to my house from which I went out.'

**11:25** και ελθον ευρισκει [σχολαζοντα] σεσαρωμενον και κεκοσμημενον

"Coming *back*, it finds *the house* [unoccupied], swept and decorated.

**11:26** τοτε πορευεται και παραλαμβανει ετερα πνευματα πονηροτερα εαυτου επτα και εισελθοντα κατοικει εκει και γινεται τα εσχατα του ανθρωπου εκεινου χειρονα των πρωτων

"Then it goes and takes in seven spirits more wicked than itself and, coming in, it lives there, and the ends of that man become worse than the beginnings."

## Who Is Blessed?

**11:27** εγενετο δε εν τω λεγειν αυτον
ταυτα επαρασα τις φωνην γυνη εκ
του οχλου ειπεν αυτω μακαρια η
κοιλια η βαστασασα σε και μαστοι
ους εθηλασας

It happened *while* he *was* saying
these *things*, a certain woman from
the crowd, raising *her* voice, said to
him, "Blessed *is* the womb that
birthed you and the breasts which
you sucked!"

**11:28** αυτος δε ειπεν μενουν
μακαριοι οι ακουοντες τον λογον του
θεου και φυλασσοντες

He said, "On the contrary, blessed
*are* the *ones* hearing and keeping the
word of God."

## A Worthless Generation

**11:29** των δε οχλων επαθροιζομενων
ηρξατο λεγειν η γενεα αυτη γενεα
πονηρα εστιν σημειον ζητει και
σημειον ου δοθησεται αυτη ει μη το
σημειον ιωνα

*While* the crowds *were* increasing, he
began to say, "This generation is *a*
wicked generation. She seeks *a* sign,
and *a* sign will not be given her
except for the sign of Jonah[106].

**11:30** καθως γαρ εγενετο [ο] ιωνας
τοις νινευιταις σημειον ουτως εσται
και ο υιος του ανθρωπου τη γενεα
ταυτη

"For just as Jonah became *a* sign to
the Ninevites[107], so also will the Son
of Man be to this generation.

**11:31** βασιλισσα νοτου εγερθησεται
εν τη κρισει μετα των ανδρων της
γενεας ταυτης και κατακρινει αυτους
οτι ηλθεν εκ των περατων της γης
ακουσαι την σοφιαν σολομωνος και
ιδου πλειον σολομωνος ωδε

"The queen of the south[108] will rise
up in the judgment with the men of
this generation and judge them,
because she came from the corners
of the earth to hear the wisdom of
Solomon[109]. Look! Greater than
Solomon *is* here!

**11:32** ανδρες νινευιται
αναστησονται εν τη κρισει μετα της
γενεας ταυτης και κατακρινουσιν
αυτην οτι μετενοησαν εις το
κηρυγμα ιωνα και ιδου πλειον ιωνα
ωδε

"Men of Nineveh will rise up in the
judgment with this generation and
judge her, because they repented at
the preaching of Jonah. Look!
Greater than Jonah *is* here!

## Where Is Your Light?

**11:33** ουδεις λυχνον αψας εις
κρυπτην τιθησιν ουδε υπο τον
μοδιον αλλ επι την λυχνιαν ινα οι
εισπορευομενοι το φως βλεπωσιν

"No one lighting *a* lamp places it in
*a* hidden *spot* or under a bushel, yet
on *a* lamp stand, so the *ones* coming
in may see the light.

**11:34** ο λυχνος του σωματος εστιν ο
οφθαλμος σου οταν ο οφθαλμος σου
απλους η και ολον το σωμα σου
φωτεινον εστιν επαν δε πονηρος η
και το σωμα σου σκοτεινον

"The light of the body is the eye.
When your eye is sound, your whole
body too is full of light. Yet when it

is wicked, your whole body too is in
darkness.

**11:35** σκοπει ουν μη το φως το εν
σοι σκοτος εστιν

"Pay attention, then, that the light in
you is not darkness!

**11:36** ει ουν το σωμα σου ολον
φωτεινον μη εχον μερος τι σκοτεινον
εσται φωτεινον ολον ως οταν ο
λυχνος τη αστραπη φωτιζη σε

"If, then, your body *is* wholly
enlightened, not having any part in
darkness, it will be wholly
enlightened, as when the lamp of
lightning shines on you."

### Dining with a Pharisee

**11:37** εν δε τω λαλησαι ερωτα αυτον
φαρισαιος οπως αριστηση παρ αυτω
εισελθων δε ανεπεσεν

While he was speaking, *a* Pharisee
asks him that he eat *a* meal with him.
Going in, he reclined *at table*.

**11:38** ο δε φαρισαιος ιδων
εθαυμασεν οτι ου πρωτον εβαπτισθη
προ του αριστου

The Pharisee, watching, was amazed
that he didn't wash first before the
meal.

**11:39** ειπεν δε ο κυριος προς αυτον
νυν υμεις οι φαρισαιοι το εξωθεν του
ποτηριου και του πινακος καθαριζετε
το δε εσωθεν υμων γεμει αρπαγης
και πονηριας

The Lord said to him, "Now you
Pharisees cleanse the outside of the
cup and the plate, yet the inside of
you is filled with plunder and
wickedness.

**11:40** αφρονες ουχ ο ποιησας το
εξωθεν και το εσωθεν εποιησεν

"Fools! Didn't the *One* making the
outside also make the inside?

**11:41** πλην τα ενοντα δοτε
ελεημοσυνην και ιδου παντα καθαρα
υμιν εστιν

"Nevertheless, give *as* alms the
*things* within and look! All is clean
to you.

**11:42** αλλα ουαι υμιν τοις
φαρισαιοις οτι αποδεκατουτε το
ηδυοσμον και το πηγανον και παν
λαχανον και παρερχεσθε την κρισιν
και την αγαπην του θεου ταυτα δε
εδει ποιησαι κακεινα μη παρειναι

"Yet woe to you Pharisees, because
you tithe the mint and the herb and
every vegetable, and you pass over
the judgment and the love of God!
These ought to be done, not to pass
over those.

**11:43** ουαι υμιν τοις φαρισαιοις οτι
αγαπατε την πρωτοκαθεδριαν εν ταις
συναγωγαις και τους ασπασμους εν
ταις αγοραις

"Woe to you Pharisees, because you
love the first seats in the synagogues
and the greetings in the
marketplaces!

**11:44** ουαι υμιν οτι εστε ως τα
μνημεια τα αδηλα και οι ανθρωποι οι
περιπατουντες επανω ουκ οιδασιν

"Woe to you, because you are like
unmarked graves, and the men
walking on them do not know!"

**11:45** αποκριθεις δε τις των νομικων
λεγει αυτω διδασκαλε ταυτα λεγων
και ημας υβριζεις

One of the lawyers, answering, says

to him, "Teacher, you also insult us saying these *things*!"

**11:46** ο δε ειπεν και υμιν τοις νομικοις ουαι οτι φορτιζετε τους ανθρωπους φορτια δυσβαστακτα και αυτοι ενι των δακτυλων υμων ου προσψαυετε τοις φορτιοις
He said, "Woe to you lawyers, too, because you weigh men down with burdens hard to bear, and you don't touch the burdens with one of your fingers!

**11:47** ουαι υμιν οτι οικοδομειτε τα μνημεια των προφητων οι δε πατερες υμων απεκτειναν αυτους
"Woe to you, because you build the tombs of the prophets, yet your fathers killed them!

**11:48** αρα μαρτυρες εστε και συνευδοκειτε τοις εργοις των πατερων υμων οτι αυτοι μεν απεκτειναν αυτους υμεις δε οικοδομειτε
"You are witnesses indeed and you give consent to your fathers' works, because they killed them, yet you build *their tombs*.

**11:49** δια τουτο και η σοφια του θεου ειπεν αποστελω εις αυτους προφητας και αποστολους και εξ αυτων αποκτενουσιν και διωξουσιν
"Because of this too, the wisdom of God said, 'I will send prophets and apostles to them, and they will kill and persecute *some* of them',

**11:50** ινα εκζητηθη το αιμα παντων των προφητων το εκκεχυμενον απο καταβολης κοσμου απο της γενεας ταυτης
"that the blood of all the prophets poured out from *the* foundation of the world may be required of this generation:

**11:51** απο αιματος αβελ εως αιματος ζαχαριου του απολομενου μεταξυ του θυσιαστηριου και του οικου ναι λεγω υμιν εκζητηθησεται απο της γενεας ταυτης
"from the blood of Abel[110] to the blood of Zachariah[111], who perished between the altar and the house. Yes, I say to you, it will be required of this generation.

**11:52** ουαι υμιν τοις νομικοις οτι ηρατε την κλειδα της γνωσεως αυτοι ουκ εισηλθατε και τους εισερχομενους εκωλυσατε
"Woe to you lawyers, because you take up the key of knowledge! You don't go in, and you stop the ones going in."

**11:53** κακειθεν εξελθοντος αυτου ηρξαντο οι γραμματεις και οι φαρισαιοι δεινως ενεχειν και αποστοματιζειν αυτον περι πλειονων
As he went out from there, the writers and the Pharisees, holding *a* fierce grudge and attacking him with questions about all,

**11:54** ενεδρευοντες αυτον θηρευσαι τι εκ του στοματος αυτου
*were* lying in ambush against him to pounce on something from his mouth.

# Luke 12
## Still Hidden and Made Known

**12:1** εν οις επισυναχθεισων των μυριαδων του οχλου ωστε καταπατειν αλληλους ηρξατο λεγειν προς τους μαθητας αυτου πρωτον προσεχετε εαυτοις απο της ζυμης ητις εστιν υποκρισις των φαρισαιων
In the gathering together of the ten thousands of the crowd so as to trample each other, he began to say to his disciples first, "Keep yourselves from the leaven of the Pharisees, which is hypocrisy.

**12:2** ουδεν δε συγκεκαλυμμενον εστιν ο ουκ αποκαλυφθησεται και κρυπτον ο ου γνωσθησεται
"Nothing is covered up that will not be uncovered, and hidden that will not be made known.

**12:3** ανθ ων οσα εν τη σκοτια ειπατε εν τω φωτι ακουσθησεται και ο προς το ους ελαλησατε εν τοις ταμειοις κηρυχθησεται επι των δωματων
"Whatever you said in the darkness will be heard in the light, and what you spoke into the ears in the inner rooms will be preached on the housetops.

**12:4** λεγω δε υμιν τοις φιλοις μου μη φοβηθητε απο των αποκτεινοντων το σωμα και μετα ταυτα μη εχοντων περισσοτερον τι ποιησαι
"I say to you, my friends, don't fear the ones killing the body, and after this having nothing more they can do.

**12:5** υποδειξω δε υμιν τινα φοβηθητε φοβηθητε τον μετα το αποκτειναι εχοντα εξουσιαν εμβαλειν εις την γεενναν ναι λεγω υμιν τουτον φοβηθητε
"Yet I will show you whom you ought to fear. Fear the *One* after killing having authority to throw into Gehenna. Yes I say to you, fear Him!

## His Eye Is On the Sparrow

**12:6** ουχι πεντε στρουθια πωλουνται ασσαριων δυο και εν εξ αυτων ουκ εστιν επιλελησμενον ενωπιον του θεου
"Aren't five sparrows sold for two pennies? Not one of them is forgotten before God.

**12:7** αλλα και αι τριχες της κεφαλης υμων πασαι ηριθμηνται μη φοβεισθε πολλων στρουθιων διαφερετε
"Even the hairs of your head are all numbered. Don't fear! You are worth more than many sparrows.

## Confessing Him as Lord

**12:8** λεγω δε υμιν πας ος αν ομολογησει εν εμοι εμπροσθεν των ανθρωπων και ο υιος του ανθρωπου ομολογησει εν αυτω εμπροσθεν των αγγελων του θεου
"I say to you, each who confesses me before men, the Son of Man will also confess him before the angels of God.

**12:9** ο δε αρνησαμενος με ενωπιον των ανθρωπων απαρνηθησεται ενωπιον των αγγελων του θεου
"The *one* denying me before men will be denied before the angels of God.

**12:10** και πας ος ερει λογον εις τον

υιον του ανθρωπου αφεθησεται αυτω
τω δε εις το αγιον πνευμα
βλασφημησαντι ουκ αφεθησεται
"Each who says *a* word against the
Son of Man, it will be forgiven him.
Yet to the *one* blaspheming against
the Holy Spirit it will not be
forgiven.

**12:11** οταν δε εισφερωσιν υμας επι
τας συναγωγας και τας αρχας και τας
εξουσιας μη μεριμνησητε πως [η τι]
απολογησησθε η τι ειπητε
"When they bring you before the
synagogues and the rulers and the
authorities, don't worry how [or
what] you will respond, or what you
will say,
**12:12** το γαρ αγιον πνευμα διδαξει
υμας εν αυτη τη ωρα α δει ειπειν
"for the Holy Spirit will teach you in
that hour what is necessary to say."

## Not a Divider
**12:13** ειπεν δε τις εκ του οχλου αυτω
διδασκαλε ειπε τω αδελφω μου
μερισασθαι μετ εμου την
κληρονομιαν
One of the crowd said to him,
"Teacher, tell my brother to divide
the inheritance with me!"

**12:14** ο δε ειπεν αυτω ανθρωπε τις
με κατεστησεν κριτην η μεριστην εφ
υμας
He said to him, "Man, who made me
judge or divider over you?"

**12:15** ειπεν δε προς αυτους ορατε
και φυλασσεσθε απο πασης
πλεονεξιας οτι ουκ εν τω
περισσευειν τινι η ζωη αυτου εστιν
εκ των υπαρχοντων αυτω
He said to them, "Watch and keep
yourselves from all greed, for life
isn't in the overflow of someone's
possessions to him."

## A Foolish Rich Man
**12:16** ειπεν δε παραβολην προς
αυτους λεγων ανθρωπου τινος
πλουσιου ευφορησεν η χωρα
He spoke *a* parable to them, saying,
"The land of *a* certain rich man
produced good crops.
**12:17** και διελογιζετο εν εαυτω
λεγων τι ποιησω οτι ουκ εχω που
συναξω τους καρπους μου
"He thought in himself, saying,
'What will I do, for I don't have
where I will gather up my crops?'
**12:18** και ειπεν τουτο ποιησω
καθελω μου τας αποθηκας και
μειζονας οικοδομησω και συναξω
εκει παντα τον σιτον και τα αγαθα
μου
"He said, 'I will do this: I will tear
down my barns and build larger
ones, and will gather there all the
grain and all my goods.
**12:19** και ερω τη ψυχη μου ψυχη
εχεις πολλα αγαθα [κειμενα εις ετη
πολλα αναπαυου φαγε πιε]
ευφραινου
"I will say to my soul, Soul, you
have many goods [laid up for many
years. Rest, eat, drink], be happy!'
**12:20** ειπεν δε αυτω ο θεος αφρων
ταυτη τη νυκτι την ψυχην σου
αιτουσιν απο σου α δε ητοιμασας
τινι εσται

"Yet God said to him, 'Fool, this very night they demand your soul from you. What you have prepared, whose will it be?'

**12:21** [ουτως ο θησαυριζων εαυτω και μη εις θεον πλουτων]

"[So *is* the *one* storing up for himself, and not rich to God!]"

### Don't Be Anxious

**12:22** ειπεν δε προς τους μαθητας [αυτου] δια τουτο λεγω υμιν μη μεριμνατε τη ψυχη τι φαγητε μηδε τω σωματι [υμων] τι ενδυσησθε

He said to [his] disciples, "For this reason I say to you, don't worry about your soul, what you will eat; or about [your] body, what you will wear.

**12:23** η γαρ ψυχη πλειον εστιν της τροφης και το σωμα του ενδυματος

"For the soul is more than food, and the body more than clothing.

### Have Faith!

**12:24** κατανοησατε τους κορακας οτι ου σπειρουσιν ουδε θεριζουσιν οις ουκ εστιν ταμειον ουδε αποθηκη και ο θεος τρεφει αυτους ποσω μαλλον υμεις διαφερετε των πετεινων

"Consider the crows, that they neither sow nor reap, nor is there *a* storeroom or barn to them, and God feeds them. How much more are you worth than the birds!

**12:25** τις δε εξ υμων μεριμνων δυναται επι την ηλικιαν αυτου προσθειναι πηχυν

"Who of you worrying can add *a* cubit to his age?

**12:26** ει ουν ουδε ελαχιστον δυνασθε τι περι των λοιπων μεριμνατε

"If then you can't do the least, why worry about the rest?

**12:27** κατανοησατε τα κρινα πως αυξανει ου κοπια ουδε νηθει λεγω δε υμιν ουδε σολομων εν παση τη δοξη αυτου περιεβαλετο ως εν τουτων

"Consider the lilies, how they grow. They neither labor nor spin, yet I say to you not even Solomon in all his glory was dressed like one of them.

**12:28** ει δε εν αγρω τον χορτον οντα σημερον και αυριον εις κλιβανον βαλλομενον ο θεος ουτως αμφιεζει ποσω μαλλον υμας ολιγοπιστοι

"If God so clothes the grass being in the field today and tomorrow thrown into the oven, how much more rather you, *you* of little faith?

**12:29** και υμεις μη ζητειτε τι φαγητε και τι πιητε και μη μετεωριζεσθε

"*As for* you, also, don't seek what you may eat and what you may drink, and don't worry!

**12:30** ταυτα γαρ παντα τα εθνη του κοσμου επιζητουσιν υμων δε ο πατηρ οιδεν οτι χρηζετε τουτων

"The nations of the world seek all these, yet your Father knows that you need them.

**12:31** πλην ζητειτε την βασιλειαν αυτου και ταυτα προστεθησεται υμιν

"Yet seek his kingdom, and these will be added to you.

### Pleasing to Your Father

**12:32** μη φοβου το μικρον ποιμνιον

οτι ευδοκησεν ο πατηρ υμων δουναι υμιν την βασιλειαν

"Don't fear, little flock, because your Father was pleased to give you the kingdom!

**12:33** πωλησατε τα υπαρχοντα υμων και δοτε ελεημοσυνην ποιησατε εαυτοις βαλλαντια μη παλαιουμενα θησαυρον ανεκλειπτον εν τοις ουρανοις οπου κλεπτης ουκ εγγιζει ουδε σης διαφθειρει

"Sell your goods and give alms! Make yourselves purses not growing old, *an* inexhaustible treasure in the skies where neither *a* thief comes near nor *a* moth consumes.

**12:34** οπου γαρ εστιν ο θησαυρος υμων εκει και η καρδια υμων εσται

"For where your treasure is, there your heart will be also.

## Lamps Burning

**12:35** εστωσαν υμων αι οσφυες περιεζωσμεναι και οι λυχνοι καιομενοι

"Live, your waists covered and the lamps burning!

**12:36** και υμεις ομοιοι ανθρωποις προσδεχομενοις τον κυριον εαυτων ποτε αναλυση εκ των γαμων ινα ελθοντος και κρουσαντος ευθεως ανοιξωσιν αυτω

"and you as men waiting for their Lord when he returns from the wedding, that coming and knowing, they may open to him at once!

**12:37** μακαριοι οι δουλοι εκεινοι ους ελθων ο κυριος ευρησει γρηγορουντας αμην λεγω υμιν οτι περιζωσεται και ανακλινει αυτους

και παρελθων διακονησει αυτοις

"Blessed *are* those slaves whom the Lord, coming, finds watching. Amen I say to you that he will dress himself and seat them and, arriving, will serve them.

**12:38** καν εν τη δευτερα καν εν τη τριτη φυλακη ελθη και ευρη ουτως μακαριοι εισιν εκεινοι

"If he comes in the second or the third watch and finds *them* so, those are blessed!

**12:39** τουτο δε γινωσκετε οτι ει ηδει ο οικοδεσποτης ποια ωρα ο κλεπτης ερχεται εγρηγορησεν αν και ουκ αφηκεν διορυχθηναι τον οικον αυτου

"Yet know this: if the master of the house knew at what hour the thief comes, he would watch and wouldn't allow *him* to break into his house.

**12:40** και υμεις γινεσθε ετοιμοι οτι η ωρα ου δοκειτε ο υιος του ανθρωπου ερχεται

"You be ready, because you don't know the hour the Son of Man comes!"

## Who Are You Talking To?

**12:41** ειπεν δε ο πετρος κυριε προς ημας την παραβολην ταυτην λεγεις η και προς παντας

Peter said to him, "Lord, are you saying this parable to us or also to all?"

**12:42** και ειπεν ο κυριος τις αρα εστιν ο πιστος οικονομος ο φρονιμος ον καταστησει ο κυριος επι της θεραπειας αυτου του διδοναι εν καιρω [το] σιτομετριον

The Lord said, "Who then is the faithful, prudent steward whom the Lord will set over his household servants to give them [the] food at *the* time?

**12:43** μακαριος ο δουλος εκεινος ον ελθων ο κυριος αυτου ευρησει ποιουντα ουτως
"Blessed *is* that slave whom his Lord, coming, finds doing so.

**12:44** αληθως λεγω υμιν οτι επι πασιν τοις υπαρχουσιν αυτου καταστησει αυτον
"Truly I say to you that he will set him over all his possessions.

**12:45** εαν δε ειπη ο δουλος εκεινος εν τη καρδια αυτου χρονιζει ο κυριος μου ερχεσθαι και αρξηται τυπτειν τους παιδας και τας παιδισκας εσθιειν τε και πινειν και μεθυσκεσθαι
"Yet if that slave says in his heart, 'My lord delays in coming', and he begins to hit the male and female servants, and also to eat and to drink and to be drunk,

**12:46** ηξει ο κυριος του δουλου εκεινου εν ημερα η ου προσδοκα και εν ωρα η ου γινωσκει και διχοτομησει αυτον και το μερος αυτου μετα των απιστων θησει
"the lord of that slave will come in *an* hour which he does not expect and in *an* hour which he does not know. He will cut him in pieces and set his portion with the unfaithful.

**12:47** εκεινος δε ο δουλος ο γνους το θελημα του κυριου αυτου και μη ετοιμασας η ποιησας προς το θελημα αυτου δαρησεται πολλας

"That slave, knowing the will of his lord and not preparing or working according to his will, will be beaten much.

**12:48** ο δε μη γνους ποιησας δε αξια πληγων δαρησεται ολιγας παντι δε ω εδοθη πολυ πολυ ζητηθησεται παρ αυτου και ω παρεθεντο πολυ περισσοτερον αιτησουσιν αυτον
"Yet the *one* not knowing yet doing things worthy of beatings will receive *a* few. To whom much is given, much will be expected from him, and to whom much is entrusted, more will be demanded of him.

### Fire on the Earth

**12:49** πυρ ηλθον βαλειν επι την γην και τι θελω ει ηδη ανηφθη
"I've come to throw fire on the earth, and what I wish if it already is ablaze.

**12:50** βαπτισμα δε εχω βαπτισθηναι και πως συνεχομαι εως οτου τελεσθη
"I have *a* baptism to be baptized, and how I am held fast until it is completed!

### Not Peace, but Separation

**12:51** δοκειτε οτι ειρηνην παρεγενομην δουναι εν τη γη ουχι λεγω υμιν αλλ η διαμερισμον
"Do you think I've come to give peace on the earth? No, I say to you, but division!

**12:52** εσονται γαρ απο του νυν πεντε εν ενι οικω διαμεμερισμενοι τρεις επι δυσιν και δυο επι τρισιν
"For from this *moment* now five will be in one house, divided three

against two and two against three.

**12:53** διαμερισθησονται πατηρ επι
υιω και υιος επι πατρι μητηρ επι
θυγατερα και θυγατηρ επι την
μητερα πενθερα επι την νυμφην
αυτης και νυμφη επι την πενθεραν
"Father will be divided against son
and son against father, mother
against daughter and daughter
against the mother, mother-in-law
against her daughter-in-law and
daughter-in-law against mother-in-
law."

### Signs of the Times

**12:54** ελεγεν δε και τοις οχλοις οταν
ιδητε νεφελην ανατελλουσαν επι
δυσμων ευθεως λεγετε οτι ομβρος
ερχεται και γινεται ουτως
He was also saying to the crowds,
"When you see *a* cloud rising in *the*
west, you say at once that rain
comes, and it happens so.

**12:55** και οταν νοτον πνεοντα λεγετε
οτι καυσων εσται και γινεται
"When the south wind *is* blowing
you say it will be hot, and it happens.

**12:56** υποκριται το προσωπον της
γης και του ουρανου οιδατε
δοκιμαζειν τον καιρον δε τουτον πως
ουκ οιδατε δοκιμαζειν
"Hypocrites! You know to consider
the face of the earth and the sky, yet
how do you not know to consider
this time?

**12:57** τι δε και αφ εαυτων ου κρινετε
το δικαιον
"Why do you not judge the right for
yourselves?

**12:58** ως γαρ υπαγεις μετα του
αντιδικου σου επ αρχοντα εν τη οδω
δος εργασιαν απηλλαχθαι [απ] αυτου
μηποτε κατασυρη σε προς τον κριτην
και ο κριτης σε παραδωσει τω
πρακτορι και ο πρακτωρ σε βαλει εις
φυλακην
"For as you go with your opponent to
the ruler, give thought to settle the
business on the road with him, unless
he drag you away to the judge, and
the judge hand you over to the
officer, and the officer throw you
into jail.

**12:59** λεγω σοι ου μη εξελθης
εκειθεν εως και το εσχατον λεπτον
αποδως
"I say to you, you will not go out of
there until you've repaid the last
penny."

## Luke 13
### The Necessity of Repentance

**13:1** παρησαν δε τινες εν αυτω τω
καιρω απαγγελλοντες αυτω περι των
γαλιλαιων ων το αιμα πιλατος εμιξεν
μετα των θυσιων αυτων
Some were there at that same time
telling him about the Galileans
whose blood Pilate mixed with their
sacrifices.

**13:2** και αποκριθεις ειπεν αυτοις
δοκειτε οτι οι γαλιλαιοι ουτοι
αμαρτωλοι παρα παντας τους
γαλιλαιους εγενοντο οτι ταυτα
πεπονθασιν
Answering, he said to them, "Do you
think that these Galileans were
sinners beyond all the Galileans
because they suffered these *things*?

**13:3** ουχι λεγω υμιν αλλ εαν μη μετανοητε παντες ομοιως απολεισθε
"No, I tell you. Yet if you won't repent, all *of you* will likewise be destroyed.

**13:4** η εκεινοι οι δεκαοκτω εφ ους επεσεν ο πυργος εν τω σιλωαμ και απεκτεινεν αυτους δοκειτε οτι αυτοι οφειλεται εγενοντο παρα παντας τους ανθρωπους τους κατοικουντας ιερουσαλημ
"Or those eighteen on whom the tower fell in Siloam[112] and killed them, do you think that these were debtors more than all those men living in Jerusalem?

**13:5** ουχι λεγω υμιν αλλ εαν μη μετανοησητε παντες ωσαυτως απολεισθε
"No, I tell you. Yet if you won't repent, all *of you* will likewise be destroyed."

## An Unfruitful Tree

**13:6** ελεγεν δε ταυτην την παραβολην συκην ειχεν τις πεφυτευμενην εν τω αμπελωνι αυτου και ηλθεν ζητων καρπον εν αυτη και ουχ ευρεν
He was speaking this parable: "Someone had *a* fig tree planted in his vineyard, and he came looking for fruit on it and did not find.

**13:7** ειπεν δε προς τον αμπελουργον ιδου τρια ετη αφ ου ερχομαι ζητων καρπον εν τη συκη ταυτη και ουχ ευρισκω εκκοψον αυτην ινατι και την γην καταργει
"He said to the vineyard keeper, 'Look, for three years now I come looking for fruit on this fig tree and I don't find *any*. Cut it down! Why waste the ground?'

**13:8** ο δε αποκριθεις λεγει αυτω κυριε αφες αυτην και τουτο το ετος εως οτου σκαψω περι αυτην και βαλω κοπρια
"The keeper, answering, says to him, 'Lord, leave it this year too until I dig around it and put in dung.

**13:9** καν μεν ποιηση καρπον εις το μελλον ει δε μη γε εκκοψεις αυτην
"If it makes fruit in the future, *good*; yet if not, you will cut it down.'"

## Healing a Bent Woman

**13:10** ην δε διδασκων εν μια των συναγωγων εν τοις σαββασιν
He was teaching in one of the synagogues on the Sabbaths.

**13:11** και ιδου γυνη πνευμα εχουσα ασθενειας ετη δεκαοκτω και ην συγκυπτουσα και μη δυναμενη ανακυψαι εις το παντελες
Look! *There was a* woman having *a* spirit of weakness eighteen years, and she was bent double and unable to stand up completely.

**13:12** ιδων δε αυτην ο ιησους προσεφωνησεν και ειπεν αυτη γυναι απολελυσαι της ασθενειας σου
Jesus, seeing her, called and said to her, "Woman, you are freed from your weakness."

**13:13** και επεθηκεν αυτη τας χειρας και παραχρημα ανωρθωθη και εδοξαζεν τον θεον
He laid the hands on her. She was restored at once and glorified God.

## Objection to
## Healing on the Sabbath

**13:14** αποκριθεις δε ο
αρχισυναγωγος αγανακτων οτι τω
σαββατω εθεραπευσεν ο ιησους
ελεγεν τω οχλω οτι εξ ημεραι εισιν
εν αις δει εργαζεσθαι εν αυταις ουν
ερχομενοι θεραπευεσθε και μη τη
ημερα του σαββατου

The synagogue ruler, answering,
indignant that Jesus had healed on
the Sabbath, was saying to the crowd
that, "*There* are six days in which it
is necessary to work. Coming in
those, then, be healed, and not on the
Sabbath day!"

**13:15** απεκριθη δε αυτω ο κυριος και
ειπεν υποκριται εκαστος υμων τω
σαββατω ου λυει τον βουν αυτου η
τον ονον απο της φατνης και απαγων
ποτιζει

The Lord answered and said,
"Hypocrites! Doesn't each of you
untie his ox or his donkey from the
feed trough on the Sabbath and,
leading *him* out, he drinks?

**13:16** ταυτην δε θυγατερα αβρααμ
ουσαν ην εδησεν ο σατανας ιδου
δεκα και οκτω ετη ουκ εδει λυθηναι
απο του δεσμου τουτου τη ημερα
του σαββατου

"Yet this was *a* daughter of Abraham
whom Satan bound, look, for
eighteen years. Ought she not be
loosed from this chain on the
Sabbath day?"

**13:17** και ταυτα λεγοντος αυτου
κατησχυνοντο παντες οι αντικειμενοι
αυτω και πας ο οχλος εχαιρεν επι
πασιν τοις ενδοξοις τοις γινομενοις
υπ αυτου

In saying this, he shamed all the *ones*
opposing him, and the whole crowd
rejoiced at all the wonders brought
about under him.

## Kingdom Comparisons

**13:18** ελεγεν ουν τινι ομοια εστιν η
βασιλεια του θεου και τινι ομοιωσω
αυτην

He began saying, therefore, "What is
the kingdom of God like, and what
will I compare her to?

**13:19** ομοια εστιν κοκκω σιναπεως
ον λαβων ανθρωπος εβαλεν εις
κηπον εαυτου και ηυξησεν και
εγενετο εις δενδρον και τα πετεινα
του ουρανου κατεσκηνωσεν εν τοις
κλαδοις αυτου

"She is like *a* mustard seed which *a*
man, receiving, threw into his
garden. It grew and became like *a*
tree, and the birds of the sky made
nests in its branches."

**13:20** και παλιν ειπεν τινι ομοιωσω
την βασιλειαν του θεου

Again he said, "To what will I
compare the kingdom of God?

**13:21** ομοια εστιν ζυμη ην λαβουσα
γυνη εκρυψεν εις αλευρου σατα τρια
εως ου εζυμωθη ολον

"She is like leaven which *a* woman,
taking, hid in three measures of
wheat flour until the whole was
leavened."

## Are Many Saved?

**13:22** και διεπορευετο κατα πολεις και κωμας διδασκων και πορειαν ποιουμενος εις ιεροσολυμα

He was passing through cities and towns, teaching and making *the* journey to Jerusalem.

**13:23** ειπεν δε τις αυτω κυριε ει ολιγοι οι σωζομενοι ο δε ειπεν προς αυτους

Someone said to him, "Lord, are the *ones* saved few?"

He said to them,

**13:24** αγωνιζεσθε εισελθειν δια της στενης θυρας οτι πολλοι λεγω υμιν ζητησουσιν εισελθειν και ουκ ισχυσουσιν

"Struggle to go in through the narrow gate, because many, I say to you, seek to go in and aren't able!

**13:25** αφ ου αν εγερθη ο οικοδεσποτης και αποκλειση την θυραν και αρξησθε εξω εσταναι και κρουειν την θυραν λεγοντες κυριε ανοιξον ημιν και αποκριθεις ερει υμιν ουκ οιδα υμας ποθεν εστε

"From which the master of the house gets up and locks the door, and you begin to stand outside and to knock at the door, saying, 'Lord, open to us!' Answering, he will say to you, 'I don't know you. Where are you from?'

**13:26** τοτε αρξεσθε λεγειν εφαγομεν ενωπιον σου και επιομεν και εν ταις πλατειαις ημων εδιδαξας

"Then you will begin to say, 'We ate and drank before you, and you taught in our streets.'

**13:27** και ερει λεγων υμιν ουκ οιδα ποθεν εστε αποστητε απ εμου παντες εργαται αδικιας

"He will answer, saying to you, 'I don't know where you are from. Go away from me, all *you* working unrighteousness!'

**13:28** εκει εσται ο κλαυθμος και ο βρυγμος των οδοντων οταν οψησθε αβρααμ και ισαακ και ιακωβ και παντας τους προφητας εν τη βασιλεια του θεου υμας δε εκβαλλομενους εξω

"There will be bitter crying and grinding of teeth when you see Abraham and Isaac and Jacob and all the prophets in the kingdom of God, yet you thrown out outside.

**13:29** και ηξουσιν απο ανατολων και δυσμων και απο βορρα και νοτου και ανακλιθησονται εν τη βασιλεια του θεου

"They will come from east and west and from north and south, and will recline *at table* in the kingdom of God.

**13:30** και ιδου εισιν εσχατοι οι εσονται πρωτοι και εισιν πρωτοι οι εσονται εσχατοι

"Look! The last will be the first and the first will be the last."

## Warned By the Pharisees

**13:31** εν αυτη τη ωρα προσηλθαν τινες φαρισαιοι λεγοντες αυτω εξελθε και πορευου εντευθεν οτι ηρωδης θελει σε αποκτειναι

In that same hour some of the Pharisees came near, saying to him, "Go out and go away from here, because Herod wants to kill you!"

**13:32** και ειπεν αυτοις πορευθεντες ειπατε τη αλωπεκι ταυτη ιδου εκβαλλω δαιμονια και ιασεις αποτελω σημερον και αυριον και τη τριτη τελειουμαι
He said to them, "Going out, tell that fox: Look! I throw out demons and I will perfect healings today and tomorrow, and the third day I will be perfected.

## Lamenting Jerusalem

**13:33** πλην δει με σημερον και αυριον και τη εχομενη πορευεσθαι οτι ουκ ενδεχεται προφητην απολεσθαι εξω ιερουσαλημ
"Nevertheless, it is necessary for me to go today and tomorrow and the coming *day*, for it isn't possible for *a* prophet to be destroyed outside Jerusalem.

**13:34** ιερουσαλημ ιερουσαλημ η αποκτεινουσα τους προφητας και λιθοβολουσα τους απεσταλμενους προς αυτην ποσακις ηθελησα επισυναξαι τα τεκνα σου ον τροπον ορνις την εαυτης νοσσιαν υπο τας πτερυγας και ουκ ηθελησατε
"Jerusalem, Jerusalem, killing the prophets and stoning the *ones* sent to her, how often I've wanted to gather your children together as *a* hen her chicks under the wings, and you weren't willing!

**13:35** ιδου αφιεται υμιν ο οικος υμων λεγω [δε] υμιν ου μη ιδητε με εως ειπητε ευλογημενος ο ερχομενος εν ονοματι κυριου

"Look! Your house is abandoned to you. [Yet] I say to you, you will not see me until you say,

'Blessed *is* the *one* coming in the Lord's name!'"[113]

## Luke 14
## Another Sabbath Healing

**14:1** και εγενετο εν τω ελθειν αυτον εις οικον τινος των αρχοντων [των] φαρισαιων σαββατω φαγειν αρτον και αυτοι ησαν παρατηρουμενοι αυτον
It happened in his going into the house of one of the rulers [of] the Pharisees to eat bread on *a* Sabbath, and they were watching him closely.

**14:2** και ιδου ανθρωπος τις ην υδρωπικος εμπροσθεν αυτου
Look! *A* certain man was suffering from dropsy before him.

**14:3** και αποκριθεις ο ιησους ειπεν προς τους νομικους και φαρισαιους λεγων εξεστιν τω σαββατω θεραπευσαι η ου
Answering, Jesus spoke to the lawyers and Pharisees, saying, "Is it lawful to heal on the Sabbath or not?"

**14:4** οι δε ησυχασαν και επιλαβομενος ιασατο αυτον και απελυσεν
Yet they were silent. Taking hold *of the man*, he healed him and let *him* go.

**14:5** και προς αυτους ειπεν τινος υμων υιος η βους εις φρεαρ πεσειται

και ουκ ευθεως ανασπασει αυτον εν
ημερα του σαββατου
He said to them, "Which of you if
*your* son or ox will fall into *a* pit
won't immediately pull him up on
the Sabbath day?"

**14:6** και ουκ ισχυσαν
ανταποκριθηναι προς ταυτα
They weren't able to answer back to
this.

## Humility

**14:7** ελεγεν δε προς τους
κεκλημενους παραβολην επεχων πως
τας πρωτοκλισιας εξελεγοντο λεγων
προς αυτους
He was speaking *a* parable to those
reclining *at table*, holding fast how
they were choosing the first seats,
saying to them,
**14:8** οταν κληθης υπο τινος εις
γαμους μη κατακλιθης εις την
πρωτοκλισιαν μηποτε εντιμοτερος
σου η κεκλημενος υπ αυτου
"When you are invited by someone
to *a* wedding feast don't sit down in
the first seat, unless perhaps
someone more important than you is
also invited by him,
**14:9** και ελθων ο σε και αυτον
καλεσας ερει σοι δος τουτω τοπον
και τοτε αρξη μετα αισχυνης τον
εσχατον τοπον κατεχειν
"and the *one* having invited you and
him, coming, will say to you, 'Give
place to this one'. Then you will
begin with shame to sit in the last
place.
**14:10** αλλ οταν κληθης πορευθεις

αναπεσε εις τον εσχατον τοπον ινα
οταν ελθη ο κεκληκως σε ερει σοι
φιλε προσαναβηθι ανωτερον τοτε
εσται σοι δοξα ενωπιον παντων των
συνανακειμενων σοι
"But when you are invited, going, sit
in the last place, that when the *one*
who invited you comes, he will say
to you, 'Friend, move up higher'.
Then glory will be to you before all
those gathered together with you.
**14:11** οτι πας ο υψων εαυτον
ταπεινωθησεται και ο ταπεινων
εαυτον υψωθησεται
"For each *one* lifting himself up will
be humbled, and the *one* humbling
himself will be lifted up."

## Remember the Poor

**14:12** ελεγεν δε και τω κεκληκοτι
αυτον οταν ποιης αριστον η δειπνον
μη φωνει τους φιλους σου μηδε τους
αδελφους σου μηδε τους συγγενεις
σου μηδε γειτονας πλουσιους μηποτε
και αυτοι αντικαλεσωσιν σε και
γενηται ανταποδομα σοι
He also began saying to those invited
with him, "When you make *a* feast or
*a* supper, don't invite your friends or
your brothers or your relatives or
your rich neighbors, unless perhaps
they invite you in return and
repayment will be yours.
**14:13** αλλ οταν δοχην ποιης καλει
πτωχους αναπειρους χωλους
τυφλους
"But when you make a banquet,
invite *the* poor, *the* maimed, *the*
lame, *the* blind,
**14:14** και μακαριος εση οτι ουκ

εχουσιν ανταποδουναι σοι ανταποδοθησεται γαρ σοι εν τη αναστασει των δικαιων

"and you will be blessed, for they don't have *means* to repay you. It will be repaid to you in the resurrection of the righteous."

### Parable of the Great Supper

**14:15** ακουσας δε τις των συνανακειμενων ταυτα ειπεν αυτω μακαριος οστις φαγεται αρτον εν τη βασιλεια του θεου

One of those dining together, hearing, said this to him: "Blessed *is* whoever will eat bread in the kingdom of God."

**14:16** ο δε ειπεν αυτω ανθρωπος τις εποιει δειπνον μεγα και εκαλεσεν πολλους

Yet he said to him, "*A* certain man made *a* great supper, and invited many.

**14:17** και απεστειλεν τον δουλον αυτου τη ωρα του δειπνου ειπειν τοις κεκλημενοις ερχεσθε οτι ηδη ετοιμα εστιν

"He sent his slave at the hour of the supper to say to those invited, 'Come, because it is already prepared!'

**14:18** και ηρξαντο απο μιας παντες παραιτεισθαι ο πρωτος ειπεν αυτω αγρον ηγορασα και εχω αναγκην εξελθων ιδειν αυτον ερωτω σε εχε με παρητημενον

"They began one and all to make excuses. The first said to him, 'I've bought *a* field, and I need to go see

it. I ask you, have me excused.'

**14:19** και ετερος ειπεν ζευγη βοων ηγορασα πεντε και πορευομαι δοκιμασαι αυτα ερωτω σε εχε με παρητημενον

"Another said, 'I've bought *a* yoke of five oxen, and I'm going to try them out. I ask you, have me excused.'

**14:20** και ετερος ειπεν γυναικα εγημα και δια τουτο ου δυναμαι ελθειν

"Another said, 'I've married *a* wife and I can't come because of this.'

**14:21** και παραγενομενος ο δουλος απηγγειλεν τω κυριω αυτου ταυτα τοτε οργισθεις ο οικοδεσποτης ειπεν τω δουλω αυτου εξελθε ταχεως εις τας πλατειας και ρυμας της πολεως και τους πτωχους και αναπειρους και τυφλους και χωλους εισαγαγε ωδε

"The slave, coming, told his lord these *things*. Then the master of the house, furious, said to his slave, 'Go out at once to the streets and alleys of the city, and bring the poor and maimed and blind and lame in here.'

**14:22** και ειπεν ο δουλος κυριε γεγονεν ο επεταξας και ετι τοπος εστιν

"The slave said, 'Lord, what you commanded has been done and *there* is still space.'

**14:23** και ειπεν ο κυριος προς τον δουλον εξελθε εις τας οδους και φραγμους και αναγκασον εισελθειν ινα γεμισθη μου ο οικος

"The lord said, 'Go out to the roads and fences and compel them to come in, that my house may be filled!

**14:24** λεγω γαρ υμιν οτι ουδεις των ανδρων εκεινων των κεκλημενων γευσεται μου του δειπνου

"'I say to you that none of those men *who were* invited will taste my supper.'"

## Count the Cost

**14:25** συνεπορευοντο δε αυτω οχλοι πολλοι και στραφεις ειπεν προς αυτους

Many crowds came together to him and, turning, he said to them,

**14:26** ει τις ερχεται προς με και ου μισει τον πατερα εαυτου και την μητερα και την γυναικα και τα τεκνα και τους αδελφους και τας αδελφας ετι τε και την ψυχην εαυτου ου δυναται ειναι μου μαθητης

"If someone comes after me and doesn't hate his father and the mother and the wife and the children and the brothers and the sisters, even his own soul, he cannot be my disciple.

**14:27** οστις ου βασταζει τον σταυρον εαυτου και ερχεται οπισω μου ου δυναται ειναι μου μαθητης

"Whoever will not bear his cross and come after me cannot be my disciple.

**14:28** τις γαρ εξ υμων θελων πυργον οικοδομησαι ουχι πρωτον καθισας ψηφιζει την δαπανην ει εχει εις απαρτισμον

"Who of you wanting to build *a* tower, sitting down, doesn't count up the cost first, if he has *enough* to finish,

**14:29** ινα μηποτε θεντος αυτου θεμελιον και μη ισχυοντος εκτελεσαι

παντες οι θεωρουντες αρξωνται αυτω εμπαιζειν

"that unless perhaps setting the foundation and not being able to finish, all the *ones* seeing will begin to mock him,

**14:30** λεγοντες οτι ουτος ο ανθρωπος ηρξατο οικοδομειν και ουκ ισχυσεν εκτελεσαι

"saying that, 'This man began to build and couldn't finish.'

**14:31** η τις βασιλευς πορευομενος ετερω βασιλει συμβαλειν εις πολεμον ουχι καθισας πρωτον βουλευσεται ει δυνατος εστιν εν δεκα χιλιασιν υπαντησαι τω μετα εικοσι χιλιαδων ερχομενω επ αυτον

"Or what king, with another king coming against *him* to make war, sitting down, doesn't first consider if he is able with ten thousand to oppose in battle the *one* coming against him with twenty thousand?

**14:32** ει δε μη γε ετι αυτου πορρω οντος πρεσβειαν αποστειλας ερωτα προς ειρηνην

"If not, sending elders while the other is still far off, he asks for peace.

**14:33** ουτως ουν πας εξ υμων ος ουκ αποτασσεται πασιν τοις εαυτου υπαρχουσιν ου δυναται ειναι μου μαθητης

"Thus, then, each of you who doesn't give up all his possessions isn't able to be my disciple.

## Spoiled Salt

**14:34** καλον ουν το αλας εαν δε και το αλας μωρανθη εν τινι αρτυθησεται

"Salt *is* good, yet if the salt is made tasteless too, how can it be seasoned?

**14:35** ουτε εις γην ουτε εις κοπριαν ευθετον εστιν εξω βαλλουσιν αυτο ο εχων ωτα ακουειν ακουετω

"It is useful neither on the ground nor on the dung heap. They throw it out. Let the *one* having ears hear!"

## Luke 15
## Questionable Company

**15:1** ησαν δε αυτω εγγιζοντες παντες οι τελωναι και οι αμαρτωλοι ακουειν αυτου

All the tax collectors and sinners were coming near him to hear him.

**15:2** και διεγογγυζον οι τε φαρισαιοι και οι γραμματεις λεγοντες οτι ουτος αμαρτωλους προσδεχεται και συνεσθιει αυτοις

The Pharisees and the writers began complaining, saying that, "This *one* receives and eats with sinners."

### A Lost Sheep

**15:3** ειπεν δε προς αυτους την παραβολην ταυτην λεγων

He spoke this parable to them, saying,

**15:4** τις ανθρωπος εξ υμων εχων εκατον προβατα και απολεσας εξ αυτων εν ου καταλειπει τα ενενηκοντα εννεα εν τη ερημω και πορευεται επι το απολωλος εως ευρη αυτο

"What man of you, having *a* hundred sheep and losing one of them, won't leave the ninety-nine in the desert and go after the lost one until he finds *it*?

**15:5** και ευρων επιτιθησιν επι τους ωμους αυτου χαιρων

"Finding *it*, he places *it* on his shoulders rejoicing.

**15:6** και ελθων εις τον οικον συγκαλει τους φιλους και τους γειτονας λεγων αυτοις συγχαρητε μοι οτι ευρον το προβατον μου το απολωλος

"Coming to the house, he invites the friends and neighbors together, saying to them, 'Rejoice with me because I found my lost sheep.'

**15:7** λεγω υμιν οτι ουτως χαρα εν τω ουρανω εσται επι ενι αμαρτωλω μετανοουντι η επι ενενηκοντα εννεα δικαιοις οιτινες ου χρειαν εχουσιν μετανοιας

"I say to you thus *there* will be more joy in the sky over one sinner repenting than over ninety-nine righteous who have no need of repentance.

### A Lost Coin

**15:8** η τις γυνη δραχμας εχουσα δεκα εαν απολεση δραχμην μιαν ουχι απτει λυχνον και σαροι την οικιαν και ζητει επιμελως εως ου ευρη

"Or what woman, having ten coins, if she loses one coin does not light *a* lamp and sweep the house and look carefully until she finds?

**15:9** και ευρουσα συγκαλει τας φιλας και γειτονας λεγουσα συγχαρητε μοι οτι ευρον την δραχμην ην απωλεσα

"Finding *it*, she invites the friends and neighbors, saying, 'Rejoice with me because I found the coin which I lost.'

**15:10** ουτως λεγω υμιν γινεται χαρα ενωπιον των αγγελων του θεου επι ενι αμαρτωλω μετανοουντι

"So I say to you, joy happens before the angels of God over one sinner repenting."

### A Lost Son

**15:11** ειπεν δε ανθρωπος τις ειχεν δυο υιους

He said, *"There was a* certain man having two sons.

**15:12** και ειπεν ο νεωτερος αυτων τω πατρι πατερ δος μοι το επιβαλλον μερος της ουσιας ο δε διειλεν αυτοις τον βιον

"The younger of them said to the father, 'Father, give me the portion of the estate laid up.' He distributed the livelihood to them.

**15:13** και μετ ου πολλας ημερας συναγαγων παντα ο νεωτερος υιος απεδημησεν εις χωραν μακραν και εκει διεσκορπισεν την ουσιαν αυτου ζων ασωτως

"After not many days, the younger son, gathering all together, went away into *a* far country, and wasted his substance there in immoral living.

**15:14** δαπανησαντος δε αυτου παντα εγενετο λιμος ισχυρα κατα την χωραν εκεινην και αυτος ηρξατο υστερεισθαι

"Having spent all he had, *a* strong famine came over that country and he began to be in need.

**15:15** και πορευθεις εκολληθη ενι των πολιτων της χωρας εκεινης και επεμψεν αυτον εις τους αγρους αυτου βοσκειν χοιρους

"Going *out*, he joined to one of that country's citizens, and he sent him into his fields to feed pigs.

**15:16** και επεθυμει χορτασθηναι εκ των κερατιων ων ησθιον οι χοιροι και ουδεις εδιδου αυτω

"He wanted to eat from the pods the pigs were eating, and no one gave him *anything*.

**15:17** εις εαυτον δε ελθων εφη ποσοι μισθιοι του πατρος μου περισσευονται αρτων εγω δε λιμω ωδε απολλυμαι

"Coming to himself, he said, 'How many of my father's hired help have too much bread, yet I am dying here of hunger?

**15:18** αναστας πορευσομαι προς τον πατερα μου και ερω αυτω πατερ ημαρτον εις τον ουρανον και ενωπιον σου

"'Getting up, I will go to my father, and I will say to him, Father, I've sinned against the sky and before you.

**15:19** ουκετι ειμι αξιος κληθηναι υιος σου ποιησον με ως ενα των μισθιων σου

"'I am no longer worthy to be called your son. Make me as one of your hired help.'

**15:20** και αναστας ηλθεν προς τον πατερα εαυτου ετι δε αυτου μακραν απεχοντος ειδεν αυτον ο πατηρ αυτου και εσπλαγχνισθη και δραμων επεπεσεν επι τον τραχηλον αυτου και κατεφιλησεν αυτον

"Getting up, he went to his father. While he *was* still far off, his father saw him and was moved to pity. Running, he fell on his neck and kissed him.

**15:21** ειπεν δε ο υιος αυτω πατερ ημαρτον εις τον ουρανον και ενωπιον σου ουκετι ειμι αξιος κληθηναι υιος σου [ποιησον με ως ενα των μισθιων σου]

"The son said to him, 'Father, I've sinned against the sky and before you. I am no longer worthy to be called your son. [Make me as one of your hired help.]'

**15:22** ειπεν δε ο πατηρ προς τους δουλους αυτου ταχυ εξενεγκατε στολην την πρωτην και ενδυσατε αυτον και δοτε δακτυλιον εις την χειρα αυτου και υποδηματα εις τους ποδας

"Yet the father said to his slaves, 'Bring out the best robe at once and dress him! Put *a* ring on his hand and shoes on the feet!

**15:23** και φερετε τον μοσχον τον σιτευτον θυσατε και φαγοντες ευφρανθωμεν

"Bring the fattened calf! Kill *it* and, eating, let us rejoice,

**15:24** οτι ουτος ο υιος μου νεκρος ην και ανεζησεν ην απολωλως και ευρεθη και ηρξαντο ευφραινεσθαι

"'for this son of mine was dead and has come to life again. He was lost and is found!'

"They began to rejoice.

**15:25** ην δε ο υιος αυτου ο

πρεσβυτερος εν αγρω και ως ερχομενος ηγγισεν τη οικια ηκουσεν συμφωνιας και χορων

"Yet his older son was in the field, and as he came near the house he heard music and dancing.

**15:26** και προσκαλεσαμενος ενα των παιδων επυνθανετο τι αν ειη ταυτα

"Calling one of the servants, he asked what these *things* might be.

**15:27** ο δε ειπεν αυτω οτι ο αδελφος σου ηκει και εθυσεν ο πατηρ σου τον μοσχον τον σιτευτον οτι υγιαινοντα αυτον απελαβεν

"He said to him that, 'Your brother has come, and your father has killed the fattened calf because he has received him back in good health.'

**15:28** ωργισθη δε και ουκ ηθελεν εισελθειν ο δε πατηρ αυτου εξελθων παρεκαλει αυτον

"He was furious and wouldn't go in. His father, coming out, urged him.

**15:29** ο δε αποκριθεις ειπεν τω πατρι αυτου ιδου τοσαυτα ετη δουλευω σοι και ουδεποτε εντολην σου παρηλθον και εμοι ουδεποτε εδωκας εριφον ινα μετα των φιλων μου ευφρανθω

"Answering, he said to his father, 'Look! I serve you so many years, and I've never disobeyed your command. You've never given me *a* goat so I can rejoice with my friends.

**15:30** οτε δε ο υιος σου ουτος ο καταφαγων σου τον βιον μετα πορνων ηλθεν εθυσας αυτω τον σιτευτον μοσχον

"Yet when this son of yours came, the *one* wasting your substance with whores, you killed the fattened calf for him.'

**15:31** ο δε ειπεν αυτω τεκνον συ παντοτε μετ εμου ει και παντα τα εμα σα εστιν

"He said to him, "Child, you are always with me, and all my *possessions* are yours.

**15:32** ευφρανθηναι δε και χαρηναι εδει οτι ο αδελφος σου ουτος νεκρος ην και εζησεν και απολωλως και ευρεθη

"It was necessary to rejoice and be glad, because this brother of yours was dead and is alive. He was lost and is found.""

## Luke 16
## An Opportunistic Manager

**16:1** ελεγεν δε και προς τους μαθητας ανθρωπος τις ην πλουσιος ος ειχεν οικονομον και ουτος διεβληθη αυτω ως διασκορπιζων τα υπαρχοντα αυτου

He was also saying to the disciples, "*A* certain man was rich, who had *a* steward, and he was reported to him as wasting his goods.

**16:2** και φωνησας αυτον ειπεν αυτω τι τουτο ακουω περι σου αποδος τον λογον της οικονομιας σου ου γαρ δυνη ετι οικονομειν

"Calling him, he said to him, 'What is this I hear about you? Give back the word of your stewardship, for you can't be *a* steward any longer!'

**16:3** ειπεν δε εν εαυτω ο οικονομος τι ποιησω οτι ο κυριος μου αφαιρειται την οικονομιαν απ εμου σκαπτειν ουκ ισχυω επαιτειν αισχυνομαι

"The steward said to himself, 'What will I do, for my lord takes the stewardship away from me? I'm not strong enough to dig and I'm ashamed to beg.

**16:4** εγνων τι ποιησω ινα οταν μετασταθω εκ της οικονομιας δεξωνται με εις τους οικους εαυτων

"'I've known what I will do, so when the stewardship is taken they will receive me into their houses.'

**16:5** και προσκαλεσαμενος ενα εκαστον των χρεοφειλετων του κυριου εαυτου ελεγεν τω πρωτω ποσον οφειλεις τω κυριω μου

"Calling each one of those owing his lord, he began saying to the first, 'How much do you owe my lord?'

**16:6** ο δε ειπεν εκατον βατους ελαιου ο δε ειπεν αυτω δεξαι σου τα γραμματα και καθισας ταχεως γραψον πεντηκοντα

"He said, '*A* hundred baths of oil.'

"He said to him, 'Take your bill and, sitting at once, write fifty.'

**16:7** επειτα ετερω ειπεν συ δε ποσον οφειλεις ο δε ειπεν εκατον κορους σιτου λεγει αυτω δεξαι σου τα γραμματα και γραψον ογδοηκοντα

"Then he said to the second, 'You, how much do you owe?'

"He said, '*A* hundred bushels of wheat.'

"He says to him, "Take your bill and write eighty.'

**16:8** και επηνεσεν ο κυριος τον οικονομον της αδικιας οτι φρονιμως εποιησεν οτι οι υιοι του αιωνος τουτου φρονιμωτεροι υπερ τους υιους του φωτος εις την γενεαν την εαυτων εισιν

"The lord praised the unrighteous steward because he worked wisely, for this age's sons are wiser in their generation than the sons of the light.

## Act Prudently

**16:9** και εγω υμιν λεγω εαυτοις ποιησατε φιλους εκ του μαμωνα της αδικιας ινα οταν εκλιπη δεξωνται υμας εις τας αιωνιους σκηνας

"I also say to you, make friends for yourselves from unrighteous mammon, that when it gives out they may receive you into the eternal tabernacles.

**16:10** ο πιστος εν ελαχιστω και εν πολλω πιστος εστιν και ο εν ελαχιστω αδικος και εν πολλω αδικος εστιν

"The *one* faithful in *a* little is also faithful in *a* lot, and the *one* dishonest in *a* little is dishonest in *a* lot.

**16:11** ει ουν εν τω αδικω μαμωνα πιστοι ουκ εγενεσθε το αληθινον τις υμιν πιστευσει

"If, then, you haven't been faithful in dishonest mammon, who will entrust the true to you?

**16:12** και ει εν τω αλλοτριω πιστοι ουκ εγενεσθε το ημετερον τις δωσει υμιν

"If you haven't been faithful in another's, who will give you your own?

**16:13** ουδεις οικετης δυναται δυσι κυριοις δουλευειν η γαρ τον ενα μισησει και τον ετερον αγαπησει η ενος ανθεξεται και του ετερου καταφρονησει ου δυνασθε θεω δουλευειν και μαμωνα

"No steward can serve two lords, for either he will hate the one and love the other, or he will be loyal to one and despise the other. You cannot serve God and mammon."

## God's Perspective

**16:14** ηκουον δε ταυτα παντα οι φαρισαιοι φιλαργυροι υπαρχοντες και εξεμυκτηριζον αυτον

The Pharisees, being lovers of money, were hearing all these, and they were sneering at him.

**16:15** και ειπεν αυτοις υμεις εστε οι δικαιουντες εαυτους ενωπιον των ανθρωπων ο δε θεος γινωσκει τας καρδιας υμων οτι το εν ανθρωποις υψηλον βδελυγμα ενωπιον του θεου

He said to them, "You are the *ones* justifying yourselves before men, yet God knows your hearts – for the exalted among men *is* detestable before God.

**16:16** ο νομος και οι προφηται μεχρι ιωαννου απο τοτε η βασιλεια του θεου ευαγγελιζεται και πας εις αυτην βιαζεται

"The law and the prophets were until John. From then, the kingdom of God is evangelized, and each in her enters by force.

**16:17** ευκοπωτερον δε εστιν τον ουρανον και την γην παρελθειν η του

νομου μιαν κεραιαν πεσειν
"Yet it is easier for the sky and the earth to pass away than for one stroke of the law to fall.

**16:18** πας ο απολυων την γυναικα αυτου και γαμων ετεραν μοιχευει και ο απολελυμενην απο ανδρος γαμων μοιχευει
"Every *one* leaving his wife and marrying another commits adultery, and the *one* separating from the husband *and* marrying commits adultery.

### The Rich Man and Lazarus

**16:19** ανθρωπος δε τις ην πλουσιος και ενεδιδυσκετο πορφυραν και βυσσον ευφραινομενος καθ ημεραν λαμπρως
"*A* certain man was rich and he dressed in purple and fine linen, rejoicing splendidly every day.

**16:20** πτωχος δε τις ονοματι λαζαρος εβεβλητο προς τον πυλωνα αυτου ειλκωμενος
"Yet *a* certain poor man named Lazarus had been thrown at his door, full of sores.

**16:21** και επιθυμων χορτασθηναι απο των πιπτοντων απο της τραπεζης του πλουσιου αλλα και οι κυνες ερχομενοι επελειχον τα ελκη αυτου
"He wanted to eat from the *crumbs* falling from the rich man's table, but the dogs coming licked his wounds.

**16:22** εγενετο δε αποθανειν τον πτωχον και απενεχθηναι αυτον υπο των αγγελων εις τον κολπον αβρααμ απεθανεν δε και ο πλουσιος και εταφη
"The poor man happened to die and to be carried by the angels to Abraham's embrace. Yet the rich man died too and was buried.

**16:23** και εν τω αδη επαρας τους οφθαλμους αυτου υπαρχων εν βασανοις ορα αβρααμ απο μακροθεν και λαζαρον εν τοις κολποις αυτου
"Lifting up his eyes in Hades, being in torment, he sees Abraham from far off and Lazarus in his embraces.

**16:24** και αυτος φωνησας ειπεν πατερ αβρααμ ελεησον με και πεμψον λαζαρον ινα βαψη το ακρον του δακτυλου αυτου υδατος και καταψυξη την γλωσσαν μου οτι οδυνωμαι εν τη φλογι ταυτη
"Shouting, he said, 'Father Abraham, have mercy on me and send Lazarus, that he may dip the tip of his finger in water and cool my tongue, for I'm in agony in this flame!'

**16:25** ειπεν δε αβρααμ τεκνον μνησθητι οτι απελαβες τα αγαθα σου εν τη ζωη σου και λαζαρος ομοιως τα κακα νυν δε ωδε παρακαλειται συ δε οδυνασαι
"Abraham said, 'Child, remember that you received your good in your life, and Lazarus likewise the evil. Now he is comforted here, yet you are in agony.

**16:26** και εν πασιν τουτοις μεταξυ ημων και υμων χασμα μεγα εστηρικται οπως οι θελοντες διαβηναι ενθεν προς υμας μη δυνωνται μηδε εκειθεν προς ημας διαπερωσιν
"In all of these, *a* great chasm is fixed between ours and yours, so the

*ones* wanting to cross from here to you can't, nor can they pass from there to us.'

**16:27** ειπεν δε ερωτω σε ουν πατερ ινα πεμψης αυτον εις τον οικον του πατρος μου

"He said, 'I ask you, then, father, that you send him to the house of my father,

**16:28** εχω γαρ πεντε αδελφους οπως διαμαρτυρηται αυτοις ινα μη και αυτοι ελθωσιν εις τον τοπον τουτον της βασανου

"'for I have five brothers. He can witness so to them, that they too may not come to this place of torment.'

**16:29** λεγει δε αβρααμ εχουσιν μωυσεα και τους προφητας ακουσατωσαν αυτων

"Abraham says, 'They have Moses and the prophets. Let them listen to them.'

**16:30** ο δε ειπεν ουχι πατερ αβρααμ αλλ εαν τις απο νεκρων πορευθη προς αυτους μετανοησουσιν

"He said, "No, father Abraham. But if someone goes to them from the dead, they will repent!"

**16:31** ειπεν δε αυτω ει μωυσεως και των προφητων ουκ ακουουσιν ουδ εαν τις εκ νεκρων αναστη πεισθησονται

"He said to him, 'If they aren't listening to Moses and the prophets, they won't be persuaded if someone rises from the dead either.'"

# Luke 17
## Stumbling Blocks

**17:1** ειπεν δε προς τους μαθητας αυτου ανενδεκτον εστιν του τα σκανδαλα μη ελθειν πλην ουαι δι ου ερχεται

He said to his disciples, "It is impossible for scandals not to come, but woe through whom it comes!

**17:2** λυσιτελει αυτω ει λιθος μυλικος περικειται περι τον τραχηλον αυτου και ερριπται εις την θαλασσαν η ινα σκανδαλιση των μικρων τουτων ενα

"It is better for him if *a* millstone is hung around his neck and he be thrown into the sea than that he scandalize one of these little ones.

## Forgive Your Brother

**17:3** προσεχετε εαυτοις εαν αμαρτη ο αδελφος σου επιτιμησον αυτω και εαν μετανοηση αφες αυτω

"Pay attention to yourselves! If your brother sins, rebuke him, and if he repents, forgive him.

**17:4** και εαν επτακις της ημερας αμαρτηση εις σε και επτακις επιστρεψη προς σε λεγων μετανοω αφησεις αυτω

"If he sins against you seven times in *a* day, and he turns to you seven times saying, 'I repent', forgive him!"

## Intensify Faith for Us!

**17:5** και ειπαν οι αποστολοι τω κυριω προσθες ημιν πιστιν

The apostles said to the Lord, "Increase faith for us!"

**17:6** ειπεν δε ο κυριος ει εχετε πιστιν ως κοκκον σιναπεως ελεγετε αν τη συκαμινω [ταυτη] εκριζωθητι και φυτευθητι εν τη θαλασση και υπηκουσεν αν υμιν

The Lord said, "If you have faith like *a* mustard seed, you could say to [this] mulberry tree, 'Be uprooted and planted in the sea', and it would obey you.

## A Faithful Slave

**17:7** τις δε εξ υμων δουλον εχων αροτριωντα η ποιμαινοντα ος εισελθοντι εκ του αγρου ερει αυτω ευθεως παρελθων αναπεσε

"Who of you having *a* slave plowing or keeping sheep will say to him as soon as *he* comes in from the field, 'Rest!'

**17:8** αλλ ουχι ερει αυτω ετοιμασον τι δειπνησω και περιζωσαμενος διακονει μοι εως φαγω και πιω και μετα ταυτα φαγεσαι και πιεσαι συ

"Won't he say to him, 'Prepare something I can eat and, dressing *yourself*, serve me until I eat and drink. After this, you can eat and drink.'

**17:9** μη εχει χαριν τω δουλω οτι εποιησεν τα διαταχθεντα

"He doesn't have thanks for *a* slave because he does the *things* commanded.

**17:10** ουτως και υμεις οταν ποιησητε παντα τα διαταχθεντα υμιν λεγετε οτι δουλοι αχρειοι εσμεν ο ωφειλομεν ποιησαι πεποιηκαμεν

"So also you, when you do the *things* commanded you, say that, 'We are useless slaves. What we ought to do, we have done.'"

## Healing Ten Lepers

**17:11** και εγενετο εν τω πορευεσθαι εις ιερουσαλημ και αυτος διηρχετο δια μεσον σαμαρειας και γαλιλαιας

It happened in his going to Jerusalem, he was passing through the middle of Samaria and Galilee.

**17:12** και εισερχομενου αυτου εις τινα κωμην απηντησαν δεκα λεπροι ανδρες οι ανεστησαν πορρωθεν

*While* he *was* going into one of the villages, ten leprous men met him, who stood far off.

**17:13** και αυτοι ηραν φωνην λεγοντες ιησου επιστατα ελεησον ημας

They were shouting, saying, "Jesus, master, have mercy on us!"

**17:14** και ιδων ειπεν αυτοις πορευθεντες επιδειξατε εαυτους τοις ιερευσιν και εγενετο εν τω υπαγειν αυτους εκαθαρισθησαν

Seeing, he said to them, "Going, show yourselves to the priests."

It happened in their going they were cleansed.

**17:15** εις δε εξ αυτων ιδων οτι ιαθη υπεστρεψεν μετα φωνης μεγαλης δοξαζων τον θεον

One of them, seeing that he was healed, turned back with *a* great voice glorifying God.

**17:16** και επεσεν επι προσωπον παρα τους ποδας αυτου ευχαριστων αυτω και αυτος ην σαμαριτης

He fell on his face before his feet, thanking him, and he was *a* Samaritan.

**17:17** αποκριθεις δε ο ιησους ειπεν ουχ οι δεκα εκαθαρισθησαν οι [δε] εννεα που

Answering, Jesus said, "Weren't the ten cleansed? [Yet] where *are* the nine?

**1 7 : 1 8** ο υ χ   ε υ ρ ε θ η σ α ν υποστρεψαντες δουναι δοξαν τω θεω ει μη ο αλλογενης ουτος

"Are none found turning back to give glory to God except this foreigner?"

**17:19** και ειπεν αυτω αναστας πορευου η πιστις σου σεσωκεν σε

He said to him, "Getting up, go! Your faith has saved you."

### When Will the Kingdom Come?

**17:20** επερωτηθεις δε υπο των φαρισαιων ποτε ερχεται η βασιλεια του θεου απεκριθη αυτοις και ειπεν ουκ ερχεται η βασιλεια του θεου μετα παρατηρησεως

Questioned by the Pharisees when the kingdom of God comes, he answered them and said, "The kingdom of God does not come with observances,

**17:21** ουδε ερουσιν ιδου ωδε η εκει ιδου γαρ η βασιλεια του θεου εντος υμων εστιν

"nor will they say, 'Look, here', or 'there!' For look! The kingdom of God is in the midst of you."[114]

### Like Flashing Lightning

**17:22** ειπεν δε προς τους μαθητας ελευσονται ημεραι οτε επιθυμησετε μιαν των ημερων του υιου του ανθρωπου ιδειν και ουκ οψεσθε

He said to the disciples, "Days will come when you will long to see one of the days of the Son of Man, and you won't see.

**17:23** και ερουσιν υμιν ιδου εκει η ιδου ωδε μη [απελθητε μηδε] διωξητε

"They will say to you, 'Look, there', or 'Look, here!' Don't [go out or] pursue.

**17:24** ωσπερ γαρ η αστραπη αστραπτουσα εκ της υπο τον ουρανον εις την υπ ουρανον λαμπει ουτως εσται ο υιος του ανθρωπου

"For just as the lightning shines, flashing from under the sky to under the sky, so the Son of Man will be.

**17:25** πρωτον δε δει αυτον πολλα παθειν και αποδοκιμασθηναι απο της γενεας ταυτης

"Yet it is necessary first for him to suffer many things and be rejected by this generation.

**17:26** και καθως εγενετο εν ταις ημεραις νωε ουτως εσται και εν ταις ημεραις του υιου του ανθρωπου

"Even as it happened in Noah's days, so will it be also in the days of the Son of Man.

**17:27** ησθιον επινον εγαμουν εγαμιζοντο αχρι ης ημερας εισηλθεν νωε εις την κιβωτον και ηλθεν ο κατακλυσμος και απωλεσεν παντας

"They were eating, drinking, marrying, being married, until the day Noah went into the ark, and the cataclysm came and destroyed all.

**17:28** ομοιως καθως εγενετο εν ταις ημεραις λωτ ησθιον επινον ηγοραζον επωλουν εφυτευον ωκοδομουν
"It happened likewise in Lot's days. They were eating, drinking, buying, selling, planting, building.

**17:29** η δε ημερα εξηλθεν λωτ απο σοδομων εβρεξεν πυρ και θειον απ ουρανου και απωλεσεν παντας
"Yet the day Lot went out from Sodom, fire and sulphur rained from heaven and destroyed all.

**17:30** κατα τα αυτα εσται η ημερα ο υιος του ανθρωπου αποκαλυπτεται
"The day of the Son of Man will be revealed according to these same.

**17:31** εν εκεινη τη ημερα ος εσται επι του δωματος και τα σκευη αυτου εν τη οικια μη καταβατω αραι αυτα και ο εν αγρω ομοιως μη επιστρεψατω εις τα οπισω
"On that day, let who will be on the housetop and his goods in the house not go down to take them away, and the *one* in the field likewise not turn back to the *things* behind.

**17:32** μνημονευετε της γυναικος λωτ
"Remember Lot's wife!

**17:33** ος εαν ζητηση την ψυχην αυτου περιποιησασθαι απολεσει αυτην ος δ αν απολεσει ζωογονησει αυτην
"Whoever wants to preserve his soul will lose her. Yet whoever loses, will preserve her alive.

**17:34** λεγω υμιν ταυτη τη νυκτι εσονται δυο επι κλινης [μιας] ο εις παραλημφθησεται και ο ετερος αφεθησεται
"I say to you, on that night two will

be on [one] bed. The one will be taken and the other left.

**17:35** εσονται δυο αληθουσαι επι το αυτο η μια παραλημφθησεται η δε ετερα αφεθησεται
"Two will be grinding at the same. The one will be taken, yet the other left."

**36** **17:37** και αποκριθεντες λεγουσιν αυτω που κυριε ο δε ειπεν αυτοις οπου το σωμα εκει και οι αετοι επισυναχθησονται
Answering, they say to him, "Where, Lord?"

He said to them, "Where the body *is*, there too the eagles will be gathered together."

## Luke 18
### A Wicked Judge

**18:1** ελεγεν δε παραβολην αυτοις προς το δειν παντοτε προσευχεσθαι αυτους και μη εγκακειν
He was speaking *a* parable to them about the necessity to pray always and not be discouraged,

**18:2** λεγων κριτης τις ην εν τινι πολει τον θεον μη φοβουμενος και ανθρωπον μη εντρεπομενος
saying, "*A* certain judge was in *a* certain city, neither fearing God nor respecting man.

**18:3** χηρα δε ην εν τη πολει εκεινη και ηρχετο προς αυτον λεγουσα εκδικησον με απο του αντιδικου μου
"*A* widow was in that city, and she came to him saying, 'Judge for me

against my adversary!'

**18:4** και ουκ ηθελεν επι χρονον μετα ταυτα δε ειπεν εν εαυτω ει και τον θεον ου φοβουμαι ουδε ανθρωπον εντρεπομαι

"He wouldn't at the time. Yet after this, he said in himself, 'If I neither fear God nor respect man,

**18:5** δια γε το παρεχειν μοι κοπον την χηραν ταυτην εκδικησω αυτην ινα μη εις τελος ερχομενη υπωπιαζη με

"'yet because this widow gives me trouble, I will judge for her so that she won't wear me out in the end coming.'"

**18:6** ειπεν δε ο κυριος ακουσατε τι ο κριτης της αδικιας λεγει

The Lord said, "Hear what the unrighteous judge says!

**18:7** ο δε θεος ου μη ποιηση την εκδικησιν των εκλεκτων αυτου των βοωντων αυτω ημερας και νυκτος και μακροθυμει επ αυτοις

"Will God not work vindication to His chosen calling out to Him day and night, and be slow on their behalf?

**18:8** λεγω υμιν οτι ποιησει την εκδικησιν αυτων εν ταχει πλην ο υιος του ανθρωπου ελθων αρα ευρησει την πιστιν επι της γης

"I say to you that He will work their vindication quickly. Nevertheless, will the Son of Man, coming, find faith on the earth?"

## A Pharisee and a Tax Collector

**18:9** ειπεν δε και προς τινας τους πεποιθοτας εφ εαυτοις οτι εισιν δικαιοι και εξουθενουντας τους λοιπους την παραβολην ταυτην

He also spoke this parable to some of those persuading themselves that they are righteous and despising the rest:

**18:10** ανθρωποι δυο ανεβησαν εις το ιερον προσευξασθαι εις φαρισαιος και ο ετερος τελωνης

"Two men went up to the temple to pray: one *a* Pharisee and the other *a* tax collector.

**18:11** ο φαρισαιος σταθεις ταυτα προς εαυτον προσηυχετο ο θεος ευχαριστω σοι οτι ουκ ειμι ωσπερ οι λοιποι των ανθρωπων αρπαγες αδικοι μοιχοι η και ως ουτος ο τελωνης

"The Pharisee, standing, prayed this in himself: 'God, I thank you that I am not like the rest of men: greedy, unrighteous, adulterous, or like this tax collector.

**18:12** νηστευω δις του σαββατου αποδεκατευω παντα οσα κτωμαι

"'I fast twice each week. I tithe all, as much as I gain.'

**18:13** ο δε τελωνης μακροθεν εστως ουκ ηθελεν ουδε τους οφθαλμους επαραι εις τον ουρανον αλλ ετυπτεν το στηθος εαυτου λεγων ο θεος ιλασθητι μοι τω αμαρτωλω

"Yet the tax collector, standing far off, wouldn't even raise the eyes to the sky, but struck his chest, saying, 'God, have mercy on me, *a* sinner!'

**18:14** λεγω υμιν κατεβη ουτος δεδικαιωμενος εις τον οικον αυτου παρ εκεινον οτι πας ο υψων εαυτον

ταπεινωθησεται ο δε ταπεινων
εαυτον υψωθησεται
"I say to you this *one* went down to
his house justified, not the other, for
each one lifting himself up will be
humbled, yet the one humbling
himself will be lifted up."

## Like a Child

**18:15** προσεφερον δε αυτω και τα
βρεφη ινα αυτων απτηται ιδοντες δε
οι μαθηται επετιμων αυτοις
They were bringing the children to
him too so he could touch them. The
disciples, seeing *this*, were rebuking
them.

**18:16** ο δε ιησους προσεκαλεσατο
[αυτα] λεγων αφετε τα παιδια
ερχεσθαι προς με και μη κωλυετε
αυτα των γαρ τοιουτων εστιν η
βασιλεια του θεου
Jesus called [them], saying, "Let the
children come to me and don't forbid
them, for of such is the kingdom of
God.

**18:17** αμην λεγω υμιν ος αν μη
δεξηται την βασιλειαν του θεου ως
παιδιον ου μη εισελθη εις αυτην
"Amen I say to you, whoever will not
receive the kingdom of God like *a*
child will not go into her."

## How to Possess Eternal Life

**18:18** και επηρωτησεν τις αυτον
αρχων λεγων διδασκαλε αγαθε τι
ποιησας ζωην αιωνιον κληρονομησω
One of the rulers questioned him,
saying, "Good teacher, doing what
will I inherit eternal life?"

**18:19** ειπεν δε αυτω ο ιησους τι με
λεγεις αγαθον ουδεις αγαθος ει μη
εις [ο] θεος
Jesus said to him, "Why do you call
me good? No one *is* good except
One: God.

**18:20** τας εντολας οιδας μη
μοιχευσης μη φονευσης μη κλεψης
μη ψευδομαρτυρησης τιμα τον
πατερα σου και την μητερα
"You've known the commandments:
Don't commit adultery.
Don't murder.
Don't steal.
Don't bear false witness.
Honor your father and mother."

**18:21** ο δε ειπεν ταυτα παντα
εφυλαξα εκ νεοτητος
He said, "I've kept all these since
childhood."

**18:22** ακουσας δε ο ιησους ειπεν
αυτω ετι εν σοι λειπει παντα οσα
εχεις πωλησον και διαδος πτωχοις
και εξεις θησαυρον εν [τοις]
ουρανοις και δευρο ακολουθει μοι
Jesus, hearing, said to him, "One
thing is lacking to you. Sell all, as
much as you have, and give to the
poor, and you will have treasure in
[the] skies; and come, follow me!"

**18:23** ο δε ακουσας ταυτα περιλυπος
εγενηθη ην γαρ πλουσιος σφοδρα
Hearing this, he became very sad, for
he was very rich.

**18:24** ιδων δε αυτον [ο] ιησους ειπεν
πως δυσκολως οι τα χρηματα
εχοντες εις την βασιλειαν του θεου

εισπορευονται
Seeing him, Jesus said, "How hard
for those having wealth to go into the
kingdom of God!

**18:25** ευκοπωτερον γαρ εστιν
καμηλον δια τρηματος βελονης
εισελθειν η πλουσιον εις την
βασιλειαν του θεου εισελθειν
"It is easier for *a* camel to go in
through the eye of *a* needle than for
*a* rich man to go into the kingdom of
God."

**18:26** ειπαν δε οι ακουσαντες και τις
δυναται σωθηναι
The *ones* hearing said, "Who can be
saved?"

**18:27** ο δε ειπεν τα αδυνατα παρα
ανθρωποις δυνατα παρα τω θεω
εστιν
He said, "The impossible for men is
possible for God."

**18:28** ειπεν δε ο πετρος ιδου ημεις
αφεντες τα ιδια ηκολουθησαμεν σοι
Peter said, "Look! We've followed
you, leaving our own."

**18:29** ο δε ειπεν αυτοις αμην λεγω
υμιν οτι ουδεις εστιν ος αφηκεν
οικιαν η γυναικα η αδελφους η
γονεις η τεκνα ενεκεν της βασιλειας
του θεου
He said to them, "Amen I say to you
that *there* is no one who has left
house or wife or brothers or kin or
children for the sake of the kingdom
of God
**18:30** ος ουχι μη λαβη

πολλαπλασιονα εν τω καιρω τουτω
και εν τω αιωνι τω ερχομενω ζωην
αιωνιον
"who may not receive many times as
much in this age, and in the coming
age eternal life."

**Jesus Predicts His Death**
**18:31** παραλαβων δε τους δωδεκα
ειπεν προς αυτους ιδου αναβαινομεν
εις ιερουσαλημ και τελεσθησεται
παντα τα γεγραμμενα δια των
προφητων τω υιω του ανθρωπου
Taking the twelve, he said to them,
"Look! We are going up to
Jerusalem, and all that is written in
the prophets about the Son of Man
will be fulfilled.
**18:32** παραδοθησεται γαρ τοις
εθνεσιν και εμπαιχθησεται και
υβρισθησεται και εμπτυσθησεται
"He will be handed over to the
nations, and he will be mocked and
abused and spat upon.
**18:33** και μαστιγωσαντες
αποκτενουσιν αυτον και τη ημερα τη
τριτη αναστησεται
"Torturing *him*, they will kill him,
and the third day he will rise."

**18:34** και αυτοι ουδεν τουτων
συνηκαν και ην το ρημα τουτο
κεκρυμμενον απ αυτων και ουκ
εγινωσκον τα λεγομενα
They understood nothing of this.
This saying was hidden from them,
and they weren't grasping the words.

**A Blind Man Near Jericho**
**18:35** εγενετο δε εν τω εγγιζειν

αυτον εις ιεριχω τυφλος τις εκαθητο
παρα την οδον επαιτων
It happened as he came near Jericho
*a* certain blind man was seated by the
road, begging.
**18:36** ακουσας δε οχλου
διαπορευομενου επυνθανετο τι ειη
τουτο
Hearing the crowd passing by, he
asked what this might be.
**18:37** απηγγειλαν δε αυτω οτι
ιησους ο ναζωραιος παρερχεται
They told him that Jesus the
Nazarene is passing by.
**18:38** και εβοησεν λεγων ιησου υιε
δαυιδ ελεησον με
He shouted, saying, "Jesus, David's
son, have mercy on me!"

**18:39** και οι προαγοντες επετιμων
αυτω ινα σιγηση αυτος δε πολλω
μαλλον εκραζεν υιε δαυιδ ελεησον
με
The *ones* going before rebuked him
that he be quiet, yet he shouted much
more, "David's son, have mercy on
me!"

**18:40** σταθεις δε ιησους εκελευσεν
αυτον αχθηναι προς αυτον
εγγισαντος δε αυτου επηρωτησεν
αυτον
Jesus, stopping, commanded him to
be brought to him. As he came near,
he asked him,
**18:41** τι σοι θελεις ποιησω ο δε
ειπεν κυριε ινα αναβλεψω
"What do you want that I can do for
you?"

He said, "Lord, that I may see
again!"

**18:42** και ο ιησους ειπεν αυτω
αναβλεψον η πιστις σου σεσωκεν σε
Jesus said to him, "See again! Your
faith has saved you."

**18:43** και παραχρημα ανεβλεψεν και
ηκολουθει αυτω δοξαζων τον θεον
και πας ο λαος ιδων εδωκεν αινον τω
θεω
He saw at once and followed him,
glorifying God. The whole crowd,
seeing *this*, gave praise to God.

## Luke 19
### Jesus and Zacchaeus
**19:1** και εισελθων διηρχετο την
ιεριχω
Going in, he passed through Jericho.
**19:2** και ιδου ανηρ ονοματι
καλουμενος ζακχαιος και αυτος ην
αρχιτελωνης και αυτος πλουσιος
Look! *There was a* man called by
name Zacchaeus. He was chief tax
collector, and he *was* rich.
**19:3** και εζητει ιδειν τον ιησουν τις
εστιν και ουκ ηδυνατο απο του
οχλου οτι τη ηλικια μικρος ην
He sought to see Jesus, who he is,
and couldn't for the crowd, because
he was small in height.
**19:4** και προδραμων εις το
εμπροσθεν ανεβη επι συκομορεαν
ινα ιδη αυτον οτι εκεινης ημελλεν
διερχεσθαι
Running before to *where* he was
coming, he climbed up *a* sycamore

tree so he could see him, because he was about to pass through.

**19:5** και ως ηλθεν επι τον τοπον αναβλεψας [ο] ιησους ειπεν προς αυτον ζακχαιε σπευσας καταβηθι σημερον γαρ εν τω οικω σου δει με μειναι

As he came to the place, Jesus, looking up, said to him, "Zacchaeus, come down quickly, for it's necessary for me to stay in your house today."

**19:6** και σπευσας κατεβη και υπεδεξατο αυτον χαιρων

He came down quickly and received him, rejoicing.

**19:7** και ιδοντες παντες διεγογγυζον λεγοντες οτι παρα αμαρτωλω ανδρι εισηλθεν καταλυσαι

All seeing *this* began complaining, saying that, "He's gone in to lodge with *a* sinful man."

**19:8** σταθεις δε ζακχαιος ειπεν προς τον κυριον ιδου τα ημισια μου των υπαρχοντων κυριε [τοις] πτωχοις διδωμι και ει τινος τι εσυκοφαντησα αποδιδωμι τετραπλουν

Yet Zacchaeus, hurrying, said to the Lord, "Look! I give half my possessions to the poor, Lord, and if I have defrauded someone I restore it four-fold."

**19:9** ειπεν δε προς αυτον [ο] ιησους οτι σημερον σωτηρια τω οικω τουτω εγενετο καθοτι και αυτος υιος αβρααμ [εστιν]

Jesus said to him that, "This very day salvation has come to this house, for he too [is] Abraham's son.

**19:10** ηλθεν γαρ ο υιος του ανθρωπου ζητησαι και σωσαι το απολωλος

"For the Son of Man came to seek and to save the lost."

## A King's Homecoming

**19:11** ακουοντων δε αυτων ταυτα προσθεις ειπεν παραβολην δια το εγγυς ειναι ιερουσαλημ αυτον και δοκειν αυτους οτι παραχρημα μελλει η βασιλεια του θεου αναφαινεσθαι

*As* they *were* hearing these, adding to *them*, he spoke *a* parable because he *was* coming near Jerusalem, and they *were* thinking that the kingdom of God is about to appear.

**19:12** ειπεν ουν ανθρωπος τις ευγενης επορευθη εις χωραν μακραν λαβειν εαυτω βασιλειαν και υποστρεψαι

He said, then, "A certain nobleman went into *a* far country to receive *a* kingdom for himself, and to return.

**19:13** καλεσας δε δεκα δουλους εαυτου εδωκεν αυτοις δεκα μνας και ειπεν προς αυτους πραγματευσασθαι εν ω ερχομαι

"Calling ten of his slaves, he gave them ten coins[115] and said for them, 'To do business while I go.'

**19:14** οι δε πολιται αυτου εμισουν αυτον και απεστειλαν πρεσβειαν οπισω αυτου λεγοντες ου θελομεν τουτον βασιλευσαι εφ ημας

"Yet his citizens hated him and sent ambassadors after him, saying, 'We don't want this *one* to reign over us.'

**19:15** και εγενετο εν τω επανελθειν αυτον λαβοντα την βασιλειαν και ειπεν φωνηθηναι αυτω τους δουλους τουτους οις δεδωκει το αργυριον ινα γνοι τι διεπραγματευσαντο

"It happened in his return from receiving the kingdom, he also said to call to him those slaves to whom he had given the money, that he might know what they had earned.

**19:16** παρεγενετο δε ο πρωτος λεγων κυριε η μνα σου δεκα προσηργασατο μνας

"The first came, saying, 'Lord, your coin earned ten coins.'

**19:17** και ειπεν αυτω ευγε αγαθε δουλε οτι εν ελαχιστω πιστος εγενου ισθι εξουσιαν εχων επανω δεκα πολεων

"He said to him, 'Well done, good slave! Because you were faithful in *a* little, I give you to have authority over ten cities.'

**19:18** και ηλθεν ο δευτερος λεγων η μνα σου κυριε εποιησεν πεντε μνας

"The second came, saying, 'Your coin, Lord, made five coins.'

**19:19** ειπεν δε και τουτω και συ επανω γινου πεντε πολεων

"He said to this one too, 'You will be over five cities, as well.'

**19:20** και ο ετερος ηλθεν λεγων κυριε ιδου η μνα σου ην ειχον αποκειμενην εν σουδαριω

"The third came, saying, 'Lord, look! *Here is* your coin which I had hidden in *a* cloth.

**19:21** εφοβουμην γαρ σε οτι ανθρωπος αυστηρος ει αιρεις ο ουκ εθηκας και θεριζεις ο ουκ εσπειρας

"I feared you, because you are *an* austere man. You take up what you did not put down, and reap what you did not sow.'

**19:22** λεγει αυτω εκ του στοματος σου κρινω σε πονηρε δουλε ηδεις οτι εγω ανθρωπος αυστηρος ειμι αιρων ο ουκ εθηκα και θεριζων ο ουκ εσπειρα

"He says to him, 'I judge you from your own mouth, wicked slave. You knew that I am *an* austere man, taking up what I didn't put down and reaping what I didn't sow.

**19:23** και δια τι ουκ εδωκας μου το αργυριον επι τραπεζαν καγω ελθων συν τοκω αν αυτο επραξα

"'Why didn't you give my money at *a* bank and, coming *back*, I would have collected my *money* with interest?'

**19:24** και τοις παρεστωσιν ειπεν αρατε απ αυτου την μναν και δοτε τω τας δεκα μνας εχοντι

"He said to those standing by, 'Take the coin from him and give *it* to the one having ten coins.'

**19:25** και ειπαν αυτω κυριε εχει δεκα μνας

"They said to him, 'Lord, he has ten coins.'

**19:26** λεγω υμιν οτι παντι τω εχοντι δοθησεται απο δε του μη εχοντος και ο εχει αρθησεται

"'I say to you that it will be given to everyone having, and from one not having even what he has will be taken away.

**19:27** πλην τους εχθρους μου τουτους τους μη θελησαντας με βασιλευσαι επ αυτους αγαγετε ωδε και κατασφαξατε αυτους εμπροσθεν μου

"'Nevertheless bring those enemies of mine here who didn't want me to reign over them, and kill them in front of me.'"

**19:28** και ειπων ταυτα επορευετο εμπροσθεν αναβαινων εις ιεροσολυμα

Saying these *things*, he went before, going up to Jerusalem.

### Preparation to Enter Jerusalem

**19:29** και εγενετο ως ηγγισεν εις βηθφαγη και βηθανια προς το ορος το καλουμενον ελαιων απεστειλεν δυο των μαθητων

It happened as he came near to Bethpage[116] and Bethany[117], near the mountain called "of Olives"[118], he sent two of the disciples,

**19:30** λεγων υπαγετε εις την κατεναντι κωμην εν η εισπορευομενοι ευρησετε πωλον δεδεμενον εφ ον ουδεις πωποτε ανθρωπων εκαθισεν και λυσαντες αυτον αγαγετε

saying, "Go into the village across. In the going in you will find *a* colt tied up, on whom no man has yet sat. Untying him, bring him.

**19:31** και εαν τις υμας ερωτα δια τι λυετε ουτως ερειτε οτι ο κυριος αυτου χρειαν εχει

"If someone says to you, 'Why are you untying *it*?', you will say thus: 'Because the Lord has need.'"

**19:32** απελθοντες δε οι απεσταλμενοι ευρον καθως ειπεν αυτοις

Going out, the ones sent found *it* just as he said to them.

**19:33** λυοντων δε αυτων τον πωλον ειπαν οι κυριοι αυτου προς αυτους τι λυετε τον πωλον

*While* they *were* untying the colt, its masters said to them, "Why are you untying the colt?"

**19:34** οι δε ειπαν οτι ο κυριος αυτου χρειαν εχει

They said, "Because his Lord has need."

### Jesus Enters Jerusalem

**19:35** και ηγαγον αυτον προς τον ιησουν και επιριψαντες αυτων τα ιματια επι τον πωλον επεβιβασαν τον ιησουν

They led him to Jesus and, spreading their garments on the colt, they set Jesus on the colt.

**19:36** πορευομενου δε αυτου υπεστρωννυον τα ιματια εαυτων εν τη οδω

*While* he *was* going, they were spreading their garments on the road.

**19:37** εγγιζοντος δε αυτου ηδη προς τη καταβασει του ορους των ελαιων ηρξαντο απαν το πληθος των μαθητων χαιροντες αινειν τον θεον φωνη μεγαλη περι πασων ων ειδον δυναμεων

*As* he *was* already coming near to the descent of the Mount of Olives, all the multitude of disciples began to praise God, rejoicing in *a* great voice over all the wonders that they had seen,

**19:38** λεγοντες ευλογημενος ο ερχομενος ο βασιλευς εν ονοματι κυριου εν ουρανω ειρηνη και δοξα εν υψιστοις
saying,

"Blessed *is* the King
coming in the Lord's name![118a]
Peace in heaven
and glory in the highest!

**19:39** και τινες των φαρισαιων απο του οχλου ειπαν προς αυτον διδασκαλε επιτιμησον τοις μαθηταις σου
Some of the Pharisees from the crowd said to him, "Teacher, rebuke your disciples!"

**19:40** και αποκριθεις ειπεν λεγω υμιν εαν ουτοι σιωπησουσιν οι λιθοι κραξουσιν
Answering, he said, "I say to you, if these were silent the stones would shout."

### Jesus Weeps our Jerusalem
**19:41** και ως ηγγισεν ιδων την πολιν εκλαυσεν επ αυτην
As he came near, seeing the city, he wept over her,
**19:42** λεγων οτι ει εγνως εν τη ημερα ταυτη και συ τα προς ειρηνην νυν δε εκρυβη απο οφθαλμων σου
saying that, "If you had known even on this day the *ways* to peace, yet now it is hidden from your eyes.
**19:43** οτι ηξουσιν ημεραι επι σε και

παρεμβαλουσιν οι εχθροι σου χαρακα σοι και περικυκλωσουσιν σε και συνεξουσιν σε παντοθεν
"Days will come upon you, and the nations will set up trenches around you, and surround you, and hold you fast on all sides.

**19:44** και εδαφιουσιν σε και τα τεκνα σου εν σοι και ουκ αφησουσιν λιθον επι λιθον εν σοι ανθ ων ουκ εγνως τον καιρον της επισκοπης σου
"They will utterly destroy you and your children in you, and will not leave stone upon stone in you because you didn't know the time of your visitation."

### Jesus Cleanses the Temple
**19:45** και εισελθων εις το ιερον ηρξατο εκβαλλειν τους πωλουντας
Going into the temple, he began to throw out the *ones* selling,
**19:46** λεγων αυτοις γεγραπται και εσται ο οικος μου οικος προσευχης υμεις δε αυτον εποιησατε σπηλαιον ληστων
saying to them, "It is written,

My house will be
*a* house of prayer,

yet you have made it

a cave of bandits."[119]

**19:47** και ην διδασκων το καθ ημεραν εν τω ιερω οι δε αρχιερεις και οι γραμματεις εζητουν αυτον απολεσαι και οι πρωτοι του λαου
He was teaching each day in the

temple, yet the chief priests and the writers and the first *ones* of the people were seeking to destroy him.

**19:48** και ουχ ευρισκον το τι ποιησωσιν ο λαος γαρ απας εξεκρεματο αυτου ακουων

They weren't finding what they could do, for all the crowd hung upon hearing him.

## Luke 20
## In What Authority?

**20:1** και εγενετο εν μια των ημερων διδασκοντος αυτου τον λαον εν τω ιερω και ευαγγελιζομενου επεστησαν οι αρχιερεις και οι γραμματεις συν τοις πρεσβυτεροις

It happened in one of the days *while* he *was* teaching the people in the temple and evangelizing, the chief priests and the writers approached with the elders.

**20:2** και ειπαν λεγοντες προς αυτον ειπον ημιν εν ποια εξουσια ταυτα ποιεις η τις εστιν ο δους σοι την εξουσιαν ταυτην

They spoke, saying to him, "Tell us in what authority you do these *things*, or who is the *one* giving you this authority?"

**20:3** αποκριθεις δε ειπεν προς αυτους ερωτησω υμας καγω λογον και ειπατε μοι

Answering, he said to them, "I will ask you *a* word, too, and you answer me.

**20:4** το βαπτισμα ιωαννου εξ ουρανου ην η εξ ανθρωπων

"Was John's baptism from heaven or from men?"

**20:5** οι δε συνελογισαντο προς εαυτους λεγοντες οτι εαν ειπωμεν εξ ουρανου ερει δια τι ουκ επιστευσατε αυτω

They began reasoning among themselves, saying that, "If we say, 'From heaven', he will say, 'Why didn't you believe him?'

**20:6** εαν δε ειπωμεν εξ ανθρωπων ο λαος απας καταλιθασει ημας πεπεισμενος γαρ εστιν ιωαννην προφητην ειναι

"Yet if we say, 'From men', the whole people will stone us, for it is persuaded John was *a* prophet."

**20:7** και απεκριθησαν μη ειδεναι ποθεν

They answered, "We don't know from where."

**20:8** και ο ιησους ειπεν αυτοις ουδε εγω λεγω υμιν εν ποια εξουσια ταυτα ποιω

Jesus said to them, "Neither do I say to you in what authority I do these *things*."

### Rebellious Tenants

**20:9** ηρξατο δε προς τον λαον λεγειν την παραβολην ταυτην ανθρωπος εφυτευσεν αμπελωνα και εξεδετο αυτον γεωργοις και απεδημησεν χρονους ικανους

He began to speak this parable to the people: "*A* man planted *a* vineyard, and rented it out to keepers, and left for *a* considerable time.

**20:10** και καιρω απεστειλεν προς τους γεωργους δουλον ινα απο του καρπου του αμπελωνος δωσουσιν αυτω οι δε γεωργοι εξαπεστειλαν αυτον δειραντες κενον

"At the time, he sent *a* slave to the keepers so they could give him *some* of the fruit of the vineyard. Yet the keepers, beating *him*, sent him away empty.

**20:11** και προσεθετο ετερον πεμψαι δουλον οι δε κακεινον δειραντες και ατιμασαντες εξαπεστειλαν κενον

"He added to send another slave. Beating and insulting that *one*, they sent him out empty.

**20:12** και προσεθετο τριτον πεμψαι οι δε και τουτον τραυματισαντες εξεβαλον

"He added to send *a* third. Wounding this *one* too, they threw *him* out.

**20:13** ειπεν δε ο κυριος του αμπελωνος τι ποιησω πεμψω τον υιον μου τον αγαπητον ισως τουτον εντραπησονται

"The lord of the vineyard said, 'What will I do? I will send my beloved son. Perhaps they will respect him.'

**20:14** ιδοντες δε αυτον οι γεωργοι διελογιζοντο προς αλληλους λεγοντες ουτος εστιν ο κληρονομος αποκτεινωμεν αυτον ινα ημων γενηται η κληρονομια

"Yet the keepers, seeing him, reasoned among themselves, saying, 'This is the heir. Let's kill him so the inheritance will be ours.'

**20:15** και εκβαλοντες αυτον εξω του αμπελωνος απεκτειναν τι ουν ποιησει αυτοις ο κυριος του αμπελωνος

"Throwing him out of the vineyard, they killed *him*. What, then, will the lord of the vineyard do to them?

**20:16** ελευσεται και απολεσει τους γεωργους τουτους και δωσει τον αμπελωνα αλλοις ακουσαντες δε ειπαν μη γενοιτο

"He will come and destroy those keepers, and give the vineyard to others."

Hearing *this*, they said, "May it never be!"

### The Cornerstone

**20:17** ο δε εμβλεψας αυτοις ειπεν τι ουν εστιν το γεγραμμενον τουτο λιθον ον απεδοκιμασαν οι οικοδομουντες ουτος εγενηθη εις κεφαλην γωνιας

Looking around at them, he said, "What, then, is this *that is* written:

*A* stone which the builders rejected, this has become the corner's head.'[120]

**20:18** πας ο πεσων επ εκεινον τον λιθον συνθλασθησεται εφ ον δ αν πεση λικμησει αυτον

"Everyone falling on that stone will be broken in pieces, yet on whomever it falls, it will crush him."[121]

## The Leaders
## Attempt to Stop Jesus

**20:19** και εζητησαν οι γραμματεις και οι αρχιερεις επιβαλειν επ αυτον τας χειρας εν αυτη τη ωρα και εφοβηθησαν τον λαον εγνωσαν γαρ οτι προς αυτους ειπεν την παραβολην ταυτην

The writers and the chief priests sought to lay hands on him in that hour, and they feared the people, for they knew that he spoke this parable to them.

**20:20** και παρατηρησαντες απεστειλαν εγκαθετους υποκρινομενους εαυτους δικαιους ειναι ινα επιλαβωνται αυτου λογου ωστε παραδουναι αυτον τη αρχη και τη εξουσια του ηγεμονος

Watching closely, they sent hired men pretending themselves to be righteous, so they could catch him in word, so as to hand him over to the power and the authority of the governor.

**20:21** και επηρωτησαν αυτον λεγοντες διδασκαλε οιδαμεν οτι ορθως λεγεις και διδασκεις και ου λαμβανεις προσωπον αλλ επ αληθειας την οδον του θεου διδασκεις

They questioned him, saying, "Teacher, we know that you speak rightly, and you teach, and you don't receive *a* face, but teach the path of God in truth.

**20:22** εξεστιν ημας καισαρι φορον δουναι η ου

"Is it allowed us to give tribute to Caesar or not?"

**20:23** κατανοησας δε αυτων την πανουργιαν ειπεν προς αυτους

Knowing their trickery, he said to them,

**20:24** δειξατε μοι δηναριον τινος εχει εικονα και επιγραφην οι δε ειπαν καισαρος

"Show me *a* denarius[122]. Whose image and inscription does it have?"

They said, "Caesar's."

**20:25** ο δε ειπεν προς αυτους τοινυν αποδοτε τα καισαρος καισαρι και τα του θεου τω θεω

He said to them, "Therefore, give Caesar the *things* of Caesar, and God the *things* of God."

**20:26** και ουκ ισχυσαν επιλαβεσθαι του ρηματος εναντιον του λαου και θαυμασαντες επι τη αποκρισει αυτου εσιγησαν

They couldn't catch him of words before the people and, astonished at his answer, they were silent.

### Sadducees Question Him

**20:27** προσελθοντες δε τινες των σαδδουκαιων οι λεγοντες αναστασιν μη ειναι επηρωτησαν αυτον

Some of the Sadducees[123], the *ones* saying *there* is no resurrection, coming near *him*, questioned him,

**20:28** λεγοντες διδασκαλε μωυσης εγραψεν ημιν εαν τινος αδελφος αποθανη εχων γυναικα και ουτος ατεκνος η ινα λαβη ο αδελφος αυτου την γυναικα και εξαναστηση σπερμα τω αδελφω αυτου

saying, "Teacher, Moses wrote us if some brother having *a* wife dies, and he *is* childless, that his brother should take the wife and raise up seed to his brother.[124]

**20:29** επτα ουν αδελφοι ησαν και ο πρωτος λαβων γυναικα απεθανεν ατεκνος

"*There* were seven brothers, then, and the first, taking *a* wife, died childless,

**20:30** και ο δευτερος

"and the second.

**20:31** και ο τριτος ελαβεν αυτην ωσαυτως δε και οι επτα ου κατελιπον τεκνα και απεθανον

"The third took her, yet also the seven in the same way didn't leave children and died.

**20:32** υστερον και η γυνη απεθανεν

"Last, the woman also died.

**20:33** η γυνη ουν εν τη αναστασει τινος αυτων γινεται γυνη οι γαρ επτα εσχον αυτην γυναικα

"The wife, then, in the resurrection, whose wife of them will she be, for the seven had her as wife?"

**20:34** και ειπεν αυτοις ο ιησους οι υιοι του αιωνος τουτου γαμουσιν και γαμισκονται

Jesus said to them, "The sons of this age marry and are given in marriage.

**20:35** οι δε καταξιωθεντες του αιωνος εκεινου τυχειν και της αναστασεως της εκ νεκρων ουτε γαμουσιν ουτε γαμιζονται

"Yet the ones counted worthy to obtain that age and the resurrection of the dead neither marry nor are given in marriage,

**20:36** ουδε γαρ αποθανειν ετι δυνανται ισαγγελοι γαρ εισιν και υιοι εισιν θεου της αναστασεως υιοι οντες

"for they no longer can die. They are like angels and are sons of God, being sons of the resurrection.

### Jesus Argues
### for the Resurrection

**20:37** οτι δε εγειρονται οι νεκροι και μωυσης εμηνυσεν επι της βατου ως λεγει κυριον τον θεον αβρααμ και θεον ισαακ και θεον ιακωβ

"Yet that the dead rise Moses also made known at the bush, as he says,

'The Lord God of Abraham
and God of Isaac
and God of Jacob.'[125]

**20:38** θεος δε ουκ εστιν νεκρων αλλα ζωντων παντες γαρ αυτω ζωσιν

"God isn't of the dead but of the living, for all live to Him."

**20:39** αποκριθεντες δε τινες των γραμματεων ειπαν διδασκαλε καλως ειπας

Some of the writers, answering, said, "Teacher, you spoke well",

**20:40** ουκετι γαρ ετολμων επερωταν αυτον ουδεν

for they no longer dared to ask him anything.

### Whose Son is Christ?

**20:41** ειπεν δε προς αυτους πως λεγουσιν τον χριστον ειναι δαυιδ υιον

He said to them, "How do they claim the Christ to be David's son?

**20:42** αυτος γαρ δαυιδ λεγει εν βιβλω ψαλμων ειπεν κυριος τω κυριω μου καθου εκ δεξιων μου

"David himself says in the book of Psalms,

'The Lord said to my Lord,
    Sit at My right,

**20:43** εως αν θω τους εχθρους σου υποποδιον των ποδων σου

"'until I place your enemies
    *as* your footstool
    under your feet.'[126]

**20:44** δαυιδ ουν αυτον κυριον καλει και πως αυτου υιος εστιν

"David, then, calls him Lord. How is he his son?"

**Beware of Those Loving Honors**

**20:45** ακουοντος δε παντος του λαου ειπεν τοις μαθηταις

*While* all of the people *were* listening, he said to the disciples,

**20:46** προσεχετε απο των γραμματεων των θελοντων περιπατειν εν στολαις και φιλουντων ασπασμους εν ταις αγοραις και πρωτοκαθεδριας εν ταις συναγωγαις και πρωτοκλισιας εν τοις δειπνοις

"Watch out for the writers, the *ones* wanting to walk around in long robes, and loving greetings in the marketplaces, and first seats in the synagogues, and first places in the suppers.

**20:47** οι κατεσθιουσιν τας οικιας

των χηρων και προφασει μακρα προσευχονται ουτοι λημψονται περισσοτερον κριμα

"They devour the houses of widows, and pray long excuses. These will receive overflowing judgment."

## Luke 21
## The Widow's Gift

**21:1** αναβλεψας δε ειδεν τους βαλλοντας εις το γαζοφυλακιον τα δωρα αυτων πλουσιους

Looking up, he watched the rich throwing their gifts into the treasury.

**21:2** ειδεν δε τινα χηραν πενιχραν βαλλουσαν εκει λεπτα δυο

He saw *a* certain poor widow throw in two small coins there,

**21:3** και ειπεν αληθως λεγω υμιν οτι η χηρα αυτη η πτωχη πλειον παντων εβαλεν

and he said, "Truly I say to you that this poor widow threw in more than all.

**21:4** παντες γαρ ουτοι εκ του περισσευοντος αυτοις εβαλον εις τα δωρα αυτη δε εκ του υστερηματος αυτης παντα τον βιον ον ειχεν εβαλεν

"For all these threw in the gifts out of *what* overflows to them, yet she threw in from her lack, all the life which she had."

## Coming Destruction

**21:5** και τινων λεγοντων περι του ιερου οτι λιθοις καλοις και αναθημασιν κεκοσμηται ειπεν

*While* some *were* talking about the

temple, that it was adorned by good stones and votive offerings, he said, **21:6** ταυτα α θεωρειτε ελευσονται ημεραι εν αις ουκ αφεθησεται λιθος επι λιθω ωδε ος ου καταλυθησεται "These that you see, the days will come in which stone will not be left on stone here which will not be thrown down."

**21:7** επηρωτησαν δε αυτον λεγοντες διδασκαλε ποτε ουν ταυτα εσται και τι το σημειον οταν μελλη ταυτα γινεσθαι They questioned him, saying, "Teacher, when, then, will this be, and what is the sign when this is about to happen?"

### Don't Be Seduced
**21:8** ο δε ειπεν βλεπετε μη πλανηθητε πολλοι γαρ ελευσονται επι τω ονοματι μου λεγοντες εγω ειμι και ο καιρος ηγγικεν μη πορευθητε οπισω αυτων He said, "Watch that you not be deceived, for many will come in my name, saying, 'I am, and the time is near'. Don't go after them!

**21:9** οταν δε ακουσητε πολεμους και ακαταστασιας μη πτοηθητε δει γαρ ταυτα γενεσθαι πρωτον αλλ ουκ ευθεως το τελος "When you hear of wars and catastrophes, don't be terrified, for it is necessary for these to happen first, but the end is not soon."

### Uproars and Tumults
**21:10** τοτε ελεγεν αυτοις εγερθησεται εθνος επ εθνος και βασιλεια επι βασιλειαν Then he said to them, "Nation will rise up against nation, and kingdom against kingdom,

**21:11** σεισμοι τε μεγαλοι και κατα τοπους λοιμοι και λιμοι εσονται φοβητρα τε και απ ουρανου σημεια μεγαλα εσται "great earthquakes also in various places. There will be plagues and famines, and there will be dreadful great signs also from heaven.

**21:12** προ δε τουτων παντων επιβαλουσιν εφ υμας τας χειρας αυτων και διωξουσιν παραδιδοντες εις τας συναγωγας και φυλακας απαγομενους επι βασιλεις και ηγεμονας ενεκεν του ονοματος μου "Before all these, they will lay their hands on you and persecute you, handing you over into the synagogues and chains, leading you before kings and governors for my name's sake.

**21:13** αποβησεται υμιν εις μαρτυριον "It will be turned to you into a witness.

**21:14** θετε ουν εν ταις καρδιαις υμων μη προμελεταν απολογηθηναι "Set, then, in your hearts not to practice beforehand to defend yourselves,

**21:15** εγω γαρ δωσω υμιν στομα και σοφιαν η ου δυνησονται αντιστηναι η αντειπειν απαντες οι αντικειμενοι υμιν "for I will give wisdom also into your mouth all the ones opposing you will not be able resist or speak against.

## Betrayals and Beatings

**21:16** παραδοθησεσθε δε και υπο γονεων και αδελφων και συγγενων και φιλων και θανατωσουσιν εξ υμων

"Yet you will be handed over also by parents and brothers and relatives and friends, and they will kill some of you,

**21:17** και εσεσθε μισουμενοι υπο παντων δια το ονομα μου

"and you will be hated by all for my name's sake –

**21:18** και θριξ εκ της κεφαλης υμων ου μη αποληται

"and not *a* hair from your head will be lost.

**21:19** εν τη υπομονη υμων κτησεσθε τας ψυχας υμων

"You will gain your souls by your endurance.

## When You See . . .

**21:20** οταν δε ιδητε κυκλουμενην υπο στρατοπεδων ιερουσαλημ τοτε γνωτε οτι ηγγικεν η ερημωσις αυτης

"Yet when you see Jerusalem surrounded by soldiers, then know that her destruction is near.

**21:21** τοτε οι εν τη ιουδαια φευγετωσαν εις τα ορη και οι εν μεσω αυτης εκχωρειτωσαν και οι εν ταις χωραις μη εισερχεσθωσαν εις αυτην

"Then let those in Judea flee to the mountains, and those in her midst go out, and those in the villages not go into her,

**21:22** οτι ημεραι εκδικησεως αυται εισιν του πλησθηναι παντα τα γεγραμμενα

"because the days of her punishment are *come*, of the fulfillment of all the *things* written.

**21:23** ουαι ταις εν γαστρι εχουσαις και ταις θηλαζουσαις εν εκειναις ταις ημεραις εσται γαρ αναγκη μεγαλη επι της γης και οργη τω λαω τουτω

"Woe to those having in the womb and those nursing in those days, for great distress will be on earth, and anger against this people!

**21:24** και πεσουνται στοματι μαχαιρης και αιχμαλωτισθησονται εις τα εθνη παντα και ιερουσαλημ εσται πατουμενη υπο εθνων αχρις ου πληρωθωσιν [και εσονται] καιροι εθνων

"They will fall by the sword's mouth, and be led captive into all the nations, and Jerusalem will be trampled on by the nations until which the times of the nations are [and will be] fulfilled.

## Signs and Stresses

**21:25** και εσονται σημεια εν ηλιω και σεληνη και αστροις και επι της γης συνοχη εθνων εν απορια ηχους θαλασσης και σαλου

"Signs will be in sun and moon and stars and on the earth, the distress of nations in anxiety at the sounding of sea and wave,

**21:26** αποψυχοντων ανθρωπων απο φοβου και προσδοκιας των επερχομενων τη οικουμενη αι γαρ δυναμεις των ουρανων σαλευθησονται

"men losing souls from fear and foreboding over the *events* coming upon the world, for the powers of the skies will be shaken.

**21:27** και τοτε οψονται τον υιον του ανθρωπου ερχομενον εν νεφελη μετα δυναμεως και δοξης πολλης

"Then they will see the Son of Man coming in *a* cloud with power and great glory.

**21:28** αρχομενων δε τουτων γινεσθαι ανακυψατε και επαρατε τας κεφαλας υμων διοτι εγγιζει η απολυτρωσις υμων

"When these begin to happen, look up and lift up your heads, because your redemption comes near."

### Consider the Fig Tree

**21:29** και ειπεν παραβολην αυτοις ιδετε την συκην και παντα τα δενδρα

He spoke *a* parable to them: "Look to the fig tree and all the trees!

**21:30** οταν προβαλωσιν ηδη βλεποντες αφ εαυτων γινωσκετε οτι ηδη εγγυς το θερος εστιν

"When they already put out *leaves* from themselves, you, seeing *this*, know that the spring is already near.

**21:31** ουτως και υμεις οταν ιδητε ταυτα γινομενα γινωσκετε οτι εγγυς εστιν η βασιλεια του θεου

"So also when you see these happening, you will know that the kingdom of God is near.

**21:32** αμην λεγω υμιν οτι ου μη παρελθη η γενεα αυτη εως [αν] παντα γενηται

"Amen I say to you that this generation will not pass away until all these happen.

**21:33** ο ουρανος και η γη παρελευσονται οι δε λογοι μου ου μη παρελευσονται

"The sky and the earth will pass away, yet my words will not pass away.

### Take Care for Yourselves

**21:34** προσεχετε δε εαυτοις μηποτε βαρηθωσιν αι καρδιαι υμων εν κραιπαλη και μεθη και μεριμναις βιωτικαις και επιστη εφ υμας αιφνιδιος η ημερα εκεινη

"Watch yourselves, unless perhaps your hearts be weighed down in dissipation and drunkenness and the troubles of life, and that day come upon you unexpectedly.

**21:35** ως παγις επεισελευσεται γαρ επι παντας τους καθημενους επι προσωπον πασης της γης

"For it will come as *a* snare upon all these seated on the face of the whole earth.

**21:36** αγρυπνειτε δε εν παντι καιρω δεομενοι ινα κατισχυσητε εκφυγειν ταυτα παντα τα μελλοντα γινεσθαι και σταθηναι εμπροσθεν του υιου του ανθρωπου

"Keep watch at every time, praying that you may be strong enough to escape all these coming to be, and to stand before the Son of Man."

**21:37** ην δε τας ημερας εν τω ιερω διδασκων τας δε νυκτας εξερχομενος ηυλιζετο εις το ορος το καλουμενον ελαιων

In those days he was in the temple teaching, yet going out in the nights, he spent the night on the mountain called "of Olives."

**21:38** και πας ο λαος ωρθριζεν προς αυτον εν τω ιερω ακουειν αυτου

The whole crowd was coming to him early in the morning to hear him in the temple.

## Luke 22
### Judas Plans to Betray Jesus

**22:1** ηγγιζεν δε η εορτη των αζυμων η λεγομενη πασχα

The feast of unleavened bread was near, the *one* called Passover.

**22:2** και εζητουν οι αρχιερεις και οι γραμματεις το πως ανελωσιν αυτον εφοβουντο γαρ τον λαον

The chief priests and the writers were seeking how they could destroy him, for they feared the crowd.

**22:3** εισηλθεν δε σατανας εις ιουδαν τον καλουμενον ισκαριωτην οντα εκ του αριθμου των δωδεκα

Satan went into Judas, the *one* called Iscariot, being of the number of the twelve.

**22:4** και απελθων συνελαλησεν τοις αρχιερευσιν και στρατηγοις το πως αυτοις παραδω αυτον

Going out, he spoke with the high priests and soldiers how he could hand him over to them.

**22:5** και εχαρησαν και συνεθεντο αυτω αργυριον δουναι

They were happy and arranged to give him money.

**22:6** και εξωμολογησεν και εζητει ευκαιριαν του παραδουναι αυτον ατερ οχλου αυτοις

He agreed and began looking for *a* good time to hand him over to them, apart from *a* crowd.

### Passover Preparations

**22:7** ηλθεν δε η ημερα των αζυμων η εδει θυεσθαι το πασχα

The day of unleavened bread came, in which it was necessary to offer the Passover.[127]

**22:8** και απεστειλεν πετρον και ιωαννην ειπων πορευθεντες ετοιμασατε ημιν το πασχα ινα φαγωμεν

He sent Peter and John, saying, "Going, make the Passover ready for us so we may eat."

**22:9** οι δε ειπαν αυτω που θελεις ετοιμασωμεν

They said to him, "Where do you want that we make ready?"

**22:10** ο δε ειπεν αυτοις ιδου εισελθοντων υμων εις την πολιν συναντησει υμιν ανθρωπος κεραμιον υδατος βασταζων ακολουθησατε αυτω εις την οικιαν εις ην εισπορευεται

He said to them, "Look! *While* you *are* going into the city, *a* man carrying *a* jug of water will meet you. Follow him into the house which he goes into.

**22:11** και ερειτε τω οικοδεσποτη της οικιας λεγει σοι ο διδασκαλος που εστιν το καταλυμα οπου το πασχα μετα των μαθητων μου φαγω

"You will say to the master of the house, 'The teacher says to you, Where is the guest room where I can eat the Passover with my disciples?'

**22:12** κακεινος υμιν δειξει αναγαιον μεγα εστρωμενον εκει ετοιμασατε

"That *one* will show you *a* large, furnished upper room. Make ready there."

**22:13** απελθοντες δε ευρον καθως ειρηκει αυτοις και ητοιμασαν το πασχα

Going out, they found as he had said to them, and they made ready the Passover.

### The Passover Supper

**22:14** και οτε εγενετο η ωρα ανεπεσεν και οι αποστολοι συν αυτω

When the hour came, he reclined *at table* and the apostles with him.

**22:15** και ειπεν προς αυτους επιθυμια επεθυμησα τουτο το πασχα φαγειν μεθ υμων προ του με παθειν

He said to them, "I've wanted deeply to eat this Passover with you before I suffer,

**22:16** λεγω γαρ υμιν οτι ου μη φαγω αυτο εως οτου πληρωθη εν τη βασιλεια του θεου

"for I say to you that I will not eat it again until it is fulfilled in the kingdom of God."

**22:17** και δεξαμενος ποτηριον ευχαριστησας ειπεν λαβετε τουτο και διαμερισατε εις εαυτους

Taking *a* cup, giving thanks, he said,

"Take this and share *it* among yourselves,

**22:18** λεγω γαρ υμιν ου μη πιω απο του νυν απο του γενηματος της αμπελου εως ου η βασιλεια του θεου ελθη

"for I say to you from this *moment* now I will no more drink from the fruit of the vine until the kingdom of God comes."

**22:19** και λαβων αρτον ευχαριστησας εκλασεν και εδωκεν αυτοις λεγων τουτο εστιν το σωμα μου [[το υπερ υμων διδομενον τουτο ποιειτε εις την εμην αναμνησιν

Taking bread, giving thanks, he broke *it* and gave *it* to them, saying, "This is my body [[the *one* given for you. Do this in my memory."

**22:20** και το ποτηριον ωσαυτως μετα το δειπνησαι λεγων τουτο το ποτηριον η καινη διαθηκη εν τω αιματι μου το υπερ υμων εκχυννομενον]]

In the same way, *he took* the cup after the supper, saying, "This is the cup of the new covenant in my blood, the *one* poured out for you.]]

**22:21** πλην ιδου η χειρ του παραδιδοντος με μετ εμου επι της τραπεζης

"Nevertheless, look! The hand of the *one* betraying me *is* with me on the table.

### Woe to the Betrayer

**22:22** οτι ο υιος μεν του ανθρωπου κατα το ωρισμενον πορευεται πλην

ουαι τω ανθρωπω εκεινω δι ου
παραδιδοται
"For the Son of Man goes according
to *what was* determined.
Nevertheless, woe to that man
through whom he is handed over!"

**22:23** και αυτοι ηρξαντο συζητειν
προς εαυτους το τις αρα ειη εξ αυτων
ο τουτο μελλων πρασσειν
They began to question among
themselves who it might be from
them who was about to do this.

### Again, Who Is Greater?
**22:24** εγενετο δε και φιλονεικια εν
αυτοις το τις αυτων δοκει ειναι
μειζων
Yet *a* dispute happened among them
over who of them seems to be
greater.
**22:25** ο δε ειπεν αυτοις οι βασιλεις
των εθνων κυριευουσιν αυτων και οι
εξουσιαζοντες αυτων ευεργεται
καλουνται
He said to them, "The kings of the
nations lord over them, and the *ones*
having their authority are called
benefactors.
**22:26** υμεις δε ουχ ουτως αλλ ο
μειζων εν υμιν γινεσθω ως ο
νεωτερος και ο ηγουμενος ως ο
διακονων
"You *are* not so. Let the greater
among you be as the younger, and
the ruler as the *one* serving.
**22:27** τις γαρ μειζων ο ανακειμενος
η ο διακονων ουχι ο ανακειμενος
εγω δε εν μεσω υμων ειμι ως ο
διακονων

"For who is greater? The *one*
reclining *at table*, or the *one* serving?
Isn't it the *one* reclining *at table*?
Yet I am among you as the *one*
serving.

### I Appoint To You
**22:28** υμεις δε εστε οι
διαμεμενηκοτες μετ εμου εν τοις
πειρασμοις μου
"You are the *ones* sharing with me in
my testings,
**22:29** καγω διατιθεμαι υμιν καθως
διεθετο μοι ο πατηρ μου βασιλειαν
"and I grant you *a* kingdom even as
my Father has granted me –
**22:30** ινα εσθητε και πινητε επι της
τραπεζης μου εν τη βασιλεια μου και
καθησθε επι θρονων τας δωδεκα
φυλας κρινοντες του ισραηλ
"that you may eat and drink at my
table in my kingdom, and sit on
thrones of the twelve tribes, judging
Israel.

### Sift You Like Wheat
**22:31** σιμων σιμων ιδου ο σατανας
εξητησατο υμας του σινιασαι ως τον
σιτον
"Simon, Simon, look! Satan
demanded to sift you all like wheat.
**22:32** εγω δε εδεηθην περι σου ινα
μη εκλιπη η πιστις σου και συ ποτε
επιστρεψας στηρισον τους αδελφους
σου
"Yet I have prayed about you that
your faith may not fail. You, when
you turn back, strengthen your
brothers!"

**22:33** ο δε ειπεν αυτω κυριε μετα σου ετοιμος ειμι και εις φυλακην και εις θανατον πορευεσθαι

He said to him, "Lord, I am ready to go with you even to chains and to death."

**22:34** ο δε ειπεν λεγω σοι πετρε ου φωνησει σημερον αλεκτωρ εως τρις με απαρνηση ειδεναι

He said, "I say to you, Peter, the rooster will not crow today until you deny knowing me three times."

### Be Ready
**22:35** και ειπεν αυτοις οτε απεστειλα υμας ατερ βαλλαντιου και πηρας και υποδηματων μη τινος υστερησατε οι δε ειπαν ουθενος

He said to them, "When I sent you out without money bag and pouch and sandals, did you lack anything?"

They said, "Nothing."

**22:36** ειπεν δε αυτοις αλλα νυν ο εχων βαλλαντιον αρατω ομοιως και πηραν και ο μη εχων πωλησατω το ιματιον αυτου και αγορασατω μαχαιραν

He said to them, "But now, let the *one* having *a* money bag take *it*, and likewise *a* pouch. Let the *one* not having *a* sword sell his clothes and buy *one*.

**22:37** λεγω γαρ υμιν οτι τουτο το γεγραμμενον δει τελεσθηναι εν εμοι το και μετα ανομων ελογισθη και γαρ το περι εμου τελος εχει

"I say to you that this *that is* written is necessary to be fulfilled in me, that,

> 'He was reckoned
> with the lawless,'[128]

for the *thing* concerning me has *an* end too."

**22:38** οι δε ειπαν κυριε ιδου μαχαιραι ωδε δυο ο δε ειπεν αυτοις ικανον εστιν

They said, "Lord, look! Two swords *are* here."

He said to them, "It is enough."

### Jesus Goes to the Mount of Olives
**22:39** και εξελθων επορευθη κατα το εθος εις το ορος των ελαιων ηκολουθησαν δε αυτω [και] οι μαθηται

Going out, he went according to custom to the Mount of Olives. The disciples followed him [also].

**22:40** γενομενος δε επι του τοπου ειπεν αυτοις προσευχεσθε μη εισελθειν εις πειρασμον

Coming to the place, he said to them, "Pray that you not enter into testing."

### Jesus Prays
**22:41** και αυτος απεσπασθη απ αυτων ωσει λιθου βολην και θεις τα γονατα προσηυχετο

He withdrew from them around *a* stone's throw, and getting on the knees, began praying,

**22:42** λεγων πατερ ει βουλει

παρενεγκε τουτο το ποτηριον απ
εμου πλην μη το θελημα μου αλλα
το σον γινεσθω
saying, "Father, if You will, take this
cup from me. Nevertheless, not my
will but Yours be done."

**22:43** [[ωφθη δε αυτω αγγελος απο
του ουρανου ενισχυων αυτον
[[Yet an angel from the sky was
seen, strengthening him.
**22:44** και γενομενος εν αγωνια
εκτενεστερον προσηυχετο και
εγενετο ο ιδρως αυτου ωσει θρομβοι
αιματος καταβαινοντες επι την γην]]
Being in agony, he prayed
unceasingly, and his sweat became
like drops of blood falling on the
ground.]]

### Sleeping in Crisis
**22:45** και αναστας απο της
προσευχης ελθων προς τους μαθητας
ευρεν κοιμωμενους αυτους απο της
λυπης
Getting up from prayer, going to the
disciples, he found them sleeping
from the grief.
**22:46** και ειπεν αυτοις τι καθευδετε
ανασταντες προσευχεσθε ινα μη
εισελθητε εις πειρασμον
He said to them, "Why are you
sleeping? Getting up, pray that you
not enter into testing!"

### The Arrest
**22:47** ετι αυτου λαλουντος ιδου
οχλος και ο λεγομενος ιουδας εις
των δωδεκα προηρχετο αυτους και
ηγγισεν τω ιησου φιλησαι αυτον

*While* he *was* yet speaking, look! *A*
crowd, and the *one* called Judas, one
of the twelve, was in front them! He
came near Jesus to kiss him.
**22:48** ιησους δε ειπεν αυτω ιουδα
φιληματι τον υιον του ανθρωπου
παραδιδως
Jesus said to him, "Judas, are you
betraying the Son of Man with *a*
kiss?"

**22:49** ιδοντες δε οι περι αυτον το
εσομενον ειπαν κυριε ει παταξομεν
εν μαχαιρη
The *ones* around him, seeing what
was happening, said, "Lord, will we
strike with the sword?"

**22:50** και επαταξεν εις τις εξ αυτων
του αρχιερεως τον δουλον και
αφειλεν το ους αυτου το δεξιον
One of them struck the slave of the
high priest and cut off his right ear.
**22:51** αποκριθεις δε [ο] ιησους ειπεν
εατε εως τουτου και αψαμενος του
ωτιου ιασατο αυτον
Jesus, answering, said, "Allow even
this," and touching the ear, he healed
him.

**22:52** ειπεν δε ιησους προς τους
παραγενομενους επ αυτον αρχιερεις
και στρατηγους του ιερου και
πρεσβυτερους ως επι ληστην
εξηλθατε μετα μαχαιρων και ξυλων
Jesus said to the *ones* coming against
him, the chief priests and the soldiers
of the temple and the elders, "Have
you come out as against *a* robber,
with swords and sticks?

**22:53** καθ ημεραν οντος μου μεθ υμων εν τω ιερω ουκ εξετεινατε τας χειρας επ εμε αλλ αυτη εστιν υμων η ωρα και η εξουσια του σκοτους

"Each day, me being with you in the temple, you didn't stretch out the hands against me. But this is your hour, and the authority of darkness."

### Peter Denies Him

**22:54** συλλαβοντες δε αυτον ηγαγον και εισηγαγον εις την οικιαν του αρχιερεως ο δε πετρος ηκολουθει μακροθεν

Seizing him, they led and brought him into the house of the high priest. Peter was following, far off.

**22:55** περιαψαντων δε πυρ εν μεσω της αυλης και συγκαθισαντων εκαθητο ο πετρος μεσος αυτων

*While* they *were* lighting *a* fire in the middle of the courtyard and sitting around it, Peter sat in the midst of them.

**22:56** ιδουσα δε αυτον παιδισκη τις καθημενον προς το φως και ατενισασα αυτω ειπεν και ουτος συν αυτω ην

One of the servant girls, sitting near the light, seeing him and staring at him, said, "This *one* was with him too."

**22:57** ο δε ηρνησατο λεγων ουκ οιδα αυτον γυναι

He denied *it*, saying, "I don't know him, woman."

**22:58** και μετα βραχυ ετερος ιδων αυτον εφη και συ εξ αυτων ει ο δε

πετρος εφη ανθρωπε ουκ ειμι

After *a* short while, another seeing him said, "You are from them too."

Peter said, "Man, I am not."

**22:59** και διαστασης ωσει ωρας μιας αλλος τις διισχυριζετο λεγων επ αληθειας και ουτος μετ αυτου ην και γαρ γαλιλαιος εστιν

Around *an* hour passing, another one insisted, saying, "In truth this *man* was with him too, for he too is Galilean."

**22:60** ειπεν δε ο πετρος ανθρωπε ουκ οιδα ο λεγεις και παραχρημα ετι λαλουντος αυτου εφωνησεν αλεκτωρ

Peter said, "Man, I don't know what you're saying."

At once, *while* he *was* still speaking, the rooster crowed.

**22:61** και στραφεις ο κυριος ενεβλεψεν τω πετρω και υπεμνησθη ο πετρος του ρηματος του κυριου ως ειπεν αυτω οτι πριν αλεκτορα φωνησαι σημερον απαρνηση με τρις

The Lord, turning, looked at Peter. Peter remembered the Lord's words as he said to him that, "Before the rooster crows today, you will deny me three times."

**22:62** [και εξελθων εξω εκλαυσεν πικρως]

[Going outside, he wept bitterly.]

### Jesus Mocked and Beaten

**22:63** και οι ανδρες οι συνεχοντες

αυτον ενεπαιζον αυτω δεροντες
The men holding him mocked him, hitting *him*.

**22:64** και περικαλυψαντες αυτον επηρωτων λεγοντες προφητευσον τις εστιν ο παισας σε
Blindfolding him, they questioned, saying, "Prophesy! Who is the *one* hitting you?"

**22:65** και ετερα πολλα βλασφημουντες ελεγον εις αυτον
Many others began speaking to him, blaspheming.

**Jesus Before the Council**
**22:66** και ως εγενετο ημερα συνηχθη το πρεσβυτεριον του λαου αρχιερεις τε και γραμματεις και απηγαγον αυτον εις το συνεδριον αυτων λεγοντες
As the day began, the people's elders gathered together, both the high priests and the writers. They led him into their Sanhedrin, saying,

**22:67** ει συ ει ο χριστος ειπον ημιν ειπεν δε αυτοις εαν υμιν ειπω ου μη πιστευσητε
"If you are the Christ, tell us!"

He said to them, "If I tell you, you won't believe.

**22:68** εαν δε ερωτησω ου μη αποκριθητε
"Yet if I question, you won't answer.

**22:69** απο του νυν δε εσται ο υιος του ανθρωπου καθημενος εκ δεξιων της δυναμεως του θεου
"From this *moment* now, the Son of Man will be seated at the right of the power of God."

**22:70** ειπαν δε παντες συ ουν ει ο υιος του θεου ο δε προς αυτους εφη υμεις λεγετε οτι εγω ειμι
All said, "Then you are the son of God?"

He said to them, "You say that I am."

**22:71** οι δε ειπαν τι ετι εχομεν μαρτυριας χρειαν αυτοι γαρ ηκουσαμεν απο του στοματος αυτου
They said, "Why do we still need witnesses? We ourselves have heard from his mouth."

**Luke 23**
**Jesus Before Pilate**
**23:1** και ανασταν απαν το πληθος αυτων ηγαγον αυτον επι τον πιλατον
The whole crowd of them, getting up, led him to Pilate.

**23:2** ηρξαντο δε κατηγορειν αυτου λεγοντες τουτον ευραμεν διαστρεφοντα το εθνος ημων και κωλυοντα φορους καισαρι διδοναι και λεγοντα εαυτον χριστον βασιλεα ειναι
They began to accuse him, saying, "We found this *one* corrupting our nation, forbidding to give taxes to Caesar and claiming himself to be Christ, *a* king."

**23:3** ο δε πιλατος ηρωτησεν αυτον λεγων συ ει ο βασιλευς των ιουδαιων ο δε αποκριθεις αυτω εφη συ λεγεις

Pilate questioned him, saying, "Are you the king of the Jews?"

Answering, he said to him, "You say."

**23:4** ο δε πιλατος ειπεν προς τους αρχιερεις και τους οχλους ουδεν ευρισκω αιτιον εν τω ανθρωπω τουτω
Pilate said to the chief priests and the crowds, "I find no cause against this man."

**23:5** οι δε επισχυον λεγοντες οτι ανασειει τον λαον διδασκων καθ ολης της ιουδαιας και αρξαμενος απο της γαλιλαιας εως ωδε
Yet they insisted, saying that, "He stirs up the people, teaching in all of Judea, beginning from Galilee as far as here."

**23:16** πιλατος δε ακουσας επηρωτησεν ει [ο] ανθρωπος γαλιλαιος εστιν
Pilate, hearing *this*, questioned if [the] man is Galilean.
**23:7** και επιγνους οτι εκ της εξουσιας ηρωδου εστιν ανεπεμψεν αυτον προς ηρωδην οντα και αυτον εν ιεροσολυμοις εν ταυταις ταις ημεραις
Realizing that he is from the authority of Herod, he sent him to Herod, he also being in Jerusalem in those days.

### Jesus Before Herod
**23:8** ο δε ηρωδης ιδων τον ιησουν

εχαρη λιαν ην γαρ εξ ικανων χρονων θελων ιδειν αυτον δια το ακουειν περι αυτου και ηλπιζεν τι σημειον ιδειν υπ αυτου γινομενον
Herod rejoiced greatly seeing Jesus, for he was wanting to see him for *a* considerable time because of the rumor about him. He hoped to see some sign brought about by him.
**23:9** επηρωτα δε αυτον εν λογοις ικανοις αυτος δε ουδεν απεκρινατο αυτω
He questioned him in considerable words, but he answered him nothing.
**23:10** ειστηκεισαν δε οι αρχιερεις και οι γραμματεις ευτονως κατηγορουντες αυτου
The chief priests and the writers had stood up, vigorously accusing him.
**23:11** εξουθενησας δε αυτον ο ηρωδης συν τοις στρατευμασιν αυτου και εμπαιξας περιβαλων εσθητα λαμπραν ανεπεμψεν αυτον τω πιλατω
Herod, with his soldiers despising him, dressing him in bright clothing, sent him back to Pilate.
**23:12** εγενοντο δε φιλοι ο τε ηρωδης και ο πιλατος εν αυτη τη ημερα μετ αλληλων προυπηρχον γαρ εν εχθρα οντες προς αυτους
Herod and Pilate became friends with each other in that hour, for they had been enemies to each other before.

### Jesus Again Before Pilate
**23:13** πιλατος δε συγκαλεσαμενος τους αρχιερεις και τους αρχοντας και τον λαον

Pilate, calling together the high priests and the rulers and the people, **23:14** ειπεν προς αυτους προσηνεγκατε μοι τον ανθρωπον τουτον ως αποστρεφοντα τον λαον και ιδου εγω ενωπιον υμων ανακρινας ουθεν ευρον εν τω ανθρωπω τουτω αιτιον ων κατηγορειτε κατ αυτου said to them, "You brought me this man as turning the people away, and look! Examining him before you, I found no cause against this man which you allege against him.

**23:15** αλλ ουδε ηρωδης ανεπεμψεν γαρ αυτον προς ημας και ιδου ουδεν αξιον θανατου εστιν πεπραγμενον αυτω "Not even Herod *did*, for he sent him back to us. Look, nothing worthy of death is done by him.

**23:16** παιδευσας ουν αυτον απολυσω "Therefore, beating him, I will release *him*."

### Pilate Tries to Release Jesus

[17] **23:18** ανεκραγον δε παμπληθει λεγοντες αιρε τουτον απολυσον δε ημιν τον βαραββαν Yet they cried out all together, saying, "Take him away! Release Barabbas to us!"

**23:19** οστις ην δια στασιν τινα γενομενην εν τη πολει και φονον βληθεις εν τη φυλακη (who was thrown into prison for *a* certain rebellion that had happened in the city, and *was a* murderer)

**23:20** παλιν δε ο πιλατος προσεφωνησεν αυτοις θελων απολυσαι τον ιησουν Pilate again addressed them, wanting to release Jesus.

**23:21** οι δε επεφωνουν λεγοντες σταυρου σταυρου αυτον Yet they began shouting, saying, "Crucify! Crucify him!"

**23:22** ο δε τριτον ειπεν προς αυτους τι γαρ κακον εποιησεν ουτος ουδεν αιτιον θανατου ευρον εν αυτω παιδευσας ουν αυτον απολυσω He said to them *a* third *time*, "What harm has he done? I found no cause of death in him. Beating him, therefore, I will release *him*."

**23:23** οι δε επεκειντο φωναις μεγαλαις αιτουμενοι αυτον σταυρωθηναι και κατισχυον αι φωναι αυτων Yet they were pressing with great shouts, demanding him to be crucified, and their shouts prevailed.

**23:24** και πιλατος επεκρινεν γενεσθαι το αιτημα αυτων Pilate decreed their demand be done.

**23:25** απελυσεν δε τον δια στασιν και φονον βεβλημενον εις φυλακην ον ητουντο τον δε ιησουν παρεδωκεν τω θεληματι αυτων He released the *one* thrown into prison for rebellion and murder, whom they demanded. He handed Jesus over to their will.

### Jesus Led to Crucifixion

**23:26** και ως απηγαγον αυτον

επιλαβομενοι σιμωνα τινα κυρηναιον ερχομενον απ αγρου επεθηκαν αυτω τον σταυρον φερειν οπισθεν του ιησου

As they led him out, taking *a* certain Cyrenian[129] Simon[130], coming from the field, they set the cross on him to carry behind Jesus.

**23:27** ηκολουθει δε αυτω πολυ πληθος του λαου και γυναικων αι εκοπτοντο και εθρηνουν αυτον

*A* great crowd of people was following him, and of women who were wailing and mourning him.

**23:28** στραφεις δε προς αυτας ιησους ειπεν θυγατερες ιερουσαλημ μη κλαιετε επ εμε πλην εφ εαυτας κλαιετε και επι τα τεκνα υμων

Turning to them, Jesus said, "Jerusalem's daughters, don't cry for me. Cry for yourselves and for your children.

**23:29** οτι ιδου ερχονται ημεραι εν αις ερουσιν μακαριαι αι στειραι και αι κοιλιαι αι ουκ εγεννησαν και μαστοι οι ουκ εθρεψαν

"Look! Days come in which they will say,

'Blessed *are* the sterile,

the wombs that

have not given birth,

and the breasts that haven't nursed.'

**23:30** τοτε αρξονται λεγειν τοις ορεσιν πεσετε εφ ημας και τοις βουνοις καλυψατε ημας

"Then they will say to the mountains, 'Fall on us!' and to the hills, 'Cover us!'

**23:31** οτι ει εν υγρω ξυλω ταυτα ποιουσιν εν τω ξηρω τι γενηται

"For if they do these in the green wood, what will happen in the dry?"

### The Crucifixion

**23:32** ηγοντο δε και ετεροι κακουργοι δυο συν αυτω αναιρεθηναι

They were leading two other evildoers with him to be killed.

**23:33** και οτε ηλθον επι τον τοπον τον καλουμενον κρανιον εκει εσταυρωσαν αυτον και τους κακουργους ον μεν εκ δεξιων ον δε εξ αριστερων

When they came to the place called Cranium[131], they crucified him there and the evildoers, one on the right and one on the left.

**23:34** [[ο δε ιησους ελεγεν πατερ αφες αυτοις ου γαρ οιδασιν τι ποιουσιν]] διαμεριζομενοι δε τα ιματια αυτου εβαλον κληρον

[[Yet Jesus began saying, "Father, forgive them, for they don't know what they are doing."]]

They cast lots, dividing his clothing.

**23:35** και ειστηκει ο λαος θεωρων εξεμυκτηριζον δε και οι αρχοντες λεγοντες αλλους εσωσεν σωσατω εαυτον ει ουτος εστιν ο χριστος του θεου ο εκλεκτος

The people stood watching, yet the rulers were sneering, saying, "He saved others. Let him save himself if he is the Christ, the chosen of God!"

**23:36** ενεπαιξαν δε αυτω και οι στρατιωται προσερχομενοι οξος προσφεροντες αυτω

The soldiers mocked him too, coming near offering him sour wine
**23:37** και λεγοντες ει συ ει ο βασιλευς των ιουδαιων σωσον σεαυτον
and saying, "If you are the king of the Jews, save yourself!"

**23:38** ην δε και επιγραφη επ αυτω ο βασιλευς των ιουδαιων ουτος
*An* inscription was above him too: "This is the king of the Jews."

### A Bandit Asks for Mercy
**23:39** εις δε των κρεμασθεντων κακουργων εβλασφημει αυτον ουχι συ ει ο χριστος σωσον σεαυτον και ημας
One of the evildoers hanging was blaspheming him, "Aren't you the Christ? Save yourself and us!"

**23:40** αποκριθεις δε ο ετερος επιτιμων αυτω εφη ουδε φοβη συ τον θεον οτι εν τω αυτω κριματι ει
The other, answering, rebuking him, said, "Don't you fear God, because you are in the same judgment?
**23:41** και ημεις μεν δικαιως αξια γαρ ων επραξαμεν απολαμβανομεν ουτος δε ουδεν ατοπον επραξεν
"We rightly, for we receive worthy of what we've done. Yet he did nothing wrong."

**23:42** και ελεγεν ιησου μνησθητι μου οταν ελθης εις την βασιλειαν σου
He said, "Jesus, remember me when you come into your kingdom!"

**23:43** και ειπεν αυτω αμην σοι λεγω σημερον μετ εμου εση εν τω παραδεισω
He said to him, "Amen I say to you, this very day you will be with me in paradise."

### Hours of Agony and Darkness
**23:44** και ην ηδη ωσει ωρα εκτη και σκοτος εγενετο εφ ολην την γην εως ωρας ενατης
It was already around the sixth hour, and darkness came over the whole land until the ninth hour.
**23:45** του ηλιου εκλειποντος εσχισθη δε το καταπετασμα του ναου μεσον
*While* the sun *was* ceasing, the veil of the temple was split in the middle.

### Jesus Dies on the Cross
**23:46** και φωνησας φωνη μεγαλη ο ιησους ειπεν πατερ εις χειρας σου παρατιθεμαι το πνευμα μου τουτο δε ειπων εξεπνευσεν
Shouting in *a* great voice, Jesus said, "Father, I trust my breath into your hands!"

Saying this, he died.
**23:47** ιδων δε ο εκατονταρχης το γενομενον εδοξαζεν τον θεον λεγων οντως ο ανθρωπος ουτος δικαιος ην
The centurion, seeing what happened, glorified God, saying, "Indeed this man was righteous."

**23:48** και παντες οι συμπαραγενομενοι οχλοι επι την θεωριαν ταυτην θεωρησαντες τα γενομενα τυπτοντες τα στηθη υπεστρεφον

All the crowds assembled at the spectacle, seeing what happened, turned back, striking their chests.

**23:49** ειστηκεισαν δε παντες οι γνωστοι αυτω απο μακροθεν και γυναικες αι συνακολουθουσαι αυτω απο της γαλιλαιας ορωσαι ταυτα

All his acquaintances and the women who had followed him together from Galilee had stood far off to see these *things.*

### Joseph Buries Jesus

**23:50** και ιδου ανηρ ονοματι ιωσηφ βουλευτης υπαρχων ανηρ αγαθος και δικαιος

Look! *A* man named Joseph[132], being of the council, *a* good and righteous man –

**23:51** ουτος ουκ ην συγκατατεθειμενος τη βουλη και τη πραξει αυτων απο αριμαθαιας πολεως των ιουδαιων ος προσεδεχετο την βασιλειαν του θεου

this *man,* who was waiting for the kingdom of God and was not in agreement with their purpose and action, from Arimathea[133], *a* city of the Jews –

**23:52** ουτος προσελθων τω πιλατω ητησατο το σωμα του ιησου

this *man*, going to Pilate, asked for the body of Jesus.

**23:53** και καθελων ενετυλιξεν αυτο σινδονι και εθηκεν αυτον εν μνηματι λαξευτω ου ουκ ην ουδεις ουπω κειμενος

Taking *it* down, he wrapped it in fine linen and placed him in *a* hewn tomb, where no one yet had been laid.

**23:54** και ημερα ην παρασκευης και σαββατον επεφωσκεν

It was preparation day, and the Sabbath was dawning.

### The Women See His Burial Place

**23:55** κατακολουθησασαι δε αι γυναικες αιτινες ησαν συνεληλυθυιαι εκ της γαλιλαιας αυτω εθεασαντο το μνημειον και ως ετεθη το σωμα αυτου

The women following, some of whom had come together to him from Galilee, saw the tomb and how his body had been placed.

**23:56** υποστρεψασαι δε ητοιμασαν αρωματα και μυρα και το μεν σαββατον ησυχασαν κατα την εντολην

Turning back, they readied aromatic spices and myrrh, and they were quiet on the Sabbath, according to the commandment.[134]

### Luke 24
### The Women at the Tomb

**24:1** τη δε μια των σαββατων ορθρου βαθεως επι το μνημα ηλθον φερουσαι α ητοιμασαν αρωματα

They came to the tomb very early on the first of the Sabbaths, bringing the aromatic spices they had prepared.

**24:2** ευρον δε τον λιθον αποκεκυλισμενον απο του μνημειου

Yet they found the stone rolled back from the tomb.

**24:3** εισελθουσαι δε ουχ ευρον το σωμα [[του κυριου ιησου]]

Going inside, they didn't find the body [[of the Lord Jesus]].

**24:4** και εγενετο εν τω απορεισθαι αυτας περι τουτου και ιδου ανδρες δυο επεστησαν αυταις εν εσθητι αστραπτουση

It happened in their uncertainty about this, look! Two men stood before them in dazzling clothing.

**24:5** εμφοβων δε γενομενων αυτων και κλινουσων τα προσωπα εις την γην ειπαν προς αυτας τι ζητειτε τον ζωντα μετα των νεκρων

They became terrified and bent the faces to the ground. They said to them, "Why are you looking for the living with the dead?

**24:6** [[ουκ εστιν ωδε αλλα ηγερθη]] μνησθητε ως ελαλησεν υμιν ετι ων εν τη γαλιλαια

"[[He isn't here, but is risen.]] Remember how he spoke to you while yet in Galilee,

**24:7** λεγων τον υιον του ανθρωπου οτι δει παραδοθηναι εις χειρας ανθρωπων αμαρτωλων και σταυρωθηναι και τη τριτη ημερα αναστηναι

"saying, 'It is necessary that the Son of Man be handed over into the hands of sinful men, and be crucified, and the third day to rise.'"

**24:8** και εμνησθησαν των ρηματων αυτου

They remembered his sayings,

**24:9** και υποστρεψασαι [απο του μνημειου] απηγγειλαν ταυτα παντα

τοις ενδεκα και πασιν τοις λοιποις

and turning back [from the tomb], they told all these to the eleven and to all the rest.

**24:10** ησαν δε η μαγδαληνη μαρια και ιωαννα και μαρια η ιακωβου και αι λοιπαι συν αυταις ελεγον προς τους αποστολους ταυτα

They were Mary Magdalene, and Joanna, and Mary of Jacob[135], and the rest with them. They said these *things* to the apostles.

**24:11** και εφανησαν ενωπιον αυτων ωσει ληρος τα ρηματα ταυτα και ηπιστουν αυταις

These sayings appeared before them as idle chatter, and they didn't believe them.

### Peter Looks for Himself

**24:12** [[ο δε πετρος αναστας εδραμεν επι το μνημειον και παρακυψας βλεπει τα οθονια μονα και απηλθεν προς εαυτον θαυμαζων το γεγονος]]

[[Peter, getting up, ran to the tomb. Looking in, he saw the shroud alone, and he went out, amazed in himself at what had happened.]]

### A Walk to Emmaus

**24:13** και ιδου δυο εξ αυτων εν αυτη τη ημερα ησαν πορευομενοι εις κωμην απεχουσαν σταδιους εξηκοντα απο ιερουσαλημ η ονομα εμμαους

Look! Two of them on that same day were going to *a* village named Emmaus[137], sixty stadia distant[136]

from Jerusalem.

**24:14** και αυτοι ωμιλουν προς αλληλους περι παντων των συμβεβηκοτων τουτων
They were talking among themselves about all that had happened.

**24:15** και εγενετο εν τω ομιλειν αυτους και συζητειν [και] αυτος ιησους εγγισας συνεπορευετο αυτοις
It happened in their discussing and questioning, Jesus himself, coming near, went with them –

**24:16** οι δε οφθαλμοι αυτων εκρατουντο του μη επιγνωναι αυτον
yet their eyes were held back from recognizing him.

**24:17** ειπεν δε προς αυτους τινες οι λογοι ουτοι ους αντιβαλλετε προς αλληλους περιπατουντες και εσταθησαν σκυθρωποι
He said to them, "What are these words that you're discussing among yourselves walking, and you stood sorrowful?"

**24:18** αποκριθεις δε εις ονοματι κλεοπας ειπεν προς αυτον συ μονος παροικεις ιερουσαλημ και ουκ εγνως τα γενομενα εν αυτη εν ταις ημεραις ταυταις
Answering, one named Cleopas said to him, "Are you only passing through Jerusalem? Don't you know the *things* that happened in her in these days?"

**24:19** και ειπεν αυτοις ποια οι δε ειπαν αυτω τα περι ιησου του ναζαρηνου ος εγενετο ανηρ προφητης δυνατος εν εργω και λογω εναντιον του θεου και παντος του λαου
He said to them, "What?"

They said to him, "The *things* about Jesus of Nazareth, *a* man who was *a* mighty prophet in work and word before God and all the people;

**24:20** οπως τε παρεδωκαν αυτον οι αρχιερεις και οι αρχοντες ημων εις κριμα θανατου και εσταυρωσαν αυτον
"how our chief priests and rulers handed him over into judgment of death, and crucified him.

**24:21** ημεις δε ηλπιζομεν οτι αυτος εστιν ο μελλων λυτρουσθαι τον ισραηλ αλλα γε και συν πασιν τουτοις τριτην ταυτην ημεραν αγει αφ ου ταυτα εγενετο
"Yet we hoped that he is the one about to redeem Israel. With all these, this is the third day since these happened.

**24:22** αλλα και γυναικες τινες εξ ημων εξεστησαν ημας γενομεναι ορθριναι επι το μνημειον
"Some women from us amazed us, going early to the tomb.

**24:23** και μη ευρουσαι το σωμα αυτου ηλθον λεγουσαι και οπτασιαν αγγελων εωρακεναι οι λεγουσιν αυτον ζην
"Not finding his body, they came *back*, claiming to have seen *a* vision of angels who claimed him alive.

**24:24** και απηλθον τινες των συν ημιν επι το μνημειον και ευρον ουτως καθως αι γυναικες ειπον αυτον δε ουκ ειδον

"Some of the *ones* with us went out to the tomb and found it so, as the women said, yet they didn't see him.

**24:25** και αυτος ειπεν προς αυτους ω ανοητοι και βραδεις τη καρδια του πιστευειν επι πασιν οις ελαλησαν οι προφηται

He said to them, "O foolish and slow of heart to believe in all the *things* the prophets have spoken.

**24:26** ουχι ταυτα εδει παθειν τον χριστον και εισελθειν εις την δοξαν αυτου

"Wasn't it necessary for the Christ to suffer these *things* and to enter into his glory?"

**24:27** και αρξαμενος απο μωυσεως και απο παντων των προφητων διερμηνευσεν αυτοις εν πασαις ταις γραφαις τα περι εαυτου

Beginning from Moses and from all the prophets, he interpreted to them all the scriptures concerning himself.

**24:28** και ηγγισαν εις την κωμην ου επορευοντο και αυτος προσεποιησατο πορρωτερον πορευεσθαι

They came near the village where they were going, and he pretended to go farther.

**24:29** και παρεβιασαντο αυτον λεγοντες μεινον μεθ ημων οτι προς εσπεραν εστιν και κεκλικεν ηδη η ημερα και εισηλθεν του μειναι συν αυτοις

They urged him, saying, "Stay with us, for it's near evening and the day has already declined."

He went in to stay with them.

**24:30** και εγενετο εν τω κατακλιθηναι αυτον μετ αυτων λαβων τον αρτον ευλογησεν και κλασας επεδιδου αυτοις

It happened in his reclining *at table* with them, taking the bread and breaking *it*, he blessed and gave *it* to them.

**24:31** αυτων δε διηνοιχθησαν οι οφθαλμοι και επεγνωσαν αυτον και αυτος αφαντος εγενετο απ αυτων

Their eyes were opened and they knew him, and he became invisible to them.

**24:32** και ειπαν προς αλληλους ουχι η καρδια ημων καιομενη ην ως ελαλει ημιν εν τη οδω ως διηνοιγεν ημιν τας γραφας

They said to each other, "Wasn't our heart burning as he spoke to us on the road, as he opened the scriptures for us?"

**24:33** και ανασταντες αυτη τη ωρα υπεστρεψαν εις ιερουσαλημ και ευρον ηθροισμενους τους ενδεκα και τους συν αυτοις

Getting up at that very hour, they went back to Jerusalem. They found the eleven gathered, and those with them

**24:34** λεγοντας οτι οντως ηγερθη ο κυριος και ωφθη σιμωνι

saying that, "The Lord is risen, and appeared to Simon!"

**24:35** και αυτοι εξηγουντο τα εν τη οδω και ως εγνωσθη αυτοις εν τη κλασει του αρτου

They explained the *events* on the road, and how he was known to them in the breaking of bread.

## Jesus Appears in Jerusalem

**24:36** ταυτα δε αυτων λαλουντων αυτος εστη εν μεσω αυτων [[και λεγει αυτοις ειρηνη υμιν]]

*While* they *were* saying these *things*, he himself stood in their midst. [[and he says[138] to them, "Peace to you!]]

**24:37** πτοηθεντες δε και εμφοβοι γενομενοι εδοκουν πνευμα θεωρειν

Terrified and becoming frightened, they thought they were seeing *a* spirit.

**24:38** και ειπεν αυτοις τι τεταραγμενοι εστε και δια τι διαλογισμοι αναβαινουσιν εν τη καρδια υμων

He said to them, "Why are you troubled, and why do doubts rise up in your heart?

**24:39** ιδετε τας χειρας μου και τους ποδας μου οτι εγω ειμι αυτος ψηλαφησατε με και ιδετε οτι πνευμα σαρκα και οστεα ουκ εχει καθως εμε θεωρειτε εχοντα

"See my hands and my feet, that I am myself. Touch me and see that a spirit doesn't have flesh and bone as you see me having."

**24:40** [[και τουτο ειπων εδειξεν αυτοις τας χειρας και τους ποδας]]

[[Saying this, he showed them the hands and the feet.]]

## Jesus Eats Before Them

**24:41** ετι δε απιστουντων αυτων απο της χαρας και θαυμαζοντων ειπεν αυτοις εχετε τι βρωσιμον ενθαδε

*While* they *were* still disbelieving and amazed for joy, he said to them, "Do you have any food in this place?"

**24:42** οι δε επεδωκαν αυτω ιχθυος οπτου μερος

They set before him *a* portion of broiled fish.

**24:43** και λαβων ενωπιον αυτων εφαγεν

Taking *it*, he ate before them.

## Jesus Instructs the Disciples

**24:44** ειπεν δε προς αυτους ουτοι οι λογοι μου ους ελαλησα προς υμας ετι ων συν υμιν οτι δει πληρωθηναι παντα τα γεγραμμενα εν τω νομω μωυσεως και τοις προφηταις και ψαλμοις περι εμου

He said to them, "These are my words that I spoke to you while I was yet with you: that it is necessary to fulfill all the things written in Moses' law and the prophets and the psalms about me."

**24:45** τοτε διηνοιξεν αυτων τον νουν του συνιεναι τας γραφας

Then he opened their mind to understand the scriptures.

**24:46** και ειπεν αυτοις οτι ουτως γεγραπται παθειν τον χριστον και αναστηναι εκ νεκρων τη τριτη ημερα

He said to them that, "So was it written: the Christ to suffer and to rise from the dead the third day,

**24:47** και κηρυχθηναι επι τω ονοματι αυτου μετανοιαν εις αφεσιν αμαρτιων εις παντα τα εθνη αρξαμενοι απο ιερουσαλημ

"and repentance to be preached in his name to the forgiveness of sins, to all the nations, beginning from Jerusalem.

**24:48** υμεις μαρτυρες τουτων

"You *are* witnesses of these *things*.

**24:49** και ιδου εγω εξαποστελλω την επαγγελιαν του πατρος μου εφ υμας υμεις δε καθισατε εν τη πολει εως ου ενδυσησθε εξ υψους δυναμιν

"Look! I send out the promise of my Father through you. Yet you, sit in this city until you are dressed in power from *the* heights."

### Jesus Leads Them to Bethany

**24:50** εξηγαγεν δε αυτους εως προς βηθανιαν και επαρας τας χειρας αυτου ευλογησεν αυτους

He led them out to Bethany and, lifting up his hands, he blessed them.

**24:51** και εγενετο εν τω ευλογειν αυτον αυτους διεστη απ αυτων [[και ανεφερετο εις τον ουρανον]]

It happened in his blessing them, he departed from them [[and was taken up into the sky.]]

### The Believers
### Return to Jerusalem

**24:52** και αυτοι [[προσκυνησαντες αυτον]] υπεστρεψαν εις ιερουσαλημ μετα χαρας μεγαλης

[[Worshiping him]], they turned back to Jerusalem with great joy,

**24:53** και ησαν δια παντος εν τω ιερω ευλογουντες τον θεον

and they were in the temple every day blessing God.

# End Notes: Luke

Luke 1   Herod in Greek means "heroic." See also Matthew 2:1ff.

Luke 2   Judea was the southern portion of the land of Israel, centered on Jerusalem and deriving its name from the name of Judah, one of Jacob's twelve sons and the father of the tribe bearing his name.

Luke 3   AV: "Zacharias" in Hebrew means "remembered by the Lord." See also Luke 3:2

Luke 4   Abia lent his name to one of the priestly orders who ministered by turns in Jerusalem's temple. See also 1 Chronicles 3:10; Matthew 1:7.

Luke 5   Aaron in Hebrew means "light-bringer." Aaron, Israel's first formal high priest, was brother of the great prophet, Moses. Aaron is first mentioned in scripture at Exodus 4:14.

Luke 6   Elizabeth in Hebrew means "God's promise."

Luke 7   John in Hebrew means "the Lord is a gracious giver." See also Matthew 3:1ff, 4:12ff, 9:14, 11:2ff, 14:2ff, 16:14, 21:25ff; Mark 1:4ff, 2:18, 6:14ff, 8:28, 11:30ff; Luke 3:2ff, 7:18ff, 9:7ff, 11:1, 16:16, 20:4ff; John 1:6ff, 3:23ff, 4:1, 5:33ff, 10:40ff; Acts 1:5ff, 10:37, 11:16, 13:24ff, 18:25, 19:4.

Luke 8   AV: "Elias" or "Elijah" in Hebrew means "my God is the Lord." See also 1 Kings 17:1ff, 18:1ff, 19:1ff, 21:17ff; 2 Kings 1:3ff, 2:1ff, 3:11, 9:36, 10:10ff; 2 Chronicles 21:12; Malachi 4:5; Matthew 11:14, 16:14, 17:3ff, 27:47ff; Mark 6:15, 8:28, 9:4ff, 15:35ff; Luke 4:25ff, 9:8ff; John 1:21ff; Romans 11:2, James 5:17.

Luke 9   Gabriel in Hebrew means "God's man." See also Daniel 8:16, 9:21.

Luke 10   Galilee is the northernmost portion of the land of Israel. See also Joshua 20:7, 21:32; 1 Kings 9:11; 2 Kings 15:29; 1 Chronicles 6:76; Isaiah 9:1; Matthew 2:22, 3:13, 4:12ff, 15:29, 17:22, 19:1, 21:11, 26:32ff, 27:55, 28:7ff; Mark 1:9ff, 3:7, 6:21, 7:31, 9:30, 14:28, 15:41, 16:7; Luke 2:4ff, 3:1, 4:14ff, 5:17, 8:26, 17:11, 23:5ff, 24:6; John 1:43, 2:1ff, 4:3ff, 6:1, 7:1ff, 12:21, 21:2; Acts 1:11, 5:37, 9:31, 10:37, 13:31.

Luke 11   Nazareth in Hebrew means "the guarded one." See also Matthew 2:23, 4:13, 21:11, 26:71; Mark 1:9ff, 10:47, 14:67, 16:6; Luke 2:4ff, 4:16ff, 18:37, 24:19; John 1:45ff, 18:5ff, 19:19; Acts 2:22, 3:6, 4:10, 6:14, 10:38, 22:8, 26:9.

Luke 12   Joseph in Hebrew means "he will add." See also Matthew

1:16ff, 2:13ff; Luke 2:4ff; 3:23; John 1:45, 6:42

Luke 13  David was Israel's greatest king.  His story, beginning in Ruth 4:17, continues at 1 Samuel 16:13.

Luke 14  Mary in Hebrew means "their rebellion." See also Matthew 1:16ff, 2:11, 13:55; Mark 6:3; Luke 2:5ff; Acts 1:14

Luke 15  Jesus in Hebrew means, "the Lord is salvation."

Luke 16  Jacob in Hebrew means "supplanter," or "heel-catcher." Second son of Isaac and Rebekah, he was renamed Israel by the Lord. Jacob's story begins at Genesis 25:26.

Luke 16a  Abraham in Hebrew means "father of a multitude." See also Genesis 17:5ff, 18:6ff, 19:27ff, 20:1ff, 21:2ff, 22:1ff, 23:2ff, 24:1ff, 25:1ff, 26:1ff, 28:4ff, 31:42ff, 32:9, 35:12ff, 48:15ff, 49:30ff, 50:13ff; Exodus 2:24, 3:6, 4:5, 6:3ff, 32:13, 33:1; Leviticus 26:42; Numbers 32:11; Deuteronomy 1:8, 6:10, 9:5ff, 29:13, 30:20, 34:4; Joshua 24:2ff; 1 Kings 18:36; 2 Kings 13:23; 1 Chronicles 16:16; 2 Chronicles 20:7, 30:6; Nehemiah 9:7; Psalm 47:9, 105:6ff; Isaiah 29:22, 41:8, 51:2, 63:16; Jeremiah 33:26; Ezekiel 33:24; Micah 7:20; Matthew 1:1ff, 3:9, 8:11, 22:32; Mark 12:26; Luke 1:55ff, 3:8, 13:16ff, 16:23ff, 19:9,

20:37; John 8:39ff; Acts 3:13ff, 7:2ff, 13:26; Romans 4:1ff, 9:7, 11:1; 2 Corinthians 11:22; Galatians 3:6ff, 4:22; Hebrews 2:16, 6:13, 7:1ff, 11:8ff; James 2:21ff; 1 Peter 3:6.

Luke 17  Syria in Hebrew means "exalted." Syria was and is Israel's neighbor to the northeast. See also Judges 10:6; 2 Samuel 8:6ff, 15:8; 1 Kings 10:29, 11:25, 15:18, 19:15, 20:1ff, 22:1ff; 2 Kings 5:1ff, 6:8ff, 7:5, 8:7ff, 9:14ff, 12:17ff, 13:3ff, 15:37, 16:5ff; 2 Chronicles 1:17, 16:2ff, 18:10ff, 20:2, 22:5ff, 24:23, 28:5ff; Isaiah 7:1ff, 17:3; Ezekiel 16:57, 27:16; Hosea 12:12; Amos 1:5; Matthew 4:24; Acts 15:23ff, 18:18, 20:3, 21:3; Galatians 1:21.

Luke 18  Bethlehem in Hebrew means "house of bread." See also Genesis 35:19, 48:7; Joshua 19:15; Judges 12:8ff; Ruth 1:19ff, 2:4, 4:11; 1 Samuel 16:4, 17:15, 20:6ff; 2 Samuel 2:32, 23:14ff; 1 Chronicles 2:51ff, 4:4, 11:16ff; 2 Chronicles 11:6; Ezra 2:21; Nehemiah 7:26; Jeremiah 41:17; Matthew 2:1ff; John 7:42.

Luke 19  Christ in Greek translates the Hebrew word *Moshiach*, which means anointed, or anointed one. Anointing, the pouring on of oil, was the means by which one was designated as king. For instances where the Hebrew word *Moshiach* is translated as Christ in both Greek and Latin Old Testaments, see also 2 Samuel 23:1; Psalm 2:2, 83:10; Lamentations 4:20; Daniel 9:25-26; Habakkuk 3:13.

Luke 20 For the rite of circumcision, see Genesis 17:12; Leviticus 12:3.

Luke 21 For the law regarding cleansing after childbirth, see Leviticus 12:2-6.

Luke 22 See Exodus 13:2.

Luke 23 See Leviticus 12:6-8. Joseph and Mary give the offering specified for the poor.

Luke 24 Asher in Hebrew means "happy." Asher was Jacob's eighth son, father of one of Israel's twelve tribes. See also Genesis 30:13, 35:26, 46:17, 49:20; Exodus 1:4; Numbers 1:13ff, 2:27, 7:72, 10:26, 13:13, 26:44ff, 34:27; Deuteronomy 27:13, 33:24; Joshua 17:7ff, 19:24ff, 21:6ff; Judges 1:31, 5:17, 6:35, 7:23; 1 Kings 4:16; 1 Chronicles 2:2, 6:62ff, 7:30ff, 12:36; 2 Chronicles 30:11; Ezekiel 48:2ff. As "Aser," in the AV, see also Revelation 7:6.

Luke 25 The Passover solemnity marked Israel's deliverance from slavery in Egypt. That story is told in beginning in Exodus 12. The commandment to observe the Passover is found at Exodus 23:14-17, Exodus 34:23; Deuteronomy 12:5ff, and 16:1ff.

Luke 26 Pontius Pilate's names in Greek mean as follows: his first name, "of the sea;" his last name meaning "armed with a spear." See also Matthew 27:2ff; Mark 15:1ff; Luke 13:1, 23:1ff; John 18:29ff, 19:1ff; Acts 3:13, 4:27, 13:28; 1 Timothy 6:13.

Luke 27 See also John 18:13ff; Acts 4:6.

Luke 28 See also Matthew 26:3ff; John 11:49, 18:13ff; Acts 4:6.

Luke 29 Jordan, meaning in Hebrew "the descender," is the river flowing from Lebanon's mountains down to the Dead Sea, forming Israel's border on the east. This river is first mentioned in scripture at Genesis 13:10.

Luke 30 Isaiah is called Esaias here in the AV. The name in Hebrew means "The Lord's help." See also 2 Kings 19:2ff, 20:1ff, 26:22, 32:20ff; Isaiah 1:1, 2:1, 7:3, 13:1, 20:2ff, 37:2ff, 38:1ff, 39:3ff; Matthew 3:3, 4:14, 8:17, 12:17, 13:14, 15:7; Mark 1:2, 7:6; Luke 4:17; John 1:23, 12:38ff; Acts 8:28ff, 28:25; Romans 9:27ff, 10:16ff.

Luke 31 Isaiah 40:3-5.

Luke 31a Compare to Psalm 2:7

Luke 32 AV: "Zorobabel." The name in Hebrew means "born at

Babel." As Zerubbabel, see also 1 Chronicles 3:19; Ezra 2:2, 3:2ff, 4:2ff, 5:2; Nehemiah 7:7, 12:1ff; Haggai 1:1ff, 2:2ff; Zechariah 4:6ff.

Luke 33 See also 1 Chronicles 3:17; Matthew 1:12.

Luke 34 See also 2 Samuel 5:14; 1 Chronicles 3:5.

Luke 35 This named is rendered as Isai in much of Jerome's Old Testament. See also Ruth 4:17ff; 1 Samuel 16:1ff, 17:12ff, 20:27ff, 22:7ff, 25:10; 2 Samuel 20:1, 23:1; 1 Kings 12:16; 1 Chronicles 2:12ff, 10:14, 12:18, 29:26; 2 Chronicles 10:16, 11:18; Psalm 72:20; Isaiah 11:1ff; Matthew 1:5ff; Acts 13:22; Romans 15:12.

Luke 36 See also Ruth 4:17ff; 1 Chronicles 2:12ff; Matthew 1:5.

Luke 37 AV gives this name as Booz here. As Boaz, see also Ruth 2:1ff, 3:2, 4:1ff; 1 Chronicles 2:11ff. As "Booz," see Matthew 1:5.

Luke 38 See also Ruth 4:20ff; Matthew 1:4ff.

Luke 39 See also Matthew 1:4.

Luke 40 See also Matthew 1:4.

Luke 41 See also Matthew 1:3ff.

Luke 42 See also Matthew 1:3.

Luke 43 This name is rendered variously as Phares, Pharez, and Perez in the AV. As Phares, see also Matthew 1:3. As Pharez, see also Genesis 38:29, 46:12; Numbers 26:2ff; Ruth 4:12ff; 1 Chronicles 2:4ff, 4:1, 9:4. As Perez, see Nehemiah 11:4ff.

Luke 44 Judah in Hebrew means "praised." Judah was the fourth son of Jacob and Lia, and the father of one of Israel's twelve tribes. His descendants became known as Jews. See also Genesis 29:35, 35:23, 37:26, 38:1ff, 43:3ff, 44!4ff, 46:12ff, 49:8ff; Exodus 1:2, 31:2, 35:30, 38:22; Numbers 1:7ff, 2:3ff, 7:12, 10:14, 13:6, 26:19ff, 34:19; Deuteronomy 27:12, 33:7, 34:2; Joshua 7:1ff, 11:21, 14:6, 15:1ff, 18:5ff, 19:1ff, 20:7,. 21:4ff; Judges 1:2ff, 10:9, 15:9ff, 17:7, 18:12, 20:18; Ruth 1:7, 4:12; 1 Samuel 11:8, 15:4, 17:1ff, 18:16, 22;5, 23:3ff, 27:6ff, 30:14ff; 2 Samuel 1:18, 2:1ff, 3:8ff, 5:5, 6:2, 11:11, 12:8, 19:11ff, 20:2ff, 21:2, 24:1ff; 1 Kings 1:9ff, 2:32, 4:20ff, 12:17ff, 13:1ff, 14:21ff, 15:1ff, 16:8ff, 19:3, 22:2ff; 2 Kings 1:17, 3:1ff, 8:16ff, 9:16ff, 10:13, 12:18ff, 13:1ff, 14:1ff, 15:1ff, 16:1ff, 17:1ff, 18:1ff, 19:10ff, 20:20, 21:11ff, 22:13ff, 23:1ff, 24:2ff, 25:21ff; 1 Chronicles 4:1ff, 5:2ff, 6:15ff, 9:1ff, 12:!6ff, 13:6, 21:5, 27:18, 28:4; 2 Chronicles 2:7, 9:11, 10:17, 11:1ff, 12:4ff, 13:1ff, 14:4ff, 15:2ff, 16:1ff, 17:2ff, 18:3ff, 19:1ff, 20:3ff, 21:3ff, 22:1ff, 23:2ff,

24:5ff, 25:5ff, 26:1ff, 27:4ff, 28:6ff, 29:8ff, 30:1ff, 31:1ff, 32:1ff, 33:9ff, 34:3ff, 35:18ff, 36:4ff; Ezra 1:2ff, 2:1, 3:9, 4:1ff, 5:1, 7:14, 9:9, 10:7ff; Nehemiah 1:2, 2:5ff, 4:10ff, 5:14, 6:7ff, 7:6, 11:3ff, 12:8ff, 13:12ff; Esther 2:6; Psalm 60:7, 63:21, 68:27, 76:1, 78:68, 97:8, 108:8, 114:2; Proverbs 25:1; Isaiah 1:1, 2:1, 3:1ff, 5:3ff, 7:1ff, 8:8, 9:21, 11:12ff, 19:17, 22:8ff, 26:1, 36:1ff, 37:10ff, 38:9, 40:9, 44:26, 48:1, 65:9; Jeremiah 1:2ff, 2:28, 3:7ff, 4:3ff, 5:11ff, 7:2ff, 8:1, 9:11ff, 10:22, 11:2ff, 12:14, 13:9ff, 14:2ff, 15:4, 17:1ff, 18:11, 19:#ff, 20:4ff, 21:7ff, 22:1ff, 23:5, 24:1ff, 25:1ff, 26:1ff, 27:1ff, 28:1ff, 29:2ff, 30:3ff, 31:23ff, 32:1ff, 33:4ff, 34:2ff, 35:1fff, 36:1ff, 37:1ff, 39:1ff, 40:1ff, 42:15ff, 43:4ff, 44:2ff,, 45:1, 46:2, 49:34, 50:4ff, 51:5ff, 52:3ff; Lamentations 1:3ff, 2:2ff, 5:11; Ezekiel 4:6, 8:1ff, 8:8, 21:20, 25:3ff, 27:!7, 37:16ff, 48:7ff; Daniel 1:1ff, 2:25, 5:13, 6:13, 9:7; Hosea 1:1ff, 4:15, 5:5ff, 6:4ff, 8:14, 10:11, 11:12, 12:2; Joel 3:1ff; Amos 1:1, 2:4ff, 7:12; Obadiah 1:12; Micah 1:1ff, 5:2; Nahum 1:15; Zephaniah 1:1ff, 2:7; Haggai 1:1ff, 2:2ff; Zechariah 1:12ff, 2:12, 8:13ff, 9:7ff, 10:3ff, 11:14, 12:2ff, 14:5ff; Malachi 2:11, 3:4; Hebrews 8:8.

Luke 45 Isaac in Hebrew means "He will laugh." See also Genesis 17:19ff, 21:3ff, 22:2ff, 24:4ff, 25:5ff, 26:1ff, 27:1ff, 28:1ff, 31:18ff, 32:9, 35:12ff, 46:1, 48:15ff, 49:31, 50:24; Exodus 2:24, 3:5ff, 4:5, 6:3ff, 32:13,

33:1; Leviticus 26:42; Numbers 32:11; Deuteronomy 1:8, 6:10, 9:5ff, 29:13, 30:20, 34:4; Joshua 24:3ff; 1 Kings 18:36; 2 Kings 13:23; 1 Chronicles 1:28ff, 16:16, 29:18; 2 Chronicles 30:6; Psalm 105:9: Jeremiah 33:26; Amos 7:9ff; Matthew 1:2, 8:11, 22:32; Mark 12:26; Luke 13:28, 20:37; Acts 3:13, 7:8ff; Romans 9:7ff; Galatians 4:28; Hebrews 11:9ff; James 2:21.

Luke 47 Elsewhere, the AV renders this name as Terah. See also Genesis 11:24; Joshua 24:2.

Luke 48 See also Genesis 11:22ff.

Luke 49 Elsewhere, this name is rendered as Serug. See also Genesis 11:20ff.

Luke 50 This name appears in the AV elsewhere as Reu. See also Genesis 11:18ff.

Luke 51 See Genesis 10:21ff, Genesis 11:14ff; Numbers 24:24; 1 Chronicles 1:18-19.

Luke 52 As Sala, see also 1 Chronicles 1:18.

Luke 53 AV: "Arphaxad." See also Genesis 10:22ff, 11:10ff; Luke 3:36.

Luke 54 Shem in Hebrew means "name." See also Genesis 5:32, 6:10, 7:13, 9:18ff, 10:1ff, 11:10ff.

Luke 55  Noah in Hebrew means "rest." See also Genesis 5:29ff, 6:8ff, 7:1ff, 8:1ff, 9:1ff, 10:1ff; Isaiah 54:9; Ezekiel 14:14ff; Hebrews 11:7; 1 Peter 3:20; 2 Peter 2:5.

Luke 56  Lamech in Hebrew means "powerful." See also Genesis 5:25ff; Luke 3:36. This Lamech is not the same one listed as Cain's descendant in Genesis 4:18ff.

Luke 57  Methuselah in Hebrew means "man of the arrow." See also Genesis 5:21ff; 1 Chronicles 1:3.

Luke 58  Enoch in Hebrew means "dedicated." See also Genesis 4:17ff, 5:18ff; 1 Chronicles 1:3; Hebrew 11:5.

Luke 59  Jared in Hebrew means "descent." For Jared, see also Genesis 5:15ff; 1 Chronicles 1:2.

Luke 60  AV: "Mahalaleel." The name in Hebrew means "praise of God." See also Genesis 5:12ff; 1 Chronicles 1:2.

Luke 61  AV: "Kenan" (here only). The name in Hebrew means "possession." For Cainan, see also Genesis 5:9ff; 1 Chronicles 1:2.

Luke 62  AV: "Enosh" (here only). The name in Hebrew means "man." For Enos, see also Genesis 4:26, 5:6ff; 1 Chronicles 1:1. During

Enos's lifetime, "then began men to call upon the name of the LORD." (Genesis 4:26)

Luke 63  AV: "Sheth" (here and in Numbers 24:17. tve in Hebrew means "compensation." For "Seth," see Genesis 4:25ff, 5:3ff; 1 Chronicles 1:1.

Luke 64  Adam in Hebrew means "man" or "human." See also Genesis 2:19ff, 3:8ff, 4:1ff, 5:1ff; Deuteronomy 32:8; 1 Chronicles 1:1; Job 31:33; Romans 5:14; 1 Corinthians 15:22ff; 1 Timothy 2:13ff.

Luke 65  Deuteronomy 8:3.

Luke 66  Deuteronomy 6:13, 10:20.

Luke 67  Psalm 91:11-12.

Luke 68  Deuteronomy 6:16.

Luke 69  Synagogue in Greek means "coming together." It was the name of the collective gathering of Jewish men at the time of Jesus and thereafter. Synagogues are first referenced by name in the AV at Psalm 74:8. Christian churches were modeled on Jewish synagogues.

Luke 70  Compare to Isaiah 42:1-4.

Luke 71  Compare to Isaiah 61:2.

Luke 72  Capernaum in Hebrew

means "village of comfort." See also Matthew 4:13, 8:5, 11:23, 17:24; Mark 1:21, 2:1, 9:33; Luke 7:1, 10:15; John 2:12, 4:46, 6:17ff.

Luke 73  1 Kings 17:1.

Luke 74  1 Kings 17:9.

Luke 75  AV, here only: "Eliseus." Elsewhere in the AV, "Elisha." For Elisha see also 1 Kings 19:16ff; 2 Kings 2:1ff, 3:11ff, 4:1ff, 5:8ff, 6:1ff, 7:1, 8:1ff, 9:1, 13:14ff.

Luke 76  2 Kings 5:1-27.

Luke 77  Simon in Hebrew means "a rock." He is later surnamed Peter by Jesus. See also Matthew 4:18, 10:2, 16:16ff, 17:25; Mark 1:16ff, 3:16, 14:37; Luke 5:4ff, 6:14, 7:40ff, 22:31, 24:34; John 1:40ff, 6:8ff, 13:6ff, 18:10ff, 20:2ff, 21:2ff; Acts 10:5ff, 11:13; 2 Peter 1:1.

Luke 78  This is an alternate name for the Sea of Galilee.  See also Matthew 14:34; Mark 6:53.

Luke 79  AV: "James." The name in Hebrew means, "Supplanter." See also Matthew 4:21, 10:2ff, 17:1; Mark 1:19ff, 3:17, 5:37, 9:2, 10:35, 13:3, 14:33; Luke 6:14, 8:51, 9:28ff; Acts 1:13, 12:2.

Luke 80  These laws appear in Leviticus 14.

Luke 81  See also Mark 2:14.

Luke 82  This story is found in 1 Samuel 21:1-9.

Luke 83  Apostle in Greek derives from the verb *apostello*, "I send." The apostles are those sent with the good news about Jesus Christ.

Luke 84  AV: "Judas *the brother* of James." See also Acts 1:13.

Luke 85  Tyre is an ancient seaport, in present day Lebanon.  See also Joshua 19:29; 2 Samuel 5:11, 24:7; 1 Kings 5:1, 7:13ff, 9:11ff; 1 Chronicles 14:1, 22:4; 2 Chronicles 2:3ff; Ezra 3:7; Nehemiah 13:16; Psalm 45:12, 83:7, 87:4; Isaiah 23:1ff; Joel 3:4; Matthew 11:21ff, 15:21; Mark 3:8, 7:24ff; Luke 10:13ff; Acts 12:20, 21:3ff.

Luke 86  Sidon is another seaport in Lebanon, twenty miles north of Tyre. See also Genesis 10:15ff; Matthew 11:21ff, 15:21; Mark 3:8, 7:24ff; Luke 4:26 (as "Sidonian Sareptha), 10:13ff; Acts 12:20, 27:3.

Luke 87  Greek uses "false prophets" here.  Latin text lacks "false."

Luke 88  A centurion was a Roman officer in command of one hundred soldiers.

Luke 89  Compare to Isaiah 29:18-19.

Luke 90  See Malachi 3:1.

Luke 91  For Mary Magdalene, see also Matthew 27:56ff, 28:1; Mark 15:40ff, 16:1; Luke 24:10; John 19:25, 20:1ff.

Luke 92  See also Luke 24:10.

Luke 93  Compare to Jeremiah 5:21.

Luke 94  AV: "Gadarenes." This was a region to the southeast of the Sea of Galilee. See also Mark 5:1.

Luke 95  Jairus in Hebrew means "Whom God enlightens." See also Mark 5:22.

Luke 96  For a garment's fringe, see Numbers 15:38.

Luke 97 Bethsaida in Hebrew means "house of fish." See also Matthew 11:21; Mark 6:45, 8:22; Luke 10:13; John 1:44, 12:21.

Luke 98  Samaritans were inhabitants of the region between Jerusalem and Galilee. After the Assyrian king deported that region's inhabitants in 722 BCE, he imported peoples from elsewhere to take their place. These peoples were nominally converted to Israel's faith, yet they both rejected and were rejected by the Jews who remained in the Holy Land. See also 2 Kings 17:29; Matthew 10:5; John 4:9ff; Acts 8:25.

Luke 99  Sodom was the ancient Canaanite city destroyed by God for its sin. See also Genesis 10:19, 13:10ff, 14:2ff, 18:16ff, 19:1ff; Deuteronomy 29:23, 32:32; Isaiah 1:9ff, 3:9, 13:19; Jeremiah 23:14, 49:18, 50:40; Lamentations 4:6; Ezekiel 16:46ff; Amos 4:11; Zephaniah 2:9; Matthew 10:15, 11:23ff; Mark 6:11; Luke 17:29; 2 Peter 2:6; Jude 1:7; Revelation 11:8.

Luke 100  AV: "Chorazin." See also Matthew 11:21.

Luke 101  Compare to Deuteronomy 6:5.

Luke 102  Compare to Leviticus 19:18.

Luke 103  Levites were members of the Israelite tribe set aside to serve the Lord directly. See also Exodus 4:14; Deuteronomy 12:12ff, 14:27ff, 16:11ff, 18:6, 26:11ff; Judges 17:7ff, 18:3ff, 19:1,20:4; 2 Chronicles 20:14, 31:12f; Ezra 10:15; Acts 4:36.

Luke 104  Martha in Hebrew means "she was rebellious." See also John 11:1ff, 12:2.

Luke 105  The Greek name means "the house's lord." See also Matthew 10:25, 12:24ff; Mark 3:22.

Luke 106  Jonah was the ancient Israelite prophet who, after three days in the belly of a great fish, was vomited up on land and went to preach to Nineveh. See also 2 Kings 14:25; Jonah 1:1ff, 2:1ff, 3:1ff, 4:1ff; Matthew 12:39ff, 16:4

Luke 107 Ninevites were residents of Nineveh, capital of the ancient Assyrian empire. For Nineveh, see also Genesis 10:11ff; 2 Kings 19:36; Isaiah 37:37; Jonah 1:2, 3:2ff, 4:11; Nahum 1:1, 2:8, 3:7; Zephaniah 2:13; Matthew 12:41.

Luke 108 This story is told in 1 Kings 10:1-2 and 2 Chronicles 9:1.

Luke 109 Solomon in Hebrew means "peaceful one." Son of King David, he followed his father on Israel's throne in the 10th Century before Christ. See also 2 Samuel 5:14, 12:24; 1 Kings 1:10ff, 2:1ff, 3:1ff, 4:1ff, 5:1ff, 6:2ff, 7:1ff, 8:1ff, 9:1ff, 10:1ff, 11:1ff, 12:2ff, 14:21ff; 2 Kings 21:7, 23:13, 24:13, 25:16; 1 Chronicles 3:5, 6:10ff, 14:4, 18:8, 22:5ff, 23:1, 28:5ff, 29:1ff; 2 Chronicles 1:1ff, 2:1ff, 3:1ff, 4:11ff, 5:1ff, 6:1ff, 7:1ff, 8:1ff, 9:1ff, 10:2ff, 11:3ff, 12:9, 13:6ff, 30:26, 33:7, 35:3ff; Nehemiah 12:45, 13:26; Psalm 72:1, 127:1; Proverbs 1:1, 10:1, 25:1; Song of Solomon 1:5, 3:9ff, 8:11ff; Jeremiah 52:20; Matthew 1:6ff, 6:29, 12:42; Luke 12:27; Acts 7:47.

Luke 110 Abel, Adam and Eve's second son, was earth's first murder victim, according to the Bible. See also Genesis 4:2ff; Matthew 23:35; Hebrews 11:4, 12:24.

Luke 111 AV: "Zacharias." See 2 Chronicles 24:20-22; Matthew 23:35.

Luke 112 Siloam in Hebrew means "sent." See also John 9:7ff.

Luke 113 Psalm 118:26.

Luke 114 The "you" is plural.

Luke 115 A mina was roughly two pounds of silver.

Luke 116 AV: "Bethphage." The name means, "house of unripe figs." See also Matthew 21:1; Mark 11:1.

Luke 117 Bethany means "house of dates." See also Matthew 21:17, 26:6; Mark 11:1ff, 14:3; Luke 24:50; John 11:1ff, 12:1

Luke 118 For "Mount of Olives", see also Zechariah 14:4; Matthew 21:1, 24:3, 26:30; Mark 11:1, 13:3, 14:26; Luke 21:37, 22:39; John 8:1.

Luke 118a Psalm 118:26

Luke 119 Compare to Jeremiah 7:11.

Luke 120 Psalm 118:22.

Luke 121 Compare to Isaiah 8:15.

Luke 122  A denarius was a Roman coin worth one day's wages.

Luke 123  Sadducees in Greek means "the righteous." They were a religious group that denied the so-called "oral law," insisting that only the written law was binding on Israel.  They were also closely associated with the high priestly party in the Temple.  See also Matthew 3:7, 16:1ff, 22:23; Mark 12:18; Acts 4:1, 5:17, 23:6ff.

Luke 124  See Deuteronomy 25:5-10.

Luke 125  See Exodus 3:6.

Luke 126  Psalm 110:1.

Luke 127  See Exodus 12

Luke 128  Isaiah 53:12.

Luke 129  See Mark 15:21.

Luke 130  See Matthew 27:32; Mark 15:21.

Luke 131  Calvary in Greek means "of a skull." The name is given as "Golgotha" in Matthew, Mark, and John.

Luke 132  See Matthew 27:57; Mark 15:43; John 19:38.

Luke 133  AV: "Arimathaea." See also Matthew 27:57; Mark 15:43; John 19:38.

Luke 134  For the Sabbath commandment, see Exodus 20:8; Deuteronomy 5:12.

Luke 135  For "Mary of Jacob", see also Matthew 27:56; Mark 15:40, 16:1.

Luke 136  A stadium is a Greek measure of length, equivalent to six hundred full steps of around three feet each.  The distance to Emmaus was roughly seven miles.

Luke 137  Emmaus in Greek means "warm baths."

Luke 138  Note the shift from past to present tense in this verse.

# John

## A Portrait from Scripture

**Who:** John, the brother of James (Jacob), son of Zebedee, a Galilean fisherman by trade:

**1.** Was the fourth person called by Jesus Christ as a disciple, after Simon Peter, Andrew, and John's brother James (Matthew 4:21; Mark 1:19; Luke 5:10);

**2.** Was identified along with Andrew, Peter, and James as a partner in the fishing business on Lake Galilee (Luke 5:10);

**3.** Was named among the original twelve disciples (Matthew 10:2; Mark 3:17; Luke 6:14);

**4.** Witnessed Jesus raising the daughter of Jairus (Mark 5:37; Luke 8:51);

**5.** Witnessed Christ's Transfiguration, along with Peter and James (Matthew 17:1; Mark 9:2, Luke 9:28);

**6.** With his brother, asked Jesus if they should call down fire from heaven on disbelieving Samaritans (Luke 9:53-56);

**7.** With his brother, asked Jesus for the places at His right and left in His kingdom (Mark 10:35), with the compliance of his mother (Matthew 20:20);

**8.** Was rebuked for forbidding an outsider to speak in Jesus' name (Mark 9:38);

**9.** Along with Peter, James, and Andrew, asked Christ to explain his apocalyptic parable (Mark 13:3);

**10.** Witnessed Christ's agony in the Garden of Gethsemane (Mark 14:33);

**11.** Is mentioned among the surviving eleven apostles after the Resurrection (Acts 1:13);

**12.** Witnessed the healing of a man lame from birth at the Temple's gate (Acts 3:1);

**13.** Was arrested and interrogated along with Peter, after the miracle (Acts 4:13);

**14.** Was sent by the apostles with Peter to investigate reports of Samaritan believers (Acts 8:14);

**15.** Lost his brother James (Jacob) to execution at Herod's hands (Acts 12:2);

**16.** Is mentioned by Paul as a "pillar" of the church in Jerusalem (Galatians 2:9);

**17.** Received the "The Revelation of Jesus Christ" (Revelation 1:1);

**18.** Wrote to "the seven churches which are in Asia" (Revelation 1:4);

**19.** Was imprisoned "for the word of God, and for the testimony of Jesus Christ" (Revelation 1:9);

**20.** Saw "the holy city, new Jerusalem, coming down from God" (Revelation 21:2);

**21.** Swore to what he saw in the revelation (Revelation 22:8).

John the Apostle is not mentioned at all by name in the Gospel which bears his name.

**What:** According to tradition, John wrote the Gospel bearing his name, one general epistle (1 John), two personal epistles (2 John and 3 John), and Revelation.

**When:** John was a contemporary of Jesus and, according to church tradition, the only one among Jesus' original twelve apostles who survived to an old age.

**Where:** John appears in scripture on the shores of the Sea of Galilee, in northern Israel. He follows Jesus to Jerusalem, which apparently was his home base until at least the Jerusalem conference of Acts 15. We last hear of him in scripture on the island of Patmos, in the Aegean Sea between Greece and Turkey.

**Why:** In John 20:31, the author states, " . . . these are written, that ye might believe that Jesus is the Christ, the Son of God; and that believing ye might have life through his name."

# Outline of John

Peter Asks about John
21:20-25


**Notes**

# John 1
## The Prologue

**1:1** εν αρχη ην ο λογος και ο λογος ην προς τον θεον και θεος ην ο λογος

In beginning, the Word was, and the Word was with God, and the Word was God.

**1:2** ουτος ην εν αρχη προς τον θεον

This *Word* was in beginning with God.

**1:3** παντα δι αυτου εγενετο και χωρις αυτου εγενετο ουδε εν ο γεγονεν

All came to be through Him, and without Him not one *thing* came to be. What has come to be

**1:4** εν αυτω ζωη ην και η ζωη ην το φως των ανθρωπων

in Him was life, and the life was the light of men.

**1:5** και το φως εν τη σκοτια φαινει και η σκοτια αυτο ου κατελαβεν

The light shines in the darkness, and the darkness has not overcome it.

**1:6** εγενετο ανθρωπος απεσταλμενος παρα θεου ονομα αυτω ιωαννης

*A* man came to be, sent from God, John *a* name to him.

**1:7** ουτος ηλθεν εις μαρτυριαν ινα μαρτυρηση περι του φωτος ινα παντες πιστευσωσιν δι αυτου

This *man* came to testify, that he might testify about the light, that all might believe through him.

**1:8** ουκ ην εκεινος το φως αλλ ινα μαρτυρηση περι του φωτος

That *man* was not the light, but that he might testify about the light.

**1:9** ην το φως το αληθινον ο φωτιζει παντα ανθρωπον ερχομενον εις τον κοσμον

The true light was, which lights up every man coming into the world.

**1:10** εν τω κοσμω ην και ο κοσμος δι αυτου εγενετο και ο κοσμος αυτον ουκ εγνω

He was in the world, and the world came to be through Him, and the world did not know Him.

**1:11** εις τα ιδια ηλθεν και οι ιδιοι αυτον ου παρελαβον

He came to His own, and His own did not receive Him.

**1:12** οσοι δε ελαβον αυτον εδωκεν αυτοις εξουσιαν τεκνα θεου γενεσθαι τοις πιστευουσιν εις το ονομα αυτου

Yet to as many as received Him, He gave them authority to become children of God, to those believing in His name,

**1:13** οι ουκ εξ αιματων ουδε εκ θεληματος σαρκος ουδε εκ θεληματος ανδρος αλλ εκ θεου εγεννηθησαν

the *ones* born not from blood, nor from flesh's will, nor from *a* male's will, but from God.

**1:14** και ο λογος σαρξ εγενετο και εσκηνωσεν εν ημιν και εθεασαμεθα την δοξαν αυτου δοξαν ως μονογενους παρα πατρος πληρης χαριτος και αληθειας

The Word came to be flesh, and pitched tent among us, and we have seen His glory, glory as only-born from *the* Father, full of grace and truth.

**1:15** ιωαννης μαρτυρει περι αυτου και κεκραγεν λεγων ουτος ην ο ειπων ο οπισω μου ερχομενος εμπροσθεν μου γεγονεν οτι πρωτος μου ην

John testifies about Him, and he has cried out, saying, "This was who I said, 'The *one* coming after me came to be before me, because He was before me.'"

**1:16** οτι εκ του πληρωματος αυτου ημεις παντες ελαβομεν και χαριν αντι χαριτος

For from His fullness we all have received, and grace upon grace.

**1:17** οτι ο νομος δια μωυσεως εδοθη η χαρις και η αληθεια δια ιησου χριστου εγενετο

The law was given through Moses. The grace and the truth came to be through Jesus Christ.

**1:18** θεον ουδεις εωρακεν πωποτε μονογενης θεος ο ων εις τον κολπον του πατρος εκεινος εξηγησατο

No one has ever seen God. *The* only-born God, the *One* existing in the Father's embrace, that *One* has made *Him* known.

### John's Testimony

**1:19** και αυτη εστιν η μαρτυρια του ιωαννου οτε απεστειλαν προς αυτον οι ιουδαιοι εξ ιεροσολυμων ιερεις και λευιτας ινα ερωτησωσιν αυτον συ τις ει

This is the testimony of John when the Jews sent priests and Levites to him from Jerusalem so they could demand of him, "Who are you?"

**1:20** και ωμολογησεν και ουκ ηρνησατο και ωμολογησεν οτι εγω ουκ ειμι ο χριστος

He confessed and did not deny. He confessed that, "I am not the Christ."

**1:21** και ηρωτησαν αυτον τι ουν [συ] ηλιας ει και λεγει ουκ ειμι ο προφητης ει συ και απεκριθη ου

They asked him, "What, then? Are you Elijah?"

He says, "I am not."

"Are you the prophet?"

He answered, "No."

**1:22** ειπαν ουν αυτω τις ει ινα αποκρισιν δωμεν τοις πεμψασιν ημας τι λεγεις περι σεαυτου

Then they said to him, "Who are you, so we can have *an* answer to those having sent us? What do you say about yourself?"

**1:23** εφη εγω φωνη βοωντος εν τη ερημω ευθυνατε την οδον κυριου καθως ειπεν ησαιας ο προφητης

He said, "I am,

"'*A* voice shouting in the desert,
"'Make the Lord's road straight,'[1]

"even as Isaiah the prophet said."

**1:24** και απεσταλμενοι ησαν εκ των φαρισαιων

The *ones* sent were from the Pharisees.[2]

**1:25** και ηρωτησαν αυτον και ειπαν αυτω τι ουν βαπτιζεις ει συ ουκ ει ο χριστος ουδε ηλιας ουδε ο προφητης
They questioned him and said to him, "Why, then, do you baptize, if you are neither the Christ, nor Elijah, nor the prophet?"

**1:26** απεκριθη αυτοις ο ιωαννης λεγων εγω βαπτιζω εν υδατι μεσος υμων στηκει ον υμεις ουκ οιδατε
John answered them, saying, "I baptize in water. He stands in your midst whom you do not know –
**1:27** οπισω μου ερχομενος ου ουκ ειμι [εγω] αξιος ινα λυσω αυτου τον ιμαντα του υποδηματος
"the *one* coming after me, of whom I am not worthy that I untie the lace of His sandal."

**1:28** ταυτα εν βηθανια εγενετο περαν του ιορδανου οπου ην ο ιωαννης βαπτιζων
These *things* happened in Bethany, across the Jordan where John was baptizing.

### Further Testimony

**1:29** τη επαυριον βλεπει τον ιησουν ερχομενον προς αυτον και λεγει ιδε ο αμνος του θεου ο αιρων την αμαρτιαν του κοσμου
The following morning, he sees Jesus coming to him, and he says, "Look! The lamb of God, the *one* taking away the sin of the world.
**1:30** ουτος εστιν υπερ ου εγω ειπον οπισω μου ερχεται ανηρ ος εμπροσθεν μου γεγονεν οτι πρωτος μου ην
"This is about whom I said, '*A* man comes after me who came to be before me, because He was before me'.
**1:31** καγω ουκ ηδειν αυτον αλλ ινα φανερωθη τω ισραηλ δια τουτο ηλθον εγω εν υδατι βαπτιζων
"I didn't know Him, but that He might be revealed to Israel, for this I came baptizing in water."

**1:32** και εμαρτυρησεν ιωαννης λεγων οτι τεθεαμαι το πνευμα καταβαινον ως περιστεραν εξ ουρανου και εμεινεν επ αυτον
John testified, saying that, "I saw the Spirit coming down as *a* dove from heaven, and it remained on Him.
**1:33** καγω ουκ ηδειν αυτον αλλ ο πεμψας με βαπτιζειν εν υδατι εκεινος μοι ειπεν εφ ον αν ιδης το πνευμα καταβαινον και μενον επ αυτον ουτος εστιν ο βαπτιζων εν πνευματι αγιω
"I didn't know Him, but the *One* having sent me to baptize in water, that *One* said to me, 'On whomever you see the Spirit coming down and remaining on Him, this is the *One* baptizing in Holy Spirit.
**1:34** καγω εωρακα και μεμαρτυρηκα οτι ουτος εστιν ο υιος του θεου
"I saw, and I've testified that this is the Son of God."

### The First Disciples

**1:35** τη επαυριον παλιν ειστηκει ιωαννης και εκ των μαθητων αυτου δυο

The following morning John had again stood, and two of his disciples.

**1:36** και εμβλεψας τω ιησου περιπατουντι λεγει ιδε ο αμνος του θεου

Having seen Jesus walking, he says, "Look! The lamb of God."

**1:37** και ηκουσαν οι δυο μαθηται αυτου λαλουντος και ηκολουθησαν τω ιησου

His two disciples heard *him* speaking, and they followed Jesus.

**1:38** στραφεις δε ο ιησους και θεασαμενος αυτους ακολουθουντας λεγει αυτοις τι ζητειτε οι δε ειπαν αυτω ραββι ο λεγεται μεθερμηνευομενον διδασκαλε που μενεις

Jesus, having turned and seeing them following, says to them, "What are you looking for?"

They said to Him, "Rabbi" – which says, translated, 'Teacher' – "where are you staying?"

**1:39** λεγει αυτοις ερχεσθε και οψεσθε ηλθαν ουν και ειδαν που μενει και παρ αυτω εμειναν την ημεραν εκεινην ωρα ην ως δεκατη

He says to them, "Come and see."

They went, then, and saw where He stays, and they stayed with Him that day. It was around the tenth hour.

### Simon Peter

**1:40** ην ανδρεας ο αδελφος σιμωνος πετρου εις εκ των δυο των ακουσαντων παρα ιωαννου και ακολουθησαντων αυτω

Andrew, the brother of Simon Peter, was one of the two of those having heard from John and followed Him.

**1:41** ευρισκει ουτος πρωτον τον αδελφον τον ιδιον σιμωνα και λεγει αυτω ευρηκαμεν τον μεσσιαν ο εστιν μεθερμηνευομενον χριστος

This *man* finds his brother, the same Simon, and says to him, "We've found the Messiah" – which is, translated, 'Christ'[3].

**1:42** ηγαγεν αυτον προς τον ιησουν εμβλεψας αυτω ο ιησους ειπεν συ ει σιμων ο υιος ιωαννου συ κληθηση κηφας ο ερμηνευεται πετρος

He brought *him* to Jesus. Having seen *him*, Jesus said to him, "You are Simon the son of John. You will be called Cephas" – which is interpreted 'Rock[4].'

### Philip and Nathanael

**1:43** τη επαυριον ηθελησεν εξελθειν εις την γαλιλαιαν και ευρισκει φιλιππον και λεγει αυτω ο ιησους ακολουθει μοι

The following morning, He wanted to go away to Galilee. Jesus finds Philip and says to him, "Follow me."

**1:44** ην δε ο φιλιππος απο βηθσαιδα εκ της πολεως ανδρεου και πετρου

Philip was from Bethsaida, from the city of Andrew and Peter.

**1:45** ευρισκει φιλιππος τον ναθαναηλ και λεγει αυτω ον εγραψεν μωυσης εν τω νομω και οι προφηται ευρηκαμεν ιησουν υιον του ιωσηφ τον απο ναζαρετ

Philip finds Nathanael and says to him, "We have found whom Moses wrote about in the law, and the prophets: Jesus, son of Joseph, the *one* from Nazareth."

**1:46** και ειπεν αυτω ναθαναηλ εκ ναζαρετ δυναται τι αγαθον ειναι λεγει αυτω ο φιλιππος ερχου και ιδε

Nathanael said to him, "Can any good be from Nazareth?"

Philip says to him, "Come and see."

**1:47** ειδεν ιησους τον ναθαναηλ ερχομενον προς αυτον και λεγει περι αυτου ιδε αληθως ισραηλιτης εν ω δολος ουκ εστιν

Jesus saw Nathanael coming to Him, and He says about him, "Look! A true Israelite, in whom is no deceit."

**1:48** λεγει αυτω ναθαναηλ ποθεν με γινωσκεις απεκριθη ιησους και ειπεν αυτω προ του σε φιλιππον φωνησαι οντα υπο την συκην ειδον σε

Nathanael says to Him, "Where do you know me from?"

Jesus answered and said to him, "Before Philip called you, I saw you staying under the fig tree."

**1:49** απεκριθη αυτω ναθαναηλ ραββι συ ει ο υιος του θεου συ βασιλευς ει του ισραηλ

Nathanael answered him, "Rabbi, you are the Son of God. You are

King of Israel."

**1:50** απεκριθη ιησους και ειπεν αυτω οτι ειπον σοι οτι ειδον σε υποκατω της συκης πιστευεις μειζω τουτων οψη

Jesus answered and said to him, "Do you believe because I said to you that I saw you under the fig tree? You will see greater than these."

**1:51** και λεγει αυτω αμην αμην λεγω υμιν οψεσθε τον ουρανον ανεωγοτα και τους αγγελους του θεου αναβαινοντας και καταβαινοντας επι τον υιον του ανθρωπου

He says to him, "Amen, amen, I say to you, you will see the sky opened and the angels of God going up and coming down on the Son of Man."

## John 2
## Water Into Wine

**2:1** και τη ημερα τη τριτη γαμος εγενετο εν κανα της γαλιλαιας και ην η μητηρ του ιησου εκει

The third day *there* was *a* wedding in Cana of Galilee, and the mother of Jesus was there.

**2:2** εκληθη δε και ο ιησους και οι μαθηται αυτου εις τον γαμον

Jesus also was invited to the wedding, and His disciples.

**2:3** και υστερησαντος οινου λεγει η μητηρ του ιησου προς αυτον οινον ουκ εχουσιν

*When* the wine *had* given out, the mother of Jesus says to Him, "They have no wine."

**2:4** και λεγει αυτη ο ιησους τι εμοι και σοι γυναι ουπω ηκει η ωρα μου
Jesus says to her, "What to me and to you, woman? My hour is not yet come."

**2:5** λεγει η μητηρ αυτου τοις διακονοις ο τι αν λεγη υμιν ποιησατε
His mother says to the servers, "Do whatever He says to you."

**2:6** ησαν δε εκει λιθιναι υδριαι εξ κατα τον καθαρισμον των ιουδαιων κειμεναι χωρουσαι ανα μετρητας δυο η τρεις
Six stone water jars were there, according to the cleansing *rituals* of the Jews, set aside to hold two or three liquid measures each.

**2:7** λεγει αυτοις ο ιησους γεμισατε τας υδριας υδατος και εγεμισαν αυτας εως ανω
Jesus says to them, "Fill the jars with water" – and they filled them to the brim.

**2:8** και λεγει αυτοις αντλησατε νυν και φερετε τω αρχιτρικλινω οι δε ηνεγκαν
He says to them, "Draw *it* out now and take *it* to the head steward."

They did *so*.
**2:9** ως δε εγευσατο ο αρχιτρικλινος το υδωρ οινον γεγενημενον και ουκ ηδει ποθεν εστιν οι δε διακονοι ηδεισαν οι ηντληκοτες το υδωρ φωνει τον νυμφιον ο αρχιτρικλινος
As the chief steward tasted the water made wine, and he didn't know where it was from – yet the servers knew, the *ones* having drawn out the water – the chief steward called the bridegroom,

**2:10** και λεγει αυτω πας ανθρωπος πρωτον τον καλον οινον τιθησιν και οταν μεθυσθωσιν τον ελασσω συ τετηρηκας τον καλον οινον εως αρτι
and says to him, "Every man sets out the good wine first, and when they are drunk, the inferior. You have kept the good wine until now."

**2:11** ταυτην εποιησεν αρχην των σημειων ο ιησους εν κανα της γαλιλαιας και εφανερωσεν την δοξαν αυτου και επιστευσαν εις αυτον οι μαθηται αυτου
Jesus did this first of the signs in Cana of Galilee, and revealed His glory, and His disciples believed in Him.

**2:12** μετα τουτο κατεβη εις καφαρναουμ αυτος και η μητηρ αυτου και οι αδελφοι και οι μαθηται αυτου και εκει εμειναν ου πολλας ημερας
After this, He went down to Capernaum, and His mother and brothers and His disciples, and He stayed there not many days.

**First Journey to Jerusalem**
**2:13** και εγγυς ην το πασχα των ιουδαιων και ανεβη εις ιεροσολυμα ο ιησους
The Passover of the Jews was near, and Jesus went up to Jerusalem.
**2:14** και ευρεν εν τω ιερω τους πωλουντας βοας και προβατα και

περιστερας και τους κερματιστας καθημενους
He found in the temple those selling oxen and sheep and doves, and the money-changers sitting.

**2:15** και ποιησας φραγελλιον εκ σχοινιων παντας εξεβαλεν εκ του ιερου τα τε προβατα και τους βοας και των κολλυβιστων εξεχεεν τα κερματα και τας τραπεζας ανετρεψεν
Having made *a* whip of ropes, He drove out of the temple all the oxen and sheep, and poured out the coins[5] of the money-changers, and overturned the tables.

**2:16** και τοις τας περιστερας πωλουσιν ειπεν αρατε ταυτα εντευθεν μη ποιειτε τον οικον του πατρος μου οικον εμποριου
He said to those selling doves, "Take these away from here! Don't make my Father's house *a* house of business!"

**2:17** εμνησθησαν οι μαθηται αυτου οτι γεγραμμενον εστιν ο ζηλος του οικου σου καταφαγεται με
His disciples remembered that it is written:

> "The zeal of your house
> will consume me."[6]

**2:18** απεκριθησαν ουν οι ιουδαιοι και ειπαν αυτω τι σημειον δεικνυεις ημιν οτι ταυτα ποιεις
Then the Jews answered and said to Him, "What sign do you show us that you do these *things*?"

**2:19** απεκριθη ιησους και ειπεν αυτοις λυσατε τον ναον τουτον και [εν] τρισιν ημεραις εγερω αυτον
Jesus answered and said to them, "Undo this temple and [in] three days I will raise Him."

**2:20** ειπαν ουν οι ιουδαιοι τεσσερακοντα και εξ ετεσιν οικοδομηθη ο ναος ουτος και συ εν τρισιν ημεραις εγερεις αυτον
The Jews said, "This temple has been built in forty-six years, and will you raise him in three days?"

**2:21** εκεινος δε ελεγεν περι του ναου του σωματος αυτου
Yet He was speaking about the temple of His body.

**2:22** οτε ουν ηγερθη εκ νεκρων εμνησθησαν οι μαθηται αυτου οτι τουτο ελεγεν και επιστευσαν τη γραφη και τω λογω ον ειπεν ο ιησους
When, then, He was raised from *the* dead, His disciples remembered that He said this, and they believed the scriptures and the word which Jesus spoke.

**2:23** ως δε ην εν τοις ιεροσολυμοις εν τω πασχα εν τη εορτη πολλοι επιστευσαν εις το ονομα αυτου θεωρουντες αυτου τα σημεια α εποιει
As He was among the Jerusalemites in the Passover, in the feast, many believed in His name, seeing the signs which He worked.

**2:24** αυτος δε ιησους ουκ επιστευεν αυτον αυτοις δια το αυτον γινωσκειν

παντας
Yet Jesus did not trust Himself to
them, because He knew all *things,*
**2:25** και οτι ου χρειαν ειχεν ινα τις
μαρτυρηση περι του ανθρωπου
αυτος γαρ εγινωσκεν τι ην εν τω
ανθρωπω
and because He had no need that
someone testify about the man – for
He knew what was in the man.

## John 3
### Jesus and Nicodemus
**3:1** ην δε ανθρωπος εκ των
φαρισαιων νικοδημος ονομα αυτω
αρχων των ιουδαιων
*There* was *a* man of the Pharisees,
Nicodemus[7] *a* name to him, *a* ruler
of the Jews.
**3:2** ουτος ηλθεν προς αυτον νυκτος
και ειπεν αυτω ραββι οιδαμεν οτι
απο θεου εληλυθας διδασκαλος
ουδεις γαρ δυναται ταυτα τα σημεια
ποιειν α συ ποιεις εαν μη η ο θεος
μετ αυτου
This *man* came to Him by night and
said to Him, "Rabbi, we know that
you have come *as a* teacher from
God, for no one can do the signs that
you do if God is not with him."

**3:3** απεκριθη ιησους και ειπεν αυτω
αμην αμην λεγω σοι εαν μη τις
γεννηθη ανωθεν ου δυναται ιδειν την
βασιλειαν του θεου
Jesus answered and said to him,
"Amen, amen, I say to you, unless
someone is born from above, he
cannot see the kingdom of God."

**3:4** λεγει προς αυτον [ο] νικοδημος
πως δυναται ανθρωπος γεννηθηναι
γερων ων μη δυναται εις την κοιλιαν
της μητρος αυτου δευτερον εισελθειν
και γεννηθηναι
Nicodemus says to Him, "How can *a*
man be born, being old? He can't go
into the womb of his mother *a*
second *time* and be born, can he?"

**3:5** απεκριθη [ο] ιησους αμην αμην
λεγω σοι εαν μη τις γεννηθη εξ
υδατος και πνευματος ου δυναται
εισελθειν εις την βασιλειαν του θεου
Jesus answered, "Amen, amen, I say
to you, unless someone is born from
water and Spirit, he cannot go into
the kingdom of God.
**3:6** το γεγεννημενον εκ της σαρκος
σαρξ εστιν και το γεγεννημενον εκ
του πνευματος πνευμα εστιν
"The *one* having been born from the
flesh is flesh, and the *one* having
been born from the Spirit is Spirit.
**3:7** μη θαυμασης οτι ειπον σοι δει
υμας γεννηθηναι ανωθεν
"Don't be amazed that I said to you,
'It is necessary for you to be born
from above.'
**3:8** το πνευμα οπου θελει πνει και
την φωνην αυτου ακουεις αλλ ουκ
οιδας ποθεν ερχεται και που υπαγει
ουτως εστιν πας ο γεγεννημενος εκ
του πνευματος
"The wind blows where it wills. You
hear its sound, but you don't know
where it comes from and where it is
going. So is everyone having been
born of the Spirit."

**3:9** απεκριθη νικοδημος και ειπεν αυτω πως δυναται ταυτα γενεσθαι

Nicodemus answered and said to Him, "How can these *things* happen?"

**3:10** απεκριθη ιησους και ειπεν αυτω συ ει ο διδασκαλος του ισραηλ και ταυτα ου γινωσκεις

Jesus answered and said to him, "Are you the teacher of Israel and you don't know these *things*?

**3:11** αμην αμην λεγω σοι οτι ο οιδαμεν λαλουμεν και ο εωρακαμεν μαρτυρουμεν και την μαρτυριαν ημων ου λαμβανετε

"Amen, amen, I say to you that we speak what we've known, and testify to what we've heard, and you don't receive our testimony.

**3:12** ει τα επιγεια ειπον υμιν και ου πιστευετε πως εαν ειπω υμιν τα επουρανια πιστευσετε

"If I spoke to you about the earthly and you don't believe, how will you believe if I speak to you about the heavenly?

## No One Has Gone Up

**3:13** και ουδεις αναβεβηκεν εις τον ουρανον ει μη ο εκ του ουρανου καταβας ο υιος του ανθρωπου

"No one has gone up into the sky except the *one* having come down from the sky – the Son of Man.

**3:14** και καθως μωυσης υψωσεν τον οφιν εν τη ερημω ουτως υψωθηναι δει τον υιον του ανθρωπου

"Just as Moses lifted up the snake in the desert[8], so it is necessary for the Son of Man to be lifted up,

**3:15** ινα πας ο πιστευων εν αυτω εχη ζωην αιωνιον

"that everyone believing in Him may have eternal life.

**3:16** ουτως γαρ ηγαπησεν ο θεος τον κοσμον ωστε τον υιον τον μονογενη εδωκεν ινα πας ο πιστευων εις αυτον μη αποληται αλλ εχη ζωην αιωνιον

"For God loved the world in this way: that He gave the only-born Son, that everyone believing in Him may not be destroyed, but may have eternal life.

**3:17** ου γαρ απεστειλεν ο θεος τον υιον εις τον κοσμον ινα κρινη τον κοσμον αλλ ινα σωθη ο κοσμος δι αυτου

"God did not send the Son into the world that He might judge the world, but that the world might be saved through Him.

**3:18** ο πιστευων εις αυτον ου κρινεται ο μη πιστευων ηδη κεκριται οτι μη πεπιστευκεν εις το ονομα του μονογενους υιου του θεου

"The *one* believing in Him is not judged. The *one* not believing has already been judged, because he hasn't believed in the name of the only-born Son of God.

**3:19** αυτη δε εστιν η κρισις οτι το φως εληλυθεν εις τον κοσμον και ηγαπησαν οι ανθρωποι μαλλον το σκοτος η το φως ην γαρ αυτων πονηρα τα εργα

"Yet this is the judgment: that the light has come into the world, and men loved the shadows rather than the light, for their works were wicked.

**3:20** πας γαρ ο φαυλα πρασσων μισει το φως και ουκ ερχεται προς το φως ινα μη ελεγχθη τα εργα αυτου

"Everyone working wrong hates the light and doesn't come to the light, that their works may not be rebuked.

**3:21** ο δε ποιων την αληθειαν ερχεται προς το φως ινα φανερωθη αυτου τα εργα οτι εν θεω εστιν ειργασμενα

"Yet the *one* working the truth comes to the light that his works may be revealed, because they are done in God."

**Jesus Goes into Judea**

**3:22** μετα ταυτα ηλθεν ο ιησους και οι μαθηται αυτου εις την ιουδαιαν γην και εκει διετριβεν μετ αυτων και εβαπτιζεν

After these *things*, Jesus came into the land of Judea, and His disciples. He stayed there with them and was baptizing.

**3:23** ην δε και [ο] ιωαννης βαπτιζων εν αινων εγγυς του σαλειμ οτι υδατα πολλα ην εκει και παρεγινοντο και εβαπτιζοντο

John also was baptizing in Aenon, near Salim, for much water was there, and they were coming and being baptized,

**3:24** ουπω γαρ ην βεβλημενος εις την φυλακην ιωαννης

for John was not yet thrown into prison.

**3:25** εγενετο ουν ζητησις εκ των μαθητων ιωαννου μετα ιουδαιου περι καθαρισμου

*A* debate happened, then, between John's disciples with the Jews concerning cleansing,

**3:26** και ηλθον προς τον ιωαννην και ειπαν αυτω ραββι ος ην μετα σου περαν του ιορδανου ω συ μεμαρτυρηκας ιδε ουτος βαπτιζει και παντες ερχονται προς αυτον

and they came to John and said to him, "Rabbi, the *one* who was with you across the Jordan, of whom you testified, look! This *man* baptizes, and all are going to Him."

**3:27** απεκριθη ιωαννης και ειπεν ου δυναται ανθρωπος λαμβανειν ουδεν εαν μη η δεδομενον αυτω εκ του ουρανου

John answered and said, "*A* man cannot receive anything unless it is given him from the sky.

**3:28** αυτοι υμεις μοι μαρτυρειτε οτι ειπον [εγω] ουκ ειμι εγω ο χριστος αλλ οτι απεσταλμενος ειμι εμπροσθεν εκεινου

"You yourselves testify to me that I said, 'I am not the Christ', but that I was sent before Him.

**3:29** ο εχων την νυμφην νυμφιος εστιν ο δε φιλος του νυμφιου ο εστηκως και ακουων αυτου χαρα χαιρει δια την φωνην του νυμφιου αυτη ουν η χαρα η εμη πεπληρωται

"The *one* having the bride is the bridegroom, yet the friend of the bridegroom, the *one* standing by and hearing him, rejoices with joy over the bridegroom's voice. This joy of mine, then, is completed.

**3:30** εκεινον δει αυξανειν εμε δε
ελαττουσθαι
"It is necessary for that *man* to
increase, yet for me to decrease.

## Who Comes From Above
**3:31** ο ανωθεν ερχομενος επανω
παντων εστιν ο ων εκ της γης εκ της
γης εστιν και εκ της γης λαλει ο εκ
του ουρανου ερχομενος επανω
παντων εστιν
"The *one* coming down from above
is above all. The *one* being of the
earth is of the earth, and he speaks of
the earth. The *one* coming from the
sky is above all.
**3:32** ο εωρακεν και ηκουσεν τουτο
μαρτυρει και την μαρτυριαν αυτου
ουδεις λαμβανει
"What He has seen and heard, this
He testifies to, and no one receives
His testimony.
**3:33** ο λαβων αυτου την μαρτυριαν
εσφραγισεν οτι ο θεος αληθης εστιν
"The *one* receiving His testimony
acknowledges that God is true,
**3:34** ον γαρ απεστειλεν ο θεος τα
ρηματα του θεου λαλει ου γαρ εκ
μετρου διδωσιν το πνευμα
"for *the One* whom God sent speaks
the words of God – for He does not
give the Spirit by measure.
**3:35** ο πατηρ αγαπα τον υιον και
παντα δεδωκεν εν τη χειρι αυτου
"The Father loves the Son and has
given all into His hand.
**3:36** ο πιστευων εις τον υιον εχει
ζωην αιωνιον ο δε απειθων τω υιω
ουκ οψεται ζωην αλλ η οργη του
θεου μενει επ αυτον

"The *one* believing in the Son has
eternal life. The *one* disbelieving the
Son will not see life, but the wrath of
God remains on him."

## John 4
### Jesus Sets Out For Galilee
**4:1** ως ουν εγνω ο κυριος οτι
ηκουσαν οι φαρισαιοι οτι ιησους
πλειονας μαθητας ποιει και βαπτιζει
[η] ιωαννης
As, then, the Lord knew that the
Pharisees heard that, "Jesus makes
and baptizes more disciples than
John,"
**4:2** καιτοιγε ιησους αυτος ουκ
εβαπτιζεν αλλ οι μαθηται αυτου
– although Jesus Himself didn't
baptize, but His disciples –
**4:3** αφηκεν την ιουδαιαν και
απηλθεν παλιν εις την γαλιλαιαν
He left Judea and went again into
Galilee.
**4:4** εδει δε αυτον διερχεσθαι δια της
σαμαρειας
Yet it was necessary for Him to pass
through Samaria[9].

### The Woman at the Well
**4:5** ερχεται ουν εις πολιν της
σαμαρειας λεγομενην συχαρ πλησιον
του χωριου ο εδωκεν ιακωβ [τω]
ιωσηφ τω υιω αυτου
He comes, then, to *a* city of Samaria
called Suchar, *a* neighbor of the field
which Jacob gave to Joseph his son.
**4:6** ην δε εκει πηγη του ιακωβ ο ουν
ιησους κεκοπιακως εκ της
οδοιποριας εκαθεζετο ουτως επι τη

πηγη ωρα ην ως εκτη
The well of Jacob was there. Jesus, weary from the journey, sat so at the well. It was like the sixth hour.

**4:7** ερχεται γυνη εκ της σαμαρειας αντλησαι υδωρ λεγει αυτη ο ιησους δος μοι πειν
*A* woman of the Samaritans comes to draw water. Jesus says to her, "Give me *something* to drink."

**4:8** οι γαρ μαθηται αυτου απεληλυθεισαν εις την πολιν ινα τροφας αγορασωσιν
(For His disciples had gone away into the city so they could buy food.)

**4:9** λεγει ουν αυτω η γυνη η σαμαριτις πως συ ιουδαιος ων παρ εμου πειν αιτεις γυναικος σαμαριτιδος ουσης [ου γαρ συγχρωνται ιουδαιοι σαμαριταις]
Then the Samaritan woman says to Him, "How do You, being *a* Jew, ask water from me, being *a* Samaritan woman?"

[For Jews don't associate with Samaritans.]

**4:10** απεκριθη ιησους και ειπεν αυτη ει ηδεις την δωρεαν του θεου και τις εστιν ο λεγων σοι δος μοι πειν συ αν ητησας αυτον και εδωκεν αν σοι υδωρ ζων
Jesus answered and said to her, "If you knew the gift of God, and who is the *one* saying to you, 'Give me to drink', you would have asked Him, and He would have given you living water."

**4:11** λεγει αυτω κυριε ουτε αντλημα εχεις και το φρεαρ εστιν βαθυ ποθεν ουν εχεις το υδωρ το ζων
She says to Him, "Sir, you don't have *a* bucket and the well is deep. How, then, do you have living water?

**4:12** μη συ μειζων ει του πατρος ημων ιακωβ ος εδωκεν ημιν το φρεαρ και αυτος εξ αυτου επιεν και οι υιοι αυτου και τα θρεμματα αυτου
"Are you greater than our father Jacob who gave us this well and drank from it, *he* and his sons, and his animals?"

**4:13** απεκριθη ιησους και ειπεν αυτη πας ο πινων εκ του υδατος τουτου διψησει παλιν
Jesus answered and said to her, "Everyone drinking from this water will thirst again.

**4:14** ος δ αν πιη εκ του υδατος ου εγω δωσω αυτω ου μη διψησει εις τον αιωνα αλλα το υδωρ ο δωσω αυτω γενησεται εν αυτω πηγη υδατος αλλομενου εις ζωην αιωνιον
"Yet whoever drinks from the water which I will give him will not thirst again to eternity. The water which I will give him will become in him *a* well of water welling up to eternal life."

**4:15** λεγει προς αυτον η γυνη κυριε δος μοι τουτο το υδωρ ινα μη διψω μηδε διερχωμαι ενθαδε αντλειν
The woman says to Him, "Sir, give me this water, that I neither thirst nor come here to draw."

**4:16** λεγει αυτη υπαγε φωνησον σου τον ανδρα και ελθε ενθαδε
He says to her, "Go, call your husband, and come here."

**4:17** απεκριθη η γυνη και ειπεν [αυτω] ουκ εχω ανδρα λεγει αυτη ο ιησους καλως ειπας οτι ανδρα ουκ εχω
The woman answered and said [to Him], "I don't have *a* husband."

Jesus says to her, "You've spoken well that 'I don't have *a* husband',
**4:18** πεντε γαρ ανδρας εσχες και νυν ον εχεις ουκ εστιν σου ανηρ τουτο αληθες ειρηκας
"for you've had five husbands, and the *one* whom you have now is not your husband. You spoke this truthfully."

**4:19** λεγει αυτω η γυνη κυριε θεωρω οτι προφητης ει συ
The woman says to Him, "Sir, I see that you are *a* prophet.
**4:20** οι πατερες ημων εν τω ορει τουτω προσεκυνησαν και υμεις λεγετε οτι εν ιεροσολυμοις εστιν ο τοπος οπου προσκυνειν δει
"Our fathers worshiped on this mountain, and you[10] say that in Jerusalem is the place where it is necessary to worship."

**4:21** λεγει αυτη ο ιησους πιστευε μοι γυναι οτι ερχεται ωρα οτε ουτε εν τω ορει τουτω ουτε εν ιεροσολυμοις προσκυνησετε τω πατρι
Jesus says to her, "Believe me,

woman, that *an* hour comes when you[11] will worship the Father neither on this mountain nor among Jerusalemites.

**4:22** υμεις προσκυνειτε ο ουκ οιδατε ημεις προσκυνουμεν ο οιδαμεν οτι η σωτηρια εκ των ιουδαιων εστιν
"You worship what you don't know. We worship what we know, for salvation is from the Jews.
**4:23** αλλα ερχεται ωρα και νυν εστιν οτε οι αληθινοι προσκυνηται προσκυνησουσιν τω πατρι εν πνευματι και αληθεια και γαρ ο πατηρ τοιουτους ζητει τους προσκυνουντας αυτον
"But *an* hour comes and now is when the true worshipers will worship the Father in spirit and truth, and the Father seeks such *as* His worshipers.
**4:24** πνευμα ο θεος και τους προσκυνουντας αυτον εν πνευματι και αληθεια δει προσκυνειν
"God is Spirit, and it is necessary for those worshiping Him to worship in spirit and truth."

**4:25** λεγει αυτω η γυνη οιδα οτι μεσσιας ερχεται ο λεγομενος χριστος οταν ελθη εκεινος αναγγελει ημιν απαντα
The woman says to Him, "I know that Messiah comes, the *One* called Christ. When He comes, He will tell us all."

**4:26** λεγει αυτη ο ιησους εγω ειμι ο λαλων σοι
Jesus says to her, "I am the *one* speaking to you."

**4:27** και επι τουτω ηλθαν οι μαθηται αυτου και εθαυμαζον οτι μετα γυναικος ελαλει ουδεις μεντοι ειπεν τι ζητεις η τι λαλεις μετ αυτης

At this, his disciples came and were astonished that he was talking with *a* woman. Nevertheless, no one said, "What do you want", or "Why are you talking with her?"

**4:28** αφηκεν ουν την υδριαν αυτης η γυνη και απηλθεν εις την πολιν και λεγει τοις ανθρωποις

The woman then left her water jug and went into the city. She says to the men,

**4:29** δευτε ιδετε ανθρωπον ος ειπεν μοι παντα α εποιησα μητι ουτος εστιν ο χριστος

"Come, see *a* man who told me all that I have done! This isn't the Christ, is it?"

**4:30** εξηλθον εκ της πολεως και ηρχοντο προς αυτον

They came out of the city and went to Him.

### Jesus' Food

**4:31** εν τω μεταξυ ηρωτων αυτον οι μαθηται λεγοντες ραββι φαγε

In the meantime, the disciples asked Him, saying, "Rabbi, eat!"

**4:32** ο δε ειπεν αυτοις εγω βρωσιν εχω φαγειν ην υμεις ουκ οιδατε

He said to them, "I have food to eat which you don't know."

**4:33** ελεγον ουν οι μαθηται προς αλληλους μη τις ηνεγκεν αυτω φαγειν

The disciples began saying to each other, "Did someone bring Him *something* to eat?"

**4:34** λεγει αυτοις ο ιησους εμον βρωμα εστιν ινα ποιησω το θελημα του πεμψαντος με και τελειωσω αυτου το εργον

Jesus says to them, "My food is that I do the will of the *One* having sent me, and I complete His work.

**4:35** ουχ υμεις λεγετε οτι ετι τετραμηνος εστιν και ο θερισμος ερχεται ιδου λεγω υμιν επαρατε τους οφθαλμους υμων και θεασασθε τας χωρας οτι λευκαι εισιν προς θερισμον ηδη

"Don't you say, 'It is yet three months and the harvest comes'? Look! I say to you, lift up your eyes and see the fields, that they are already white to harvest!

**4:36** ο θεριζων μισθον λαμβανει και συναγει καρπον εις ζωην αιωνιον ινα ο σπειρων ομου χαιρη και ο θεριζων

"The harvester receives *a* reward, and gathers fruit into eternal life, that the sower rejoices together and the harvester.

**4:37** εν γαρ τουτω ο λογος εστιν αληθινος οτι αλλος εστιν ο σπειρων και αλλος ο θεριζων

"The word is true in this: that the sower is one, and the harvester another.

**4:38** εγω απεστειλα υμας θεριζειν ο ουχ υμεις κεκοπιακατε αλλοι κεκοπιακασιν και υμεις εις τον

κοπον αυτων εισεληλυθατε
"I have sent you to harvest what you haven't labored for. Others labored, and you entered into their labor."

**4:39** εκ δε της πολεως εκεινης πολλοι επιστευσαν εις αυτον των σαμαριτων δια τον λογον της γυναικος μαρτυρουσης οτι ειπεν μοι παντα α εποιησα
Many of the Samaritans from that city believed in Him through the word of the woman's testimony, that, "He told me all that I have done."

**4:40** ως ουν ηλθον προς αυτον οι σαμαριται ηρωτων αυτον μειναι παρ αυτοις και εμεινεν εκει δυο ημερας
As the Samaritans came to Him, then, they asked Him to stay with them. He stayed there two days,

**4:41** και πολλω πλειους επιστευσαν δια τον λογον αυτου
and many more believed through His word.

**4:42** τη τε γυναικι ελεγον [οτι] ουκετι δια την σην λαλιαν πιστευομεν αυτοι γαρ ακηκοαμεν και οιδαμεν οτι ουτος εστιν αληθως ο σωτηρ του κοσμου
They said to the woman, "We no longer believe through your speech, for we ourselves have heard and known that this truly is the Savior of the world."

### Jesus Returns to Galilee

**4:43** μετα δε τας δυο ημερας εξηλθεν εκειθεν εις την γαλιλαιαν
After the two days, He went out from there into Galilee,

**4:44** αυτος γαρ ιησους εμαρτυρησεν οτι προφητης εν τη ιδια πατριδι τιμην ουκ εχει
for Jesus Himself testified that *a* prophet has no honor in his own country.

**4:45** οτε ουν ηλθεν εις την γαλιλαιαν εδεξαντο αυτον οι γαλιλαιοι παντα εωρακοτες οσα εποιησεν εν ιεροσολυμοις εν τη εορτη και αυτοι γαρ ηλθον εις την εορτην
When He came into Galilee, then, the Galileans received Him, having seen all, as much as He did among Jerusalemites at the feast – for they too went to the feast.

### Jesus Heals a Ruler's Son

**4:46** ηλθεν ουν παλιν εις την κανα της γαλιλαιας οπου εποιησεν το υδωρ οινον και ην τις βασιλικος ου ο υιος ησθενει εν καφαρναουμ
He came again into Cana of Galilee where He made the water wine, and *there* was *a* certain royal *official* whose son was sick in Capernaum.

**4:47** ουτος ακουσας οτι ιησους ηκει εκ της ιουδαιας εις την γαλιλαιαν απηλθεν προς αυτον και ηρωτα ινα καταβη και ιασηται αυτου τον υιον ημελλεν γαρ αποθνησκειν
This *man*, having heard that Jesus comes from Judea into Galilee, went out to Him and begged Him that He go down and heal his son, for he was about to die.

**4:48** ειπεν ουν ο ιησους προς αυτον εαν μη σημεια και τερατα ιδητε ου μη πιστευσητε

Jesus said to him, "Unless you see signs and wonders, you won't believe."

**4:49** λεγει προς αυτον ο βασιλικος κυριε καταβηθι πριν αποθανειν το παιδιον μου
The royal *official* says to Him, "Sir, come down before my child dies!"

**4:50** λεγει αυτω ο ιησους πορευου ο υιος σου ζη επιστευσεν ο ανθρωπος τω λογω ον ειπεν αυτω ο ιησους και επορευετο
Jesus says to him, "Go. Your son lives."

The man believed the word Jesus spoke to him, and he went.

**4:51** ηδη δε αυτου καταβαινοντος οι δουλοι αυτου υπηντησαν αυτω λεγοντες οτι ο παις αυτου ζη
*While* he *was* already going down, his slaves met him, saying that his child lives.

**4:52** επυθετο ουν την ωραν παρ αυτων εν η κομψοτερον εσχεν ειπαν ουν αυτω οτι εχθες ωραν εβδομην αφηκεν αυτον ο πυρετος
He inquired from them the hour in which the recovery took hold. They said to him that, "Yesterday at the seventh hour the fever released him."

**4:53** εγνω ουν ο πατηρ οτι εκεινη τη ωρα εν η ειπεν αυτω ο ιησους ο υιος σου ζη και επιστευσεν αυτος και η οικια αυτου ολη
The father knew that in that very hour Jesus said to him, "Your son

lives," and he believed, and all his household.

**4:54** τουτο [δε] παλιν δευτερον σημειον εποιησεν ο ιησους ελθων εκ της ιουδαιας εις την γαλιλαιαν
[Yet] Jesus worked this second sign again, coming from Judea to Galilee.

## John 5
### A Healing at Bethzatha

**5:1** μετα ταυτα ην εορτη των ιουδαιων και ανεβη ιησους εις ιεροσολυμα
*A* feast of the Jews was after these *events*, and Jesus went up to Jerusalem.

**5:2** εστιν δε εν τοις ιεροσολυμοις επι τη προβατικη κολυμβηθρα η επιλεγομενη εβραιστι βηθζαθα πεντε στοας εχουσα
*There* is among the Jerusalemites at the sheep pool[12] the *one* called Bethzatha in Hebrew, having five porticos.

**5:3** εν ταυταις κατεκειτο πληθος των ασθενουντων τυφλων χωλων ξηρων
*A* multitude of the sick, blind, lame, *and* paralyzed was placed in these *porticos.*[13]

[4] **5:5** ην δε τις ανθρωπος εκει τριακοντα [και] οκτω ετη εχων εν τη ασθενεια αυτου
*A* certain man was there, having thirty-eight years in his sickness.

**5:6** τουτον ιδων ο ιησους κατακειμενον και γνους οτι πολυν ηδη χρονον εχει λεγει αυτω θελεις υγιης γενεσθαι
Jesus, seeing him and knowing that

already he has much time *in his illness*, says to him, "Do you want to become whole?"

**5:7** απεκριθη αυτω ο ασθενων κυριε ανθρωπον ουκ εχω ινα οταν ταραχθη το υδωρ βαλη με εις την κολυμβηθραν εν ω δε ερχομαι εγω αλλος προ εμου καταβαινει
The sick *man* answered Him, "Sir, I have no man that when the water is stirred he can put me into the pool. While I am coming, another goes down before me."

**5:8** λεγει αυτω ο ιησους εγειρε αρον τον κραβαττον σου και περιπατει
Jesus says to him, "Get up, take your cot, and walk."

**5:9** και ευθεως εγενετο υγιης ο ανθρωπος και ηρεν τον κραβαττον αυτου και περιεπατει ην δε σαββατον εν εκεινη τη ημερα
The man became whole at once, and took up his cot, and walked. Yet it was the Sabbath on that day.

### Controversy over the Sabbath
**5:10** ελεγον ουν οι ιουδαιοι τω τεθεραπευμενω σαββατον εστιν και ουκ εξεστιν σοι αραι τον κραβαττον
The Jews then began saying to the *one* healed, "It is the Sabbath, and it isn't lawful to you to take up your cot."

**5:11** ος δε απεκριθη αυτοις ο ποιησας με υγιη εκεινος μοι ειπεν αρον τον κραβαττον σου και περιπατει
He said to them, "The *one* having made me whole, that *man* said to me, 'Take up your cot and walk'."

**5:12** ηρωτησαν αυτον τις εστιν ο ανθρωπος ο ειπων σοι αρον και περιπατει
They asked him, "Who is the man saying to you, 'Take up and walk'?"

**5:13** ο δε ιαθεις ουκ ηδει τις εστιν ο γαρ ιησους εξενευσεν οχλου οντος εν τω τοπω
The healed *one* didn't know who he is, for Jesus had gone out, *a* crowd being in the place.
**5:14** μετα ταυτα ευρισκει αυτον [ο] ιησους εν τω ιερω και ειπεν αυτω ιδε υγιης γεγονας μηκετι αμαρτανε ινα μη χειρον σοι τι γενηται
After these *things*, Jesus finds him in the temple. He said to him, "Look! You've become whole. Sin no more, that something worse not happen to you."

**5:15** απηλθεν ο ανθρωπος και ειπεν τοις ιουδαιοις οτι ιησους εστιν ο ποιησας αυτον υγιη
The man went out and said to the Jews that Jesus is the *man* having made him whole.

### The Jews Persecute Jesus
**5:16** και δια τουτο εδιωκον οι ιουδαιοι τον ιησουν οτι ταυτα εποιει εν σαββατω
For this *reason*, the Jews persecuted Jesus, because He was doing these

*things* on the Sabbath.

**5:17** ο δε απεκρινατο αυτοις ο πατηρ μου εως αρτι εργαζεται καγω εργαζομαι

He answered them, "My Father is working until now, and I am working too."

**5:18** δια τουτο ουν μαλλον εζητουν αυτον οι ιουδαιοι αποκτειναι οτι ου μονον ελυεν το σαββατον αλλα και πατερα ιδιον ελεγεν τον θεον ισον εαυτον ποιων τω θεω

For this *reason*, the Jews sought more to kill *Him*: because He not only broke the Sabbath, but was saying God *was* His own Father, making Himself equal to God.

### I Can't Do Anything

**5:19** απεκρινατο ουν [ο ιησους] και ελεγεν αυτοις αμην αμην λεγω υμιν ου δυναται ο υιος ποιειν αφ εαυτου ουδεν εαν μη τι βλεπη τον πατερα ποιουντα α γαρ αν εκεινος ποιη ταυτα και ο υιος ομοιως ποιει

Jesus answered and began saying to them, "Amen, amen, I say to you that the Son can't do anything of Himself unless He sees the Father doing it. Whatever that *One* does, the Son also does these likewise.

**5:20** ο γαρ πατηρ φιλει τον υιον και παντα δεικνυσιν αυτω α αυτος ποιει και μειζονα τουτων δειξει αυτω εργα ινα υμεις θαυμαζητε

"For the Father loves the Son, and shows Him all that He does, and He will show Him greater works than these, that you may marvel.

**5:21** ωσπερ γαρ ο πατηρ εγειρει τους νεκρους και ζωοποιει ουτως και ο υιος ους θελει ζωοποιει

"Just as the Father raises the dead and makes alive, so also the Son makes alive *those* whom He wants.

**5:22** ουδε γαρ ο πατηρ κρινει ουδενα αλλα την κρισιν πασαν δεδωκεν τω υιω

"The Father judges no one, but has given all the judgment to the Son,

**5:23** ινα παντες τιμωσιν τον υιον καθως τιμωσιν τον πατερα ο μη τιμων τον υιον ου τιμα τον πατερα τον πεμψαντα αυτον

"that all may honor the Son just as they honor the Father. The *one* not honoring the Son does not honor the Father, the *One* having sent Him.

### Who Hears and Believes

**5:24** αμην αμην λεγω υμιν οτι ο τον λογον μου ακουων και πιστευων τω πεμψαντι με εχει ζωην αιωνιον και εις κρισιν ουκ ερχεται αλλα μεταβεβηκεν εκ του θανατου εις την ζωην

"Amen, amen, I say to you that the *one* hearing my word and believing the *One* having sent me has eternal life and does not come into judgment, but has crossed over from the death into the life.

**5:25** αμην αμην λεγω υμιν οτι ερχεται ωρα και νυν εστιν οτε οι νεκροι ακουσουσιν της φωνης του υιου του θεου και οι ακουσαντες ζησουσιν

"Amen, amen, I say to you that *an* hour comes and now is when the dead will hear the voice of the Son of God, and the *ones* having heard will live.

**5:26** ωσπερ γαρ ο πατηρ εχει ζωην εν εαυτω ουτως και τω υιω εδωκεν ζωην εχειν εν εαυτω

"Just as the Father has life in Himself, so He has also given the Son to have life in Himself.

**5:27** και εξουσιαν εδωκεν αυτω κρισιν ποιειν οτι υιος ανθρωπου εστιν

"He has given Him authority to work judgment because He is man's Son.

## About the Resurrection

**5:28** μη θαυμαζετε τουτο οτι ερχεται ωρα εν η παντες οι εν τοις μνημειοις ακουσουσιν της φωνης αυτου

"Don't be amazed at this, that *an* hour comes in which all those in the tombs will hear His voice,

**5:29** και εκπορευσονται οι τα αγαθα ποιησαντες εις αναστασιν ζωης οι τα φαυλα πραξαντες εις αναστασιν κρισεως

"and will come out: those doing the good to the resurrection of life; those practicing the wrong into the resurrection of judgment.

**5:30** ου δυναμαι εγω ποιειν απ εμαυτου ουδεν καθως ακουω κρινω και η κρισις η εμη δικαια εστιν οτι ου ζητω το θελημα το εμον αλλα το θελημα του πεμψαντος με

"I can do nothing of myself. As I hear, I judge, and my judgment is righteous because I don't seek my will, but the will of the *One* having sent me.

**5:31** εαν εγω μαρτυρω περι εμαυτου η μαρτυρια μου ουκ εστιν αληθης

"If I testify about myself, my testimony is not true.

**5:32** αλλος εστιν ο μαρτυρων περι εμου και οιδα οτι αληθης εστιν η μαρτυρια ην μαρτυρει περι εμου

"Another is the *One* testifying about me, and I know that the testimony which He testifies about me is true.

## Whose Testimony

**5:33** υμεις απεσταλκατε προς ιωαννην και μεμαρτυρηκεν τη αληθεια

"You sent to John, and he has testified to the truth.

**5:34** εγω δε ου παρα ανθρωπου την μαρτυριαν λαμβανω αλλα ταυτα λεγω ινα υμεις σωθητε

"I do not receive the testimony from man, but I say these *things* that you may be saved.

**5:35** εκεινος ην ο λυχνος ο καιομενος και φαινων υμεις δε ηθελησατε αγαλλιαθηναι προς ωραν εν τω φωτι αυτου

"That *man* was the burning and shining light. You were willing to rejoice for *an* hour in his light.

**5:36** εγω δε εχω την μαρτυριαν μειζω του ιωαννου τα γαρ εργα α δεδωκεν μοι ο πατηρ ινα τελειωσω αυτα αυτα τα εργα α ποιω μαρτυρει περι εμου οτι ο πατηρ με απεσταλκεν

"Yet I have *a* greater testimony than John. The works which the Father has given me that I complete them, these works which I do testify about me that the Father has sent me.

## The Father Himself Testifies

**5:37** και ο πεμψας με πατηρ εκεινος μεμαρτυρηκεν περι εμου ουτε φωνην αυτου πωποτε ακηκοατε ουτε ειδος αυτου εωρακατε

"The Father having sent me, He testifies about me. You have never heard His voice nor have you seen His image,

**5:38** και τον λογον αυτου ουκ εχετε εν υμιν μενοντα οτι ον απεστειλεν εκεινος τουτω υμεις ου πιστευετε

"and you don't have His word dwelling in you, because *the One* whom He sent, this *one* you haven't believed.

**5:39** εραυνατε τας γραφας οτι υμεις δοκειτε εν αυταις ζωην αιωνιον εχειν και εκειναι εισιν αι μαρτυρουσαι περι εμου

"You search the scriptures because you think to have eternal life in them, and these are the *ones* testifying about me.

**5:40** και ου θελετε ελθειν προς με ινα ζωην εχητε

"You don't want to come to me that you may have life.

**5:41** δοξαν παρα ανθρωπων ου λαμβανω

"I don't receive glory from men,

**5:42** αλλα εγνωκα υμας οτι την αγαπην του θεου ουκ εχετε εν εαυτοις

"but I've known you, that you don't have the love of God in yourselves.

**5:43** εγω εληλυθα εν τω ονοματι του πατρος μου και ου λαμβανετε με εαν αλλος ελθη εν τω ονοματι τω ιδιω εκεινον λημψεσθε

"I have come forth in the name of my Father, and you don't receive me. If another comes in his own name, that *one* you will receive.

**5:44** πως δυνασθε υμεις πιστευσαι δοξαν παρα αλληλων λαμβανοντες και την δοξαν την παρα του μονου [θεου] ου ζητειτε

"How can you believe, receiving glory from one another, and you don't seek the glory from the only [God]?

## I Won't Accuse You

**5:45** μη δοκειτε οτι εγω κατηγορησω υμων προς τον πατερα εστιν ο κατηγορων υμων μωυσης εις ον υμεις ηλπικατε

"Don't think that I will accuse you with the Father. Moses is the *one* accusing you, the *one* in whom you've hoped.

**5:46** ει γαρ επιστευετε μωυσει επιστευετε αν εμοι περι γαρ εμου εκεινος εγραψεν

"If you believed Moses, you would have believed me also, for he wrote about me.

**5:47** ει δε τοις εκεινου γραμμασιν ου πιστευετε πως τοις εμοις ρημασιν πιστευσετε

"Yet if you haven't believed his writings, how will you believe the words about me?"

## John 6
## Jesus Feeds a Multitude

**6:1** μετα ταυτα απηλθεν ο ιησους περαν της θαλασσης της γαλιλαιας της τιβεριαδος

After these *things*, Jesus went away across the Sea of Galilee, of Tiberias.

**6:2** ηκολουθει δε αυτω οχλος πολυς οτι εθεωρουν τα σημεια α εποιει επι των ασθενουντων

*A* great crowd was following Him because they saw the signs that He worked on the sick.

**6:3** ανηλθεν δε εις το ορος ιησους και εκει εκαθητο μετα των μαθητων αυτου

Jesus went up the mountain and sat there with His disciples.

**6:4** ην δε εγγυς το πασχα η εορτη των ιουδαιων

The Passover was near, the feast of the Jews.

**6:5** επαρας ουν τους οφθαλμους ο ιησους και θεασαμενος οτι πολυς οχλος ερχεται προς αυτον λεγει προς φιλιππον ποθεν αγορασωμεν αρτους ινα φαγωσιν ουτοι

Then Jesus, having lifted up the eyes and seeing the great crowd comes to Him, says to Philip, "Where can we buy bread so these can eat?"

**6:6** τουτο δε ελεγεν πειραζων αυτον αυτος γαρ ηδει τι εμελλεν ποιειν

He was saying this testing him, for He knew what He was about to do.

**6:7** απεκριθη αυτω φιλιππος διακοσιων δηναριων αρτοι ουκ αρκουσιν αυτοις ινα εκαστος βραχυ λαβη

Philip answered Him, "Two hundred denarii[14] wouldn't buy bread for them so each could take *a* little."

**6:8** λεγει αυτω εις εκ των μαθητων αυτου ανδρεας ο αδελφος σιμωνος πετρου

One of His disciples, Andrew, the brother of Simon Peter, says to Him,

**6:9** εστιν παιδαριον ωδε ος εχει πεντε αρτους κριθινους και δυο οψαρια αλλα ταυτα τι εστιν εις τοσουτους

"*A* boy is here who has five barley loaves and two fish, but what is this among so many?"

**6:10** ειπεν ο ιησους ποιησατε τους ανθρωπους αναπεσειν ην δε χορτος πολυς εν τω τοπω ανεπεσαν ουν οι ανδρες τον αριθμον ως πεντακισχιλιοι

Jesus said, "Make the men sit down."

*There* was much grass in the place. The men sat down, then, the number like five thousand.

**6:11** ελαβεν ουν τους αρτους ο ιησους και ευχαριστησας διεδωκεν τοις ανακειμενοις ομοιως και εκ των οψαριων οσον ηθελον

Jesus took the loaves, and having given thanks, He distributed to those sitting down; likewise also from the fish, as much as they wanted.

**6:12** ως δε ενεπλησθησαν λεγει τοις μαθηταις αυτου συναγαγετε τα περισσευσαντα κλασματα ινα μη τι απoληται

As they were full, He says to his disciples, "Gather the leftover pieces, that nothing be lost."

**6:13** συνηγαγον ουν και εγεμισαν δωδεκα κοφινους κλασματων εκ των πεντε αρτων των κριθινων α επερισσευσαν τοις βεβρωκοσιν

Then they gathered and filled twelve baskets of fragments from the five barley loaves which were left over to those having eaten.

### The Multitude
### Wants to Make Jesus King

**6:14** οι ουν ανθρωποι ιδοντες α εποιησεν σημεια ελεγον οτι ουτος εστιν αληθως ο προφητης ο ερχομενος εις τον κοσμον

The men, seeing the sign which He worked, began saying that, "This truly is the prophet coming into the world."

**6:15** ιησους ουν γνους οτι μελλουσιν ερχεσθαι και αρπαζειν αυτον ινα ποιησωσιν βασιλεα ανεχωρησεν παλιν εις το ορος αυτος μονος

Then Jesus, knowing that they are about to come and take Him by force so they could make *Him* king, withdrew again to the mountain, He alone.

### Jesus Walks on the Sea

**6:16** ως δε οψια εγενετο κατεβησαν οι μαθηται αυτου επι την θαλασσαν

As evening came, His disciples went down onto the sea.

**6:17** και εμβαντες εις πλοιον ηρχοντο περαν της θαλασσης εις καφαρναουμ και σκοτια ηδη εγεγονει και ουπω εληλυθει προς αυτους ο ιησους

Going up onto *a* boat, they began to cross the sea to Capernaum. Darkness had already fallen, and Jesus had not yet come to them,

**6:18** η τε θαλασσα ανεμου μεγαλου πνεοντος διεγειρετο

and the sea surged from *a* great wind blowing.

**6:19** εληλακοτες ουν ως σταδιους εικοσι πεντε η τριακοντα θεωρουσιν τον ιησουν περιπατουντα επι της θαλασσης και εγγυς του πλοιου γινομενον και εφοβηθησαν

Having rowed, then, around twenty-five or thirty stadia[15], they see Jesus walking on the sea and coming near the boat, and they were frightened.

**6:20** ο δε λεγει αυτοις εγω ειμι μη φοβεισθε

He says to them, "I am. Don't be afraid."

**6:21** ηθελον ουν λαβειν αυτον εις το πλοιον και ευθεως εγενετο το πλοιον επι της γης εις ην υπηγον

Then they wanted to take Him into the boat, and at once the boat came upon the land to which they were going.

### The Crowd Pursues Jesus

**6:22** τη επαυριον ο οχλος ο εστηκως περαν της θαλασσης ειδον οτι πλοιαριον αλλο ουκ ην εκει ει μη εν και οτι ου συνεισηλθεν τοις μαθηταις αυτου ο ιησους εις το πλοιον αλλα μονοι οι μαθηται αυτου απηλθον

The following morning, the crowd which stood across the sea saw that no other boat was there except one, and that Jesus had not gone up into the boat with His disciples, but His disciples had gone away alone.

**6:23** αλλα ηλθεν πλοια εκ τιβεριαδος εγγυς του τοπου οπου εφαγον τον αρτον ευχαριστησαντος του κυριου

Boats came from Tiberias, near the place where they ate the bread, the Lord having given thanks.

**6:24** οτε ουν ειδεν ο οχλος οτι ιησους ουκ εστιν εκει ουδε οι μαθηται αυτου ενεβησαν αυτοι εις τα πλοιαρια και ηλθον εις καφαρναουμ ζητουντες τον ιησουν

When the crowd saw that Jesus is not there nor His disciples, they went up into the small boats and came to Capernaum, seeking Jesus.

**6:25** και ευροντες αυτον περαν της θαλασσης ειπον αυτω ραββι ποτε ωδε γεγονας

Finding Him across the sea, they said to Him, "Rabbi, when did you come here?"

**6:26** απεκριθη αυτοις ο ιησους και ειπεν αμην αμην λεγω υμιν ζητειτε με ουχ οτι ειδετε σημεια αλλ οτι εφαγετε εκ των αρτων και εχορτασθητε

Jesus answered them and said, "Amen, amen, I say to you, you seek me not because you saw signs, but because you ate from the bread and were full.

**6:27** εργαζεσθε μη την βρωσιν την απολλυμενην αλλα την βρωσιν την μενουσαν εις ζωην αιωνιον ην ο υιος του ανθρωπου υμιν δωσει τουτου γαρ ο πατηρ εσφραγισεν ο θεος

"Don't work for the perishing bread, but the bread remaining to eternal life, which the Son of Man will give you – for God the Father has sealed Him."

**6:28** ειπον ουν προς αυτον τι ποιωμεν ινα εργαζωμεθα τα εργα του θεου

Then they said to Him, "What should we do that we may work the works of God?"

**6:29** απεκριθη ο ιησους και ειπεν αυτοις τουτο εστιν το εργον του θεου ινα πιστευητε εις ον απεστειλεν εκεινος

Jesus answered and said to them, "This is the work of God: that you believe in *the One* whom He sent."

**6:30** ειπον ουν αυτω τι ουν ποιεις συ σημειον ινα ιδωμεν και πιστευσωμεν σοι τι εργαζη

They said to Him, "What sign are you doing that we may see and believe you? What are you working?

**6:31** οι πατερες ημων το μαννα εφαγον εν τη ερημω καθως εστιν γεγραμμενον αρτον εκ του ουρανου εδωκεν αυτοις φαγειν

"Our fathers ate the manna in the desert, even as is written:

'He gave them bread
from the sky to eat.'"[16]

**6:32** ειπεν ουν αυτοις ο ιησους αμην αμην λεγω υμιν ου μωυσης εδωκεν υμιν τον αρτον εκ του ουρανου αλλ ο πατηρ μου διδωσιν υμιν τον αρτον εκ του ουρανου τον αληθινον

Jesus said to them, "Amen, amen, I say to you, Moses didn't give you the bread from the sky, but my Father gives you the true bread from the sky.

**6:33** ο γαρ αρτος του θεου εστιν ο καταβαινων εκ του ουρανου και ζωην διδους τω κοσμω

"The bread of God is the *One* coming down from the sky and giving life to the world."

**6:34** ειπον ουν προς αυτον κυριε παντοτε δος ημιν τον αρτον τουτον

They said to Him, "Sir, give us this bread always!"

**6:35** ειπεν αυτοις ο ιησους εγω ειμι ο αρτος της ζωης ο ερχομενος προς εμε ου μη πειναση και ο πιστευων εις εμε ου μη διψησει πωποτε

Jesus said to them, "I am the bread of life. The *one* coming to me will not hunger, and the *one* believing in me will never thirst.

**6:36** αλλ ειπον υμιν οτι και εωρακατε [με] και ου πιστευετε

"I said to you that you've seen me and you don't believe.

**6:37** παν ο διδωσιν μοι ο πατηρ προς εμε ηξει και τον ερχομενον προς με ου μη εκβαλω εξω

"All the Father gives me will come to me, and I will by no means throw out the *one* coming to me;

**6:38** οτι καταβεβηκα απο του ουρανου ουχ ινα ποιω το θελημα το εμον αλλα το θελημα του πεμψαντος με

"because I have come down from the sky not that I do my will, but the will of the *One* having sent me.

**6:39** τουτο δε εστιν το θελημα του πεμψαντος με ινα παν ο δεδωκεν μοι μη απολεσω εξ αυτου αλλα αναστησω αυτο τη εσχατη ημερα

"This is the will of the *One* having sent me: that I lose nothing of all that He has given me, but I will raise it on the last day.

**6:40** τουτο γαρ εστιν το θελημα του πατρος μου ινα πας ο θεωρων τον υιον και πιστευων εις αυτον εχη ζωην αιωνιον και αναστησω αυτον εγω τη εσχατη ημερα

"This is the will of my Father: that everyone seeing the Son and believing in Him will have eternal life, and I will raise him on the last day."

### The Jews Complain

**6:41** εγογγυζον ουν οι ιουδαιοι περι αυτου οτι ειπεν εγω ειμι ο αρτος ο καταβας εκ του ουρανου

Then the Jews complained about Him because He said, "I am the bread having come down from the sky."

**6:42** και ελεγον ουχι ουτος εστιν ιησους ο υιος ιωσηφ ου ημεις οιδαμεν τον πατερα και την μητερα πως νυν λεγει οτι εκ του ουρανου καταβεβηκα

They began saying, "Isn't this Jesus, the son of Joseph, of whom we know the father and the mother? How does He now say that, 'I have come down from the sky'?"

**6:43** απεκριθη ιησους και ειπεν αυτοις μη γογγυζετε μετ αλληλων
Jesus answered and said to them, "Don't complain with each other.

**6:44** ουδεις δυναται ελθειν προς με εαν μη ο πατηρ ο πεμψας με ελκυση αυτον καγω αναστησω αυτον εν τη εσχατη ημερα
"No one can come to me unless the Father having sent me draws him – and I will raise him on the last day.

**6:45** εστιν γεγραμμενον εν τοις προφηταις και εσονται παντες διδακτοι θεου πας ο ακουσας παρα του πατρος και μαθων ερχεται προς εμε
"It is written in the prophets:

'All will be taught of God'.[17]

"Everyone having heard from and learning from the Father comes to me,

**6:46** ουχ οτι τον πατερα εωρακεν τις ει μη ο ων παρα [του] θεου ουτος εωρακεν τον πατερα
"not that anyone has seen the Father except the *one* being from the Father. This *One* has seen the Father.

**6:47** αμην αμην λεγω υμιν ο πιστευων εχει ζωην αιωνιον
"Amen, amen, I say to you, the *one* believing has eternal life.

**6:48** εγω ειμι ο αρτος της ζωης
"I am the bread of life.

**6:49** οι πατερες υμων εφαγον εν τη ερημω το μαννα και απεθανον
"Your fathers ate the manna in the desert and died.

**6:50** ουτος εστιν ο αρτος ο εκ του ουρανου καταβαινων ινα τις εξ αυτου φαγη και μη αποθανη
"This is the bread coming down from the sky, that someone eats from it will not die.

**6:51** εγω ειμι ο αρτος ο ζων ο εκ του ουρανου καταβας εαν τις φαγη εκ τουτου του αρτου ζησει εις τον αιωνα και ο αρτος δε ον εγω δωσω η σαρξ μου εστιν υπερ της του κοσμου ζωης
"I am the living bread having come down from the sky. If someone eats from this bread he will live in eternity, and the bread which I will give for the world's life is my flesh."

## How Can He Give Us His Flesh?
**6:52** εμαχοντο ουν προς αλληλους οι ιουδαιοι λεγοντες πως δυναται ουτος ημιν δουναι την σαρκα [αυτου] φαγειν
Then the Jews complained among themselves, saying, "How can this *man* give us [His] flesh to eat?"

**6:53** ειπεν ουν αυτοις [ο] ιησους αμην αμην λεγω υμιν εαν μη φαγητε την σαρκα του υιου του ανθρωπου και πιητε αυτου το αιμα ουκ εχετε ζωην εν εαυτοις
Jesus said to them, "Amen, amen, I say to you, unless you eat the flesh of the Son of Man and drink His blood, you do not have life in yourselves.

**6:54** ο τρωγων μου την σαρκα και πινων μου το αιμα εχει ζωην αιωνιον

καγω αναστησω αυτον τη εσχατη
ημερα
"The *one* eating my flesh and
drinking my blood has eternal life,
and I will raise him on the last day –
**6:55** η γαρ σαρξ μου αληθης εστιν
βρωσις και το αιμα μου αληθης εστιν
ποσις
"for my flesh is true food, and my
blood is true drink.
**6:56** ο τρωγων μου την σαρκα και
πινων μου το αιμα εν εμοι μενει
καγω εν αυτω
"The *one* eating my flesh and
drinking my blood remains in me,
and I in him.
**6:57** καθως απεστειλεν με ο ζων
πατηρ καγω ζω δια τον πατερα και ο
τρωγων με κακεινος ζησει δι εμε
"Just as the living Father sent me and
I live through the Father, the *one*
eating me also, that *one* will live
through me.
**6:58** ουτος εστιν ο αρτος ο εξ
ουρανου καταβας ου καθως εφαγον
οι πατερες και απεθανον ο τρωγων
τουτον τον αρτον ζησει εις τον
αιωνα
"This is the bread having come down
from heaven, not as your fathers ate
and they died. The *one* eating this
bread will live in eternity."

**6:59** ταυτα ειπεν εν συναγωγη
διδασκων εν καφαρναουμ
He said these *things*, teaching in the
synagogue in Capernaum.

### Many Turn Away
**6:60** πολλοι ουν ακουσαντες εκ των

μαθητων αυτου ειπαν σκληρος εστιν
ο λογος ουτος τις δυναται αυτου
ακουειν
Then many of His disciples, having
heard, said, "This word is hard.
Who can listen to it?"

**6:61** ειδως δε ο ιησους εν εαυτω οτι
γογγυζουσιν περι τουτου οι μαθηται
αυτου ειπεν αυτοις τουτο υμας
σκανδαλιζει
Jesus, knowing in Himself that His
disciples complain about this, said to
them, "Are you scandalized by this?
**6:62** εαν ουν θεωρητε τον υιον του
ανθρωπου αναβαινοντα οπου ην το
προτερον
"What if you see the Son of Man
going up where He was before?
**6:63** το πνευμα εστιν το ζωοποιουν
η σαρξ ουκ ωφελει ουδεν τα ρηματα
α εγω λελαληκα υμιν πνευμα εστιν
και ζωη εστιν
"The Spirit is the *One* giving life.
The flesh profits nothing. The words
which I have spoken to you are Spirit
and are life.
**6:64** αλλ εισιν εξ υμων τινες οι ου
πιστευουσιν ηδει γαρ εξ αρχης ο
ιησους τινες εισιν οι μη πιστευοντες
και τις εστιν ο παραδωσων αυτον
"But some of you are those who
don't believe."

(Jesus knew from the beginning who
are the *ones* not believing, and who
is the *one* betraying Him.)

**6:65** και ελεγεν δια τουτο ειρηκα
υμιν οτι ουδεις δυναται ελθειν προς

με εαν μη η δεδομενον αυτω εκ του πατρος

He began saying, "For this *reason,* I've said to you that no one can come to me unless it be given him from the Father."

**6:66** εκ τουτου πολλοι εκ των μαθητων αυτου απηλθον εις τα οπισω και ουκετι μετ αυτου περιεπατουν

From this, many of His disciples went away from following, and no longer walked with Him.

**6:67** ειπεν ουν ο ιησους τοις δωδεκα μη και υμεις θελετε υπαγειν

Then Jesus said to the twelve, "Do you want to go away too?"

**6:68** απεκριθη αυτω σιμων πετρος κυριε προς τινα απελευσομεθα ρηματα ζωης αιωνιου εχεις

Simon Peter answered him, "Lord, to whom would we go? You have words of eternal life.

**6:69** και ημεις πεπιστευκαμεν και εγνωκαμεν οτι συ ει ο αγιος του θεου

"We have believed and known that you are the Holy *One* of God."

**6:70** απεκριθη αυτοις ο ιησους ουκ εγω υμας τους δωδεκα εξελεξαμην και εξ υμων εις διαβολος εστιν

Jesus answered them, "Haven't I chosen you twelve? And one of you is *a* devil."

**6:71** ελεγεν δε τον ιουδαν σιμωνος ισκαριωτου ουτος γαρ εμελλεν

παραδιδοναι αυτον εις εκ των δωδεκα

He was speaking of Judas Simon Iscariot, for he was about to betray Him – one of the twelve.

## John 7
### Jesus' Brothers Disbelieve

**7:1** και μετα ταυτα περιεπατει [ο] ιησους εν τη γαλιλαια ου γαρ ηθελεν εν τη ιουδαια περιπατειν οτι εζητουν αυτον οι ιουδαιοι αποκτειναι

After these *events,* Jesus began moving around in Galilee. He didn't want to move around in Judea because the Jews were seeking to kill Him.

**7:2** ην δε εγγυς η εορτη των ιουδαιων η σκηνοπηγια

Tabernacles, the feast of the Jews, was near.

**7:3** ειπον ουν προς αυτον οι αδελφοι αυτου μεταβηθι εντευθεν και υπαγε εις την ιουδαιαν ινα και οι μαθηται σου θεωρησουσιν [σου] τα εργα α ποιεις

His brothers said to Him, "Go away from here and go to Judea, that your disciples may see the works that you do.

**7:4** ουδεις γαρ τι εν κρυπτω ποιει και ζητει αυτος εν παρρησια ειναι ει ταυτα ποιεις φανερωσον σεαυτον τω κοσμω

"No one works in secret, and he wants to be in the open. If you do these *things,* make yourself known to the world!"

**7:5** ουδε γαρ οι αδελφοι αυτου επιστευον εις αυτον

(For His brothers didn't believe in Him either.)

**7:6** λεγει ουν αυτοις ο ιησους ο καιρος ο εμος ουπω παρεστιν ο δε καιρος ο υμετερος παντοτε εστιν ετοιμος

Jesus says to them, "My time is not yet here, yet your time is always ready.

**7:7** ου δυναται ο κοσμος μισειν υμας εμε δε μισει οτι εγω μαρτυρω περι αυτου οτι τα εργα αυτου πονηρα εστιν

"The world can't hate you, yet it hates me because I testify about it that its works are wicked.

**7:8** υμεις αναβητε εις την εορτην εγω ουπω αναβαινω εις την εορτην ταυτην οτι ο εμος καιρος ουπω πεπληρωται

"You go up to the feast. I'm not going up to this feast because my time is not yet completed."

**7:9** ταυτα δε ειπων αυτοις εμεινεν εν τη γαλιλαια

Saying these *things* to them, He stayed in Galilee.

### Jesus Goes to the Feast Secretly

**7:10** ως δε ανεβησαν οι αδελφοι αυτου εις την εορτην τοτε και αυτος ανεβη ου φανερως αλλα ως εν κρυπτω

Yet as His brothers went up to the feast, then He too went up – not openly, but as in secret.

**7:11** οι ουν ιουδαιοι εζητουν αυτον εν τη εορτη και ελεγον που εστιν εκεινος

The Jews were seeking Him in the feast, and were saying, "Where is He?"

**7:12** και γογγυσμος περι αυτου ην πολυς εν τοις οχλοις οι μεν ελεγον οτι αγαθος εστιν αλλοι [δε] ελεγον ου αλλα πλανα τον οχλον

*There* was much complaining about Him among the crowds.[18] These were saying that, "He is good", yet those were saying, "No, but He deceives the crowd".

**7:13** ουδεις μεντοι παρρησια ελαλει περι αυτου δια τον φοβον των ιουδαιων

Nevertheless, no one was speaking about Him openly for the fear of the Jews.

**7:14** ηδη δε της εορτης μεσουσης ανεβη ιησους εις το ιερον και εδιδασκεν

*When* the feast *was* already half over, Jesus went up into the temple and began teaching.

**7:15** εθαυμαζον ουν οι ιουδαιοι λεγοντες πως ουτος γραμματα οιδεν μη μεμαθηκως

The Jews were amazed, saying, "How does this *man* know scriptures, not having studied?"

**7:16** απεκριθη ουν αυτοις ιησους και ειπεν η εμη διδαχη ουκ εστιν εμη αλλα του πεμψαντος με

Jesus answered them and said, "My

teaching is not mine, but of the *One* having sent me.

**7:17** εαν τις θελη το θελημα αυτου ποιειν γνωσεται περι της διδαχης ποτερον εκ του θεου εστιν η εγω απ εμαυτου λαλω

"If someone wants to do His will, he will know about the teaching – whether it is from God, or I speak from myself.

**7:18** ο αφ εαυτου λαλων την δοξαν την ιδιαν ζητει ο δε ζητων την δοξαν του πεμψαντος αυτον ουτος αληθης εστιν και αδικια εν αυτω ουκ εστιν

"The *one* speaking from himself seeks his own glory. Yet the *one* seeking the glory of the *One* having sent Him, this *man* is true and no unrighteousness is in Him.

**7:19** ου μωυσης εδωκεν υμιν τον νομον και ουδεις εξ υμων ποιει τον νομον τι με ζητειτε αποκτειναι

"Hasn't Moses given you the law? And none of you works the law. Why do you seek to kill me?"

**7:20** απεκριθη ο οχλος δαιμονιον εχεις τις σε ζητει αποκτειναι

The crowd answered, "You have *a* demon. Who seeks to kill you?"

**7:21** απεκριθη ιησους και ειπεν αυτοις εν εργον εποιησα και παντες θαυμαζετε

Jesus answered and said to them, "I did one work, and all *of you* are astounded.

**7:22** δια τουτο μωυσης δεδωκεν υμιν την περιτομην ουχ οτι εκ του μωυσεως εστιν αλλ εκ των πατερων

και [εν] σαββατω περιτεμνετε ανθρωπον

"For this *reason*, Moses has given you circumcision (not that it is from Moses, but from the fathers), and you circumcise *a* man on the Sabbath.

**7:23** ει περιτομην λαμβανει [ο] ανθρωπος εν σαββατω ινα μη λυθη ο νομος μωυσεως εμοι χολατε οτι ολον ανθρωπον υγιη εποιησα εν σαββατω

"If *a* man receives circumcision on the Sabbath that the law of Moses not be loosed, are you angry with me because I made *a* man whole on the Sabbath?

**7:24** μη κρινετε κατ οψιν αλλα την δικαιαν κρισιν κρινετε

"Don't judge by the obvious, but judge *a* righteous judgment!"

**7:25** ελεγον ουν τινες εκ των ιεροσολυμιτων ουχ ουτος εστιν ον ζητουσιν αποκτειναι

Then some of the Jerusalemites began saying, "Isn't He the *one* whom they seek to kill?

**7:26** και ιδε παρρησια λαλει και ουδεν αυτω λεγουσιν μηποτε αληθως εγνωσαν οι αρχοντες οτι ουτος εστιν ο χριστος

"Look! He speaks openly, and no one says anything to Him. Perhaps the rulers truly recognized that this is the Christ.[19]

**7:27** αλλα τουτον οιδαμεν ποθεν εστιν ο δε χριστος οταν ερχηται ουδεις γινωσκει ποθεν εστιν

"But we know where this *man* is

from. Yet the Christ, when He comes, no one knows where He is from."

### Jesus Teaches in the Temple
**7:28** εκραξεν ουν εν τω ιερω διδασκων [ο] ιησους και λεγων καμε οιδατε και οιδατε ποθεν ειμι και απ εμαυτου ουκ εληλυθα αλλ εστιν αληθινος ο πεμψας με ον υμεις ουκ οιδατε
Then Jesus cried out, teaching in the temple and saying, "Have you known me and have you known where I am from? Yet I have not come out from myself, and the *One* having sent me is true, whom you do not know.
**7:29** εγω οιδα αυτον οτι παρ αυτου ειμι κακεινος με απεστειλεν
"I've known Him, because I am from Him and He sent me."

**7:30** εζητουν ουν αυτον πιασαι και ουδεις επεβαλεν επ αυτον την χειρα οτι ουπω εληλυθει η ωρα αυτου
They began seeking to arrest Him, then, and no one laid the hand on Him because His hour had not yet come.
**7:31** εκ του οχλου δε πολλοι επιστευσαν εις αυτον και ελεγον ο χριστος οταν ελθη μη πλειονα σημεια ποιησει ων ουτος εποιησεν
Yet many from the crowd believed in Him, and were saying, "When the Christ comes, will He do greater signs than this *man* has done?"

### The First Attempt to Arrest Jesus
**7:32** ηκουσαν οι φαρισαιοι του οχλου γογγυζοντος περι αυτου ταυτα και απεστειλαν οι αρχιερεις και οι φαρισαιοι υπηρετας ινα πιασωσιν αυτον
The Pharisees heard these *words* of the crowd complaining about Him, and the chief priests and the Pharisees sent keepers so they could arrest Him.
**7:33** ειπεν ουν ο ιησους ετι χρονον μικρον μεθ υμων ειμι και υπαγω προς τον πεμψαντα με
Jesus said, "I am with you yet *a* little while, and I go to the *One* having sent me.
**7:34** ζητησετε με και ουχ ευρησετε με και οπου ειμι εγω υμεις ου δυνασθε ελθειν
"You will seek me, and will not find me. Where I am you cannot go."

**7:35** ειπον ουν οι ιουδαιοι προς εαυτους που ουτος μελλει πορευεσθαι οτι ημεις ουχ ευρησομεν αυτον μη εις την διασποραν των ελληνων μελλει πορευεσθαι και διδασκειν τους ελληνας
Then the Jews said to themselves, "Where is He about to go that we won't find Him? Is He about to go to the diaspora[20] of the Greeks and teach the Greeks?
**7:36** τις εστιν ο λογος ουτος ον ειπεν ζητησετε με και ουχ ευρησετε με και οπου ειμι εγω υμεις ου δυνασθε ελθειν
"Who[21] is this word that He says: 'You will seek me and will not find me, and where I am you cannot go'?"

## The Last Day of the Feast

**7:37** εν δε τη εσχατη ημερα τη μεγαλη της εορτης ειστηκει ο ιησους και εκραξεν λεγων εαν τις διψα ερχεσθω προς με και πινετω
On the last day, the great day of the feast, Jesus had stood and cried out, saying, "If anyone thirsts, let him come to me and drink!

**7:38** ο πιστευων εις εμε καθως ειπεν η γραφη ποταμοι εκ της κοιλιας αυτου ρευσουσιν υδατος ζωντος
"The *one* believing in me, even as the scripture said,

'Rivers of living waters
will flow from his womb.'"[22]

**7:39** τουτο δε ειπεν περι του πνευματος ου εμελλον λαμβανειν οι πιστευσαντες εις αυτον ουπω γαρ ην πνευμα οτι ιησους ουπω εδοξασθη
He said this about the Spirit which those believing in Him were about to receive – for the Spirit was not yet, because Jesus had not yet been glorified.

**7:40** εκ του οχλου ουν ακουσαντες των λογων τουτων ελεγον [οτι] ουτος εστιν αληθως ο προφητης
Some of the crowd, having heard these words, began saying [that], "This truly is the prophet."

**7:41** αλλοι ελεγον ουτος εστιν ο χριστος οι δε ελεγον μη γαρ εκ της γαλιλαιας ο χριστος ερχεται
Others were saying, "This is the Christ."

Yet others were saying, "No, for the Christ does not come from Galilee.

**7:42** ουχ η γραφη ειπεν οτι εκ του σπερματος δαυιδ και απο βηθλεεμ της κωμης οπου ην δαυιδ ερχεται ο χριστος
"Doesn't the scripture say the Christ comes from the seed of David and from Bethlehem, the village where David was?"

**7:43** σχισμα ουν εγενετο εν τω οχλω δι αυτον
*A* schism about Him happened, then, among the crowd.

**7:44** τινες δε ηθελον εξ αυτων πιασαι αυτον αλλ ουδεις εβαλεν επ αυτον τας χειρας
Some of them wanted to arrest Him, but no one laid the hands on Him.

**7:45** ηλθον ουν οι υπηρεται προς τους αρχιερεις και φαρισαιους και ειπον αυτοις εκεινοι δια τι ουκ ηγαγετε αυτον
Then the keepers came to the chief priests and Pharisees, and they said to them, "Why didn't you bring Him?"

**7:46** απεκριθησαν οι υπηρεται ουδεποτε ελαλησεν ουτως ανθρωπος
The keepers answered, "No man ever spoke this way."

**7:47** απεκριθησαν ουν [αυτοις] οι φαρισαιοι μη και υμεις πεπλανησθε
The Pharisees answered [them], "Have you been deceived too?

**7:48** μη τις εκ των αρχοντων επιστευσεν εις αυτον η εκ των

φαρισαιων
"Has anyone from the rulers believed in Him, or from the Pharisees?

**7:49** αλλα ο οχλος ουτος ο μη γινωσκων τον νομον επαρατοι εισιν
"This crowd not knowing the law, they are under God's curse."

### Nicodemus Speaks Up for Jesus

**7:50** λεγει νικοδημος προς αυτους ο ελθων προς αυτον προτερον εις ων εξ αυτων
Nicodemus, the *one* coming to Him earlier, being one of them, says to them,

**7:51** μη ο νομος ημων κρινει τον ανθρωπον εαν μη ακουση πρωτον παρ αυτου και γνω τι ποιει
"Does our law judge *a* man unless it hears from him first and knows what he does?"

**7:52** απεκριθησαν και ειπαν αυτω μη και συ εκ της γαλιλαιας ει εραυνησον και ιδε οτι εκ της γαλιλαιας προφητης ουκ εγειρεται
They answered and said to him, "Are you from Galilee too? Search and see that no prophet arises from Galilee!"

**7:53** [[και επορευθησαν εκαστος εις τον οικον αυτου
[[And each one went to his own house,

### John 8

### The Woman Caught in Adultery

**8:1** ιησους δε επορευθη εις το ορος των ελαιων
yet Jesus went to the Mount of Olives.

**8:2** ορθρου δε παλιν παρεγενετο εις το ιερον [και πας ο λαος ηρχετο προς αυτον και καθισας εδιδασκεν αυτους]
At early morning He again arrived in the temple [and the whole people came to Him. Having sat down, He began teaching them].

**8:3** αγουσιν δε οι γραμματεις και οι φαρισαιοι γυναικα επι μοιχεια κατειλημμενην και στησαντες αυτην εν μεσω
The writers and the Pharisees lead *a* woman apprehended in adultery and, standing her in the midst,

**8:4** λεγουσιν αυτω διδασκαλε αυτη η γυνη κατειληπται επ αυτοφωρω μοιχευομενη
they say to Him, "Teacher, this woman was apprehended in the act of adultery.

**8:5** εν δε τω νομω [ημιν] μωυσης ενετειλατο τας τοιαυτας λιθαζειν συ ουν τι λεγεις
"In the law, Moses commanded [us] to stone such as these[23]. You, then, what do you say?"

**8:6** [τουτο δε ελεγον πειραζοντες αυτον ινα εχωσιν κατηγορειν αυτου] ο δε ιησους κατω κυψας τω δακτυλω κατεγραφεν εις την γην
[They were saying this testing Him, that they might have something to accuse Him]. Jesus, having stooped down, began writing on the ground with *the* finger.

**8:7** ως δε επεμενον ερωτωντες [αυτον] ανεκυψεν και ειπεν [αυτοις] ο αναμαρτητος υμων πρωτος επ αυτην βαλετω λιθον

As they continued questioning Him, He straightened up and said [to them], "Let the sinless *one* of you throw the first stone at her."

**8:8** και παλιν κατακυψας εγραφεν εις την γην

Having stooped down again, he wrote on the ground.

**8:9** οι δε ακουσαντες εξηρχοντο εις καθ εις αρξαμενοι απο των πρεσβυτερων και κατελειφθη μονος και η γυνη εν μεσω ουσα

The *ones* having heard began to leave one by one, beginning from the elders, and He was left alone, and the woman being in the midst.

**8:10** ανακυψας δε ο ιησους ειπεν αυτη γυναι που εισιν ουδεις σε κατεκρινεν

Having stood up, Jesus said to her, "Woman, where are they? Has no one judged you?"

**8:11** η δε ειπεν ουδεις κυριε ειπεν δε ο ιησους ουδε εγω σε κατακρινω πορευου απο του νυν μηκετι αμαρτανε]]

She said, "No one, Sir."

Jesus said, "Neither do I judge you. Go. From now on sin no more."]]

## The World's Light

**8:12** παλιν ουν αυτοις ελαλησεν [ο] ιησους λεγων εγω ειμι το φως του κοσμου ο ακολουθων μοι ου μη περιπατηση εν τη σκοτια αλλ εξει το φως της ζωης

Then Jesus spoke to them again, saying, "I am the light of the world. The *one* following me will not walk in the darkness, but will have the light of life."

**8:13** ειπον ουν αυτω οι φαρισαιοι συ περι σεαυτου μαρτυρεις η μαρτυρια σου ουκ εστιν αληθης

The Pharisees said to Him, "You testify about yourself. Your testimony isn't true."

**8:14** απεκριθη ιησους και ειπεν αυτοις καν εγω μαρτυρω περι εμαυτου αληθης εστιν η μαρτυρια μου οτι οιδα ποθεν ηλθον και που υπαγω υμεις δε ουκ οιδατε ποθεν ερχομαι η που υπαγω

Jesus answered and said to them, "Even if I testify about myself, my testimony is true because I've known where I come from and where I go. You haven't known where I come from or where I go.

**8:15** υμεις κατα την σαρκα κρινετε εγω ου κρινω ουδενα

"You judge according to flesh. I judge no one.

**8:16** και εαν κρινω δε εγω η κρισις η εμη αληθινη εστιν οτι μονος ουκ ειμι αλλ εγω και ο πεμψας με [πατηρ]

"If I judge, my judgment is true because I am not alone, but I and the [Father] having sent me.

**8:17** και εν τω νομω δε τω υμετερω γεγραπται οτι δυο ανθρωπων η

μαρτυρια αληθης εστιν
"In your law it is written that,

'The testimony of two men
is true.'²³ᵇ

**8:18** εγω ειμι ο μαρτυρων περι
εμαυτου και μαρτυρει περι εμου ο
πεμψας με πατηρ
"I am the *one* testifying about
myself, and the Father having sent
me testifies about me."

**8:19** ελεγον ουν αυτω που εστιν ο
πατηρ σου απεκριθη ιησους ουτε εμε
οιδατε ουτε τον πατερα μου ει εμε
ηδειτε και τον πατερα μου αν ηδειτε
They began saying to Him, "Where is
Your father?"

Jesus answered, "You've known
neither me nor my Father. If you had
known me, you would have known
my Father too."

**8:20** ταυτα τα ρηματα ελαλησεν εν
τω γαζοφυλακιω διδασκων εν τω
ιερω και ουδεις επιασεν αυτον οτι
ουπω εληλυθει η ωρα αυτου
He was saying these words, teaching
in the treasury of the temple, and no
one arrested Him because His hour
had not yet come.

### Where I Am Going
**8:21** ειπεν ουν παλιν αυτοις εγω
υπαγω και ζητησετε με και εν τη
αμαρτια υμων αποθανεισθε οπου
εγω υπαγω υμεις ου δυνασθε ελθειν
Again He said to them, "I go, and

you will seek me, and you will die in
your sins. Where I go you cannot
come."

**8:22** ελεγον ουν οι ιουδαιοι μητι
αποκτενει εαυτον οτι λεγει οπου εγω
υπαγω υμεις ου δυνασθε ελθειν
The Jews began saying, "Will He kill
Himself, because He says, 'Where I
go you cannot come'?"

**8:23** και ελεγεν αυτοις υμεις εκ των
κατω εστε εγω εκ των ανω ειμι υμεις
εκ τουτου του κοσμου εστε εγω ουκ
ειμι εκ του κοσμου τουτου
He was saying to them, "You are
from below. I am from above. You
are from this world. I am not from
this world.
**8:24** ειπον ουν υμιν οτι αποθανεισθε
εν ταις αμαρτιαις υμων εαν γαρ μη
πιστευσητε οτι εγω ειμι αποθανεισθε
εν ταις αμαρτιαις υμων
"Therefore I said to you that you will
die in your sins – for if you don't
believe that I am, you will die in
your sins."

**8:25** ελεγον ουν αυτω συ τις ει ειπεν
αυτοις [ο] ιησους την αρχην ο τι και
λαλω υμιν
Then they began saying to Him,
"Who are You?"

Jesus said to them, "That which I
also speak to you the beginning.²⁴
**8:26** πολλα εχω περι υμων λαλειν
και κρινειν αλλ ο πεμψας με αληθης
εστιν καγω α ηκουσα παρ αυτου
ταυτα λαλω εις τον κοσμον

"I have much to say and judge about you, but the *One* having sent me is true, and I speak to the world what I've heard from Him."

**8:27** ουκ εγνωσαν οτι τον πατερα αυτοις ελεγεν
They didn't know that He was speaking to them *about* the Father.

**8:28** ειπεν ουν ο ιησους οταν υψωσητε τον υιον του ανθρωπου τοτε γνωσεσθε οτι εγω ειμι και απ εμαυτου ποιω ουδεν αλλα καθως εδιδαξεν με ο πατηρ ταυτα λαλω
Jesus said, "When you lift up the Son of Man, then you will know that I am, and I do nothing from myself. Just as the Father taught me, these *things* I speak.

**8:29** και ο πεμψας με μετ εμου εστιν ουκ αφηκεν με μονον οτι εγω τα αρεστα αυτω ποιω παντοτε
"The *One* having sent me is with me and has not left me alone, because I always do the *things* pleasing to Him.

### If You Remain

**8:30** ταυτα αυτου λαλουντος πολλοι επιστευσαν εις αυτον
*While* He *was* saying these *things*, many believed in Him.

**8:31** ελεγεν ουν ο ιησους προς τους πεπιστευκοτας αυτω ιουδαιους εαν υμεις μεινητε εν τω λογω τω εμω αληθως μαθηται μου εστε
Then Jesus began saying to those Jews who had believed Him, "If you remain in my word, you are truly my disciples.

**8:32** και γνωσεσθε την αληθειαν και η αληθεια ελευθερωσει υμας
"You will know the truth, and the truth will free you."

**8:33** απεκριθησαν προς αυτον σπερμα αβρααμ εσμεν και ουδενι δεδουλευκαμεν πωποτε πως συ λεγεις οτι ελευθεροι γενησεσθε
They answered him, "We are Abraham's seed and have never been enslaved to anyone. How do You say that, 'You will become free'?"

**8:34** απεκριθη αυτοις [ο] ιησους αμην αμην λεγω υμιν οτι πας ο ποιων την αμαρτιαν δουλος εστιν [της αμαρτιας]
Jesus answered them, "Amen, amen, I say to you that everyone working sin is *a* slave [of sin].

**8:35** ο δε δουλος ου μενει εν τη οικια εις τον αιωνα ο υιος μενει εις τον αιωνα
"The slave doesn't remain in the house to eternity. The son remains to eternity.

**8:36** εαν ουν ο υιος υμας ελευθερωση οντως ελευθεροι εσεσθε
"If the son makes you free, you will certainly be free.

**8:37** οιδα οτι σπερμα αβρααμ εστε αλλα ζητειτε με αποκτειναι οτι ο λογος ο εμος ου χωρει εν υμιν
"I've known that you are Abraham's seed, but you seek to kill me because my word does not hold among you.

**8:38** α εγω εωρακα παρα τω πατρι λαλω και υμεις ουν α ηκουσατε παρα του πατρος ποιειτε

"I speak what I've seen from the Father, and you do what you've heard from your father."

## Who Is Your Father?

**8:39** απεκριθησαν και ειπαν αυτω ο πατηρ ημων αβρααμ εστιν λεγει αυτοις [ο] ιησους ει τεκνα του αβρααμ εστε τα εργα του αβρααμ ποιειτε

They answered and said to Him, "Our father is Abraham."

Jesus says to them, "If you are Abraham's children, you would do the works of Abraham.

**8:40** νυν δε ζητειτε με αποκτειναι ανθρωπον ος την αληθειαν υμιν λελαληκα ην ηκουσα παρα του θεου τουτο αβρααμ ουκ εποιησεν

"Yet now you seek to kill me, *a* man who has spoken the truth to you which He heard from God. Abraham didn't do this.

**8:41** υμεις ποιειτε τα εργα του πατρος υμων ειπαν αυτω ημεις εκ πορνειας ουκ εγεννηθημεν ενα πατερα εχομεν τον θεον

"You do the works of your father."

They said to Him, "We weren't born from fornication. We have one Father – God."

**8:42** ειπεν αυτοις [ο] ιησους ει ο θεος πατηρ υμων ην ηγαπατε αν εμε εγω γαρ εκ του θεου εξηλθον και ηκω ουδε γαρ απ εμαυτου εληλυθα αλλ εκεινος με απεστειλεν

Jesus said to them, "If God was your father, you would have loved me, for I've come out and am present from God – for I haven't come out from myself, but He sent me.

**8:43** δια τι την λαλιαν την εμην ου γινωσκετε οτι ου δυνασθε ακουειν τον λογον τον εμον

"Why don't you understand my speech? Because you can't hear my word!

**8:44** υμεις εκ του πατρος του διαβολου εστε και τας επιθυμιας του πατρος υμων θελετε ποιειν εκεινος ανθρωποκτονος ην απ αρχης και εν τη αληθεια ουκ εστηκεν οτι ουκ εστιν αληθεια εν αυτω οταν λαλη το ψευδος εκ των ιδιων λαλει οτι ψευστης εστιν και ο πατηρ αυτου

"You are from your father, the devil, and you want to work the lusts of your father. He was *a* man-killer from the beginning and hasn't stood in the truth, because no truth is in him. When he speaks the lie, he speaks from his own, because he is *a* liar and its father.

**8:45** εγω δε οτι την αληθειαν λεγω ου πιστευετε μοι

"Yet because I speak the truth, you don't believe me.

**8:46** τις εξ υμων ελεγχει με περι αμαρτιας ει αληθειαν λεγω δια τι υμεις ου πιστευετε μοι

"Who of you convicts me concerning sin? If I speak truth, why don't you believe me?

**8:47** ο ων εκ του θεου τα ρηματα του θεου ακουει δια τουτο υμεις ουκ ακουετε οτι εκ του θεου ουκ εστε

"The *one* being from God hears the

words of God. For this *reason* you don't hear, because you aren't from God."

**8:48** απεκριθησαν οι ιουδαιοι και ειπαν αυτω ου καλως λεγομεν ημεις οτι σαμαριτης ει συ και δαιμονιον εχεις
The Jews answered and said to Him, "Don't we say well that You are *a* Samaritan and You have *a* demon?"

## Honor and Dishonor
**8:49** απεκριθη ιησους εγω δαιμονιον ουκ εχω αλλα τιμω τον πατερα μου και υμεις ατιμαζετε με
Jesus answered, "I don't have *a* demon, but I honor my Father and you dishonor me.
**8:50** εγω δε ου ζητω την δοξαν μου εστιν ο ζητων και κρινων
"I don't seek my glory. *There* is *One* seeking and judging.
**8:51** αμην αμην λεγω υμιν εαν τις τον εμον λογον τηρηση θανατον ου μη θεωρηση εις τον αιωνα
"Amen, amen, I say to you, if someone keeps my word, he will not see death to eternity."

**8:52** ειπον αυτω οι ιουδαιοι νυν εγνωκαμεν οτι δαιμονιον εχεις αβρααμ απεθανεν και οι προφηται και συ λεγεις εαν τις τον λογον μου τηρηση ου μη γευσηται θανατου εις τον αιωνα
The Jews said to Him, "Now we've known that you have *a* demon. Abraham died and the prophets, and you say, 'If someone keeps my word,

he will not taste death to eternity'?
**8:53** μη συ μειζων ει του πατρος ημων αβρααμ οστις απεθανεν και οι προφηται απεθανον τινα σεαυτον ποιεις
"You aren't greater than our father Abraham who died, and the prophets, are you? Who are you making yourself?"

**8:54** απεκριθη ιησους εαν εγω δοξασω εμαυτον η δοξα μου ουδεν εστιν εστιν ο πατηρ μου ο δοξαζων με ον υμεις λεγετε οτι θεος υμων εστιν
Jesus answered, "If I glorify myself, my glory is nothing. The Father is the *One* glorifying me, whom you say that He is your God.
**8:55** και ουκ εγνωκατε αυτον εγω δε οιδα αυτον καν ειπω οτι ουκ οιδα αυτον εσομαι ομοιος υμιν ψευστης αλλα οιδα αυτον και τον λογον αυτου τηρω
"You haven't known Him, yet I've known Him. If I say I haven't known Him, I will be *a* liar like you. I've known Him, and I keep His word.

## Abraham Exulted
**8:56** αβρααμ ο πατηρ υμων ηγαλλιασατο ινα ιδη την ημεραν την εμην και ειδεν και εχαρη
"Abraham your father exulted that he would see my day. He saw, and he rejoiced."

**8:57** ειπον ουν οι ιουδαιοι προς αυτον πεντηκοντα ετη ουπω εχεις

και αβρααμ εωρακας
Then the Jews said to him, "You don't yet have fifty years, and you've seen Abraham?"

**8:58** ειπεν αυτοις ιησους αμην αμην λεγω υμιν πριν αβρααμ γενεσθαι εγω ειμι
Jesus said to them, "Amen, amen, I say to you, before Abraham came to be, I am."

**8:59** ηραν ουν λιθους ινα βαλωσιν επ αυτον ιησους δε εκρυβη και εξηλθεν εκ του ιερου
Then they took up stones that they could throw at Him, yet Jesus hid and went out from the temple.

# John 9
## A Man Blind from Birth
**9:1** και παραγων ειδεν ανθρωπον τυφλον εκ γενετης
Passing on, He saw *a* man blind from birth.

**9:2** και ηρωτησαν αυτον οι μαθηται αυτου λεγοντες ραββι τις ημαρτεν ουτος η οι γονεις αυτου ινα τυφλος γεννηθη
His disciples questioned Him, saying, "Rabbi, who sinned that he was born blind – this *man* or his parents?"

**9:3** απεκριθη ιησους ουτε ουτος ημαρτεν ουτε οι γονεις αυτου αλλ ινα φανερωθη τα εργα του θεου εν αυτω
Jesus answered, "Neither this *man*

sinned nor his parents, but that the works of God may be made evident in him.

**9:4** ημας δει εργαζεσθαι τα εργα του πεμψαντος με εως ημερα εστιν ερχεται νυξ οτε ουδεις δυναται εργαζεσθαι
"It is necessary for us to work the works of the *One* having sent me while it is day. Night comes when no one can work.

**9:5** οταν εν τω κοσμω ω φως ειμι του κοσμου
"While I am in the world, I am light of the world."

## The Healing of a Man Born Blind
**9:6** ταυτα ειπων επτυσεν χαμαι και εποιησεν πηλον εκ του πτυσματος και επεθηκεν αυτου τον πηλον επι τους οφθαλμους
Saying these *things*, He spat on the ground, and made mud from the spittle, and placed the mud on his eyes.

**9:7** και ειπεν αυτω υπαγε νιψαι εις την κολυμβηθραν του σιλωαμ ο ερμηνευεται απεσταλμενος απηλθεν ουν και ενιψατο και ηλθεν βλεπων
He said to him, "Go, wash in the pool of Siloam[25]," – which is translated, 'Sent'.

He went out, then, and washed, and came seeing.

## The People React
**9:8** οι ουν γειτονες και οι θεωρουντες αυτον το προτερον οτι προσαιτης ην ελεγον ουχ ουτος εστιν

ο καθημενος και προσαιτων
Then the neighbors and the *ones*
seeing him who was *a* beggar before
began saying, "Is this the *man* sitting
and begging?"

**9:9** αλλοι ελεγον οτι ουτος εστιν
αλλοι ελεγον ουχι αλλα ομοιος αυτω
εστιν εκεινος ελεγεν οτι εγω ειμι
Some were saying that, "This is."

Others were saying, "No, but he is
like that *man*."

That *man* was saying that, "I am."

**9:10** ελεγον ουν αυτω πως [ουν]
ηνεωχθησαν σου οι οφθαλμοι
Then they began saying to him,
"How then were your eyes opened?"

**9:11** απεκριθη εκεινος ο ανθρωπος ο
λεγομενος ιησους πηλον εποιησεν
και επεχρισεν μου τους οφθαλμους
και ειπεν μοι οτι υπαγε εις τον
σιλωαμ και νιψαι απελθων ουν και
νιψαμενος ανεβλεψα
That *man* said, "The man called
Jesus made mud, and smeared *it* on
my eyes, and said to me that, 'Go to
the Siloam, and wash.' Going, then,
and washing, I saw."

**9:12** και ειπαν αυτω που εστιν
εκεινος λεγει ουκ οιδα
They said to him, "Where is He?"

He says, "I don't know."

**9:13** αγουσιν αυτον προς τους

φαρισαιους τον ποτε τυφλον
They lead him to the Pharisees, the
*one* formerly blind.
**9:14** ην δε σαββατον εν η ημερα τον
πηλον εποιησεν ο ιησους και
ανεωξεν αυτου τους οφθαλμους
It was Sabbath on the day Jesus
made the mud and opened his eyes.
**9:15** παλιν ουν ηρωτων αυτον και οι
φαρισαιοι πως ανεβλεψεν ο δε ειπεν
αυτοις πηλον επεθηκεν μου επι τους
οφθαλμους και ενιψαμην και βλεπω
Then the Pharisees asked him again
how he came to see.  He said to
them, "He placed mud on my eyes,
and I washed, and I see."

**9:16** ελεγον ουν εκ των φαρισαιων
τινες ουκ εστιν ουτος παρα θεου ο
ανθρωπος οτι το σαββατον ου τηρει
αλλοι [δε] ελεγον πως δυναται
ανθρωπος αμαρτωλος τοιαυτα
σημεια ποιειν και σχισμα ην εν
αυτοις
Some of the Pharisees began saying,
"This man isn't from God because
He doesn't keep the Sabbath."

[Yet] others were saying, "How can
*a* sinful man work such signs?"

There was *a* schism among them.
**9:17** λεγουσιν ουν τω τυφλω παλιν τι
συ λεγεις περι αυτου οτι ηνεωξεν
σου τους οφθαλμους ο δε ειπεν οτι
προφητης εστιν
Then they say to the blind man again,
"What do you say about Him that
opened your eyes?"

He said that, "He is *a* prophet."

## The Parents Questioned

**9:18** ουκ επιστευσαν ουν οι ιουδαιοι περι αυτου οτι ην τυφλος και ανεβλεψεν εως οτου εφωνησαν τους γονεις αυτου του αναβλεψαντος

The Jews didn't believe about him that he was blind and received sight until they called the parents of him who received sight.

**9:19** και ηρωτησαν αυτους λεγοντες ουτος εστιν ο υιος υμων ον υμεις λεγετε οτι τυφλος εγεννηθη πως ουν βλεπει αρτι

They asked them, saying, "Is this your son whom you say that he was born blind? How, then, does he now see?"

**9:20** απεκριθησαν ουν οι γονεις αυτου και ειπαν οιδαμεν οτι ουτος εστιν ο υιος ημων και οτι τυφλος εγεννηθη

His parents answered and said, "We know that he is our son and that he was born blind.

**9:21** πως δε νυν βλεπει ουκ οιδαμεν η τις ηνοιξεν αυτου τους οφθαλμους ημεις ουκ οιδαμεν αυτον ερωτησατε ηλικιαν εχει αυτος περι εαυτου λαλησει

"How he now sees we don't know, or who opened his eyes we don't know. Ask him! He's of age. He can speak for himself."

**9:22** ταυτα ειπαν οι γονεις αυτου οτι εφοβουντο τους ιουδαιους ηδη γαρ συνετεθειντο οι ιουδαιοι ινα εαν τις αυτον ομολογηση χριστον αποσυναγωγος γενηται

His parents said these *things* because they feared the Jews, for the Jews had already agreed that if someone confessed Him *as* Christ, he would be put out of the synagogue.

**9:23** δια τουτο οι γονεις αυτου ειπαν οτι ηλικιαν εχει αυτον επερωτησατε

For this *reason*, his parents said that, "He's of age. Question him."

## The Healed Man Questioned Again

**9:24** εφωνησαν ουν τον ανθρωπον εκ δευτερου ος ην τυφλος και ειπαν αυτω δος δοξαν τω θεω ημεις οιδαμεν οτι ουτος ο ανθρωπος αμαρτωλος εστιν

Then they called *a* second *time* the man who was blind, and said to him, "Give glory to God. We know that this man is *a* sinner."

**9:25** απεκριθη ουν εκεινος ει αμαρτωλος εστιν ουκ οιδα εν οιδα οτι τυφλος ων αρτι βλεπω

That *man* answered, "I don't know if He is *a* sinner. I know one *thing*: that being blind, I now see."

**9:26** ειπον ουν αυτω τι εποιησεν σοι πως ηνοιξεν σου τους οφθαλμους

They said to him, "What did He do to you? How did He open your eyes?"

**9:27** απεκριθη αυτοις ειπον υμιν ηδη και ουκ ηκουσατε τι παλιν θελετε ακουειν μη και υμεις θελετε αυτου

μαθηται γενεσθαι
He answered them, "I told you already and you didn't listen. Why do you want to hear again? Could it be that you want to become His disciples?"

**9:28** και ελοιδορησαν αυτον και ειπον συ μαθητης ει εκεινου ημεις δε του μωυσεως εσμεν μαθηται
They cursed him and said, "You are that *man's* disciple, yet we are Moses' disciples.
**9:29** ημεις οιδαμεν οτι μωυσει λελαληκεν ο θεος τουτον δε ουκ οιδαμεν ποθεν εστιν
"We know that God has spoken to Moses, yet we don't know where this *man* is from."

**9:30** απεκριθη ο ανθρωπος και ειπεν αυτοις εν τουτω γαρ το θαυμαστον εστιν οτι υμεις ουκ οιδατε ποθεν εστιν και ηνοιξεν μου τους οφθαλμους
The man answered and said to them, "*There* is the marvel in this: that you don't know where He is from, and He opened my eyes.
**9:31** οιδαμεν οτι ο θεος αμαρτωλων ουκ ακουει αλλ εαν τις θεοσεβης η και το θελημα αυτου ποιη τουτου ακουει
"We know that God doesn't listen to sinners. If someone honors God and does His will, He hears him.
**9:32** εκ του αιωνος ουκ ηκουσθη οτι ηνεωξεν τις οφθαλμους τυφλου γεγεννημενου
"It hasn't been heard from eternity

that someone opened *the* eyes of *one* born blind.
**9:33** ει μη ην ουτος παρα θεου ουκ ηδυνατο ποιειν ουδεν
"Unless this *man* was from God, he could do nothing."

**9:34** απεκριθησαν και ειπαν αυτω εν αμαρτιαις συ εγεννηθης ολος και συ διδασκεις ημας και εξεβαλον αυτον εξω
They answered and said to him, "You were born in total sin, and are you teaching us?"

And they threw him out.

**Jesus Again Speaks to the Man**
**9:35** ηκουσεν ιησους οτι εξεβαλον αυτον εξω και ευρων αυτον ειπεν συ πιστευεις εις τον υιον του ανθρωπου
Jesus heard that they threw him out. Finding him, He said, "Do you believe in the Son of Man?"

**9:36** απεκριθη εκεινος [και ειπεν] και τις εστιν κυριε ινα πιστευσω εις αυτον
That *man* answered [and said], "Who is He, Sir, that I may believe in Him?"

**9:37** ειπεν αυτω ο ιησους και εωρακας αυτον και ο λαλων μετα σου εκεινος εστιν
Jesus said to him, "You've both seen him, and he is the *one* speaking with you."

**9:38** ο δε εφη πιστευω κυριε και

προσεκυνησεν αυτω
He said, "I believe, Sir", and he worshiped Him.

### The Blind and the Seeing

**9:39** και ειπεν ο ιησους εις κριμα εγω εις τον κοσμον τουτον ηλθον ινα οι μη βλεποντες βλεπωσιν και οι βλεποντες τυφλοι γενωνται
Jesus said, "I came into this world to judgment: that the ones not seeing may see, and the ones seeing may become blind."

**9:40** ηκουσαν εκ των φαρισαιων ταυτα οι μετ αυτου οντες και ειπον αυτω μη και ημεις τυφλοι εσμεν
Those with Him from the Pharisees heard these words, and they said to Him, "We aren't blind, are we?"

**9:41** ειπεν αυτοις [ο] ιησους ει τυφλοι ητε ουκ αν ειχετε αμαρτιαν νυν δε λεγετε οτι βλεπομεν η αμαρτια υμων μενει
Jesus said to them, "If you were blind, you wouldn't have sin. Yet now you say that, 'We see', your sin remains."

### John 10
### The Sheep's Shepherd

**10:1** αμην αμην λεγω υμιν ο μη εισερχομενος δια της θυρας εις την αυλην των προβατων αλλα αναβαινων αλλαχοθεν εκεινος κλεπτης εστιν και ληστης
"Amen, amen, I say to you, the one not coming in through the gate into the sheepfold but climbing up another way, that one is a thief and a robber.

**10:2** ο δε εισερχομενος δια της θυρας ποιμην εστιν των προβατων
"The one coming in through the gate is a shepherd of the sheep.

**10:3** τουτω ο θυρωρος ανοιγει και τα προβατα της φωνης αυτου ακουει και τα ιδια προβατα φωνει κατ ονομα και εξαγει αυτα
"The gate-keeper opens to this one, and the sheep listen to his voice. He calls his own sheep by name, and leads them out.

**10:4** οταν τα ιδια παντα εκβαλη εμπροσθεν αυτων πορευεται και τα προβατα αυτω ακολουθει οτι οιδασιν την φωνην αυτου
"When he leads out all his own, he goes before them, and the sheep follow him because they know his voice.

**10:5** αλλοτριω δε ου μη ακολουθησουσιν αλλα φευξονται απ αυτου οτι ουκ οιδασιν των αλλοτριων την φωνην
"They won't follow another, but will flee from him because they don't know the other's voice.

### Jesus the Door

**10:6** ταυτην την παροιμιαν ειπεν αυτοις ο ιησους εκεινοι δε ουκ εγνωσαν τινα ην α ελαλει αυτοις
Jesus spoke this figure of speech to them, yet they didn't know what it was that He was saying to them.

**10:7** ειπεν ουν παλιν [ο] ιησους αμην αμην λεγω υμιν εγω ειμι η θυρα των προβατων

Then Jesus said to them again, "Amen, amen, I say to you, I am the gate of the sheep.

**10:8** παντες οσοι ηλθον προ εμου κλεπται εισιν και λησται αλλ ουκ ηκουσαν αυτων τα προβατα

All, as many as came before me, are thieves and robbers, but the sheep didn't follow them.

**10:9** εγω ειμι η θυρα δι εμου εαν τις εισελθη σωθησεται και εισελευσεται και εξελευσεται και νομην ευρησει

"I am the gate. If someone comes in through me, he will be saved, and will go in, and come out, and find pasture.

**10:10** ο κλεπτης ουκ ερχεται ει μη ινα κλεψη και θυση και απολεση εγω ηλθον ινα ζωην εχωσιν και περισσον εχωσιν

"The thief does not come except that he may steal and slaughter and destroy. I came that they may have life, and have *it* overflowing.

## The Good Shepherd

**10:11** εγω ειμι ο ποιμην ο καλος ο ποιμην ο καλος την ψυχην αυτου τιθησιν υπερ των προβατων

"I am the good shepherd. The good shepherd lays down his soul on the sheep's behalf.

**10:12** ο μισθωτος και ουκ ων ποιμην ου ουκ εστιν τα προβατα ιδια θεωρει τον λυκον ερχομενον και αφιησιν τα προβατα και φευγει και ο λυκος αρπαζει αυτα και σκορπιζει

"The hired hand, and *one* who isn't *a* shepherd, whose own the sheep are not, sees the wolf coming, and abandons the sheep, and flees. The wolf seizes and scatters them,

**10:13** οτι μισθωτος εστιν και ου μελει αυτω περι των προβατων

"because *the shepherd* is *a* hired hand, and it doesn't matter to him about the sheep.

**10:14** εγω ειμι ο ποιμην ο καλος και γινωσκω τα εμα και γινωσκουσιν με τα εμα

"I am the good shepherd. I know my own, and my own know me,

**10:15** καθως γινωσκει με ο πατηρ καγω γινωσκω τον πατερα και την ψυχην μου τιθημι υπερ των προβατων

"even as the Father knows me, and I know the Father – and I lay down my soul on the sheep's behalf.

## Other Sheep

**10:16** και αλλα προβατα εχω α ουκ εστιν εκ της αυλης ταυτης κακεινα δει με αγαγειν και της φωνης μου ακουσουσιν και γενησονται μια ποιμνη εις ποιμην

"I have other sheep who are not of this fold, and it is necessary for me to gather them. They will hear my voice, and will become one flock, one shepherd.

**10:17** δια τουτο με ο πατηρ αγαπα οτι εγω τιθημι την ψυχην μου ινα παλιν λαβω αυτην

"For this *reason*, the Father loves me: because I lay down my soul, that I may take her up again.

**10:18** ουδεις ηρεν αυτην απ εμου αλλ εγω τιθημι αυτην απ εμαυτου εξουσιαν εχω θειναι αυτην και εξουσιαν εχω παλιν λαβειν αυτην ταυτην την εντολην ελαβον παρα του πατρος μου

"No one takes her away from me, but I lay her down of myself. I have authority to lay her down, and I have authority to take her up again. I received this commandment from my Father."

## Arguments about His Words

**10:19** σχισμα παλιν εγενετο εν τοις ιουδαιοις δια τους λογους τουτους

Again, *a* schism happened among the Jews because of these words.

**10:20** ελεγον δε πολλοι εξ αυτων δαιμονιον εχει και μαινεται τι αυτου ακουετε

Many of them were saying, "He has *a* demon and is raving. Why do you listen to Him?"

**10:21** αλλοι ελεγον ταυτα τα ρηματα ουκ εστιν δαιμονιζομενου μη δαιμονιον δυναται τυφλων οφθαλμους ανοιξαι

Yet others were saying, "These aren't the words of *a* demon-possessed *man*. Can *a* demon open *the* eyes of the blind?"

## At a Winter Festival

**10:22** εγενετο τοτε τα εγκαινια εν τοις ιεροσολυμοις χειμων ην

Then the Festival of Dedication happened among the Jerusalemites. It was winter,

**10:23** και περιεπατει [ο] ιησους εν τω ιερω εν τη στοα του σολομωνος

and Jesus was walking in the temple in Solomon's portico.

**10:24** εκυκλωσαν ουν αυτον οι ιουδαιοι και ελεγον αυτω εως ποτε την ψυχην ημων αιρεις ει συ ει ο χριστος ειπον ημιν παρρησια

The Jews surrounded Him, and began saying to Him, "How long are you taking away our soul? If you are the Christ, tell us openly."

**10:25** απεκριθη αυτοις [ο] ιησους ειπον υμιν και ου πιστευετε τα εργα α εγω ποιω εν τω ονοματι του πατρος μου ταυτα μαρτυρει περι εμου

Jesus answered them, "I told you, and you didn't believe. The works that I do in my Father's name, these testify about me.

**10:26** αλλα υμεις ου πιστευετε οτι ουκ εστε εκ των προβατων των εμων

"You don't believe because you aren't of my sheep.

**10:27** τα προβατα τα εμα της φωνης μου ακουουσιν καγω γινωσκω αυτα και ακολουθουσιν μοι

"My sheep hear my voice, and I know them. They follow me,

**10:28** καγω διδωμι αυτοις ζωην αιωνιον και ου μη απολωνται εις τον αιωνα και ουχ αρπασει τις αυτα εκ της χειρος μου

"and I give them eternal life. These will not be destroyed to eternity, and no one will snatch them out of my hand.

**10:29** ο πατηρ μου ο δεδωκεν μοι παντων μειζον εστιν και ουδεις δυναται αρπαζειν εκ της χειρος του

πατρος
"My Father who has given me all is greater, and no one can snatch them out of the Father's hand.

**10:30** εγω και ο πατηρ εν εσμεν
"I and the Father are one."

### The Jews Attempt to Stone Jesus

**10:31** εβαστασαν παλιν λιθους οι ιουδαιοι ινα λιθασωσιν αυτον
The Jews again picked up stones so they could stone Him.

**10:32** απεκριθη αυτοις ο ιησους πολλα εργα εδειξα υμιν καλα εκ του πατρος δια ποιον αυτων εργον εμε λιθαζετε
Jesus answered them, "I've shown you many good works from the Father. For which of these works do you stone me?"

**10:33** απεκριθησαν αυτω οι ιουδαιοι περι καλου εργου ου λιθαζομεν σε αλλα περι βλασφημιας και οτι συ ανθρωπος ων ποιεις σεαυτον θεον
The Jews answered Him, "We don't stone You for *a* good work, but for blasphemy, and because You, being *a* man, make Yourself God."

**10:34** απεκριθη αυτοις [ο] ιησους ουκ εστιν γεγραμμενον εν τω νομω υμων οτι εγω ειπα θεοι εστε
Jesus answered them, "Isn't it written in your law that,

'I said, You are gods'[26]?

**10:35** ει εκεινους ειπεν θεους προς ους ο λογος του θεου εγενετο και ου

δυναται λυθηναι η γραφη
"If He called them gods to whom the word of God came – and the scripture cannot be undone –

**10:36** ον ο πατηρ ηγιασεν και απεστειλεν εις τον κοσμον υμεις λεγετε οτι βλασφημεις οτι ειπον υιος του θεου ειμι
*the One* whom the Father rejoiced in and sent into the world, you say that 'You blaspheme", because I said I am Son of God?

**10:37** ει ου ποιω τα εργα του πατρος μου μη πιστευετε μοι
"If I don't do the works of my Father, don't believe me.

**10:38** ει δε ποιω καν εμοι μη πιστευητε τοις εργοις πιστευετε ινα γνωτε και γινωσκητε οτι εν εμοι ο πατηρ καγω εν τω πατρι
"Yet if I do, and you don't believe me, believe the works, that you may come to know and recognize that the Father *is* in me, and I in the Father."

### Jesus Escapes from Them

**10:39** εζητουν [ουν] αυτον παλιν πιασαι και εξηλθεν εκ της χειρος αυτων
They again began seeking to arrest Him, and He went out from their hands.

**10:40** και απηλθεν παλιν περαν του ιορδανου εις τον τοπον οπου ην ιωαννης το πρωτον βαπτιζων και εμενεν εκει
He went away again across the Jordan to the place where John was baptizing at first, and He stayed there.

**10:41** και πολλοι ηλθον προς αυτον και ελεγον οτι ιωαννης μεν σημειον εποιησεν ουδεν παντα δε οσα ειπεν ιωαννης περι τουτου αληθη ην
Many came to Him, and they were saying that, "John worked no sign, yet all, as much as John said about this *man*, was true."

**10:42** και πολλοι επιστευσαν εις αυτον εκει
Many believed in Him there.

## John 11
### The Illness and Death of Lazarus
**11:1** ην δε τις ασθενων λαζαρος απο βηθανιας εκ της κωμης μαριας και μαρθας της αδελφης αυτης
*There* was *a* sick man, Lazarus[27] of Bethany, from the village of Mary and Martha her sister.

**11:2** ην δε μαριαμ η αλειψασα τον κυριον μυρω και εκμαξασα τους ποδας αυτου ταις θριξιν αυτης ης ο αδελφος λαζαρος ησθενει
Mary, whose brother Lazarus was sick, was the *one* having anointed the Lord with myrrh and dried His feet with her hair.[28]

**11:3** απεστειλαν ουν αι αδελφαι προς αυτον λεγουσαι κυριε ιδε ον φιλεις ασθενει
The sisters sent to Him, saying, "Lord, look! The *one* whom you love is sick."

**11:4** ακουσας δε ο ιησους ειπεν αυτη η ασθενεια ουκ εστιν προς θανατον αλλ υπερ της δοξης του θεου ινα δοξασθη ο υιος του θεου δι αυτης
Having heard, Jesus said, "This sickness is not to death, but for the glory of God, that the Son of God may be glorified through her."

**11:5** ηγαπα δε ο ιησους την μαρθαν και την αδελφην αυτης και τον λαζαρον
Jesus loved Martha and her sister and Lazarus.

### Jesus and the Disciples Discuss Going to Bethany
**11:6** ως ουν ηκουσεν οτι ασθενει τοτε μεν εμεινεν εν ω ην τοπω δυο ημερας
Therefore, as He heard that He is sick, then He stayed two days in the place where He was.

**11:7** επειτα μετα τουτο λεγει τοις μαθηταις αγωμεν εις την ιουδαιαν παλιν
After this, He says to the disciples, "Let's go to Judea again."

**11:8** λεγουσιν αυτω οι μαθηται ραββι νυν εζητουν σε λιθασαι οι ιουδαιοι και παλιν υπαγεις εκει
The disciples say to Him, "Rabbi, the Jews were seeking to stone You now, and are You going there again?"

**11:9** απεκριθη ιησους ουχι δωδεκα ωραι εισιν της ημερας εαν τις περιπατη εν τη ημερα ου προσκοπτει οτι το φως του κοσμου τουτου βλεπει
Jesus said, "Aren't there twelve hours in the day? If someone walks

in the day he doesn't stumble, because he sees the light of this world.

**11:10** εαν δε τις περιπατη εν τη νυκτι προσκοπτει οτι το φως ουκ εστιν εν αυτω

"If someone walks in the night he stumbles, because the light isn't in him."

**11:11** ταυτα ειπεν και μετα τουτο λεγει αυτοις λαζαρος ο φιλος ημων κεκοιμηται αλλα πορευομαι ινα εξυπνισω αυτον

He said these *things*, and after this He says to them, "Our friend Lazarus has fallen asleep, but I go so I may wake him up."

**11:12** ειπαν ουν οι μαθηται αυτω κυριε ει κεκοιμηται σωθησεται

The disciples said to Him, "Lord, if he has fallen asleep, he will be saved."

**11:13** ειρηκει δε ο ιησους περι του θανατου αυτου εκεινοι δε εδοξαν οτι περι της κοιμησεως του υπνου λεγει

Jesus had spoken about his death, but they thought that He speaks about the rest of sleep.

**11:14** τοτε ουν ειπεν αυτοις ο ιησους παρρησια λαζαρος απεθανεν

Then Jesus said to them openly, "Lazarus died,

**11:15** και χαιρω δι υμας ινα πιστευσητε οτι ουκ ημην εκει αλλα αγωμεν προς αυτον

"and I rejoice for your sake that believe that I was not there. But let us go to him."

**11:16** ειπεν ουν θωμας ο λεγομενος διδυμος τοις συμμαθηταις αγωμεν και ημεις ινα αποθανωμεν μετ αυτου

Then Thomas, the *one* called Twin, said to the fellow disciples, "Let's go with Him too, so we can die with Him."

### Jesus at Lazarus' Tomb

**11:17** ελθων ουν ο ιησους ευρεν αυτον τεσσαρας ηδη ημερας εχοντα εν τω μνημειω

Jesus, coming *to Bethany*, found him already having four days in the tomb.

**11:18** ην δε βηθανια εγγυς των ιεροσολυμων ως απο σταδιων δεκαπεντε

Bethany was near Jerusalem, like around fifteen stadia.[29]

**11:19** πολλοι δε εκ των ιουδαιων εληλυθεισαν προς την μαρθαν και μαριαμ ινα παραμυθησωνται αυτας περι του αδελφου

Many of the Jews had come to Martha and Mary so they could console them about their brother.

### Martha with Jesus

**11:20** η ουν μαρθα ως ηκουσεν οτι ιησους ερχεται υπηντησεν αυτω μαριαμ δε εν τω οικω εκαθεζετο

Martha, as she heard that Jesus comes, went to meet Him, yet Mary sat in the house.

**11:21** ειπεν ουν η μαρθα προς ιησουν κυριε ει ης ωδε ουκ αν απεθανεν ο αδελφος μου

Then Martha said to Jesus, "Lord, if

you were here, my brother would not have died.

**11:22** και νυν οιδα οτι οσα αν αιτηση τον θεον δωσει σοι ο θεος
"I know now that whatever you ask God, God will give you."

**11:23** λεγει αυτη ο ιησους αναστησεται ο αδελφος σου
Jesus says to her, "Your brother will rise again."

**11:24** λεγει αυτω η μαρθα οιδα οτι αναστησεται εν τη αναστασει εν τη εσχατη ημερα
Martha says to him, "I know that he will rise in the resurrection on the last day."

**11:25** ειπεν αυτη ο ιησους εγω ειμι η αναστασις και η ζωη ο πιστευων εις εμε καν αποθανη ζησεται
Jesus said to her, "I am the resurrection and the life. The *one* believing in me will live, even if he dies.

**11:26** και πας ο ζων και πιστευων εις εμε ου μη αποθανη εις τον αιωνα πιστευεις τουτο
"Everyone living and believing in me will not die to eternity. Do you believe this?"

**11:27** λεγει αυτω ναι κυριε εγω πεπιστευκα οτι συ ει ο χριστος ο υιος του θεου ο εις τον κοσμον ερχομενος
She says to Him, "Yes, Lord. I've believed that You are the Christ, the Son of God, the *One* coming into the

world."

### Martha Calls Mary

**11:28** και τουτο ειπουσα απηλθεν και εφωνησεν μαριαμ την αδελφην αυτης λαθρα ειπουσα ο διδασκαλος παρεστιν και φωνει σε
Having said this, she went away and called Mary her sister, saying secretly, "The teacher is here, and He's calling you."

**11:29** εκεινη δε ως ηκουσεν ηγερθη ταχυ και ηρχετο προς αυτον
She, as she heard, got up quickly and came to him.

**11:30** ουπω δε εληλυθει ο ιησους εις την κωμην αλλ ην ετι εν τω τοπω οπου υπηντησεν αυτω η μαρθα
Jesus had not yet come into the village, but was still in the place where Martha had met Him.

**11:31** οι ουν ιουδαιοι οι οντες μετ αυτης εν τη οικια και παραμυθουμενοι αυτην ιδοντες την μαριαμ οτι ταχεως ανεστη και εξηλθεν ηκολουθησαν αυτη δοξαντες οτι υπαγει εις το μνημειον ινα κλαυση εκει
Then the Jews being with her in the house and consoling her, seeing Mary, that she got up quickly and went out, followed her, thinking that she goes to the tomb to weep there.

### Jesus with Mary

**11:32** η ουν μαριαμ ως ηλθεν οπου ην ιησους ιδουσα αυτον επεσεν αυτου προς τους ποδας λεγουσα αυτω κυριε ει ης ωδε ουκ αν μου

απεθανεν ο αδελφος
Mary, as she came where Jesus was, having seen Him, fell at His feet, saying to Him, "Lord, if you had been here, my brother would not have died."

**11:33** ιησους ουν ως ειδεν αυτην κλαιουσαν και τους συνελθοντας αυτη ιουδαιους κλαιοντας ενεβριμησατο τω πνευματι και εταραξεν εαυτον
Jesus, as he saw her weeping and the Jews coming with her weeping, was deeply moved in spirit and troubled in Himself.

**11:34** και ειπεν που τεθεικατε αυτον λεγουσιν αυτω κυριε ερχου και ιδε
He said, "Where have you put him?"

They say to him, "Lord, come and see."

**11:35** εδακρυσεν ο ιησους
Jesus wept.

**11:36** ελεγον ουν οι ιουδαιοι ιδε πως εφιλει αυτον
The Jews began saying, "See how He loved him!"

**11:37** τινες δε εξ αυτων ειπαν ουκ εδυνατο ουτος ο ανοιξας τους οφθαλμους του τυφλου ποιησαι ινα και ουτος μη αποθανη
Yet some of them said, "Couldn't this *man*, the opener of the eyes of the blind, have made *it* that he wouldn't have died?"

## Jesus at the Tomb

**11:38** ιησους ουν παλιν εμβριμωμενος εν εαυτω ερχεται εις το μνημειον ην δε σπηλαιον και λιθος επεκειτο επ αυτω
Jesus, moved again in Himself, comes to the tomb. *A* cave was there, and *a* stone placed over it.

**11:39** λεγει ο ιησους αρατε τον λιθον λεγει αυτω η αδελφη του τετελευτηκοτος μαρθα κυριε ηδη οζει τεταρταιος γαρ εστιν
Jesus says, "Take the stone away."

Martha, the sister of the dead man, says to Him, "Lord, he already stinks, for it's the fourth *day*."

**11:40** λεγει αυτη ο ιησους ουκ ειπον σοι οτι εαν πιστευσης οψη την δοξαν του θεου
Jesus says to her, "Didn't I say to you that if you believe, you would see the glory of God?"

**11:41** ηραν ουν τον λιθον ο δε ιησους ηρεν τους οφθαλμους ανω και ειπεν πατερ ευχαριστω σοι οτι ηκουσας μου
Then they took away the stone. Jesus lifted the eyes above and said, "Father, I give thanks to You that You've heard me.

**11:42** εγω δε ηδειν οτι παντοτε μου ακουεις αλλα δια τον οχλον τον περιεστωτα ειπον ινα πιστευσωσιν οτι συ με απεστειλας
"I had known that You always hear me, but I spoke for the sake of the crowd standing here, that they may

believe that You sent me."

## Jesus Raises Lazarus

**11:43** και ταυτα ειπων φωνη μεγαλη εκραυγασεν λαζαρε δευρο εξω
Saying these *things*, He shouted in *a* great voice, "Lazarus, come out!"

**11:44** εξηλθεν ο τεθνηκως δεδεμενος τους ποδας και τας χειρας κειριαις και η οψις αυτου σουδαριω περιεδεδετο λεγει [ο] ιησους αυτοις λυσατε αυτον και αφετε αυτον υπαγειν
The dead man came out, bound feet and hands in wrappings and his appearance wrapped in *a* face-cloth. Jesus says to them, "Unbind him, and let him go."

## Reaction to the Wonder

**11:45** πολλοι ουν εκ των ιουδαιων οι ελθοντες προς την μαριαμ και θεασαμενοι ο εποιησεν επιστευσαν εις αυτον
Many of the Jews, coming to Mary and seeing what He had done, believed in Him.

**11:46** τινες δε εξ αυτων απηλθον προς τους φαρισαιους και ειπαν αυτοις α εποιησεν ιησους
Yet some of them went away to the Pharisees and told them what Jesus had done.

**11:47** συνηγαγον ουν οι αρχιερεις και οι φαρισαιοι συνεδριον και ελεγον τι ποιουμεν οτι ουτος ο ανθρωπος πολλα ποιει σημεια
The chief priests and the Pharisees gathered the Sanhedrin together, and

they began saying, "What are we doing, for this man works many signs?

**11:48** εαν αφωμεν αυτον ουτως παντες πιστευσουσιν εις αυτον και ελευσονται οι ρωμαιοι και αρουσιν ημων και τον τοπον και το εθνος
"If we allow Him to do so, all will believe in Him, and the Romans will come and take away both our place and the nation."

## Caiaphas Prophesies

**11:49** εις δε τις εξ αυτων καιαφας αρχιερευς ων του ενιαυτου εκεινου ειπεν αυτοις υμεις ουκ οιδατε ουδεν
One of them, Caiaphas[30], being the high priest that year, said to them, "Don't you know anything?

**11:50** ουδε λογιζεσθε οτι συμφερει υμιν ινα εις ανθρωπος αποθανη υπερ του λαου και μη ολον το εθνος αποληται
"Don't you consider that it is better to you that one man die for the people, and the whole nation not be destroyed?"

**11:51** τουτο δε αφ εαυτου ουκ ειπεν αλλα αρχιερευς ων του ενιαυτου εκεινου επροφητευσεν οτι εμελλεν ιησους αποθνησκειν υπερ του εθνους
He didn't say this of himself, but being high priest that year, he prophesied that Jesus was about to die for the nation –

**11:52** και ουχ υπερ του εθνους μονον αλλ ινα και τα τεκνα του θεου τα διεσκορπισμενα συναγαγη εις εν
and not only for the nation, but that

He might gather together into one the scattered children of God.

**11:53** απ εκεινης ουν της ημερας εβουλευσαντο ινα αποκτεινωσιν αυτον

From that day, they took counsel that they might kill Him.

### Jesus Goes To Ephraim

**11:54** ο ουν ιησους ουκετι παρρησια περιεπατει εν τοις ιουδαιοις αλλα απηλθεν εκειθεν εις την χωραν εγγυς της ερημου εις εφραιμ λεγομενην πολιν κακει εμεινεν μετα των μαθητων

Jesus, then, no longer walked around openly among the Jews, but went away from there to *a* village near the desert, to *a* city called Ephraim[31], and stayed there with the disciples.

**11:55** ην δε εγγυς το πασχα των ιουδαιων και ανεβησαν πολλοι εις ιεροσολυμα εκ της χωρας προ του πασχα ινα αγνισωσιν εαυτους

The Passover of the Jews was near, and many went up to Jerusalem from the village before the Passover so they could purify themselves.

**11:56** εζητουν ουν τον ιησουν και ελεγον μετ αλληλων εν τω ιερω εστηκοτες τι δοκει υμιν οτι ου μη ελθη εις την εορτην

They were looking for Jesus. Standing in the temple, they were saying to each other, "What does it seem to you? Will He not come to the feast?"

**11:57** δεδωκεισαν δε οι αρχιερεις και οι φαρισαιοι εντολας ινα εαν τις

γνω που εστιν μηνυση οπως πιασωσιν αυτον

The chief priests and Pharisees had given *a* commandment that if anyone knew where He is, he make *it* known so they could arrest Him.

### John 12
### Anointed at Bethany

**12:1** ο ουν ιησους προ εξ ημερων του πασχα ηλθεν εις βηθανιαν οπου ην λαζαρος ον ηγειρεν εκ νεκρων ιησους

Six days before the Passover, Jesus came to Bethany, where Lazarus was whom Jesus raised from the dead.

**12:2** εποιησαν ουν αυτω δειπνον εκει και η μαρθα διηκονει ο δε λαζαρος εις ην εκ των ανακειμενων συν αυτω

They made *a* feast there, and Martha served. Lazarus was one of those reclining *at table* with Him.

**12:3** η ουν μαριαμ λαβουσα λιτραν μυρου ναρδου πιστικης πολυτιμου ηλειψεν τους ποδας [του] ιησου και εξεμαξεν ταις θριξιν αυτης τους ποδας αυτου η δε οικια επληρωθη εκ της οσμης του μυρου

Then Mary, having taken *a* pound of pure spikenard ointment of great cost, anointed Jesus' feet and dried His feet with her hair. The house was filled with the fragrance of ointment.

### Judas Iscariot Objects

**12:4** λεγει [δε] ιουδας ο ισκαριωτης εις των μαθητων αυτου ο μελλων

αυτον παραδιδοναι
[Yet] Judas Iscariot, one of his disciples, the *one* about to betray him, says,

**12:5** δια τι τουτο το μυρον ουκ επραθη τριακοσιων δηναριων και εδοθη πτωχοις
"Why wasn't this ointment sold for three hundred denarii and given to the poor?"

**12:6** ειπεν δε τουτο ουχ οτι περι των πτωχων εμελεν αυτω αλλ οτι κλεπτης ην και το γλωσσοκομον εχων τα βαλλομενα εβασταζεν
He said this not because it mattered to him about the poor, but because he was *a* thief. Having the money-box, he took the *things* thrown into *it*.

**12:7** ειπεν ουν ο ιησους αφες αυτην ινα εις την ημεραν του ενταφιασμου μου τηρηση αυτο
Jesus said, "Leave her alone, because she has kept it to the day of my burial.

**12:8** τους πτωχους γαρ παντοτε εχετε μεθ εαυτων εμε δε ου παντοτε εχετε
"You always have the poor with you, yet you don't always have me."

### Crowds of Curiosity Seekers
**12:9** εγνω ουν ο οχλος πολυς εκ των ιουδαιων οτι εκει εστιν και ηλθον ου δια τον ιησουν μονον αλλ ινα και τον λαζαρον ιδωσιν ον ηγειρεν εκ νεκρων
Then the great crowd from the Jews knew that He is there, and they came not only for Jesus alone, but so they could see Lazarus whom He raised from the dead.

**12:10** εβουλευσαντο δε οι αρχιερεις ινα και τον λαζαρον αποκτεινωσιν
The chief priests took counsel so they could kill Lazarus too,

**12:11** οτι πολλοι δι αυτον υπηγον των ιουδαιων και επιστευον εις τον ιησουν
because through him many were going away from the Jews and believing in Jesus.

### Preparing to Enter Jerusalem
**12:12** τη επαυριον ο οχλος πολυς ο ελθων εις την εορτην ακουσαντες οτι ερχεται ιησους εις ιεροσολυμα
The following morning, the great crowd coming to the feast, having heard that Jesus comes into Jerusalem,

**12:13** ελαβον τα βαια των φοινικων και εξηλθον εις υπαντησιν αυτω και εκραυγαζον ωσαννα ευλογημενος ο ερχομενος εν ονοματι κυριου και ο βασιλευς του ισραηλ
took the branches of the palm trees and went out to meet Him. They were calling out,

> "Hosanna! Blessed *is* the *one*
> coming in the Lord's name,
> and the king of Israel!"[32]

**12:14** ευρων δε ο ιησους οναριον εκαθισεν επ αυτο καθως εστιν γεγραμμενον
Jesus, finding *a* young donkey, sat on it, just as is written:

**12:15** μη φοβου θυγατηρ σιων ιδου ο βασιλευς σου ερχεται καθημενος επι πωλον ονου

"Don't fear, Sion's daughter! Look! Your king comes to you seated on *a* donkey's colt."[33]

**12:16** ταυτα ουκ εγνωσαν αυτου οι μαθηται το πρωτον αλλ οτε εδοξασθη ιησους τοτε εμνησθησαν οτι ταυτα ην επ αυτω γεγραμμενα και ταυτα εποιησαν αυτω
His disciples didn't recognize these *things* at first, but when Jesus was glorified, then they remembered that these were written about Him, and they had done these *things* for Him.

### The Crowd Comes to See
**12:17** εμαρτυρει ουν ο οχλος ο ων μετ αυτου οτε τον λαζαρον εφωνησεν εκ του μνημειου και ηγειρεν αυτον εκ νεκρων
Then the crowd which was with Him when He called Lazarus from the tomb and raised him from the dead began to testify.
**12:18** δια τουτο και υπηντησεν αυτω ο οχλος οτι ηκουσαν τουτο αυτον πεποιηκεναι το σημειον
For this *reason* also, the crowd met Him: because they heard that He had worked this sign.
**12:19** οι ουν φαρισαιοι ειπαν προς εαυτους θεωρειτε οτι ουκ ωφελειτε ουδεν ιδε ο κοσμος οπισω αυτου απηλθεν
Then the Pharisees said to themselves, "See that you profit nothing! Look! The world goes out after Him."

### Gentiles Seek Him
**12:20** ησαν δε ελληνες τινες εκ των αναβαινοντων ινα προσκυνησωσιν εν τη εορτη
Some Greeks were among those going up so they could worship at the feast.
**12:21** ουτοι ουν προσηλθον φιλιππω τω απο βηθσαιδα της γαλιλαιας και ηρωτων αυτον λεγοντες κυριε θελομεν τον ιησουν ιδειν
These came to Philip, the *one* from Bethsaida of Galilee, and asked him, saying, "Sir, we want to see Jesus."

**12:22** ερχεται ο φιλιππος και λεγει τω ανδρεα ερχεται ανδρεας και φιλιππος και λεγουσιν τω ιησου
Philip goes and speaks to Andrew. Andrew goes, and Philip, and they speak to Jesus.

### The Hour Has Come
**12:23** ο δε ιησους αποκρινεται αυτοις λεγων εληλυθεν η ωρα ινα δοξασθη ο υιος του ανθρωπου
Jesus answers them, saying, "The hour has come that the Son of Man be glorified.
**12:24** αμην αμην λεγω υμιν εαν μη ο κοκκος του σιτου πεσων εις την γην αποθανη αυτος μονος μενει εαν δε αποθανη πολυν καρπον φερει
"Amen, amen, I say to you, unless the grain of wheat falling into the ground dies, it remains alone. Yet if it dies, it bears much fruit.

**12:25** ο φιλων την ψυχην αυτου
απολλυει αυτην και ο μισων την
ψυχην αυτου εν τω κοσμω τουτω εις
ζωην αιωνιον φυλαξει αυτην
"The *one* loving his soul loses her,
and the *one* hating his soul in this
world will keep her to eternal life.
**12:26** εαν εμοι τις διακονη εμοι
ακολουθειτω και οπου ειμι εγω εκει
και ο διακονος ο εμος εσται εαν τις
εμοι διακονη τιμησει αυτον ο πατηρ
"If someone serves me, let him
follow, and where I am, there my
servant will be also. If someone
serves me, the Father will honor him.
**12:27** νυν η ψυχη μου τεταρακται
και τι ειπω πατερ σωσον με εκ της
ωρας ταυτης αλλα δια τουτο ηλθον
εις την ωραν ταυτην
"Now my soul is troubled, and what
should I say: 'Father, save me from
this hour'? I came to this hour for
this *reason*.
**12:28** πατερ δοξασον σου το ονομα
ηλθεν ουν φωνη εκ του ουρανου και
εδοξασα και παλιν δοξασω
"Father, glorify Your name!"

*A* voice came from the sky,

"I both have glorified,
and will glorify again."

**12:29** ο [ουν] οχλος ο εστως και
ακουσας ελεγεν βροντην γεγονεναι
αλλοι ελεγον αγγελος αυτω
λελαληκεν
[Then] the crowd standing by and
having heard began saying, "It
thundered."

Others were saying, "*An* angel has
spoken to Him."

### The World's Judgment
**12:30** απεκριθη και ειπεν ιησους ου
δι εμε η φωνη αυτη γεγονεν αλλα δι
υμας
Jesus answered and said, "This voice
came not for my sake but for yours.
**12:31** νυν κρισις εστιν του κοσμου
τουτου νυν ο αρχων του κοσμου
τουτου εκβληθησεται εξω
"Now is judgment of this world.
Now the rulers of this world will be
thrown out,
**12:32** καγω εαν υψωθω εκ της γης
παντας ελκυσω προς εμαυτον
"and I, if I am lifted up from the
earth, will draw all to myself."

**12:33** τουτο δε ελεγεν σημαινων
ποιω θανατω ημελλεν αποθνησκειν
He was saying this, signifying what
sort of death He was about to die.
**12:34** απεκριθη ουν αυτω ο οχλος
ημεις ηκουσαμεν εκ του νομου οτι ο
χριστος μενει εις τον αιωνα και πως
λεγεις συ οτι δει υψωθηναι τον υιον
του ανθρωπου τις εστιν ουτος ο υιος
του ανθρωπου
The crowd answered Him, "We've
heard from the law that the Christ
remains to eternity. How do You say
that it is necessary for the Son of
Man to be lifted up? Who is this Son
of Man?"

### The Light Is Among You
**12:35** ειπεν ουν αυτοις ο ιησους ετι
μικρον χρονον το φως εν υμιν εστιν

περιπατειτε ως το φως εχετε ινα μη
σκοτια υμας καταλαβη και ο
περιπατων εν τη σκοτια ουκ οιδεν
που υπαγει

Jesus said to them, "The light is
among you yet *a* little while. Walk
as you have light, that the darkness
not overcome you! The *one* walking
in the darkness does not know where
he is going.

**12:36** ως το φως εχετε πιστευετε εις
το φως ινα υιοι φωτος γενησθε ταυτα
ελαλησεν ιησους και απελθων
εκρυβη απ αυτων

"As you have the light, believe in the
light, that you may become sons of
light."

### Jesus Hides from Unbelievers

Jesus said these *things* and, going
out, hid from them.

**12:37** τοσαυτα δε αυτου σημεια
πεποιηκοτος εμπροσθεν αυτων ουκ
επιστευον εις αυτον

Having worked such great signs
before them, they didn't believe in
Him,

**12:38** ινα ο λογος ησαιου του
προφητου πληρωθη ον ειπεν κυριε
τις επιστευσεν τη ακοη ημων και ο
βραχιων κυριου τινι απεκαλυφθη

that the word of Isaiah the prophet
might be fulfilled which said,

"Lord, who has
believed our hearing,
and to whom was
the Lord's arm revealed?"[34]

**12:39** δια τουτο ουκ ηδυναντο
πιστευειν οτι παλιν ειπεν ησαιας

For this *reason* they couldn't believe,
for Isaiah again said,

**12:40** τετυφλωκεν αυτων τους
οφθαλμους και επωρωσεν αυτων την
καρδιαν ινα μη ιδωσιν τοις
οφθαλμοις και νοησωσιν τη καρδια
και στραφωσιν και ιασομαι αυτους

"He has blinded their eyes
and hardened their heart
that they may not
see with their eyes
and understand by the heart,
and turn,
and I will restore them."[35]

**12:41** ταυτα ειπεν ησαιας οτι ειδεν
την δοξαν αυτου και ελαλησεν περι
αυτου

Isaiah said these *things* because he
saw His glory, and he spoke about
Him.

**12:42** ομως μεντοι και εκ των
αρχοντων πολλοι επιστευσαν εις
αυτον αλλα δια τους φαρισαιους ουχ
ωμολογουν ινα μη αποσυναγωγοι
γενωνται

Nevertheless, many of the rulers
believed in Him too, but because of
the Pharisees, they wouldn't confess
so they wouldn't be put out of the
synagogue –

**12:43** ηγαπησαν γαρ την δοξαν των
ανθρωπων μαλλον ηπερ την δοξαν
του θεου

for they loved the glory of men
rather than the glory of God.

## Who Believes in Me

**12:44** ιησους δε εκραξεν και ειπεν ο πιστευων εις εμε ου πιστευει εις εμε αλλα εις τον πεμψαντα με

Jesus shouted and said, "The *one* believing in me doesn't believe in me, but in the *One* having sent me;

**12:45** και ο θεωρων εμε θεωρει τον πεμψαντα με

"and the *one* seeing me sees the *One* having sent me.

**12:46** εγω φως εις τον κοσμον εληλυθα ινα πας ο πιστευων εις εμε εν τη σκοτια μη μεινη

"I have come *as* light into the world, that everyone believing in me may not remain in the darkness.

**12:47** και εαν τις μου ακουση των ρηματων και μη φυλαξη εγω ου κρινω αυτον ου γαρ ηλθον ινα κρινω τον κοσμον αλλ ινα σωσω τον κοσμον

"If someone hears my words and doesn't keep them, I don't judge him – for I didn't come that I might judge the world, but that I might save the world.

**12:48** ο αθετων εμε και μη λαμβανων τα ρηματα μου εχει τον κρινοντα αυτον ο λογος ον ελαλησα εκεινος κρινει αυτον εν τη εσχατη ημερα

"The *one* rejecting me and not receiving my words has *one* judging him. The word which I've spoken, that will judge him on the last day.

**12:49** οτι εγω εξ εμαυτου ουκ ελαλησα αλλ ο πεμψας με πατηρ αυτος μοι εντολην δεδωκεν τι ειπω και τι λαλησω

"I haven't spoken from myself, but the Father having sent me, He has given me commandment what I should say and what I should speak.

**12:50** και οιδα οτι η εντολη αυτου ζωη αιωνιος εστιν α ουν εγω λαλω καθως ειρηκεν μοι ο πατηρ ουτως λαλω

"I know that His commandment is eternal life, which therefore I speak. Even as the Father has spoken to me, so I speak."

## John 13
## Jesus Washes the Disciples' Feet

**13:1** προ δε της εορτης του πασχα ειδως ο ιησους οτι ηλθεν αυτου η ωρα ινα μεταβη εκ του κοσμου τουτου προς τον πατερα αγαπησας τους ιδιους τους εν τω κοσμω εις τελος ηγαπησεν αυτους

Before the feast of the Passover, Jesus, seeing that His hour came that He cross over from this world to the Father, having loved His own in the world, He loved them to the end.

**13:2** και δειπνου γινομενου του διαβολου ηδη βεβληκοτος εις την καρδιαν ινα παραδοι αυτον ιουδας σιμωνος ισκαριωτης

*While* the feast *was* happening, *it was* already cast of the devil into the heart that Judas Simon Iscariot betray him.

**13:3** ειδως οτι παντα εδωκεν αυτω ο πατηρ εις τας χειρας και οτι απο θεου εξηλθεν και προς τον θεον υπαγει

Seeing that the Father has given all

into His hands, and that He came out from God and goes to God,

**13:4** εγειρεται εκ του δειπνου και τιθησιν τα ιματια και λαβων λεντιον διεζωσεν εαυτον

He gets up from the supper, and sets aside the garments. Taking *a* towel, He wrapped *it* around Him.

**13:5** ειτα βαλλει υδωρ εις τον νιπτηρα και ηρξατο νιπτειν τους ποδας των μαθητων και εκμασσειν τω λεντιω ω ην διεζωσμενος

Then He pours water into *a* wash bowl, and begins to wash the feet of the disciples and to dry them with the towel which was wrapped around *Him*.

## Peter Objects

**13:6** ερχεται ουν προς σιμωνα πετρον λεγει αυτω κυριε συ μου νιπτεις τους ποδας

He comes, then, to Simon Peter. *Peter* says to him, "Lord, are You washing my feet?"

**13:7** απεκριθη ιησους και ειπεν αυτω ο εγω ποιω συ ουκ οιδας αρτι γνωση δε μετα ταυτα

Jesus answered and said to him, "What I do you don't understand now, yet you will realize after these things."

**13:8** λεγει αυτω πετρος ου μη νιψης μου τους ποδας εις τον αιωνα απεκριθη ιησους αυτω εαν μη νιψω σε ουκ εχεις μερος μετ εμου

Peter says to Him, "You may never wash my feet to eternity."

Jesus answered him, "If I don't wash you, you have no portion with me."

**13:9** λεγει αυτω σιμων πετρος κυριε μη τους ποδας μου μονον αλλα και τας χειρας και την κεφαλην

Simon Peter says to him, "Lord, not my feet only, but the hands and the head!"

**13:10** λεγει αυτω ιησους ο λελουμενος ουκ εχει χρειαν [ει μη τους ποδας] νιψασθαι αλλ εστιν καθαρος ολος και υμεις καθαροι εστε αλλ ουχι παντες

Jesus says to him, "The *one* washed doesn't need to wash [except the feet], but is wholly clean. You are clean – but not all."

**13:11** ηδει γαρ τον παραδιδοντα αυτον δια τουτο ειπεν οτι ουχι παντες καθαροι εστε

He knew the *one* betraying Him. For this *reason*, He said that "Not all *of you* are clean."

## Jesus Explains the Foot Washing

**13:12** οτε ουν ενιψεν τους ποδας αυτων και ελαβεν τα ιματια αυτου και ανεπεσεν παλιν ειπεν αυτοις γινωσκετε τι πεποιηκα υμιν

When He washed their feet and took His clothing and reclined again *at table*, He said to them, "Do you know what I've done to you?

**13:13** υμεις φωνειτε με ο διδασκαλος και ο κυριος και καλως λεγετε ειμι γαρ

"You call me the teacher and the

Lord, and you say well, for I am.

**13:14** ει ουν εγω ενιψα υμων τους ποδας ο κυριος και ο διδασκαλος και υμεις οφειλετε αλληλων νιπτειν τους ποδας

"If I, the Lord and the teacher, wash your feet, you ought to wash one another's feet also.

**13:15** υποδειγμα γαρ εδωκα υμιν ινα καθως εγω εποιησα υμιν και υμεις ποιητε

"I've given you *a* pattern that, just as I did to you, you also may do.

**13:16** αμην αμην λεγω υμιν ουκ εστιν δουλος μειζων του κυριου αυτου ουδε αποστολος μειζων του πεμψαντος αυτον

"Amen, amen, I say to you that *a* slave is not greater than his master, nor *an* apostle greater than the *One* having sent him.

**13:17** ει ταυτα οιδατε μακαριοι εστε εαν ποιητε αυτα

"If you've understood these *words*, you are blessed if you do them.

### Jesus Hints at Betrayal and Death

**13:18** ου περι παντων υμων λεγω εγω οιδα τινας εξελεξαμην αλλ ινα η γραφη πληρωθη ο τρωγων μου τον αρτον επηρεν επ εμε την πτερναν αυτου

"I'm not talking about all of you. I've known whom I've chosen. But that the scripture may be fulfilled,

'The *one* eating my bread lifted up his heel against me'[36] –

**13:19** απ αρτι λεγω υμιν προ του γενεσθαι ινα πιστευητε οταν γενηται οτι εγω ειμι

"I tell you from now on, before it happens, that when it happens you may believe that I am.

**13:20** αμην αμην λεγω υμιν ο λαμβανων αν τινα πεμψω εμε λαμβανει ο δε εμε λαμβανων λαμβανει τον πεμψαντα με

"Amen, amen, I say to you, the *one* receiving whomever I send receives me. The *one* receiving me receives the *One* having sent me."

### Jesus Predicts Betrayal

**13:21** ταυτα ειπων ιησους εταραχθη τω πνευματι και εμαρτυρησεν και ειπεν αμην αμην λεγω υμιν οτι εις εξ υμων παραδωσει με

*While* saying these *things*, Jesus was troubled in spirit. He testified, and said, "Amen, amen, I say to you that one of you will betray me."

**13:22** εβλεπον εις αλληλους οι μαθηται απορουμενοι περι τινος λεγει

The disciples began looking around at each other, at a loss about whom He speaks.

**13:23** ην ανακειμενος εις εκ των μαθητων αυτου εν τω κολπω του ιησου ον ηγαπα [ο] ιησους

One of His disciples whom Jesus loved was reclining *at table* in Jesus' embrace.

**13:24** νευει ουν τουτω σιμων πετρος και λεγει αυτω ειπε τις εστιν περι ου λεγει

Simon Peter nodded to him, and says to him, "Ask Him who it is He's talking about!"

**13:25** αναπεσων εκεινος ουτως επι το στηθος του ιησου λεγει αυτω κυριε τις εστιν
That *disciple*, reclining so on the chest of Jesus, says to Him, "Lord, who is *it*?"

**13:26** αποκρινεται ουν [ο] ιησους εκεινος εστιν ω εγω βαψω το ψωμιον και δωσω αυτω βαψας ουν [το] ψωμιον λαμβανει και διδωσιν ιουδα σιμωνος ισκαριωτου
Jesus answers, "He is *the one* to whom I dip the morsel and give it."

Having dipped [the] morsel, then, He takes and gives to Judas Simon Iscariot.
**13:27** και μετα το ψωμιον τοτε εισηλθεν εις εκεινον ο σατανας λεγει ουν αυτω ιησους ο ποιεις ποιησον ταχιον
After the morsel, then Satan went into that *man*. Jesus says to him, then, "What you do, do quickly."

**13:28** τουτο [δε] ουδεις εγνω των ανακειμενων προς τι ειπεν αυτω
[Yet] no one among those reclining *at table* understood to what *purpose* He said this to him.
**13:29** τινες γαρ εδοκουν επει το γλωσσοκομον ειχεν ιουδας οτι λεγει αυτω ιησους αγορασον ων χρειαν εχομεν εις την εορτην η τοις πτωχοις ινα τι δω
Some thought since Judas had the money-box, that Jesus says to him, 'Buy what we have need of for the feast', or that he give something to the poor.
**13:30** λαβων ουν το ψωμιον εκεινος εξηλθεν ευθυς ην δε νυξ
Taking the morsel, that *man* went out at once. It was night.

### Man's Son Is Glorified
**13:31** οτε ουν εξηλθεν λεγει ιησους νυν εδοξασθη ο υιος του ανθρωπου και ο θεος εδοξασθη εν αυτω
When he went out, Jesus says, "Now the Son of Man has been glorified, and God has been glorified in him.
**13:32** και ο θεος δοξασει αυτον εν αυτω και ευθυς δοξασει αυτον
"God will glorify him in Him, and will glorify him at once.
**13:33** τεκνια ετι μικρον μεθ υμων ειμι ζητησετε με και καθως ειπον τοις ιουδαιοις οτι οπου εγω υπαγω υμεις ου δυνασθε ελθειν και υμιν λεγω αρτι
"Little children, I am with you yet *a* little *while*. You will seek me and, just as I said to the Jews, that 'Where I go you cannot come' – I say to you now also.

### A New Commandment
**13:34** εντολην καινην διδωμι υμιν ινα αγαπατε αλληλους καθως ηγαπησα υμας ινα και υμεις αγαπατε αλληλους
"I give you *a* new commandment: that you love one another – even as I loved you, that you also love one

another.

**13:35** εν τουτω γνωσονται παντες οτι εμοι μαθηται εστε εαν αγαπην εχητε εν αλληλοις
"In this, all will know that you are my disciples: if you have love among each other."

## Where Are You Going?

**13:36** λεγει αυτω σιμων πετρος κυριε που υπαγεις απεκριθη ιησους οπου υπαγω ου δυνασαι μοι νυν ακολουθησαι ακολουθησεις δε υστερον
Simon Peter says to him, "Lord, where are You going?"

Jesus answered, "Where I am going, you can't follow me now – yet you will follow later."

**13:37** λεγει αυτω [ο] πετρος κυριε δια τι ου δυναμαι σοι ακολουθειν αρτι την ψυχην μου υπερ σου θησω
Peter says to him, "Lord, why can't I follow You now? I will give my soul for Your sake."

**13:38** αποκρινεται ιησους την ψυχην σου υπερ εμου θησεις αμην αμην λεγω σοι ου μη αλεκτωρ φωνηση εως ου αρνηση με τρις
Jesus answers, "Will you give your soul for my sake? Amen, amen, I say to you, the rooster will not crow until you deny me three *times*."

# John 14
## Many Lodgings

**14:1** μη ταρασσεσθω υμων η καρδια πιστευετε εις τον θεον και εις εμε πιστευετε
"Don't let your heart be troubled. You believe in God. Believe in me too.

**14:2** εν τη οικια του πατρος μου μοναι πολλαι εισιν ει δε μη ειπον αν υμιν οτι πορευομαι ετοιμασαι τοπον υμιν
"Many rooms are in the house of my Father. If not, I wouldn't have told you that I go to prepare *a* place for you.

**14:3** και εαν πορευθω και ετοιμασω τοπον υμιν παλιν ερχομαι και παραλημψομαι υμας προς εμαυτον ινα οπου ειμι εγω και υμεις ητε
"If I go and prepare a place for you, I come again and will receive you to myself, that where I am you may be too.

**14:4** και οπου εγω υπαγω οιδατε την οδον
"You know the road to where I am going.

## I Am the Way

**14:5** λεγει αυτω θωμας κυριε ουκ οιδαμεν που υπαγεις πως οιδαμεν την οδον
Thomas says to Him, "Lord, we don't know where You are going. How can we know the road?"

**14:6** λεγει αυτω ιησους εγω ειμι η οδος και η αληθεια και η ζωη ουδεις ερχεται προς τον πατερα ει μη δι εμου

Jesus says to him, "I am the road, and the truth, and the life. No one comes to the Father except through me.

**14:7** ει εγνωκειτε με και τον πατερα μου αν ηδειτε απ αρτι γινωσκετε αυτον και εωρακατε

"If you have known me, you would have known my Father too. From now on you know Him and have seen.

### Show Us the Father

**14:8** λεγει αυτω φιλιππος κυριε δειξον ημιν τον πατερα και αρκει ημιν

Philip says to Him, "Lord, show us the Father and it is enough for us!"

**14:9** λεγει αυτω [ο] ιησους τοσουτον χρονον μεθ υμων ειμι και ουκ εγνωκας με φιλιππε ο εωρακως εμε εωρακεν τον πατερα πως συ λεγεις δειξον ημιν τον πατερα

Jesus says to him, "Am I with you so great *a* time and you haven't known me, Philip? The *one* having seen me has seen the Father. How do you say, 'Show us the Father'?

**14:10** ου πιστευεις οτι εγω εν τω πατρι και ο πατηρ εν εμοι εστιν τα ρηματα α εγω λεγω υμιν απ εμαυτου ου λαλω ο δε πατηρ εν εμοι μενων ποιει τα εργα αυτου

"Don't you believe that I *am* in the Father, and the Father is in me? The words which I say to you I don't say of myself, yet the Father abiding in me works His works.

**14:11** πιστευετε μοι οτι εγω εν τω πατρι και ο πατηρ εν εμοι ει δε μη δια τα εργα αυτα πιστευετε

"Believe me that I *am* in the Father and the Father in me. Yet if not, believe for the sake of the works themselves.

**14:12** αμην αμην λεγω υμιν ο πιστευων εις εμε τα εργα α εγω ποιω κακεινος ποιησει και μειζονα τουτων ποιησει οτι εγω προς τον πατερα πορευομαι

"Amen, amen, I say to you, the *one* believing in me, that *one* too will do the works which I do, and he will do greater than these because I go to my Father.

**14:13** και ο τι αν αιτησητε εν τω ονοματι μου τουτο ποιησω ινα δοξασθη ο πατηρ εν τω υιω

"Whoever of you asks anything in my name, I will do this, that the Father may be glorified in the Son.

**14:14** εαν τι αιτησητε [με] εν τω ονοματι μου τουτο ποιησω

"If you ask [me] anything in my name, I will do this.

### Another Advocate

**14:15** εαν αγαπατε με τας εντολας τας εμας τηρησετε

If you love me, keep my commandments,

**4:16** καγω ερωτησω τον πατερα και αλλον παρακλητον δωσει υμιν ινα η μεθ υμων εις τον αιωνα

"and I will ask the Father, and He will give you another Advocate, that it may be with you to eternity –

**14:17** το πνευμα της αληθειας ο ο

κοσμος ου δυναται λαβειν οτι ου
θεωρει αυτο ουδε γινωσκει υμεις
γινωσκετε αυτο οτι παρ υμιν μενει
και εν υμιν εστιν
"the Spirit of truth whom the world
cannot receive, because it neither
sees nor knows it. You know it,
because it stays near you and is
among you.
**14:18** ουκ αφησω υμας ορφανους
ερχομαι προς υμας
"I will not leave you orphans. I
come to you.
**14:19** ετι μικρον και ο κοσμος με
ουκετι θεωρει υμεις δε θεωρειτε με
οτι εγω ζω και υμεις ζησετε
"Yet *a* little while and the world no
longer sees me, yet you see me.
Because I live, you will live too.
**14:20** εν εκεινη τη ημερα υμεις
γνωσεσθε οτι εγω εν τω πατρι μου
και υμεις εν εμοι καγω εν υμιν
"You will know in that hour that I
*am* in my Father, and you in me, and
I in you.
**14:21** ο εχων τας εντολας μου και
τηρων αυτας εκεινος εστιν ο αγαπων
με ο δε αγαπων με αγαπηθησεται
υπο του πατρος μου καγω αγαπησω
αυτον και εμφανισω αυτω εμαυτον
"The *one* holding my
commandments and keeping them,
that is the *one* loving me. The *one*
loving me will be loved by my
Father. I will love him and reveal
myself to him."

## How Will This Happen?

**14:22** λεγει αυτω ιουδας ουχ ο
ισκαριωτης κυριε τι γεγονεν οτι ημιν

μελλεις εμφανιζειν σεαυτον και ουχι
τω κοσμω
Judas says to Him (not Iscariot),
"Lord, what has happened that You
are about to reveal Yourself to us
and not to the world?"

**14:23** απεκριθη ιησους και ειπεν
αυτω εαν τις αγαπα με τον λογον
μου τηρησει και ο πατηρ μου
αγαπησει αυτον και προς αυτον
ελευσομεθα και μονην παρ αυτω
ποιησομεθα
Jesus answered and said to him, "If
someone loves me, he will keep my
word, and my Father will love him.
We will come near him, and will
make *a* dwelling near him.
**14:24** ο μη αγαπων με τους λογους
μου ου τηρει και ο λογος ον ακουετε
ουκ εστιν εμος αλλα του πεμψαντος
με πατρος
"The *one* not loving me doesn't keep
my words. The word which you hear
isn't mine, but of the Father having
sent me.
**14:25** ταυτα λελαληκα υμιν παρ υμιν
μενων
"I have spoken these *words* to you,
remaining near you.
**14:26** ο δε παρακλητος το πνευμα το
αγιον ο πεμψει ο πατηρ εν τω
ονοματι μου εκεινος υμας διδαξει
παντα και υπομνησει υμας παντα α
ειπον υμιν εγω
"Yet the Advocate, the Holy Spirit
whom the Father will send in my
name, that *Advocate* will teach you
all, and will remind you of all that
I've said to you.

## I Leave Peace with You

**14:27** ειρηνην αφιημι υμιν ειρηνην την εμην διδωμι υμιν ου καθως ο κοσμος διδωσιν εγω διδωμι υμιν μη ταρασσεσθω υμων η καρδια μηδε δειλιατω

"I leave you peace. I give you my peace. I don't give to you as the world gives. Don't let your heart be troubled or afraid.

**14:28** ηκουσατε οτι εγω ειπον υμιν υπαγω και ερχομαι προς υμας ει ηγαπατε με εχαρητε αν οτι πορευομαι προς τον πατερα οτι ο πατηρ μειζων μου εστιν

"You've heard that I said to you, 'I go, and I come to you.' If you loved me, you would have rejoiced, because I go to the Father and the Father is greater than me.

**14:29** και νυν ειρηκα υμιν πριν γενεσθαι ινα οταν γενηται πιστευσητε

"Now I've told you before it happens, that when it happens you may believe.

## This World's Prince

**14:30** ουκετι πολλα λαλησω μεθ υμων ερχεται γαρ ο του κοσμου αρχων και εν εμοι ουκ εχει ουδεν

"I will no longer speak much with you, for the ruler of this world comes, and he has nothing in me –

**14:31** αλλ ινα γνω ο κοσμος οτι αγαπω τον πατερα και καθως εντολην εδωκεν μοι ο πατηρ ουτως ποιω εγειρεσθε αγωμεν εντευθεν

"but that the world may know that I love the Father, and just as the Father has given me *a* commandment, so I do. Get up! Let's go from here."

# John 15
## The True Vine

**15:1** εγω ειμι η αμπελος η αληθινη και ο πατηρ μου ο γεωργος εστιν

"I am the true vine, and my Father is the vine-dresser.

**15:2** παν κλημα εν εμοι μη φερον καρπον αιρει αυτο και παν το καρπον φερον καθαιρει αυτο ινα καρπον πλειονα φερη

"Every branch in me not bearing fruit, He takes it away; and every *branch* bearing fruit, He prunes it that it may bear more fruit.

**15:3** ηδη υμεις καθαροι εστε δια τον λογον ον λελαληκα υμιν

"You are already clean through the word that I've spoken to you.

**15:4** μεινατε εν εμοι καγω εν υμιν καθως το κλημα ου δυναται καρπον φερειν αφ εαυτου εαν μη μενη εν τη αμπελω ουτως ουδε υμεις εαν μη εν εμοι μενητε

"Remain in me and I in you. Even as the branch cannot bear fruit of itself unless it remains in the vine, so you can't either unless you remain in me.

**15:5** εγω ειμι η αμπελος υμεις τα κληματα ο μενων εν εμοι καγω εν αυτω ουτος φερει καρπον πολυν οτι χωρις εμου ου δυνασθε ποιειν ουδεν

"I am the vine. You are the branches. The *one* remaining in me and I in him, this *one* will bear much fruit – because without me you can do nothing.

**15:6** εαν μη τις μενη εν εμοι εβληθη εξω ως το κλημα και εξηρανθη και συναγουσιν αυτα και εις το πυρ βαλλουσιν και καιεται

"If someone won't remain in me, he was cast out like *a* branch, and dries up. They gather them, and throw *them* into the fire, and it is lit.

### Remain in My Words

**15:7** εαν μεινητε εν εμοι και τα ρηματα μου εν υμιν μεινη ο εαν θελητε αιτησασθε και γενησεται υμιν

"If you remain in me and my words remain in you, ask whatever you will and it will happen for you.

**15:8** εν τουτω εδοξασθη ο πατηρ μου ινα καρπον πολυν φερητε και γενησθε εμοι μαθηται

"My Father is glorified in this: that you bear much fruit, and you become my disciples.

**15:9** καθως ηγαπησεν με ο πατηρ καγω υμας ηγαπησα μεινατε εν τη αγαπη τη εμη

"Even as the Father has loved me, I also have loved you. Remain in my love.

**15:10** εαν τας εντολας μου τηρησητε μενειτε εν τη αγαπη μου καθως εγω του πατρος τας εντολας τετηρηκα και μενω αυτου εν τη αγαπη

"If you keep my commandments, you remain in my love, even as I have kept the Father's commandments and I remain in His love.

**15:11** ταυτα λελαληκα υμιν ινα η χαρα η εμη εν υμιν η και η χαρα υμων πληρωθη

"I've spoken these *words* to you that my joy *may be* in you and your joy be complete.

### Greater Love

**15:12** αυτη εστιν η εντολη η εμη ινα αγαπατε αλληλους καθως ηγαπησα υμας

"This is my commandment: that you love each other, even as I have loved you.

**15:13** μειζονα ταυτης αγαπην ουδεις εχει ινα τις την ψυχην αυτου θη υπερ των φιλων αυτου

"No one has greater love than this: that someone lay down his soul for his friends.

**15:14** υμεις φιλοι μου εστε εαν ποιητε ο εγω εντελλομαι υμιν

"You are my friends if you do what I have commanded you.

**15:15** ουκετι λεγω υμας δουλους οτι ο δουλος ουκ οιδεν τι ποιει αυτου ο κυριος υμας δε ειρηκα φιλους οτι παντα α ηκουσα παρα του πατρος μου εγνωρισα υμιν

"I no longer call you slaves, for the slave doesn't know what his master does. I've called you friends, because what I've heard from the Father I've made known to you.

**15:16** ουχ υμεις με εξελεξασθε αλλ εγω εξελεξαμην υμας και εθηκα υμας ινα υμεις υπαγητε και καρπον φερητε και ο καρπος υμων μενη ινα ο τι αν αιτησητε τον πατερα εν τω ονοματι μου δω υμιν

"You didn't choose me, but I chose you, and I've placed you that you go and bear fruit, and your fruit remain – that whatever you ask the Father in my name He may give you.

**15:17** ταυτα εντελλομαι υμιν ινα αγαπατε αλληλους

"I command you these: that you love one another.

## Why They Hate You

**15:18** ει ο κοσμος υμας μισει γινωσκετε οτι εμε πρωτον υμων μεμισηκεν

"If the world hates you, know that it hated me before you.

**15:19** ει εκ του κοσμου ητε ο κοσμος αν το ιδιον εφιλει οτι δε εκ του κοσμου ουκ εστε αλλ εγω εξελεξαμην υμας εκ του κοσμου δια τουτο μισει υμας ο κοσμος

"If you were of the world, the world would love its own. Because you aren't of the world but I chose you out of the world, for this *reason* the world hates you.

**15:20** μνημονευετε του λογου ου εγω ειπον υμιν ουκ εστιν δουλος μειζων του κυριου αυτου ει εμε εδιωξαν και υμας διωξουσιν ει τον λογον μου ετηρησαν και τον υμετερον τηρησουσιν

"Remember the word which I said to you. 'The slave isn't greater than his master.' If they've persecuted me, they will persecute you too. If they've kept my word, they will keep yours also.

**15:21** αλλα ταυτα παντα ποιησουσιν εις υμας δια το ονομα μου οτι ουκ οιδασιν τον πεμψαντα με

"They will do all these *things* to you for my name's sake, because they haven't known the *One* having sent me.

**15:22** ει μη ηλθον και ελαλησα αυτοις αμαρτιαν ουκ ειχοσαν νυν δε προφασιν ουκ εχουσιν περι της αμαρτιας αυτων

"If I hadn't come and spoken to them, they would not have had sin. Yet now they have no excuse about their sins.

## Who Hates Me

**15:23** ο εμε μισων και τον πατερα μου μισει

"The *one* hating me hates my Father too.

**15:24** ει τα εργα μη εποιησα εν αυτοις α ουδεις αλλος εποιησεν αμαρτιαν ουκ ειχοσαν νυν δε και εωρακασιν και μεμισηκασιν και εμε και τον πατερα μου

"If I hadn't done the works among them that no else did, they would have had no sin. Now they have seen and hated both me and my Father –

**15:25** αλλ ινα πληρωθη ο λογος ο εν τω νομω αυτων γεγραμμενος οτι εμισησαν με δωρεαν

"but that the word in their law be fulfilled, written that,

'They hated me freely.'[37]

## When the Advocate Comes

**15:26** οταν ελθη ο παρακλητος ον εγω πεμψω υμιν παρα του πατρος το πνευμα της αληθειας ο παρα του πατρος εκπορευεται εκεινος μαρτυρησει περι εμου

"When the Advocate comes whom I

will send you from the Father, the Spirit of truth who comes out from the Father, that *Advocate* will testify about me.

**15:27** και υμεις δε μαρτυρειτε οτι απ αρχης μετ εμου εστε

"You testify too that you are with me from the beginning."

## John 16
## Jesus Foretells Persecution

**16:1** ταυτα λελαληκα υμιν ινα μη σκανδαλισθητε

"I've said all these *things* to you that you not be scandalized.

**16:2** αποσυναγωγους ποιησουσιν υμας αλλ ερχεται ωρα ινα πας ο αποκτεινας [υμας] δοξη λατρειαν προσφερειν τω θεω

"They will throw you out of the synagogues. *An* hour comes that everyone killing you will think to offer service to God.

**16:3** και ταυτα ποιησουσιν οτι ουκ εγνωσαν τον πατερα ουδε εμε

"They will do these *things* because they have known neither the Father nor me.

**16:4** αλλα ταυτα λελαληκα υμιν ινα οταν ελθη η ωρα αυτων μνημονευητε αυτων οτι εγω ειπον υμιν ταυτα δε υμιν εξ αρχης ουκ ειπον οτι μεθ υμων ημην

"I've spoken these *words* to you that when their hour comes you will remember them, that I spoke to you. I haven't spoken these to you from the beginning, because I was with you.

**16:5** νυν δε υπαγω προς τον πεμψαντα με και ουδεις εξ υμων ερωτα με που υπαγεις

"Now I go to the *One* having sent me, and none of you asks me, 'Where are you going?'

**16:6** αλλ οτι ταυτα λελαληκα υμιν η λυπη πεπληρωκεν υμων την καρδιαν

"Because I've said these *things* to you, grief has filled your heart.

## The Advocate Will Come

**16:7** αλλ εγω την αληθειαν λεγω υμιν συμφερει υμιν ινα εγω απελθω εαν γαρ μη απελθω ο παρακλητος ου μη ελθη προς υμας εαν δε πορευθω πεμψω αυτον προς υμας

"I tell you the truth. It is better for you that I go. If I don't go away, the Advocate will not come to you. Yet if I go, I will send Him to you.

**16:8** και ελθων εκεινος ελεγξει τον κοσμον περι αμαρτιας και περι δικαιοσυνης και περι κρισεως

"Coming, He will convict the world concerning sin and concerning righteousness and concerning judgment:

**16:9** περι αμαρτιας μεν οτι ου πιστευουσιν εις εμε

"concerning sin, because they don't believe in me;

**16:10** περι δικαιοσυνης δε οτι προς τον πατερα υπαγω και ουκετι θεωρειτε με

"concerning righteousness, because I go to the Father, and you no longer see me;

**16:11** περι δε κρισεως οτι ο αρχων του κοσμου τουτου κεκριται

"yet concerning judgment, because the ruler of this world has been judged.

## Still Much to Say

**16:12** ετι πολλα εχω υμιν λεγειν αλλ ου δυνασθε βασταζειν αρτι

"I still have much to say to you, but you can't bear *it* now.

**16:13** οταν δε ελθη εκεινος το πνευμα της αληθειας οδηγησει υμας εις την αληθειαν πασαν ου γαρ λαλησει αφ εαυτου αλλ οσα ακουει λαλησει και τα ερχομενα αναγγελει υμιν

"When that Spirit of truth comes, He will guide you in all truth, for He won't speak from Himself. As much as He hears, He will speak, and will tell you the coming *events*.

**16:14** εκεινος εμε δοξασει οτι εκ του εμου λημψεται και αναγγελει υμιν

"That *Spirit* will glorify me, because He will take from mine, and He will tell *it* to you.

**16:15** παντα οσα εχει ο πατηρ εμα εστιν δια τουτο ειπον οτι εκ του εμου λαμβανει και αναγγελει υμιν

"All, as much as the Father has, is mine. For this *reason* I said that He takes from mine and will tell it to you.

## Going and Coming

**16:16** μικρον και ουκετι θεωρειτε με και παλιν μικρον και οψεσθε με

"*A* little *while* and you no longer see me, and again *a* little *while*, and you will see me."

**16:17** ειπαν ουν εκ των μαθητων αυτου προς αλληλους τι εστιν τουτο ο λεγει ημιν μικρον και ου θεωρειτε με και παλιν μικρον και οψεσθε με και οτι υπαγω προς τον πατερα

*Some* of his disciples said to each other, "What is this that He says to us: '*A* little *while* and you don't see me, and again *a* little *while* and you will see me', and that, 'I go to the Father.'?"

**16:18** ελεγον ουν τι εστιν τουτο ο λεγει μικρον ουκ οιδαμεν [τι λαλει]

They began saying, "What is this '*a* little *while*' that He says? We don't know [what He is saying]."

**16:19** εγνω ιησους οτι ηθελον αυτον ερωταν και ειπεν αυτοις περι τουτου ζητειτε μετ αλληλων οτι ειπον μικρον και ου θεωρειτε με και παλιν μικρον και οψεσθε με

Jesus knew that they wanted to ask Him, and He said to them, "Do you seek among yourselves about this, that I said, '*A* little *while* and you don't see me, and again *a* little *while* and you will see me'?

## Sadness to Joy

**16:20** αμην αμην λεγω υμιν οτι κλαυσετε και θρηνησετε υμεις ο δε κοσμος χαρησεται υμεις λυπηθησεσθε αλλ η λυπη υμων εις χαραν γενησεται

"Amen, amen, I say to you that you will weep and mourn, yet the world will rejoice. You will be grieved, but your grief will be turned into joy.

**16:21** η γυνη οταν τικτη λυπην εχει οτι ηλθεν η ωρα αυτης οταν δε γεννηση το παιδιον ουκετι μνημονευει της θλιψεως δια την χαραν οτι εγεννηθη ανθρωπος εις τον κοσμον

"When the woman gives birth, she has grief because her hour has come. Yet when she births the child she no longer remembers the pressure, through the joy that *a* man has been born into the world.

**16:22** και υμεις ουν νυν μεν λυπην εχετε παλιν δε οψομαι υμας και χαρησεται υμων η καρδια και την χαραν υμων ουδεις αρει αφ υμων

"You have grief now, yet I will see you again, and your heart will be joyful, and no one takes your joy from you.

### Ask in My Name

**16:23** και εν εκεινη τη ημερα εμε ουκ ερωτησετε ουδεν αμην αμην λεγω υμιν αν τι αιτησητε τον πατερα δωσει υμιν εν τω ονοματι μου

"In that hour you will ask me nothing. Amen, amen, I say to you, whatever you ask the Father He will give you in my name.

**16:24** εως αρτι ουκ ητησατε ουδεν εν τω ονοματι μου αιτειτε και λημψεσθε ινα η χαρα υμων η πεπληρωμενη

"Until now you haven't asked anything in my name. Ask, and you will receive, that your joy may be fulfilled.

**16:25** ταυτα εν παροιμιαις λελαληκα υμιν ερχεται ωρα οτε ουκετι εν

παροιμιαις λαλησω υμιν αλλα παρρησια περι του πατρος απαγγελω υμιν

"I've spoken these to you in figures of speech. *An* hour comes when I will no longer speak in figures of speech, but I will tell you openly about the Father.

**16:26** εν εκεινη τη ημερα εν τω ονοματι μου αιτησεσθε και ου λεγω υμιν οτι εγω ερωτησω τον πατερα περι υμων

"In that day you will ask in my name. I don't say to you that I will ask the Father concerning you,

**16:27** αυτος γαρ ο πατηρ φιλει υμας οτι υμεις εμε πεφιληκατε και πεπιστευκατε οτι εγω παρα του πατρος εξηλθον

"for the Father Himself loves you, because you have loved me and have believed that I came out from the Father.

**16:28** εξηλθον εκ του πατρος και εληλυθα εις τον κοσμον παλιν αφιημι τον κοσμον και πορευομαι προς τον πατερα

"I have come out from the Father, and have come into the world. Again, I will leave the world and go to the Father."

### The Disciples Claim to Believe

**16:29** λεγουσιν οι μαθηται αυτου ιδε νυν εν παρρησια λαλεις και παροιμιαν ουδεμιαν λεγεις

His disciples say, "Look! Now You are speaking openly, and don't speak at all in *a* figure of speech.

**16:30** νυν οιδαμεν οτι οιδας παντα

και ου χρειαν εχεις ινα τις σε ερωτα
εν τουτω πιστευομεν οτι απο θεου
εξηλθες
"Now we know that You know all,
and You have no need that someone
ask You. In this we believe that You
came out from God."

**16:31** απεκριθη αυτοις ιησους αρτι
πιστευετε
Jesus answered them, "Do you
believe now?

**16:32** ιδου ερχεται ωρα και
εληλυθεν ινα σκορπισθητε εκαστος
εις τα ιδια καμε μονον αφητε και ουκ
ειμι μονος οτι ο πατηρ μετ εμου
εστιν
"Look! *An* hour comes and has
come that you will be scattered, each
to his own, and you will leave me
alone – and I am not alone, because
the Father is with me.

**16:33** ταυτα λελαληκα υμιν ινα εν
εμοι ειρηνην εχητε εν τω κοσμω
θλιψιν εχετε αλλα θαρσειτε εγω
νενικηκα τον κοσμον
"I've spoken these *words* to you that
you may have peace in me. You will
have trouble in the world, but be
courageous. I have conquered the
world."

### John 17
### What Is Eternal Life?
**17:1** ταυτα ελαλησεν ιησους και
επαρας τους οφθαλμους αυτου εις
τον ουρανον ειπεν πατερ εληλυθεν η
ωρα δοξασον σου τον υιον ινα ο υιος
δοξαση σε

Jesus said these *things* and, having
lifted up His eyes to the sky, said,
"Father, the hour has come. Glorify
Your son, that the son may glorify
You,

**17:2** καθως εδωκας αυτω εξουσιαν
πασης σαρκος ινα παν ο δεδωκας
αυτω δωσει αυτοις ζωην αιωνιον
"even as You've given him authority
over all flesh – that everyone You've
given him, he will give them eternal
life!"

**17:3** αυτη δε εστιν η αιωνιος ζωη ινα
γινωσκωσιν σε τον μονον αληθινον
θεον και ον απεστειλας ιησουν
χριστον
(This is eternal life: that they know
You, the only true God, and Jesus
Christ, whom You sent.)

### Glorify Me
**17:4** εγω σε εδοξασα επι της γης το
εργον τελειωσας ο δεδωκας μοι ινα
ποιησω
"I have glorified You on the earth,
having completed the work which
You've given me that I do.

**17:5** και νυν δοξασον με συ πατερ
παρα σεαυτω τη δοξη η ειχον προ
του τον κοσμον ειναι παρα σοι
"Now, glorify me, Father, from
Yourself, by the glory which I had
from You before the world came to
be!

**17:6** εφανερωσα σου το ονομα τοις
ανθρωποις ους εδωκας μοι εκ του
κοσμου σοι ησαν καμοι αυτους
εδωκας και τον λογον σου
τετηρηκαν

"I have made Your name known to the men whom You've given me from the world. They were Yours, and You've given them to me, and they've kept Your word.

**17:7** νυν εγνωκαν οτι παντα οσα εδωκας μοι παρα σου εισιν

"Now they've known that all, as much as You've given me, are from You,

**17:8** οτι τα ρηματα α εδωκας μοι δεδωκα αυτοις και αυτοι ελαβον και εγνωσαν αληθως οτι παρα σου εξηλθον και επιστευσαν οτι συ με απεστειλας

"because the words which You've given me, I've given to them. They have received *them* and known truly that I came out from You, and they believed that You sent me.

### I Pray for Them

**17:9** εγω περι αυτων ερωτω ου περι του κοσμου ερωτω αλλα περι ων δεδωκας μοι οτι σοι εισιν

"I ask concerning them. I don't ask concerning the world, but concerning those whom You've given me, because they are Yours.

**17:10** και τα εμα παντα σα εστιν και τα σα εμα και δεδοξασμαι εν αυτοις

"All mine is Yours, and Yours mine, and I have been glorified in them.

### May They Be One

**17:11** και ουκετι ειμι εν τω κοσμω και αυτοι εν τω κοσμω εισιν καγω προς σε ερχομαι πατερ αγιε τηρησον αυτους εν τω ονοματι σου ω δεδωκας μοι ινα ωσιν εν καθως

ημεις

"I am no longer in the world. They are in the world, and I am coming to You. Holy Father, keep them in Your name which You've given me, that they may be one even as we.

**17:12** οτε ημην μετ αυτων εγω ετηρουν αυτους εν τω ονοματι σου ω δεδωκας μοι και εφυλαξα και ουδεις εξ αυτων απωλετο ει μη ο υιος της απωλειας ινα η γραφη πληρωθη

"When I was with them, I kept them in Your name which You've given me. I defended *them*, and no one among them perished except the son of destruction, that the scripture may be fulfilled.

**17:13** νυν δε προς σε ερχομαι και ταυτα λαλω εν τω κοσμω ινα εχωσιν την χαραν την εμην πεπληρωμενην εν εαυτοις

"Yet now, I am coming to You, and I speak these *words* in the world that they may have my grace fulfilled among them.

### I've Given Them Your Word

**17:14** εγω δεδωκα αυτοις τον λογον σου και ο κοσμος εμισησεν αυτους οτι ουκ εισιν εκ του κοσμου καθως εγω ουκ ειμι εκ του κοσμου

"I have given them Your word, and the world hated them because they aren't of the world, even as I am not of the world.

**17:15** ουκ ερωτω ινα αρης αυτους εκ του κοσμου αλλ ινα τηρησης αυτους εκ του πονηρου

"I don't ask that You take them from the world, but that You keep them from the evil *one*.

**17:16** εκ του κοσμου ουκ εισιν
καθως εγω ουκ ειμι εκ του κοσμου
"They are not of the world, even as I
am not of the world.

## Make Them Holy

**17:17** αγιασον αυτους εν τη αληθεια
ο λογος ο σος αληθεια εστιν
"Make them holy in the truth.  Your
word is truth.

**17:18** καθως εμε απεστειλας εις τον
κοσμον καγω απεστειλα αυτους εις
τον κοσμον
"Even as You sent me into the world,
I also sent them into the world.

**17:19** και υπερ αυτων [εγω] αγιαζω
εμαυτον ινα ωσιν και αυτοι
ηγιασμενοι εν αληθεια
"For their sake I will make myself
holy, that they may be holy in truth.

## Those Who Will Believe

**17:20** ου περι τουτων δε ερωτω
μονον αλλα και περι των
πιστευοντων δια του λογου αυτων
εις εμε
"I don't ask concerning these alone,
but also concerning those believing
in me through their word,

**17:21** ινα παντες εν ωσιν καθως συ
πατηρ εν εμοι καγω εν σοι ινα και
αυτοι εν ημιν ωσιν ινα ο κοσμος
πιστευη οτι συ με απεστειλας
"that all may be one, even as You,
Father, *are* in me, and I in You – that
they may be one in us, that the world
may believe that You sent me.

**17:22** καγω την δοξαν ην δεδωκας
μοι δεδωκα αυτοις ινα ωσιν εν

καθως ημεις εν
"I have given them the glory which
You've given me, that they may be
one even as we *are* one:

**17:23** εγω εν αυτοις και συ εν εμοι
ινα ωσιν τετελειωμενοι εις εν ινα
γινωσκη ο κοσμος οτι συ με
απεστειλας και ηγαπησας αυτους
καθως εμε ηγαπησας
"I in them and You in me, that they
may be completed in one, that the
world may know that You sent me,
and You've loved them even as
You've loved me.

## Let Them Be With Me

**17:24** πατηρ ο δεδωκας μοι θελω ινα
οπου ειμι εγω κακεινοι ωσιν μετ
εμου ινα θεωρωσιν την δοξαν την
εμην ην δεδωκας μοι οτι ηγαπησας
με προ καταβολης κοσμου
"Father, I will that what You've
given me, they may be with me
where I am, that they may see my
glory which You've given me – that
You've loved me before the world's
creation.

**17:25** πατηρ δικαιε και ο κοσμος σε
ουκ εγνω εγω δε σε εγνων και ουτοι
εγνωσαν οτι συ με απεστειλας
"Righteous Father, the world also
hasn't known You, yet I've known
You, and these have known that You
sent me.

**17:26** και εγνωρισα αυτοις το ονομα
σου και γνωρισω ινα η αγαπη ην
ηγαπησας με εν αυτοις η καγω εν
αυτοις
"I have made Your name known to
them, and I make *it* known so that

the love which You've loved me may be among them, and I among them."

## John 18
## To the Garden

**18:1** ταυτα ειπων ιησους εξηλθεν συν τοις μαθηταις αυτου περαν του χειμαρρου των κεδρων οπου ην κηπος εις ον εισηλθεν αυτος και οι μαθηται αυτου

Saying these *words*, Jesus went out with His disciples across the valley of Kedron[38] where *a* garden was, into which He and his disciples entered.

**18:2** ηδει δε και ιουδας ο παραδιδους αυτον τον τοπον οτι πολλακις συνηχθη ιησους εκει μετα των μαθητων αυτου

Judas the betrayer knew the place too, because Jesus gathered there often with His disciples.

**18:3** ο ουν ιουδας λαβων την σπειραν και εκ των αρχιερεων και [εκ] των φαρισαιων υπηρετας ερχεται εκει μετα φανων και λαμπαδων και οπλων

Judas, taking the cohort and keepers from the chief priests and [from] the Pharisees, comes there with torches and lamps and weapons.

### Who Are You Looking For?

**18:4** ιησους ουν ειδως παντα τα ερχομενα επ αυτον εξηλθεν και λεγει αυτοις τινα ζητειτε

Jesus, knowing all the *things* coming on him, went out. He says to them, "Who are you looking for?"

**18:5** απεκριθησαν αυτω ιησουν τον ναζωραιον λεγει αυτοις εγω ειμι ειστηκει δε και ιουδας ο παραδιδους αυτον μετ αυτων

They answered him, "Jesus of Nazareth."

He says to them, "I am."

Judas, the one betraying Him, had stood with them.

**18:6** ως ουν ειπεν αυτοις εγω ειμι απηλθον εις τα οπισω και επεσαν χαμαι

As He said to them, "I am," they fled to the back and fell to the ground.

**18:7** παλιν ουν επηρωτησεν αυτους τινα ζητειτε οι δε ειπαν ιησουν τον ναζωραιον

He questioned them again, "Who are you looking for?"

They said, "Jesus of Nazareth."

**18:8** απεκριθη ιησους ειπον υμιν οτι εγω ειμι ει ουν εμε ζητειτε αφετε τουτους υπαγειν

Jesus answered, "I told you that I am. If you're looking for me, let these go" –

**18:9** ινα πληρωθη ο λογος ον ειπεν οτι ους δεδωκας μοι ουκ απωλεσα εξ αυτων ουδενα

that the word which he spoke might be fulfilled, that, "I didn't lose any of those You've given me."

### Peter Wounds Malchus

**18:10** σιμων ουν πετρος εχων

μαχαιραν ειλκυσεν αυτην και επαισεν τον του αρχιερεως δουλον και απεκοψεν αυτου το ωταριον το δεξιον ην δε ονομα τω δουλω μαλχος

Simon Peter, having *a* sword, drew her, and struck the slave of the high priest, and cut off his right ear. The name to the slave *was* Malchus[39].

**18:11** ειπεν ουν ο ιησους τω πετρω βαλε την μαχαιραν εις την θηκην το ποτηριον ο δεδωκεν μοι ο πατηρ ου μη πιω αυτο

Jesus said to Peter, "Put the sword into the scabbard. The cup which the Father has given me, will I not drink it?"

## Jesus Seized and Bound

**18:12** η ουν σπειρα και ο χιλιαρχος και οι υπηρεται των ιουδαιων συνελαβον τον ιησουν και εδησαν αυτον

Then the cohort and the commander and the keepers of the Jews took Jesus and bound Him.

**18:13** και ηγαγον προς ανναν πρωτον ην γαρ πενθερος του καιαφα ος ην αρχιερευς του ενιαυτου εκεινου

They led Him first to Annas[40], for he was father-in-law to Caiaphas, who was high priest that year.

**18:14** ην δε καιαφας ο συμβουλευσας τοις ιουδαιοις οτι συμφερει ενα ανθρωπον αποθανειν υπερ του λαου

Caiaphas was the *one* counseling the Jews that it is better one man die for the people.

## Peter and Another Follow Jesus

**18:15** ηκολουθει δε τω ιησου σιμων πετρος και αλλος μαθητης ο δε μαθητης εκεινος ην γνωστος τω αρχιερει και συνεισηλθεν τω ιησου εις την αυλην του αρχιερεως

Simon Peter and another disciple followed Jesus. That disciple was known to the high priest, and they went in with Jesus to the courtyard of the high priest.

**18:16** ο δε πετρος ειστηκει προς τη θυρα εξω εξηλθεν ουν ο μαθητης ο αλλος ο γνωστος του αρχιερεως και ειπεν τη θυρωρω και εισηγαγεν τον πετρον

Peter had stood near the door outside. The other disciple, the *one* known to the high priest, went out and spoke to the doorkeeper, and he led Peter inside.

**18:17** λεγει ουν τω πετρω η παιδισκη η θυρωρος μη και συ εκ των μαθητων ει του ανθρωπου τουτου λεγει εκεινος ουκ ειμι

The slave-girl of the doorkeeper says to Peter, "Aren't you one of that man's disciples too?"

He says, "I am not."

**18:18** ειστηκεισαν δε οι δουλοι και οι υπηρεται ανθρακιαν πεποιηκοτες οτι ψυχος ην και εθερμαινοντο ην δε και ο πετρος μετ αυτων εστως και θερμαινομενος

The slaves and the keepers had stood making *a* charcoal fire, for it was cold and they were warming themselves. Peter was standing with them and warming himself.

### Jesus Questioned
### by the High Priest
**18:19** ο ουν αρχιερευς ηρωτησεν τον ιησουν περι των μαθητων αυτου και περι της διδαχης αυτου
Then the high priest asked Jesus about His disciples and about His teaching.

**18:20** απεκριθη αυτω ιησους εγω παρρησια λελαληκα τω κοσμω εγω παντοτε εδιδαξα εν συναγωγη και εν τω ιερω οπου παντες οι ιουδαιοι συνερχονται και εν κρυπτω ελαλησα ουδεν
Jesus answered him, "I've spoken all openly to the world, teaching in synagogue and in the temple where all the Jews gather together. I've said nothing in secret.

**18:21** τι με ερωτας ερωτησον τους ακηκοοτας τι ελαλησα αυτοις ιδε ουτοι οιδασιν α ειπον εγω
"Why ask me? Question those having heard what I said to them. Look! These know what I said."

**18:22** ταυτα δε αυτου ειποντος εις παρεστηκως των υπηρετων εδωκεν ραπισμα τω ιησου ειπων ουτως αποκρινη τω αρχιερει
*While* he *was* speaking these *words,* one of the keepers standing by slapped Jesus, saying, "Do you answer the high priest this way?"

**18:23** απεκριθη αυτω ιησους ει κακως ελαλησα μαρτυρησον περι του κακου ει δε καλως τι με δερεις
Jesus answered him, "If I've spoken harmfully, testify about the harm. Yet if well, why do you hit me?"

**18:24** απεστειλεν ουν αυτον ο αννας δεδεμενον προς καιαφαν τον αρχιερεα
Then Annas sent him bound to Caiaphas the high priest.

### Peter Again Questioned
**18:25** ην δε σιμων πετρος εστως και θερμαινομενος ειπον ουν αυτω μη και συ εκ των μαθητων αυτου ει ηρνησατο εκεινος και ειπεν ουκ ειμι
Simon Peter was standing and warming himself. They said to him, "Aren't you one of his disciples too?"

He denied and said, "I am not."

**18:26** λεγει εις εκ των δουλων του αρχιερεως συγγενης ων ου απεκοψεν πετρος το ωτιον ουκ εγω σε ειδον εν τω κηπω μετ αυτου
One of the slaves of the high priest, *a* relative of him whose ear Peter cut off, says, "Didn't I see you in the garden with him?"

**18:27** παλιν ουν ηρνησατο πετρος και ευθεως αλεκτωρ εφωνησεν
Peter denied again, and at once the rooster crowed.

### Jesus Sent to Pilate
**18:28** αγουσιν ουν τον ιησουν απο του καιαφα εις το πραιτωριον ην δε πρωι και αυτοι ουκ εισηλθον εις το

πραιτωριον ινα μη μιανθωσιν αλλα
φαγωσιν το πασχα

Then they lead Jesus from Caiaphas
to the palace. It was early morning,
and they didn't go into the palace
that they not be defiled, but could eat
the Passover.

**18:29** εξηλθεν ουν ο πιλατος εξω
προς αυτους και φησιν τινα
κατηγοριαν φερετε του ανθρωπου
τουτου

Pilate went outside to them, and says
to them, "What accusation do you
bring against this man?"

**18:30** απεκριθησαν και ειπαν αυτω
ει μη ην ουτος κακον ποιων ουκ αν
σοι παρεδωκαμεν αυτον

They answered and said to him, "If
this man wasn't *a* harm-doer, we
wouldn't have handed him over to
you."

**18:31** ειπεν ουν αυτοις πιλατος
λαβετε αυτον υμεις και κατα τον
νομον υμων κρινατε αυτον ειπον
αυτω οι ιουδαιοι ημιν ουκ εξεστιν
αποκτειναι ουδενα

Pilate said to them, "You take him
and judge him according to your
law."

The Jews said to him, "It isn't lawful
for us to kill anyone" –
**18:32** ινα ο λογος του ιησου
πληρωθη ον ειπεν σημαινων ποιω
θανατω ημελλεν αποθνησκειν

that the word of Jesus might be
fulfilled which he spoke, signifying
by what death he was about to die.

## Are You the Jews' King?

**18:33** εισηλθεν ουν παλιν εις το
πραιτωριον ο πιλατος και εφωνησεν
τον ιησουν και ειπεν αυτω συ ει ο
βασιλευς των ιουδαιων

Pilate again went into the palace, and
called Jesus. He said to Him, "Are
You the king of the Jews?"

**18:34** απεκριθη ιησους απο σεαυτου
συ τουτο λεγεις η αλλοι ειπον σοι
περι εμου

Jesus answered, "Do you say this of
yourself, or did others speak to you
about me?"

**18:35** απεκριθη ο πιλατος μητι εγω
ιουδαιος ειμι το εθνος το σον και οι
αρχιερεις παρεδωκαν σε εμοι τι
εποιησας

Pilate answered, "I'm not *a* Jew, am
I? Your nation and the chief priests
have handed You over to me. What
have You done?"

**18:36** απεκριθη ιησους η βασιλεια η
εμη ουκ εστιν εκ του κοσμου τουτου
ει εκ του κοσμου τουτου ην η
βασιλεια η εμη οι υπηρεται οι εμοι
ηγωνιζοντο αν ινα μη παραδοθω τοις
ιουδαιοις νυν δε η βασιλεια η εμη
ουκ εστιν εντευθεν

Jesus answered, "My kingdom is not
of this world. If my kingdom was of
this world, my keepers would have
fought that I not be handed over to
the Jews. Yet now my kingdom is
not from here."

**18:37** ειπεν ουν αυτω ο πιλατος

ουκουν βασιλευς ει συ απεκριθη [ο] ιησους συ λεγεις οτι βασιλευς ειμι εγω εις τουτο γεγεννημαι και εις τουτο εληλυθα εις τον κοσμον ινα μαρτυρησω τη αληθεια πας ο ων εκ της αληθειας ακουει μου της φωνης Pilate said to him, "Are You a king, then?"

Jesus answered, "You say that I am *a* king. I was born to this, and I came into the world to this: that I testify to the truth. Everyone being of the truth listens to my voice."

**18:38** λεγει αυτω ο πιλατος τι εστιν αληθεια και τουτο ειπων παλιν εξηλθεν προς τους ιουδαιους και λεγει αυτοις εγω ουδεμιαν ευρισκω εν αυτω αιτιαν
Pilate says to him, "What is truth?"

Saying this, he went out to the Jews again, and he says to them, "I find no cause against Him.
**18:39** εστιν δε συνηθεια υμιν ινα ενα απολυσω υμιν [εν] τω πασχα βουλεσθε ουν απολυσω υμιν τον βασιλεα των ιουδαιων
"Yet it is *a* custom to you that I release one to you at the Passover. Do you want, then, that I release to you the king of the Jews?"
**18:40** εκραυγασαν ουν παλιν λεγοντες μη τουτον αλλα τον βαραββαν ην δε ο βαραββας ληστης

They shouted, saying, "Not this *man*, but Barabbas!"

Barabbas was *a* bandit.

## John 19
## Jesus Tortured by the Romans
**19:1** τοτε ουν ελαβεν ο πιλατος τον ιησουν και εμαστιγωσεν
Therefore, Pilate then took Jesus and beat *Him*.
**19:2** και οι στρατιωται πλεξαντες στεφανον εξ ακανθων επεθηκαν αυτου τη κεφαλη και ιματιον πορφυρουν περιεβαλον αυτον
The soldiers, weaving *a* crown from thorns, put it on His head and dressed Him in *a* purple robe.
**19:3** και ηρχοντο προς αυτον και ελεγον χαιρε ο βασιλευς των ιουδαιων και εδιδοσαν αυτω ραπισματα
They were coming near Him and saying, "Hail, king of the Jews!" – and they began slapping him.
**19:4** και εξηλθεν παλιν εξω ο πιλατος και λεγει αυτοις ιδε αγω υμιν αυτον εξω ινα γνωτε οτι ουδεμιαν αιτιαν ευρισκω εν αυτω
Pilate again went out, and he says to them, "Look! I lead Him out to you that you may know that I find no cause at all against him."

## Look! The Man!
**19:5** εξηλθεν ουν [ο] ιησους εξω φορων τον ακανθινον στεφανον και το πορφυρουν ιματιον και λεγει αυτοις ιδου ο ανθρωπος
Then Jesus went outside, wearing the crown of thorns and the purple robe. *Pilate* says to them, "Look! The

man."

**19:6** οτε ουν ειδον αυτον οι
αρχιερεις και οι υπηρεται
εκραυγασαν λεγοντες σταυρωσον
σταυρωσον λεγει αυτοις ο πιλατος
λαβετε αυτον υμεις και σταυρωσατε
εγω γαρ ουχ ευρισκω εν αυτω αιτιαν
When the chief priests and the
keepers saw Him, they shouted,
saying, "Crucify! Crucify!"

Pilate says to them, "You take Him
and crucify, for I find no cause
against Him."

**19:7** απεκριθησαν αυτω οι ιουδαιοι
ημεις νομον εχομεν και κατα τον
νομον οφειλει αποθανειν οτι υιον
θεου εαυτον εποιησεν
The Jews answered him, "We have *a*
law, and according to the law He
ought to die because He made
Himself son of God."

### Pilate Again Questions Jesus
**19:8** οτε ουν ηκουσεν ο πιλατος
τουτον τον λογον μαλλον εφοβηθη
When Pilate heard this word, then,
he was more afraid.

**19:9** και εισηλθεν εις το πραιτωριον
παλιν και λεγει τω ιησου ποθεν ει συ
ο δε ιησους αποκρισιν ουκ εδωκεν
αυτω
He went into the palace again, and he
says to Jesus, "Where are You
from?"

Yet Jesus did not give him *an*
answer.

**19:10** λεγει ουν αυτω ο πιλατος εμοι
ου λαλεις ουκ οιδας οτι εξουσιαν
εχω απολυσαι σε και εξουσιαν εχω
σταυρωσαι σε
Pilate says to him, then, "Do You not
speak to me?  Don't You know that
I have authority to free You, and I
have authority to crucify You?"

**19:11** απεκριθη αυτω ιησους ουκ
ειχες εξουσιαν κατ εμου ουδεμιαν ει
μη ην δεδομενον σοι ανωθεν δια
τουτο ο παραδους με σοι μειζονα
αμαρτιαν εχει
Jesus answered him, "You would
have no authority at all over me
except it was given you from above.
For this *reason*, the *one* having
handed me over to you has *a* greater
sin."

### Jesus Judged, Condemned
**19:12** εκ τουτου ο πιλατος εζητει
απολυσαι αυτον οι δε ιουδαιοι
εκραυγασαν λεγοντες εαν τουτον
απολυσης ουκ ει φιλος του καισαρος
πας ο βασιλεα εαυτον ποιων
αντιλεγει τω καισαρι
From this *moment*, Pilate began
seeking to free Him.  Yet the Jews
shouted, saying, "If you free this
*man*, you aren't *a* friend of Caesar[41].
Everyone making himself *a* king
speaks against Caesar."

**19:13** ο ουν πιλατος ακουσας των
λογων τουτων ηγαγεν εξω τον
ιησουν και εκαθισεν επι βηματος εις
τοπον λεγομενον λιθοστρωτον
εβραιστι δε γαββαθα

Then Pilate, having heard these words, led Jesus outside, and sat on the judgment seat in the place called *the* stone pavement[42], in Hebrew Gabbatha.

**19:14** ην δε παρασκευη του πασχα ωρα ην ως εκτη και λεγει τοις ιουδαιοις ιδε ο βασιλευς υμων
It was preparation day of the Passover. The hour was like the sixth, and he says to the Jews, "Look! Your king!"

**19:15** εκραυγασαν ουν εκεινοι αρον αρον σταυρωσον αυτον λεγει αυτοις ο πιλατος τον βασιλεα υμων σταυρωσω απεκριθησαν οι αρχιερεις ουκ εχομεν βασιλεα ει μη καισαρα
They shouted, "Take, take *and* crucify Him!"

Pilate says to them, "Shall I crucify your king?"

The chief priests answered, "We have no king except Caesar."

**Jesus Crucified**
**19:16** τοτε ουν παρεδωκεν αυτον αυτοις ινα σταυρωθη παρελαβον ουν τον ιησουν
Then he handed Him over to them that He be crucified. They took Jesus, then.
**19:17** και βασταζων εαυτω τον σταυρον εξηλθεν εις τον λεγομενον κρανιου τοπον ο λεγεται εβραιστι γολγοθα
Carrying the cross Himself, He went out to the so-called 'place of the skull[43]', which is called in Hebrew Golgotha,

**19:18** οπου αυτον εσταυρωσαν και μετ αυτου αλλους δυο εντευθεν και εντευθεν μεσον δε τον ιησουν
where they crucified him with two others on this side and that, yet Jesus in the middle.

**The Title on the Cross**
**19:19** εγραψεν δε και τιτλον ο πιλατος και εθηκεν επι του σταυρου ην δε γεγραμμενον ιησους ο ναζωραιος ο βασιλευς των ιουδαιων
Pilate also wrote *a* title, and placed it on the cross. It was written, "Jesus the Nazarene, the king of the Jews."

**19:20** τουτον ουν τον τιτλον πολλοι ανεγνωσαν των ιουδαιων οτι εγγυς ην ο τοπος της πολεως οπου εσταυρωθη ο ιησους και ην γεγραμμενον εβραιστι ρωμαιστι ελληνιστι
Many of the Jews read this title, because the place where Jesus was crucified was near the city, and it was written in Hebrew, Roman, and Greek.
**19:21** ελεγον ουν τω πιλατω οι αρχιερεις των ιουδαιων μη γραφε ο βασιλευς των ιουδαιων αλλ οτι εκεινος ειπεν βασιλευς των ιουδαιων ειμι
The chief priests of the Jews said to Pilate, "Don't write, 'The king of the Jews', but that, 'That *man* said, I am the king of the Jews'."

**19:22** απεκριθη ο πιλατος ο γεγραφα

γεγραφα

Pilate answered, "What I've written, I've written."

**19:23** οι ουν στρατιωται οτε εσταυρωσαν τον ιησουν ελαβον τα ιματια αυτου και εποιησαν τεσσαρα μερη εκαστω στρατιωτη μερος και τον χιτωνα ην δε ο χιτων αραφος εκ των ανωθεν υφαντος δι ολου

The soldiers, when they had crucified Jesus, took His garments and His tunic, and made four portions, *a* portion to each soldier. The tunic was seamless, woven in one piece from above through *the* whole.

**19:24** ειπαν ουν προς αλληλους μη σχισωμεν αυτον αλλα λαχωμεν περι αυτου τινος εσται ινα η γραφη πληρωθη διεμερισαντο τα ιματια μου εαυτοις και επι τον ιματισμον μου εβαλον κληρον οι μεν ουν στρατιωται ταυτα εποιησαν

They said to each other, "Let's don't tear it, but let's cast lots about it, whose it will be" –

that the scripture might be fulfilled,

"They divided my garments
among themselves,
and cast lots over my clothing".[44]

The soldiers did these *things*.

### Jesus Provides for His Mother

**19:25** ειστηκεισαν δε παρα τω σταυρω του ιησου η μητηρ αυτου και η αδελφη της μητρος αυτου μαρια η του κλωπα και μαρια η μαγδαληνη

His mother, and His mother's sister, Mary the *wife* of Klopas, and Mary the Magdalene stood near the cross of Jesus.

**19:26** ιησους ουν ιδων την μητερα και τον μαθητην παρεστωτα ον ηγαπα λεγει τη μητρι γυναι ιδε ο υιος σου

Jesus, seeing the mother and the disciple whom he loved standing near, says to the mother, "Woman, look! Your son."

**19:27** ειτα λεγει τω μαθητη ιδε η μητηρ σου και απ εκεινης της ωρας ελαβεν ο μαθητης αυτην εις τα ιδια

Then He says to the disciple, "Look! Your mother."

From that hour, the disciple took her into his own.

### The Death of Jesus

**19:28** μετα τουτο ειδως ο ιησους οτι ηδη παντα τετελεσται ινα τελειωθη η γραφη λεγει διψω

After this, Jesus, seeing that all already was completed, that the scripture be completed, says, "I thirst."[45]

**19:29** σκευος εκειτο οξους μεστον σπογγον ουν μεστον του οξους υσσωπω περιθεντες προσηνεγκαν αυτου τω στοματι

*A* jar full of sour wine was at hand. Filling *a* sponge with sour wine, placing it on hyssop, they offered *it*

to Him by mouth.

**19:30** οτε ουν ελαβεν το οξος [ο] ιησους ειπεν τετελεσται και κλινας την κεφαλην παρεδωκεν το πνευμα
When Jesus took the sour wine, He said, "It is finished."

Bowing the head, He gave up the breath.

### The Coup de Grace

**19:31** οι ουν ιουδαιοι επει παρασκευη ην ινα μη μεινη επι του σταυρου τα σωματα εν τω σαββατω ην γαρ μεγαλη η ημερα εκεινου του σαββατου ηρωτησαν τον πιλατον ινα κατεαγωσιν αυτων τα σκελη και αρθωσιν
Then the Jews, since it was preparation day, that the bodies not remain on the cross on the Sabbath – for that day of the Sabbath was great – asked Pilate that they break their legs and take *them* down.

**19:32** ηλθον ουν οι στρατιωται και του μεν πρωτου κατεαξαν τα σκελη και του αλλου του συσταυρωθεντος αυτω
The soldiers came and broke the legs of the first and of the other of those crucified together with Him.

**19:33** επι δε τον ιησουν ελθοντες ως ειδον ηδη αυτον τεθνηκοτα ου κατεαξαν αυτου τα σκελη
Coming to Jesus, as they saw Him already dead, they didn't break his legs.

**19:34** αλλ εις των στρατιωτων λογχη αυτου την πλευραν ενυξεν και εξηλθεν ευθυς αιμα και υδωρ

One of the soldiers pierced His side with *a* spear, and at once blood and water came out.

**19:35** και ο εωρακως μεμαρτυρηκεν και αληθινη αυτου εστιν η μαρτυρια και εκεινος οιδεν οτι αληθη λεγει ινα και υμεις πιστευητε
The *one* who has seen has testified, and his testimony is true. That *man* knows that he speaks truth, and you may believe.

**19:36** εγενετο γαρ ταυτα ινα η γραφη πληρωθη οστουν ου συντριβησεται αυτου
These happened that the scripture might be fulfilled:

> "Not one bone of his
> will be broken."[46]

**19:37** και παλιν ετερα γραφη λεγει οψονται εις ον εξεκεντησαν

Again, another scripture says,

> "They will see into
> *the one* whom they pierced."[47]

### Jesus Buried

**19:38** μετα δε ταυτα ηρωτησεν τον πιλατον ιωσηφ απο αριμαθαιας ων μαθητης [του] ιησου κεκρυμμενος δε δια τον φοβον των ιουδαιων ινα αρη το σωμα του ιησου και επετρεψεν ο πιλατος ηλθεν ουν και ηρεν το σωμα αυτου
After these *things*, Joseph of Arimathea, being Jesus' disciple – yet secretly for the fear of the Jews – asked Pilate that he might take the

body of Jesus, and Pilate allowed *it*. He came, then, and took away His body.

**19:39** ηλθεν δε και νικοδημος ο ελθων προς αυτον νυκτος το πρωτον φερων ελιγμα σμυρνης και αλοης ως λιτρας εκατον

Nicodemus, the *man* coming to Him at first by night, came also, carrying *a* mixture of myrrh and aloes, like *a* hundred pounds.

**19:40** ελαβον ουν το σωμα του ιησου και εδησαν αυτο οθονιοις μετα των αρωματων καθως εθος εστιν τοις ιουδαιοις ενταφιαζειν

They took the body of Jesus, and wrapped it in fine linen with the spices, just as the custom of the Jews is to bury.

**19:41** ην δε εν τω τοπω οπου εσταυρωθη κηπος και εν τω κηπω μνημειον καινον εν ω ουδεπω ουδεις ην τεθειμενος

*A* garden was in the place where He was crucified, and in the garden *a* new tomb, in which no one yet was buried.

**19:42** εκει ουν δια την παρασκευην των ιουδαιων οτι εγγυς ην το μνημειον εθηκαν τον ιησουν

They placed Jesus there because of the preparation day of the Jews, because the tomb was near.

## John 20
## Mary Magdalene
## Goes to the Tomb

**20:1** τη δε μια των σαββατων μαρια η μαγδαληνη ερχεται πρωι σκοτιας ετι ουσης εις το μνημειον και βλεπει τον λιθον ηρμενον εκ του μνημειου

The first of the Sabbaths, Mary the Magdalene comes to the tomb early, *it* yet being dark, and sees the stone taken away from the tomb.

**20:2** τρεχει ουν και ερχεται προς σιμωνα πετρον και προς τον αλλον μαθητην ον εφιλει ο ιησους και λεγει αυτοις ηραν τον κυριον εκ του μνημειου και ουκ οιδαμεν που εθηκαν αυτον

She runs, then, and comes to Simon Peter and to the other disciple whom Jesus loved. She says to them, "They've taken the Lord from the tomb, and we don't know where they put Him."

## Peter and John Go to the Tomb

**20:3** εξηλθεν ουν ο πετρος και ο αλλος μαθητης και ηρχοντο εις το μνημειον

Peter went out, and the other disciple, and they went to the tomb.

**20:4** ετρεχον δε οι δυο ομου και ο αλλος μαθητης προεδραμεν ταχιον του πετρου και ηλθεν πρωτος εις το μνημειον

The two began running together. The other disciple ran faster than Peter, and came to the tomb first.

**20:5** και παρακυψας βλεπει κειμενα τα οθονια ου μεντοι εισηλθεν

Having bent down, he sees the linen cloths laid aside, yet he didn't go in.

**20:6** ερχεται ουν και σιμων πετρος ακολουθων αυτω και εισηλθεν εις το μνημειον και θεωρει τα οθονια κειμενα

Simon Peter comes following him, and went into the tomb. He sees the linen cloths laid aside,

**20:7** και το σουδαριον ο ην επι της κεφαλης αυτου ου μετα των οθονιων κειμενον αλλα χωρις εντετυλιγμενον εις ενα τοπον

and the face cloth which was on his head not laid aside with the linen cloths, but wrapped up apart in one place.

**20:8** τοτε ουν εισηλθεν και ο αλλος μαθητης ο ελθων πρωτος εις το μνημειον και ειδεν και επιστευσεν

Then the other disciple, the *one* coming first to the tomb, went in also, and saw, and believed –

**20:9** ουδεπω γαρ ηδεισαν την γραφην οτι δει αυτον εκ νεκρων αναστηναι

for they hadn't yet known the scripture that it is necessary for Him to rise from the dead.

**20:10** απηλθον ουν παλιν προς αυτους οι μαθηται

Then they went back again to the disciples.

### Mary Sees the Lord

**20:11** μαρια δε ειστηκει προς τω μνημειω εξω κλαιουσα ως ουν εκλαιεν παρεκυψεν εις το μνημειον

Yet Mary had stood by outside near the tomb, weeping. As she wept, she bent down into the tomb.

**20:12** και θεωρει δυο αγγελους εν λευκοις καθεζομενους ενα προς τη κεφαλη και ενα προς τοις ποσιν οπου εκειτο το σωμα του ιησου

She sees two angels in white seated, one near the head and one near the feet where they placed the body of Jesus.

**20:13** και λεγουσιν αυτη εκεινοι γυναι τι κλαιεις λεγει αυτοις οτι ηραν τον κυριον μου και ουκ οιδα που εθηκαν αυτον

They say to her, "Woman, why are you weeping?"

She says to them, "Because they took my Lord away, and I don't know where they put Him."

**20:14** ταυτα ειπουσα εστραφη εις τα οπισω και θεωρει τον ιησουν εστωτα και ουκ ηδει οτι ιησους εστιν

Having said these *things*, she turned to the back. She sees Jesus standing, and she didn't know that *it* is Jesus.

**20:15** λεγει αυτη ιησους γυναι τι κλαιεις τινα ζητεις εκεινη δοκουσα οτι ο κηπουρος εστιν λεγει αυτω κυριε ει συ εβαστασας αυτον ειπε μοι που εθηκας αυτον καγω αυτον αρω

Jesus says to her, "Woman, why are you weeping? Who are you looking for?"

She, having thought that He is the gardener, says to Him, "Sir, if you took Him, tell me where you put Him, and I will take Him away."

**20:16** λεγει αυτη ιησους μαριαμ στραφεισα εκεινη λεγει αυτω εβραιστι ραββουνι ο λεγεται διδασκαλε

Jesus says to her, "Mary."

Having turned, she says to Him in Hebrew, "Rabboni" – which means, teacher.

**20:17** λεγει αυτη ιησους μη μου απτου ουπω γαρ αναβεβηκα προς τον πατερα πορευου δε προς τους αδελφους μου και ειπε αυτοις αναβαινω προς τον πατερα μου και πατερα υμων και θεον μου και θεον υμων

Jesus says to her, "Don't touch me, for I've not yet gone up to the Father. Yet go to my brothers, and say to them, 'I go up to my Father and your Father, and my God and your God."

**20:18** ερχεται μαριαμ η μαγδαληνη αγγελλουσα τοις μαθηταις οτι εωρακα τον κυριον και ταυτα ειπεν αυτη

Mary the Magdalene goes, telling the disciples that, "I have seen the Lord," and He spoke these *words* to her.

### Jesus Appears to the Disciples

**20:19** ουσης ουν οψιας τη ημερα εκεινη τη μια σαββατων και των θυρων κεκλεισμενων οπου ησαν οι μαθηται δια τον φοβον των ιουδαιων ηλθεν ο ιησους και εστη εις το μεσον και λεγει αυτοις ειρηνη υμιν

Being evening, then, that first day of the Sabbaths, and the doors closed where the disciples were for the fear of the Jews, Jesus came and stood in the midst. He says to them, "Peace to you."

**20:20** και τουτο ειπων εδειξεν και τας χειρας και την πλευραν αυτοις εχαρησαν ουν οι μαθηται ιδοντες τον κυριον

Saying this, He showed them also the hands and the side. The disciples rejoiced, then, seeing the Lord.

**20:21** ειπεν ουν αυτοις [ο ιησους] παλιν ειρηνη υμιν καθως απεσταλκεν με ο πατηρ καγω πεμπω υμας

Then [Jesus] said to them again, "Peace to you. Even as the Father sent me, I also send you."

**20:22** και τουτο ειπων ενεφυσησεν και λεγει αυτοις λαβετε πνευμα αγιον

Saying this, He breathed on them and says, "Receive Holy Spirit.

**20:23** αν τινων αφητε τας αμαρτιας αφεωνται αυτοις αν τινων κρατητε κεκρατηνται

"If you forgive the sins of anyone, they are forgiven them. If you retain *those* of anyone, they are retained."

### Thomas Doubts, Sees

**20:24** θωμας δε εις εκ των δωδεκα ο λεγομενος διδυμος ουκ ην μετ αυτων οτε ηλθεν ιησους

Yet Thomas, one of the twelve, the *one* called Twin, was not with them when Jesus came.

**20:25** ελεγον ουν αυτω οι αλλοι μαθηται εωρακαμεν τον κυριον ο δε ειπεν αυτοις εαν μη ιδω εν ταις χερσιν αυτου τον τυπον των ηλων και βαλω τον δακτυλον μου εις τον τυπον των ηλων και βαλω μου την χειρα εις την πλευραν αυτου ου μη

πιστευσω
The other disciples began saying to him,"We have seen the Lord."

He said to them, "If I don't see the place of the nails in His hands, and put my finger into the place of the nails, and put my hand into His side, I won't believe."

**20:26** και μεθ ημερας οκτω παλιν ησαν εσω οι μαθηται αυτου και θωμας μετ αυτων ερχεται ο ιησους των θυρων κεκλεισμενων και εστη εις το μεσον και ειπεν ειρηνη υμιν
After eight days, the disciples again were inside, and Thomas with them. Jesus comes, the doors being closed, and stood in the midst. He said, "Peace to you."

**20:27** ειτα λεγει τω θωμα φερε τον δακτυλον σου ωδε και ιδε τας χειρας μου και φερε την χειρα σου και βαλε εις την πλευραν μου και μη γινου απιστος αλλα πιστος
Then He says to Thomas, "Put your finger here and see my hands, and take your hand and put it into my side. Don't be disbelieving, but believing."

**20:28** απεκριθη θωμας και ειπεν αυτω ο κυριος μου και ο θεος μου
Thomas answered and said to Him, "My Lord and my God."

**20:29** λεγει αυτω [ο] ιησους οτι εωρακας με πεπιστευκας μακαριοι οι μη ιδοντες και πιστευσαντες
Jesus says to him, "Because you've seen me, you've believed. Blessed are the ones not seeing, and yet believing."

### Many Other Signs

**20:30** πολλα μεν ουν και αλλα σημεια εποιησεν ο ιησους ενωπιον των μαθητων α ουκ εστιν γεγραμμενα εν τω βιβλιω τουτω
Jesus did many other signs before the disciples which are not written in this book.
**20:31** ταυτα δε γεγραπται ινα πιστευητε οτι ιησους εστιν ο χριστος ο υιος του θεου και ινα πιστευοντες ζωην εχητε εν τω ονοματι αυτου
These are written that you may believe that Jesus is the Christ, the Son of God, and that, believing, you may have life in His name.

### John 21
### Jesus Makes Himself Known Again

**21:1** μετα ταυτα εφανερωσεν εαυτον παλιν ιησους τοις μαθηταις επι της θαλασσης της τιβεριαδος εφανερωσεν δε ουτως
After these *events*, Jesus revealed Himself again to the disciples at the Sea of Tiberias. He revealed himself this way.
**21:2** ησαν ομου σιμων πετρος και θωμας ο λεγομενος διδυμος και ναθαναηλ ο απο κανα της γαλιλαιας και οι του ζεβεδαιου και αλλοι εκ των μαθητων αυτου δυο
Simon Peter, and the Thomas called

Twin, and Nathanael from Cana of Galilee, and the two of Zebedee, and two others of His disciples were together.

**21:3** λεγει αυτοις σιμων πετρος υπαγω αλιευειν λεγουσιν αυτω ερχομεθα και ημεις συν σοι εξηλθον και ενεβησαν εις το πλοιον και εν εκεινη τη νυκτι επιασαν ουδεν

Simon Peter says to them, "I'm going to fish."

They say to him, "We're coming with you too."

They went out and went up into *a* boat, and in that night they caught nothing.

**21:4** πρωιας δε ηδη γινομενης εστη ιησους εις τον αιγιαλον ου μεντοι ηδεισαν οι μαθηται οτι ιησους εστιν

*When* morning *had* already come, Jesus stood on the shore. The disciples didn't know that *it* is Jesus.

**21:5** λεγει ουν αυτοις ιησους παιδια μη τι προσφαγιον εχετε απεκριθησαν αυτω ου

Jesus says to them, "Children, don't you have any fish?"

They answered Him, "No."

**21:6** ο δε ειπεν αυτοις βαλετε εις τα δεξια μερη του πλοιου το δικτυον και ευρησετε εβαλον ουν και ουκετι αυτο ελκυσαι ισχυον απο του πληθους των ιχθυων

He said to them, "Cast the net to the right side of the boat, and you'll find."

They cast, then, and could no longer close it from the multitude of fish.

**21:7** λεγει ουν ο μαθητης εκεινος ον ηγαπα ο ιησους τω πετρω ο κυριος εστιν σιμων ουν πετρος ακουσας οτι ο κυριος εστιν τον επενδυτην διεζωσατο ην γαρ γυμνος και εβαλεν εαυτον εις την θαλασσαν

Then that disciple whom Jesus loved says to Peter, "It's the Lord."

Simon Peter, having heard that it is the Lord, wrapped himself in the outer garment, for he was naked, and cast himself into the sea.

**21:8** οι δε αλλοι μαθηται τω πλοιαριω ηλθον ου γαρ ησαν μακραν απο της γης αλλα ως απο πηχων διακοσιων συροντες το δικτυον των ιχθυων

The other disciples came by boat, for they weren't far from the land, but about two hundred cubits[48] away, dragging the net of the fish.

### Breakfast by the Sea

**21:9** ως ουν απεβησαν εις την γην βλεπουσιν ανθρακιαν κειμενην και οψαριον επικειμενον και αρτον

As they got out of the boat onto the land, they see *a* charcoal fire set, and fish laid out, and bread.

**21:10** λεγει αυτοις [ο] ιησους ενεγκατε απο των οψαριων ων επιασατε νυν

Jesus says to them, "Bring from the fish which you caught now."

**21:11** ανεβη ουν σιμων πετρος και ειλκυσεν το δικτυον εις την γην μεστον ιχθυων μεγαλων εκατον πεντηκοντα τριων και τοσουτων οντων ουκ εσχισθη το δικτυον

Simon Peter went up and dragged the net to the land, full of great fish – one hundred fifty-three. *Despite* being so great, the net wasn't torn.

**21:12** λεγει αυτοις [o] ιησους δευτε αριστησατε ουδεις ετολμα των μαθητων εξετασαι αυτον συ τις ει ειδοτες οτι ο κυριος εστιν

Jesus says to them, "Come, eat breakfast."

None of the disciples dared ask Him, "Who are you", knowing that it is the Lord.

**21:13** ερχεται ιησους και λαμβανει τον αρτον και διδωσιν αυτοις και το οψαριον ομοιως

Jesus comes, and takes the bread, and gives to them, and the fish likewise.

**21:14** τουτο ηδη τριτον εφανερωθη ιησους τοις μαθηταις εγερθεις εκ νεκρων

This already *was* the third time Jesus revealed Himself to the disciples, having been raised from the dead.

### Peter Questioned, Restored

**21:15** οτε ουν ηριστησαν λεγει τω σιμωνι πετρω ο ιησους σιμων ιωαννου αγαπας με πλεον τουτων λεγει αυτω ναι κυριε συ οιδας οτι φιλω σε λεγει αυτω βοσκε τα αρνια μου

When they ate breakfast, Jesus says to Simon Peter, "Simon of John, do you love me more than these?"

He says to him, "Yes, Lord. You know that I love you."

He says to him, "Feed my lambs."

**21:16** λεγει αυτω παλιν δευτερον σιμων ιωαννου αγαπας με λεγει αυτω ναι κυριε συ οιδας οτι φιλω σε λεγει αυτω ποιμαινε τα προβατια μου

He says to him again *a* second *time*, "Simon of John, do you love me?"

He says to him, "Yes, Lord. You know that I love You."

He says to him, "Shepherd my sheep."

**21:17** λεγει αυτω το τριτον σιμων ιωαννου φιλεις με ελυπηθη ο πετρος οτι ειπεν αυτω το τριτον φιλεις με και ειπεν αυτω κυριε παντα συ οιδας συ γινωσκεις οτι φιλω σε λεγει αυτω ιησους βοσκε τα προβατια μου

He says to him the third *time*, "Simon of John, do you love me?"

Peter was grieved because He said to him the third *time*, "Do you love me." He said to Him, "Lord, you know all. You know that I love you."

Jesus says to him, "Feed my sheep.

**21:18** αμην αμην λεγω σοι οτε ης νεωτερος εζωννυες σεαυτον και περιεπατεις οπου ηθελες οταν δε γηρασης εκτενεις τας χειρας σου και αλλος ζωσει σε και οισει οπου ου

θελεις
"Amen, amen, I say to you, when you were young, you dressed yourself and went where you wanted. Yet when you grow old, you will stretch out your hands, and another will dress you, and carry you where you don't want."

**21:19** τουτο δε ειπεν σημαινων ποιω θανατω δοξασει τον θεον και τουτο ειπων λεγει αυτω ακολουθει μοι
He said this signifying by what death he would glorify God. Saying this, He says to him, "Follow me."

### Peter Asks About John
**21:20** επιστραφεις ο πετρος βλεπει τον μαθητην ον ηγαπα ο ιησους ακολουθουντα ος και ανεπεσεν εν τω δειπνω επι το στηθος αυτου και ειπεν κυριε τις εστιν ο παραδιδους σε
Peter, having turned, sees the disciple following whom Jesus loved, who also reclined at the supper on His chest, and said, "Lord, who is the one betraying you?"
**21:21** τουτον ουν ιδων ο πετρος λεγει τω ιησου κυριε ουτος δε τι
Seeing this *man*, Peter says to Jesus, "What about this *man*?"

**21:22** λεγει αυτω ο ιησους εαν αυτον θελω μενειν εως ερχομαι τι προς σε συ μοι ακολουθει
Jesus says to him, "If I want him to remain until I come, what *is that* to you? You follow me."

**21:23** εξηλθεν ουν ουτος ο λογος εις τους αδελφους οτι ο μαθητης εκεινος ουκ αποθνησκει ουκ ειπεν δε αυτω ο ιησους οτι ουκ αποθνησκει αλλ εαν αυτον θελω μενειν εως ερχομαι τι προς σε
This word went out among the brothers, then, that this disciple will not die. Yet Jesus didn't say that he will not die, but, "If I want him to remain until I come, what *is that* to you?"
**21:24** ουτος εστιν ο μαθητης ο μαρτυρων περι τουτων και ο γραψας ταυτα και οιδαμεν οτι αληθης αυτου η μαρτυρια εστιν
This is the disciple testifying about these *events*, and the *one* having written these, and we know that his testimony is true.
**21:25** εστιν δε και αλλα πολλα α εποιησεν ο ιησους ατινα εαν γραφηται καθ εν ουδ αυτον οιμαι τον κοσμον χωρησειν τα γραφομενα βιβλια
*There* is much else that Jesus did which, if each was written down in one, I suppose the world could not contain the books written.

# End Notes: John

John 1 See Isaiah 40:3.

John 2 Pharisees were a post-exilic sect of Judaism. The Pharisees descended from a group of devout Jews, first referred to as Asideans in 1 Maccabees 2:42. They initially refused to resist the Greek invaders on the Sabbath day, leading to the massacre recorded in 1 Maccabees 2:29-38. Their decision to take up arms is recorded at 1 Maccabees 2:41, and their moral purity and iron discipline proved crucial in defending Judah's survivors during the Maccabean wars. In Jesus' day, they kept a close eye on those who claimed to be teachers, judging teaching by scripture as they understood it. Though the Pharisees have become devils in the eyes of many Christians, they were actually moral exemplars in their day. Paul himself claims to be a Pharisee in Acts 23:6. The word comes from Aramaic, *perashiym*, "separated." The Pharisees themselves were the forerunners of today's Orthodox Jews.

John 3 Messiah means "anointed one." Israel designated its kings by anointing them with oil. Through such anointing, they took on the title of "Son of God." Calling Jesus "Messiah" recognizes that He is Israel's rightful, anointed King, and the Son of God.

John 4 Jesus is making a play on words. "Peter" derives from a word meaning "rock".

John 5 The copper was their coinage. Lacking a standard coinage, the money's value was determined by its weight.

John 6 Psalm 69:9.

John 7 Nicodemus in Greek means "conqueror."

John 8 See Numbers 21:7-9.

John 9 Samaria, in Greek, means "guardianship." It became capital of Israel after the separation of Judah. Samaria is first mentioned in scripture at 1 Kings 13:32.

John 10 You is plural, here, as in "you the Jews."

John 11 Again, the you here is plural.

John 12 The Greek word means, "pertaining to sheep." AV renders the verse this way: *Now there is at Jerusalem by the sheep market a pool, which is called in the Hebrew tongue Bethesda, having five porches.*

John 13 AV adds *For an angel went down at a certain season into the pool, and troubled the water: whosoever then first after the troubling of the water stepped in was made whole of whatsoever disease he had.*

John 14 A denarius was a coin worth a day's wage, enough to buy food to feed four people for one day.

John 15 A stade is a Greek measurement of length, roughly 607 feet. Twenty-five to thirty stadia is between three and three and a half miles.

John 16 See Psalm 105:40.

John 17 See Isaiah 54:13.

John 18 AV: John 7:12-16  *[12] And there was much murmuring among the people concerning him: for some said, He is a good man: others said, Nay; but he deceiveth the people. [13] Howbeit no man spake openly of him for fear of the Jews. [14] Now about the midst of the feast Jesus went up into the temple, and taught. [15] And the Jews marvelled, saying, How knoweth this man letters, having never learned? [16] Jesus answered them, and said, My doctrine is not mine, but his that sent me.*

John 19 The Latin word *numquid* implies a question, the answer to which is assumed to be false. The sense is: 'They don't really think He's Christ, do they?'

John 20 By the time of Christ, a substantial number of Jews lived outside the ancient territory of Israel. Called the *diaspora*, these Jewish communities spread God's word among the world's peoples. Their Bible, *The Septuagint*, became the scriptures of the early Christians as well.

John 21 Compare to AV: [36] *"What manner of saying is this that he said, Ye shall seek me, and shall not find me: and where I am, thither ye cannot come?"* The underlying Greek is *tis*, who, rather than *ti*, what.

John 22 Source of the exact quote is unknown.

John 23 See Leviticus 20:10; Deuteronomy 22:21-24.

John 23b See Deuteronomy 17:6, 19:15.

John 24 Compare to AV: Then said they unto him, Who art thou? And Jesus saith unto them, Even *the same* that I said unto you from the beginning.

John 25 See also Luke 13:4.

John 26 Psalm 82:6.

John 27 Lazarus means "whom God helps."

John 28 This story is told at Matthew 26:6-7; Mark 14:3; and Luke 7:37-38.

John 29 The distance was roughly two miles.

John 30 Caiaphas, in Hebrew, means "lovely."

John 31 AV: "Ephraim." This city took its name from the most prominent of ancient Israel's northern tribes.

John 32 Compare to Psalm 118:26.

John 33 Zechariah 9:9.

John 34 Isaiah 53:1.

John 35 Compare to Isaiah 6:10.

John 36 Psalm 41:9.

John 37 Compare to Psalm 35:19, 69:4.

John 38 AV: "Cidron" (here only; elsewhere "Kidron"). This brook runs by the old city of Jerusalem.

John 39 Malchus, in Greek, means "king" or "kingdom."

John 40 Annas, in Greek, means "humble."

John 41 Caesar was the title of Rome's emperor.

John 42 AV: "Pavement." This was a tiled pavement outside the governor's headquarters.

John 43 AV: "*the place* of a skull." The underlying Greek word means "skull," which the Latin translator renders as a place-name, Calvary.

John 44 Psalm 22:18.

John 45 See Psalm 69:21.

John 46 Scripture specifies in Exodus 12:46 that the bones of the Passover lamb not be broken. See Psalm 34:20.

John 47 Zechariah 12:10.

John 48 A cubit is roughly 18 inches.

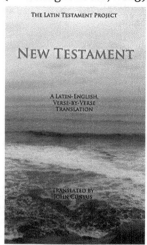
Gospels, 436

# 1 AND 2 CORINTHIANS:
## A Greek-English, Verse by Verse Translation
### (Searchlight Press, 2013)

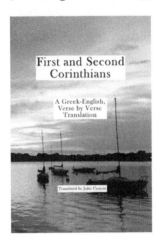

**Searchlight Press**
*Who are you looking for?*
Publishers of thoughtful Christian books since 1994.
PO Box 554
Henderson, TX 75652-0554
214.662.5494
www.Searchlight-Press.com
www.JohnCunyus.com

Printed in the USA
CPSIA information can be obtained
at www.ICGtesting.com
JSHW010935011024
70537JS00018B/3